CB028311

A ORIGEM *das* ESPÉCIES

O livro é a porta que se abre para a realização do homem.

Jair Lot Vieira

CHARLES DARWIN

Sobre

A ORIGEM *das* ESPÉCIES

por meio da seleção natural
ou A preservação de raças favorecidas
na luta pela vida

Tradução
DANIEL MOREIRA MIRANDA

Prefácio, revisão técnica e notas
NELIO BIZZO
Professor titular da Universidade de São Paulo,
fellow da Royal Society of Biology de Londres,
realizou sua pesquisa de doutorado com os originais manuscritos
de *On the Origin of Species* e com a biblioteca pessoal de Charles Darwin,
mantidos na University of Cambridge, na Inglaterra.

Título original: *On the Origin of Species by Means of Natural Selection, or the Preservation of Favoured Races in the Struggle for Life*. Publicado originalmente em Londres (Inglaterra) em 1859, por John Murray. Traduzido a partir da 1ª edição.

Grafia conforme o novo Acordo Ortográfico da Língua Portuguesa.

1ª edição, 3ª reimpressão 2025.

Editores: Jair Lot Vieira e Maíra Lot Vieira Micales
Coordenação editorial: Fernanda Godoy Tarcinalli
Tradução: Daniel Moreira Miranda
Produção editorial: Carla Bitelli
Edição de texto: Marta Almeida de Sá
Assistente editorial: Thiago Santos
Preparação: Danilo Di Giorgi
Revisão técnica: Nelio Bizzo
Revisão: Thiago de Christo e Marta Almeida de Sá
Editoração eletrônica: Estúdio Design do Livro
Capa: Studio Mandragora

Dados Internacionais de Catalogação na Publicação (CIP)
(Câmara Brasileira do Livro, SP, Brasil)

Darwin, Charles, 1809-1882.
A origem das espécies / Charles Darwin; tradução Daniel Moreira Miranda; prefácio, revisão técnica e notas Nelio Bizzo. – São Paulo : Edipro, 2018.

Título original: On the Origin of Species by Means of Natural Selection or the Preservation of Favourèd Races in the Struggle for Life.

ISBN 978-85-521-0015-7 (impresso)
ISBN 978-85-521-0090-4 (e-pub)

1. Evolução (Biologia) I. Título.

18-12395 CDD-576.8

Índice para catálogo sistemático:
1. Origem das espécies : Evolução : Biologia : 576.8

São Paulo: (11) 3107-7050 • Bauru: (14) 3234-4121
www.edipro.com.br • edipro@edipro.com.br
@editoraedipro @editoraedipro

"Mas, ao menos no que diz respeito ao mundo material, é possível dizer o seguinte: percebemos que os eventos não ocorrem por interposições isoladas de um poder divino que é exercido em cada caso particular, mas pelo estabelecimento de leis gerais."

W. WHEWELL: *BRIDGEWATER TREATISE*

"Para concluir, portanto, que ninguém pense ou afirme – seja a partir de um conceito fraco de sobriedade, seja por uma moderação mal aplicada – que é possível pesquisar em demasia ou ser excessivamente bem versado no livro da palavra de Deus ou no livro das obras de Deus, isto é, teologia e filosofia, mas que as pessoas se esforcem por um avanço infinito ou proficiência em ambas."

BACON: *ADVANCEMENT OF LEARNING*

Sumário

Prefácio, *por Nelio Bizzo* 11

Introdução 24

Capítulo 1 – A variação na domesticação 30

Causas de variabilidade - Efeitos do hábito - Correlação de crescimento--hereditariedade - Características básicas das variedades domésticas - Dificuldade em distinguir entre variedades e espécies - Origem das variedades domésticas a partir de uma ou mais espécies - Pombos domésticos, suas diferenças e origem - Princípio de seleção aplicado na Antiguidade, suas consequências - Seleção metódica e inconsciente - Origem desconhecida de nossas produções domésticas - Circunstâncias favoráveis ao poder de seleção do homem

Capítulo 2 – A variação na natureza 64

Variabilidade - Diferenças individuais - Espécies duvidosas - As espécies com maior distribuição, mais difundidas e comuns são as que mais variam - As espécies dos gêneros maiores de qualquer região variam mais do que as espécies dos gêneros menores - Muitas espécies dos gêneros maiores assemelham-se às suas variedades por estarem mais intimamente relacionadas entre si, mas de forma desigual, e por terem distribuição restrita

Capítulo 3 – Luta pela existência 80

Relação com a seleção natural - O termo usado em um sentido amplo - Progressão geométrica do aumento - Rápido aumento de animais e plantas aclimatados - A natureza dos obstáculos para o crescimento - Competição universal - Efeitos do clima - Proteção pelo número de indivíduos - Relações complexas entre todos os animais e plantas da natureza - A luta pela sobrevivência é mais severa entre os indivíduos e as variedades da mesma espécie; e muitas vezes também entre espécies do mesmo gênero – A relação entre um organismo e outro é a relação mais importante de todas

Capítulo 4 – Seleção natural 98

Seleção natural – Seu poder comparado com a seleção feita pelos seres humanos – Seu poder sobre as características de menor importância – Seu poder sobre todas as idades e em ambos os sexos – Seleção sexual – Sobre a generalidade dos cruzamentos entre indivíduos da mesma espécie – Circunstâncias favoráveis e desfavoráveis à seleção natural, ou seja, cruzamento, isolamento, número de indivíduos – Ação lenta – Extinção causada pela seleção natural – Divergência de características relacionadas à diversidade dos habitantes de qualquer área pequena e à aclimatação – Ação da seleção natural através da divergência de caracteres e extinção em descendentes de um ancestral comum – Explicação do agrupamento de todos os organismos

Capítulo 5 – Leis da variação 146

Consequências das condições externas – Uso e desuso combinados com a seleção natural; órgãos de voo e de visão – Aclimatação – Correlação de crescimento – Compensação e economia do crescimento – Correlações falsas – Estruturas múltiplas, rudimentares e pouco organizadas são variáveis – Partes desenvolvidas de forma incomum são altamente variáveis; características específicas são mais variáveis do que as genéricas; características sexuais secundárias são variáveis – Espécies do mesmo gênero variam de forma análoga – Reversões de características há muito perdidas – Resumo

Capítulo 6 – Controvérsias envolvendo a teoria 183

Controvérsias envolvendo a teoria da descendência com modificação – Transições – Ausência ou raridade de variedades transitórias – Transições nos hábitos de vida – Hábitos diversificados na mesma espécie – Espécies com hábitos muito diferentes de suas espécies mais próximas – Órgãos de extrema perfeição – Meios de transição – Casos difíceis – Natura non facit saltum *– Órgãos de pequena importância – Órgãos que não são absolutamente perfeitos – A lei da unidade de tipo e a lei das condições de existência estão compreendidas na teoria da seleção natural*

Capítulo 7 – Instinto 217

Instintos são comparáveis aos hábitos, mas diferem em sua origem – Gradação dos instintos – Pulgões e formigas – Variabilidade dos instintos – Instintos domésticos: sua origem – Instintos naturais do cuco, das emas e abelhas parasitas – Formigas escravistas – Abelha comum, instinto para a construção de alvéolos – Insetos assexuados ou estéreis – Resumo

Capítulo 8 – Hibridismo 254

Distinção entre a esterilidade dos primeiros cruzamentos e a dos híbridos – A esterilidade tem vários graus, não é universal, é afetada pelo cruzamento entre parentes próximos, suprimida pela domesticação – Leis que regem a esterilidade dos híbridos – Esterilidade não é uma dotação especial, mas consequência incidental de outras diferenças – Causas da esterilidade dos primeiros cruzamentos e dos híbridos – Paralelismo entre os efeitos das mudanças de vida e do cruzamento – Fertilidade das variedades quando cruzadas e de sua prole mestiça não é universal – Comparação entre híbridos e mestiços independentemente de sua fertilidade – Resumo

Capítulo 9 – A imperfeição do registro geológico 284

A ausência de variedades intermediárias nos dias de hoje – A natureza das variedades intermediárias extintas; o número delas – O enorme lapso de tempo, conforme inferido pela velocidade de deposição e de erosão – A escassez de nossas coleções paleontológicas – A intermitência das formações geológicas – A ausência de variedades intermediárias em algumas formações – A aparição repentina de variedades intermediárias nas camadas fossilíferas menos conhecidas

Capítulo 10 – A sucessão geológica dos seres orgânicos 315

O aparecimento lento e sucessivo de novas espécies – Suas diferentes velocidades de mudança – Espécies uma vez perdidas não reaparecem – Grupos de espécies seguem as mesmas regras gerais do surgimento e desaparecimento de uma única espécie – A extinção – As mudanças simultâneas das formas de vida em todo o mundo – As afinidades entre as espécies extintas e entre estas e as espécies vivas – O estado de desenvolvimento das formas antigas – A sucessão dos mesmos tipos nas mesmas regiões – Resumo deste capítulo e do capítulo anterior

Capítulo 11 – Distribuição geográfica 347

Não há como explicar a distribuição atual pelas diferenças nas condições físicas – Importância das barreiras – Afinidade das produções do mesmo continente – Centros de criação – Meios de dispersão pelas alterações climáticas, pelo nível do terreno e por modos acidentais – Dispersão durante o período glacial em todo o mundo

Capítulo 12 – Distribuição geográfica (*continuação*) 381

Distribuição das produções de água doce – Os habitantes das ilhas oceânicas – Ausência de batráquios e mamíferos terrestres – As afinidades entre os habitantes das ilhas e do continente mais próximo – A colonização a partir da fonte mais próxima com subsequente modificação – Resumo do capítulo anterior e deste

Capítulo 13 – Afinidades mútuas dos seres orgânicos – Morfologia – Embriologia – Órgãos rudimentares 407

Classificação, grupos subordinados a outros grupos – Sistema natural – Regras e dificuldades da classificação, explicadas pela teoria da descendência com modificação – Classificação das variedades – A descendência é sempre utilizada na classificação – Características analógicas ou adaptativas – Afinidades gerais, complexas e irradiantes – A extinção separa e define os grupos – Morfologia, entre membros da mesma classe, entre as partes do mesmo indivíduo – Embriologia, suas leis, sua explicação por variações que não ocorrem em idade precoce, variações herdadas em uma certa idade – Órgãos rudimentares; explicação de sua origem – Resumo

Capítulo 14 – Recapitulação e conclusão 451

Recapitulação das dificuldades da teoria da seleção natural – Recapitulação das circunstâncias gerais e especiais a seu favor – Causas da crença geral na imutabilidade das espécies – Extensão da teoria da seleção natural – Consequências de sua adoção para os estudos de história natural – Observações finais

Prefácio

Charles Darwin certamente dispensa apresentações. Esse inglês nascido no início do século XIX foi uma das pessoas responsáveis pela maneira como a humanidade entende hoje a diversidade biológica. Escreveu vários livros, mas nenhum foi tão polêmico ao ser lançado, em novembro de 1859, quanto este que o leitor tem em mãos. Outras edições se seguiram, com algumas alterações que poderiam ser tomadas como tentativas de diminuir o choque provocado no grande público, ou como estratégias de defesa diante das muitas críticas recebidas. A versão original traz a radicalidade de suas ideias exposta de forma direta, sem requerer do leitor o conhecimento das reações do grande público, praticamente tomado de surpresa, nem detalhes das críticas das numerosas resenhas que se seguiram à primeira publicação.

O editor, John Murray, anunciava para aquela venda de fim de ano o lançamento de um livro muito aguardado, pois revelaria os mistérios que envolviam o desaparecimento de mais de cem tripulantes da expedição mais ousada daquela época. Após numerosas tentativas, finalmente retornara à Inglaterra o capitão McClintock[1] com seu relato dos achados dos dois navios desaparecidos anos antes no rigoroso inverno do Ártico. Seu relato era dramático, com revelações inéditas de seus grandes achados, como o diário de bordo de Sir Franklin,[2] o experiente comandante da missão coberta de mistério, revelando o dia exato e as circunstâncias de sua morte. Já havia sido noticiado o achado de um esqueleto e dois corpos congelados de membros da desesperada tripulação, ainda vestindo roupas europeias. O livro traria até mesmo as figuras com a estampa do tecido das mortalhas encontradas.

---

1. Sir Francis Leopold McClintock (1819-1907), membro da Marinha Britânica, serviu em diversas expedições para localizar o paradeiro da expedição desaparecida no Ártico, entre 1848 e 1859, quando retornou em setembro de 1859, recebendo em seguida o título de Sir.
2. Sir John Franklin (1786-1847), oficial da Marinha Britânica, que se notabilizou pela exploração dos mares polares, pioneiro no mapeamento da Antártida e do Ártico.

Todos queriam saber a respeito daqueles heroicos homens, que haviam aceitado o desafio de achar a "Passagem Noroeste", buscada desde Francis Drake e seu lendário navio *Golden Hind*. Ela seria uma rota marítima alternativa, no extremo norte da América – uma passagem estratégica ligando os oceanos Atlântico e Pacífico, de modo a evitar o tempestuoso Cabo Horn, no extremo sul do continente, e o estreito de Magalhães, dominado pelos espanhóis. O livro do capitão McClintock, preparado em apenas sessenta dias, um prazo incrível até para os editores da atualidade, permitia entender em detalhes o que ocorrera com a tripulação dos dois navios encalhados no mar congelado, caminhando até caírem, um a um, mortos por desnutrição, escorbuto e frio.

Essa história é tão dramática e comovente que incentivou buscas até nos nossos dias. Em setembro de 2016, foram encontrados, em surpreendente bom estado de conservação, os destroços do naufrágio do *HMS Erebus* e do *HMS Terror*, imponentes navios de mais de trezentas toneladas, sepultados no fundo mar do Ártico. Eles eram, já em seu tempo, exemplares da supremacia tecnológica britânica e até mesmo orgulho nacional, pois haviam sido originalmente construídos para missões de guerra, o que explicava sua robusta estrutura interna. Equipados com potentes obuses, capazes de lançar bombas mortíferas a grande distância, possuíam estrutura adaptada para resistir tanto ao ricochete do disparo de grandes petardos como a choques com *icebergs*, inaugurando a linha de navios quebra-gelo. De fato, o *HMS Terror* servira na Guerra de 1812,[3] com seus dois obuses e dez canhões bombardeando o Forte McHenry, em Baltimore, em setembro de 1814, uma batalha que inspirou a letra do atual hino dos Estados Unidos da América.[4]

O sucesso imediato desse aguardado livro certamente impulsionou as vendas de outros da mesma fornada, entre eles *A origem das espécies*.[5] O

---

3. A Guerra de 1812 é vista, pelos britânicos, como parte das guerras napoleônicas, mas, como envolveu batalhas pela posse de terras americanas, é tida também como a Segunda Guerra de Independência na perspectiva estadunidense.
4. A letra do hino nacional dos Estados Unidos foi baseada no poema *A defesa do Forte McHenry* e fala dessa batalha na qual "bombas eram lançadas ao ar", algumas delas provenientes desse vaso de guerra, posteriormente reformado para exploração polar.
5. O título original, *On the Origin of Species by Means of Natural Selection, or the Preservation of Favoured Races in the Struggle for Life* (Sobre a origem das espécies por meio da seleção natural ou A preservação de raças favorecidas na luta pela vida), foi simplificado para *The Origin*

Natal britânico de 1859 foi recheado de resenhas sobre os novos livros, e o de Darwin acabou por provocar reações iradas, não apenas de fundamentalistas alinhados com certos dogmas religiosos como também dos cientistas que, embora aceitassem a transformação dos seres vivos, o faziam apenas como resultado direto de suas ações ou das condições ambientais. Essas duas perspectivas colidiam frontalmente com as ideias de Darwin, que via na seleção de formas bem-sucedidas a chave da compreensão da diversidade, seja de variedades de animais e plantas cultivadas nas fazendas europeias, seja nas múltiplas formas de seres vivos de campos e florestas ao redor do mundo. Se depois de centenas ou milhares de anos já era possível reconhecer em chácaras e sítios formas muito diferentes de galinhas, pombos, couves, rabanetes e ervilhas, o que não seria possível encontrar em florestas cheias de formas de vida após milhões de anos? Essa era a essência do pensamento darwiniano, apresentado de maneira cristalina na primeira edição, aqui traduzida, permitindo explicar a diversidade biológica de nosso planeta em bases científicas modernas.

Era bem conhecida a epopeia de Darwin em sua viagem ao mundo a bordo do *HMS Beagle*. Porém é interessante ressaltar que *A origem das espécies* se valia de achados também de expedições anteriores daqueles navios misteriosamente desaparecidos, dos quais tanto se fala desde 1859. Em uma delas, Joseph Hooker[6] realizou uma série de achados botânicos e paleontológicos a bordo do *HMS Erebus* que o notabilizou desde a juventude e que aparecia agora, pelas mãos do amigo Darwin, como evidências robustas da teoria da evolução. O ineditismo de plantas e animais das terras do hemisfério Sul teve papel central na argumentação de Darwin, que se valia das opiniões de especialistas, como o amigo botânico, ao lado do jovem Huxley,[7] zoólogo que logo se juntaria na defesa do evolucionismo.

---

of Species na sexta edição pelo próprio Darwin, versão que se tornou famosa e prevaleceu até os dias de hoje. Por conta do reconhecimento público do título reduzido esta edição o adotou, embora traga, na verdade, uma tradução do texto da primeira edição da obra, livre das diversas alterações posteriores. (N.E.)

6. Joseph Dalton Hooker (1817-1911), embora médico de formação, foi um dos maiores botânicos ingleses de sua época, tendo participado da expedição do *HMS Erebus* ao polo sul em 1839 com o capitão James Ross, em sua busca pioneira pelo polo sul magnético.

7. Thomas Henry Huxley (1825-1895), zoólogo inglês que se notabilizou pela árdua defesa das ideias evolucionistas logo após a primeira edição de *A origem das espécies*, ganhando a alcunha de "o buldogue de Darwin".

A teoria, entretanto, não respondia a várias questões, inclusive de fatos bem estabelecidos à época. Por exemplo, ao discutir os instintos, ele chama a atenção para as formigas de correição, que existem na Amazônia e nas florestas da África Ocidental. Seriam aparentadas? Como teriam atravessado o Atlântico? Esta era justamente uma das dificuldades da teoria, as quais, em seu conjunto, mereceram um capítulo à parte.

Darwin buscava explicações para as dificuldades de sua teoria desde 1842, pelo menos, quando escreveu um pequeno resumo de suas ideias. No caso das formigas, contudo, o futuro se incumbiu de resolver esse mistério, depois de recentes estudos genômicos revelarem que, de fato, as espécies dessas formigas da África e América do Sul tiveram um ancestral comum no Cretáceo, quando os dois continentes ainda estavam unidos. Na época de Darwin não havia indícios suficientes para crer que todos os continentes tivessem formado um bloco único em passado remoto. Hoje há consenso entre os geólogos que os continentes são jangadas da crosta terrestre a se deslocar lentamente. Essa teoria teria poupado muito trabalho mental a Darwin, e não apenas nos capítulos finais.

Por vezes, sua argumentação, mesmo a apoiada em especialistas como Hooker, não resistiu ao tempo, mas isso não enfraqueceu o raciocínio de Darwin; aliás, em alguns casos, foi bem o contrário. Ele se viu em maus lençóis quando o famoso botânico lhe garantiu que os campos da Patagônia e da Europa eram povoados exatamente pelas mesmas espécies de capim. Era tudo o que seus adversários queriam: um "arquétipo ideal" único servindo de molde para criaturas de todo o planeta se ajustarem a detalhes locais de terras distantes.

Diante de uma dificuldade como essa, Darwin se serviu de arroubos de inspiração colonialista ao estender os resultados de animais invasores para as plantas europeias supostamente colonizando o hemisfério Sul. As lebres inglesas haviam suplantado com facilidade os herbívoros marsupiais australianos, e os vira-latas europeus haviam feito sucumbir com facilidade os marsupiais com dentes caninos nas ilhas do sul. Darwin então recorreu à supremacia imperial britânica, estendendo o poder de enfrentar e derrotar semelhantes sem piedade, fossem aborígenes neozelandeses, mamíferos marsupiais ou ervas sul-americanas. Britânicos guerreando ao redor do mundo não constituíam novidade à época, e Darwin acabou se servindo dessa platitude colonial patriótica para salvar seu argumento e tirar o sabor da vitória da boca dos defensores das formas arquetípicas. Se as gramíneas eram iguais na Inglaterra e nos pampas argentinos, isso seria explicado não pelos arquétipos ideais, mas pela superioridade das estirpes britânicas.

Aqueles grupos de monocotiledôneas são de classificação muito difícil, e as ferramentas modernas mostraram que as duas floras são absolutamente distintas, com ancestral comum remoto. Assim, a moderna classificação botânica, em especial das gramíneas e das ciperáceas, acabou por confirmar as ideias darwinistas originais, conferindo status único a essas plantas nos pampas e nas pradarias europeias. Desse modo, o colonialismo imperial botânico de Darwin restou totalmente dispensável, da mesma forma que os arquétipos ideais de seu crítico ferrenho, Sir Richard Owen.[8]

A parte final do livro foi planejada de maneira meticulosa. Darwin combinou dois capítulos sobre o registro geológico, seguidos de outros dois sobre a distribuição geográfica. No primeiro de cada dupla, enfrenta as críticas, reconhece fragilidades, mas demonstra a certeza de que o futuro se incumbirá de elucidar os casos aparentemente sem explicação.

Nesses capítulos pareados finais, Darwin reservou o primeiro para enfrentar dificuldades e obstáculos com seu trator intelectual; no seguinte, ele pavimenta o caminho para chegar muito mais longe do que seus adversários. Apresenta evidências robustas contra os argumentos dos defensores da criação especial e independente das espécies, por vezes demonstrando uma inegável ousadia teórica, esgrimindo sozinho seu espadachim intelectual escada acima contra numerosos oponentes raivosos. Esse será o caso da defesa da ocorrência de um período glacial de escala planetária em época "recente", ideia curiosamente defendida por um retinto antievolucionista, Louis Agassiz.[9]

---

8. Sir Richard Owen (1804-1892), zoólogo inglês de grande destaque em sua época, realizou estudos de anatomia comparada e estabeleceu o conceito de homologia, muito utilizado por Darwin, atual até nossos dias. Acreditava que toda a diversidade derivava de formas básicas (os "arquétipos ideais"), especialmente criadas, mas com poder de se amoldar às condições locais. Owen e Louis Agassiz (ver próxima nota), ao lado de seu predecessor Georges Cuvier (ver nota 10, página 16), despontaram como ícones da oposição ao pensamento evolucionista darwiniano.

9. Jean Louis Rodolphe Agassiz (1807-1873), naturalista suíço, foi aluno de Cuvier (ver próxima nota) e do famoso Humboldt, antes de imigrar para os Estados Unidos e trabalhar na criação do Museu de Zoologia Comparada da Universidade de Harvard, em 1859, tendo sido seu primeiro diretor, até sua morte. Embora ferrenho opositor das ideias evolucionistas, colaborou

Embora de início bem recebida pela geologia britânica nos anos 1840, a ideia logo cairia em desgraça, levando geólogos de renome a desmentir sua adesão à ideia, hoje tão bem consolidada. Para Darwin, que já tinha respeitável estatura científica nos domínios geológicos naquela década, a ideia ajudava a entender muito da distribuição geográfica atual, em especial a similaridade das biotas da Europa e América do Norte. Mamutes, lobos e ursos, pinheiros e ciprestes, poderiam ter transitado livremente por gélidas, porém sólidas, pontes, contudo derretidas pelo clima mais quente que se seguiu. Da mesma forma, pontes de gelo poderiam ter unido as Américas de norte a sul, ligando as Rochosas aos Andes, o que permitia explicar alguns fatos adicionais.

A descoberta de fósseis de equinos na América, onde o cavalo moderno foi reintroduzido pelos colonizadores europeus e se reproduziu sem limites, era explicada esplendidamente pela lógica da mudança climática global recente, que levara à extinção uma forma que agora se mostrava plenamente adaptada àquele mesmo ambiente em época anterior ao domínio do gelo. Para os criacionistas, defensores dos arquétipos ou não, era impossível explicar como o cavalo podia viver tão bem em um continente do qual fora extinto.

Hoje, a ideia de mudanças climáticas globais nos parece óbvia, mas, em escala planetária, ela teve em Charles Darwin um de seus primeiros defensores. Mal sabia ele que esta ideia seria, até nossos dias, crucial para compreender a chegada do ser humano ao continente americano. Não por acaso, até hoje os que se recusam a aceitar a evolução biológica também rejeitam a ideia de mudanças climáticas globais antropogênicas.

Uma das questões centrais focalizadas por Darwin diz respeito justamente à "peculiaridade", como ele diria, das espécies que vivem em ambientes muito distantes, mas que se mantêm similares. Segundo os mais renomados cientistas de seu tempo, como Owen, Cuvier[10] e seu aluno Agas-

---

involuntariamente para fortalecer a teoria da qual tanto discordava, com seus estudos que comprovavam a extinção de espécies de peixes e com sua teoria da glaciação.

10. Georges Cuvier (1769-1832), famoso anatomista e político francês, ficou famoso por estabelecer métodos de estudos de esqueletos de vertebrados e atestar que os fósseis não eram restos de um Dilúvio Universal, mas de animais extintos, embora se mantivesse como ferrenho opositor das ideias evolucionistas de seu tempo. Propôs o que ficou conhecido por "catastrofismo", que explicava as extinções como eventos locais, abrindo espaço para migrações, de maneira a explicar o registro fóssil.

siz, que comparecem diversas vezes citados neste livro, não haveria nenhum sentido de paisagens muito parecidas serem povoadas por espécies muito distintas. Arquipélagos oceânicos formados por terrenos vulcânicos, como Cabo Verde e Galápagos, deveriam conter as mesmas formas básicas, animais e plantas muito parecidos, apenas ligeiramente diferentes segundo as condições locais, por derivarem de um mesmo "arquétipo ideal" especialmente criado para aquele tipo de ambiente.

Darwin impôs uma derrota humilhante a esse argumento, mostrando como plantas e animais de lugares semelhantes eram absolutamente distintos. As espécies de Cabo Verde eram nitidamente derivadas daquelas do continente africano; ao pisar em Galápagos, o viajante tinha a impressão de estar no continente americano. No entanto, como previa sua teoria, nesses locais se deparavam espécies únicas, "peculiares" ou, como dizemos hoje, endêmicas, encontradas apenas ali.

Esse raciocínio poderia ser generalizado, logo percebeu Darwin. As partes altas das montanhas poderiam ser vistas como "ilhas" de frio, e não surpreendia que apresentassem biotas semelhantes, em especial depois de um período glacial, que teria feito verdadeiras pontes entre cumes distantes. Com o aumento da temperatura e o consequente derretimento do gelo, essas regiões teriam voltado a ficar isoladas.

Florestas, lagos, pradarias, enfim, os mais diferentes hábitats eram, cada um a seu modo, "ilhas" que poderiam perder ou ganhar habitantes de regiões próximas. Portanto, não havia "arquétipos ideais", especialmente criados, mas uma história de ancestralidade que podia ser observada tanto na direção horizontal (na distribuição dos seres vivos da atualidade) como na direção vertical (nos restos de épocas passadas revelados pelos geólogos). Esses dois eixos foram explorados nesses capítulos pareados finais.

Ao concluir o livro com um capítulo de síntese, Darwin reservou a estocada de misericórdia no cambaleante monstro da natureza imutável. Estava bem assentada em Aristóteles a ideia de equilíbrio estático na Natureza, vista como eterna e imutável, na qual não há carência nem desperdício, que nada falta ou excede ao necessário, que cada característica tem uma finalidade específica a explicar sua existência, e que nada ocorre por acaso. Essa imagem, depois de cristianizada, compatibilizada com a ideia de um início (Gênesis) e fim (Apocalipse), é o alicerce invariável da visão dogmática dos criacionistas de linha judaico-cristã e maometana até nossos dias.

Outro testemunho da imperfeição eram as extinções. Como explicar o desaparecimento de espécies em um mundo em perfeito equilíbrio estático? O desaparecimento de uma única forma, de um único pilar, faria vir ao chão os andaimes da Criação! Quando uma presa vai à extinção, do que se alimentará seu predador? As mudanças das condições ambientais documentadas no registro geológico eram o cenário ideal para a explicação evolucionista, ao prever o surgimento de novas espécies junto à extinção das antigas formas invariáveis.

Darwin passou a demolir esse edifício de base aristotélica ao discutir os órgãos vestigiais e rudimentares, falando, por exemplo, dos élitros fundidos a proteger as asas de besouros que não voam, dos olhos de animais que vivem na escuridão total, das rebarbas dos carrapichos das plantas que vivem em ilhas sem mamíferos, dos gansos encontrados em grandes altitudes com os pés palmados, inúteis em suas caminhadas pelas rochas. Qual a utilidade das asas do ganso das ilhas Malvinas se ele é incapaz de voar? Qual a utilidade dos olhos do tuco-tuco sul-americano, frequentemente infeccionados, se ele vive na escuridão dos túneis escavados debaixo dos campos gaúchos? O que faz um pica-pau endêmico nessas paragens se ali não há árvores? Enfim, o livro se fechava discutindo a insofismável marca da falta de utilidade de órgãos de plantas e animais, contrariando aqueles que viam o "princípio da utilidade" por toda parte. Como justificar essa abundância sem necessidade, esse desperdício?

Essa ideia algo vaga de que o mundo estava organizado de maneira perfeita, de modo a minimizar o sofrimento e ampliar a felicidade de todas as espécies do planeta, muito lembrava as ideias de Aristóteles, perfeitamente alinhadas ao "princípio da utilidade". A função do guizo da cascavel seria a de alertar suas presas, dando a elas a chance de evitar sofrimento? A beleza das formas da natureza teria sido criada com o intuito de alegrar os olhos humanos? Essas eram ideias alinhadas com a doutrina do chamado *utilitarismo*, de Jeremy Bentham,[11] muito influente no clima vitoriano da

11. Jeremy Bentham (1748-1832), filósofo, jurista e político inglês, propôs o "princípio da utilidade" como grande norteador das ações humanas, que atenderiam a um princípio universal de

época. "Essa doutrina, se verdadeira, seria absolutamente fatal para minha teoria", escreveu Darwin no capítulo em que enfrenta as maiores dificuldades para os mecanismos evolutivos.

Nesta primeira edição, Darwin não teve receio de indicar com clareza o que pensava da evolução humana. Justamente ao discutir as ideias do utilitarismo britânico, que via nas variações dos seres vivos formas de evitar a monotonia aos olhos humanos, ele percebeu que poderia explicar as variações entre as raças humanas, "tão fortemente marcadas" por meio da "seleção sexual de um tipo particular". Quando escreveu essas palavras, ele tinha em sua escrivaninha os diversos volumes do livro de seu estimado James Cowles Prichard,[12] que discutia as raças humanas, utilizando inclusive pranchas coloridas, outra sofisticação gráfica para a época. Eles ganharam algumas marcas e recados a lápis, por exemplo: "como meu livro será parecido a este".

No entanto, Darwin decidiu encerrar a frase sobre a seleção sexual guiando a evolução humana dizendo que "sem entrar aqui em muitos detalhes, meu raciocínio parecerá superficial.". E mudou de assunto com um novo parágrafo. De fato, como poderia abordar em poucas linhas, naquele capítulo 6, o que não havia conseguido fazer no capítulo específico sobre seleção natural (capítulo 4), quando deixou uma marca em seu manuscrito que bem indicava essa intenção? Como fazer em poucos parágrafos o que havia tomado a Prichard vários volumes? Assim, apenas em seu livro de 1871, *Descent of Man*, Darwin pôde discutir "com muitos detalhes" seus pontos de vista sobre a ação da seleção sexual nas raças humanas.

---

busca da felicidade e aversão ao sofrimento, doutrina que ficou conhecida como "utilitarismo". Muito influente no período vitoriano, defendeu o bem-estar social como dever do Estado, direitos iguais para homens e mulheres, direito ao divórcio e, ao mesmo tempo, fim de diversas práticas sociais, como escravidão, pena de morte, castigos físicos; além disso, propôs a descriminalização da homossexualidade. Ele estendia aos animais o direito à felicidade, evitando sofrimentos, e foi um dos primeiros defensores dos direitos animais.

12. James Cowles Prichard (1786-1848), médico inglês, realizou estudos étnicos, publicando uma importante obra – *Researches into the Physical History of Mankind* –, em 1813, que muito influenciou Darwin. O livro foi crescendo com as sucessivas edições, tendo chegado a cinco volumes na terceira edição (1836), com muitos detalhes sobre os diferentes tipos humanos dos diferentes continentes. Darwin possuía um exemplar desta edição. Embora não se conheçam cartas trocadas entre os dois, Darwin manteve contato pessoal com Prichard, tendo participado de uma comissão da qual ele também fazia parte, entre 1841 e 1843, que realizava uma pesquisa sobre constituição física, linguagem, usos e costumes de tipos humanos ao redor do mundo.

Esse trecho radicalmente herético acabou suprimido na última edição do livro, em 1872, o que gera alguma suspeita de que Darwin tivesse voltado atrás em suas convicções sobre a ação dos mecanismos evolutivos na espécie humana. No entanto, há três fatos a considerar. O primeiro deles é a manutenção ao longo de todas as edições da conhecida frase "luz será lançada sobre a origem do Homem e sua história", que tanto escandalizou o público. Isso ocorreu até mesmo com o geólogo Heinrich Georg Bronn,[13] que traduziu esta primeira edição para o alemão, a ponto de simplesmente suprimi-la da versão que circulou na Alemanha logo em 1860! O segundo fato foi o de que a edição de 1869 traz modificações no sentido de fortalecer sua certeza de que a seleção sexual atuou na espécie humana. Não por acaso, ele estava justamente terminando a redação de outro livro, sobre o assunto, e acumulava evidências a favor de suas ideias. Por fim, a edição de 1872, que se tornou o texto canônico para traduções que circularam mundo afora até nossos dias, foi publicada um ano depois da extensa obra sobre as raças humanas, seu famoso *Descent of Man*, publicado em 1871. Portanto, Darwin suprimiu o trecho simplesmente porque acabara de publicar, "com muitos detalhes", seus raciocínios sobre a seleção sexual na espécie humana. Deixar o trecho inalterado soaria como simples descuido.

Nesta edição brasileira feita com muito cuidado em cada detalhe pela equipe editorial da Edipro, gostaria de destacar o esmero editorial de Carla Bitelli, e a cuidadosa tradução de Daniel Moreira Miranda, o leitor encontrará identificadas espécies que aparecem nomeadas de maneira equivocada no manuscrito. Desde o primeiro ensaio, escrito em 1844, Darwin destaca o ritual de acasalamento do *dancing rock-thrush*. Seu nome foi posteriormente retificado para *rock-thrush of Guiana* em todas as edições desta obra, na seção sobre seleção sexual. O nome aparece traduzido para o português como "melro" ou "tordo-das-rochas" desde a edição portuguesa de 1913. A confusão se justifica, vez que o nome popular *rock thrush*,

---

13. Heinrich Bronn (1800-1862), paleontólogo alemão, é citado por Darwin em virtude de suas pesquisas paleontológicas. Foi professor de Ciências Naturais na Universidade de Heidelberg, tendo recebido prêmios por suas publicações sobre fósseis. Acreditava que as modificações documentadas pelos fósseis apontavam para uma suposta "busca" de complexidade crescente, seguindo um plano definido. Concordava com Cuvier em relação à importância do ambiente nas modificações dos seres vivos, mas discordava de seu catastrofismo.

na Inglaterra de meados do século XIX, designava a espécie *Monticola saxatilis*, descrita desde os tempos de Lineu. No entanto, nenhuma espécie dessa família (Muscicapidae) ocorre na Guiana nem em lugar algum do Novo Mundo. Ademais, os melros não praticam ritual de acasalamento incomum ou "dançante". Na verdade, Darwin se equivocou, pois se referia ao *Guianan cock-of-the-rock*, ou seja, o galo-da-serra-do-pará (*Rupicola rupicola*). Essa bela ave da fauna brasileira, após mais de um século de injustiça e anonimato, ganhou justa homenagem na quarta capa desta edição (e uma nota mais extensa no capítulo sobre seleção natural).

O capítulo final de *A origem das espécies* – absolutamente inspirado, profético e grandioso – manteve a mesma estrutura da primeira à última edição. Ele é testemunha não apenas da solidez do argumento evolucionista como também da necessidade de alcançar o grande público por meio de algumas concessões. Darwin escreve não somente para os especialistas, mas também (e ao mesmo tempo) para o grande público, o que, aliás, explica a alternância de estilos literários ao longo do livro.[14] Falar dos órgãos rudimentares e vestigiais dos seres vivos foi um golpe de morte na ideia de uma criação especial, generosa, sábia, estática e eterna, do "projeto inteligente" do qual falara o reverendo Joseph Butler[15] em epígrafe inserida logo na segunda edição. Era uma indicação de que a radicalidade da versão original deveria ser amenizada tanto quanto possível.

Assim, além da epígrafe do teólogo anglicano na abertura do livro, Darwin inseriu duas vezes a menção ao "Criador", em maiúscula reverencial, no último capítulo, ao final de duas frases que falam do ser biológico primitivo, concreto e material, no qual a vida teria sido inicialmente "soprada". A partir de 1860, ela passou a ser soprada "pelo Criador". Uma das inserções – é verdade – foi retirada, mas a segunda, justamente nas páginas finais do livro, foi preservada da segunda até a última edição. Assim, logo depois de derrubar a ideia de uma providência divina a guiar todos os detalhes de nossa existência, Darwin se esforçou em acalmar o leitor falando da possibilidade de convivência pacífica entre ciência e religião, e da grandiosidade

---

14. E a profusão de notas inseridas por este prefaciador e revisor técnico ao longo dos capítulos, pelo que se escusa antecipadamente.
15. Joseph Butler (1692-1752), bispo anglicano. Seu livro, de 1736, já utilizava essa expressão, que substituiu o termo criacionismo na década de 1980.

que existe na perspectiva evolucionista. Ao ler esta primeira edição, fica o leitor preservado dessas titubeantes inserções, das quais o autor dirá ter se arrependido, em carta endereçada a Hooker em 1863, sem, contudo, produzir qualquer efeito no texto das edições seguintes.

Darwin não nos legou um conjunto de verdades absolutas. Ao contrário, muito do que afirmou não resistiu ao conhecimento atual, como se verá em notas técnicas espalhadas ao longo de todo o livro. Os especialistas não admitem, por exemplo, que a bexiga natatória dos peixes tenha sido a forma primitiva de nossos pulmões, ou que as chinchilas sejam descendentes diretos de marsupiais – ideias, aliás, que não eram dele. Mas outras, como o extermínio de gramíneas sul-americanas nos pampas argentinos e a explicação da existência de "fósseis vivos", como a piramboia[16] e os marsupiais,[17] eram suas e hoje não fazem o menor sentido. Sua especulação sobre as populações humanas sul-africanas, descritas pelos holandeses em seu dialeto local, seria vista como racista hoje em dia, mesmo se acompanhasse a tradição de seu tempo,[18] a denunciar o anacronismo da denúncia.

Ao mesmo tempo, Darwin demonstra forte personalidade, deixando clara sua crítica ao racismo e à escravidão, recusando-se a utilizar termos com conotação pejorativa, em seu tempo, para designar as formigas aprisionadas em formigueiros de outra espécie. As palavras "esclavismo", "esclavagismo" ou *dulosis*, a designar essa relação ecológica em diversas línguas, nada mais são do que eufemismos alusivos a uma relação de dominação social humana que Darwin presenciou no Brasil e descreveu com ódio e aversão.[19] Darwin se perguntava inclusive como seria possível ver algum indício de "projeto inteligente" nessa inclemente e brutal relação entre seres vivos.

---

16. Peixe pulmonado da região amazônica que ocupa um nicho muito particular, as margens lodosas de rios, onde pode sobreviver enterrado por longos períodos de estiagem.
17. Darwin afirma no livro que os "fósseis vivos" habitaram durante muito tempo lugares remotos e, por isso, teriam sido preservados da seleção natural. No último capítulo, titubeante, ele afirma que a expressão é apenas metafórica, mas fica a dever uma explicação alternativa.
18. Cuvier tinha realizado a dissecação de uma mulher sul-africana (Sarah Saartjie Baartman) em seu controvertido "*Observations sur le cadavre d'une femme connue à Paris et à Londres sous le nom de Vénus hottentote*" (1817).
19. Ver a seção sobre formigas escravizadoras no capítulo 7. Uma discussão aprofundada pode ser encontrada no livro de Adrian Desmond e James Moore, *A causa sagrada de Darwin* (São Paulo: Record, 2009).

O legado desta obra, portanto, não se encontra no sentido literal de cada palavra, mas na originalidade do pensar criativo, capaz de dar interpretação absolutamente inovadora a vastas classes de fatos estabelecidos. Darwin utilizou aquilo que não era possível conceber como um todo coerente para erigir um sólido edifício teórico a partir do qual o intelecto humano poderia enxergar muito adiante. Ele fez previsões testáveis, muitas das quais se comprovaram empiricamente, como a origem da baleia a partir de um mamífero terrestre, em vez do aperfeiçoamento de um réptil marinho, como pensavam muitos. Ele profetizou a ideia da evolução lançando luz na misteriosa escuridão da origem do ser humano, o que vem se confirmando a cada achado fóssil nos terrenos africanos.

Se Galileu foi o primeiro a ver com os próprios olhos os confins do sistema solar e imaginar a imensidão do Universo, Darwin talvez tenha sido o primeiro a enxergar na longínqua origem da biodiversidade a razão do fenômeno humano. Somos apenas mais uma espécie, de origem recente e extinção não muito distante, como todas as demais. Galileu nos demoveu da certeza da grandiosidade astronômica de nosso planeta, e Darwin nos convenceu da pequeneza biológica dos humanos: pequenas folhas na extremidade de um dos inúmeros ramos da frondosa árvore da vida.

NELIO BIZZO

Professor titular da Universidade de São Paulo, *fellow* da Royal Society of Biology de Londres, realizou sua pesquisa de doutorado com os originais manuscritos de *On the Origin of Species* e com a biblioteca pessoal de Charles Darwin, mantidos na University of Cambridge, na Inglaterra. É pesquisador 1A do Conselho Nacional de Pesquisas (CNPq), coordenador científico do Núcleo de Pesquisa em Educação, Divulgação e Epistemologia da Evolução "Charles Darwin", ligado à Pró-Reitoria de Pesquisa da USP, e do Projeto Temático BIOTA-FAPESP/Educação, que congrega pesquisadores da USP, UFABC, UNIFESP, USCS e do Instituto Butantan.

Introdução

Quando eu estava a bordo do HMS Beagle, como naturalista,[1] fiquei muito impressionado com certos fatos ligados à distribuição dos habitantes da América do Sul e às relações geológicas entre os antigos e os atuais habitantes daquele continente. Para mim, esses fatos parecem lançar certa luz sobre a origem das espécies – o mistério dos mistérios, como foi chamado por um dos nossos maiores filósofos.[2] Ao voltar para casa, ocorreu-me, em 1837, que eu talvez conseguisse compreender melhor a questão por meio da reflexão e do acúmulo paciente de todos os tipos de fatos que pudessem exercer qualquer tipo de influência sobre o tema. Após cinco anos de trabalho, resolvi especular sobre o assunto e elaborar algumas notas breves, as quais foram ampliadas em 1844[3] em um esboço das conclusões que, naquele momento, pareciam ser as mais prováveis: desde então, e até hoje, tenho constantemente perseguido o mesmo objeto. Espero ser desculpado por entrar em detalhes pessoais, mas eu os ofereço para mostrar que não tomei decisões apressadas.

Estou quase acabando meu trabalho agora, mas fui encorajado a publicar este resumo[4] pois a obra ainda levará entre três e quatro anos para

---

1. Darwin viajou no Beagle como convidado do capitão e tinha de arcar com suas despesas, de alimentação inclusive. Se fosse, de fato, o naturalista de bordo, todo o material coletado pertenceria ao almirantado e Darwin não poderia dele dispor como bem quisesse, como de fato ocorreu. (N.R.T.)

2. John Herschel (1792-1871) em carta ao geólogo Charles Lyell. (N.T.)

3. Trata-se de um resumo escrito para ser publicado em caso de uma possível morte súbita. O texto foi confiado à esposa, Emma, junto com instruções e numerário para sua impressão. Outro texto, um resumo muito mais curto escrito a lápis, em 1842, permaneceu esquecido em um armário sob as escadas em Down House, até 1896, quando foi descoberto pelo filho, Francis Darwin, e publicado pela primeira vez em 1909. (N.R.T.)

4. Darwin trabalhava no que ele chamava de *Big Species Book* (Grande livro das espécies) quando foi surpreendido pela carta recebida de Wallace. O *On The Origin of Species* foi então concebido colocando-se à parte os dois primeiros capítulos do livro maior e publicando-se os demais de maneira incompleta, por exemplo, sem as referências bibliográficas. O livro

ser finalizada e, além disso, minha saúde não é das mais fortes. Fui particularmente induzido a publicar este resumo, pois o senhor Wallace,[5] que hoje está estudando a história natural do arquipélago malaio, chegou quase exatamente às mesmas conclusões gerais que as minhas sobre a origem das espécies. No ano passado ele me enviou um ensaio sobre o assunto, pedindo que eu o encaminhasse para Sir Charles Lyell.[6] Este enviou o ensaio para a Sociedade Linneana de Londres, e o texto foi publicado no terceiro volume da revista da Sociedade. Sir C. Lyell e o doutor Hooker, que conheciam o meu trabalho – este último leu meu esboço de 1844 –, me honraram ao acreditar ser aconselhável publicar, juntamente com o excelente ensaio do senhor Wallace, alguns breves excertos de meus manuscritos.

O presente resumo, que agora publico, está necessariamente imperfeito. Em relação às minhas diversas afirmações, não poderei oferecer referências e nomes de autoridades; e devo acreditar que o leitor demonstrará certa confiança em meu rigor. Há erros, sem dúvida, mas espero ter sempre sido bastante cauteloso e confiado apenas em boas autoridades. Somente poderei oferecer as conclusões gerais a que cheguei – juntamente com alguns fatos para exemplificá-las –, as quais, espero, sejam suficientes para a maioria dos casos. Sinto mais que qualquer outra pessoa a necessidade de seguir publicando detalhadamente todos os fatos que fundamentam minhas conclusões, juntamente com suas referências; e espero fazer exatamente isso em uma obra futura. Pois estou ciente de que dificilmente haverá um único ponto discutido neste volume em que os fatos não possam ser aduzidos, muitas vezes levando aparentemente a conclusões opostas àquelas a que cheguei. Um bom resultado pode ser obtido apenas ao afirmar de forma completa e equilibrar os fatos e argumentos de ambos os lados de cada questão; e isso é algo impossível de ser realizado neste livro.

Lamento muito que a falta de espaço me impeça de reconhecer o generoso apoio que tenho recebido de muitos naturalistas, inclusive de alguns

---

maior foi editado por Robert Stauffer e publicado em 1975 como *Charles Darwin's Natural Selection* (Cambridge Univ. Press). (N.R.T.)

5. Alfred Russel Wallace (1823-1913), naturalista inglês que chegou a conclusões semelhantes às de Darwin. (N.T.)

6. Sir Charles Lyell (1797-1875), advogado e geólogo britânico, publicou *Principles of Geology* em três volumes entre 1830 e 1833. Darwin foi bastante influenciado por suas ideias, e os dois se tornaram muito próximos. (N.T.)

que não conheço pessoalmente. Não posso, no entanto, deixar passar a oportunidade sem expressar minha profunda dívida com o doutor Hooker, que, nos últimos quinze anos, tem me ajudado de todas as formas possíveis com seu grande conhecimento e excelente juízo.

Ao pensar sobre a origem das espécies, é bastante concebível que um naturalista, refletindo sobre as afinidades mútuas dos seres orgânicos, suas relações embriológicas, suas distribuições geográficas, suas sucessões geológicas e outros fatos semelhantes, possa chegar à conclusão de que cada espécie não tenha sido criada independentemente, mas que tenha descendido, como variação, de outras espécies. No entanto essa conclusão, ainda que bem fundamentada, seria insatisfatória até que pudesse ser demonstrado como as inúmeras espécies que habitam o mundo foram modificadas para que atingissem a perfeição de suas estruturas e coadaptação que tanto inspiram nossa admiração.[7] Os naturalistas costumam dizer que as condições externas, tais como clima, alimentos, entre outras, são as únicas causas possíveis das variações. Em um sentido muito limitado, como veremos adiante, isso pode ser verdade; mas é absurdo atribuir às meras condições externas a estrutura, por exemplo, do pica-pau, e seus pés, cauda, bico e língua tão admiravelmente bem adaptados para capturar insetos sob a casca das árvores. O visco,[8] por exemplo, retira seu alimento de certas árvores, conta com sementes que devem ser transportadas por certas aves e com flores que possuem sexos separados, tornando obrigatória a intervenção de certos insetos para levar o pólen de uma flor para outra. Assim, nesse caso é igualmente absurdo dar conta da estrutura desse parasita[9] por meio de seus relacionamentos com outros organismos distintos ou pelos efeitos das condições externas, pelos hábitos ou pela vontade da própria planta.

---

7. Darwin alterna parágrafos nos quais ressalta sua admiração pela perfeição das adaptações com trechos nos quais demonstra estar plenamente ciente de órgãos sem utilidade, que contrariam a ideia de perfeição. (N.R.T.)

8. Trata-se, na verdade, de um hemiparasita (*Viscum album*), que tem folhas verdes e é fotossintetizante. À época, não se sabia com detalhes como ele retirava a seiva xilemática das plantas (antigamente, chamada seiva bruta) para, com a energia da luz solar, produzir seu alimento. O argumento, no entanto, permanece válido, pois essa planta depende de outra (hospedeira) e não pode interferir sobre os mecanismos de formação e dispersão de sementes da espécie hospedeira. (N.R.T.)

9. Como dito, hoje essa espécie não é classificada como parasita, mas hemiparasita, pois realiza fotossíntese. (N.R.T.)

Suponho que o autor de *Vestiges of Creation* (Vestígios da Criação)[10] diria que, depois de um certo número desconhecido de gerações, alguma ave deu à luz um pica-pau, e alguma planta, ao visco; e que estes foram produzidos de forma perfeita assim como os vemos hoje; mas essa hipótese não me parece ser uma explicação, pois deixa as coadaptações dos organismos entre si e às condições físicas de suas vidas intocadas e inexplicadas.

É, portanto, extremamente importante adquirirmos um conhecimento claro sobre os mecanismos de modificação e de coadaptação. No início de minhas observações, me pareceu que o estudo cuidadoso de animais domesticados e plantas cultivadas provavelmente ofereceria a melhor oportunidade para elucidar esse problema obscuro. Não fiquei decepcionado; nesse e em todos os outros casos desconcertantes, percebi invariavelmente que nosso conhecimento sobre a variação por meio da domesticação, mesmo sendo imperfeito, oferecia as melhores e mais seguras pistas. Permito-me expressar minha convicção sobre o grande valor desses estudos, mesmo que tenham sido invariavelmente negligenciados pelos naturalistas.

Tendo em vista essas considerações, dedicarei o primeiro capítulo deste resumo à variação por meio da domesticação. Assim, veremos que uma grande quantidade de modificações hereditárias é, pelo menos, possível e igualmente importante, ou mais, veremos quão grande é o poder do homem em acumular, por sua seleção, pequenas variações sucessivas. Em seguida, passarei para a variabilidade das espécies em estado natural; mas, infelizmente, serei obrigado a tratar esse assunto de forma muito breve, pois ele apenas receberia um tratamento adequado se oferecêssemos longas listas de fatos. Nós, no entanto, poderemos discutir sobre as circunstâncias mais favoráveis para a variação. No capítulo seguinte, trataremos da luta pela existência entre todos os organismos de todo o mundo, que ocorre inevitavelmente por causa de seu grande poder de crescimento geométrico. Essa é a doutrina de Malthus[11] aplicada a todo o reino vegetal e animal. Já que, de cada espécie, nascem muito mais indivíduos do que aqueles que possivelmente sobreviverão; e como, consequentemente, há uma luta persistente pela sobrevivência,

---

10. *Vestiges of the Natural History of Creation* (1844), livro publicado anonimamente pelo jornalista e editor Robert Chambers (1802-1871). (N.R.T.)
11. Thomas Robert Malthus (1766-1834), economista britânico, escreveu *An Essay on the Principle of Population* (Um ensaio sobre o princípio da população), em 1789. (N.T.)

então qualquer ser que passe por variações – mesmo que pequenas – favoráveis para si mesmo, sob condições de vida complexas e por vezes variáveis, terá maiores chances de sobreviver e, assim, será naturalmente selecionado. Por meio do forte princípio da hereditariedade, qualquer variedade selecionada tenderá a propagar sua nova forma modificada.

A seleção natural – esse tema fundamental – será tratada de maneira mais detida no quarto capítulo; e então veremos como a seleção natural provoca quase inevitavelmente grande parte das extinções das formas de vida menos aprimoradas[12] e leva àquilo que chamo de divergência de caracteres. No capítulo seguinte, discutirei as leis complexas e pouco conhecidas da variação e da correlação do crescimento. Nos quatro capítulos seguintes, tratarei das dificuldades mais evidentes e mais graves da teoria: ou seja, primeiro, as dificuldades das transições, ou como um ser simples ou um órgão simples pode modificar-se, aperfeiçoar-se e passar a ser um indivíduo altamente desenvolvido ou um órgão elaboradamente construído; em segundo lugar, o assunto do instinto, ou dos poderes mentais dos animais; em terceiro lugar, o hibridismo, ou a infertilidade das espécies e a fertilidade das variedades quando cruzadas entre si; e, em quarto lugar, a imperfeição do registro geológico. No capítulo seguinte, considerarei a sucessão geológica dos organismos através do tempo; nos capítulos 11 e 12, considerarei sua distribuição geográfica espacial; no 13, sua classificação ou suas afinidades mútuas, tanto na idade madura quanto no estado embrionário. No último capítulo, faço uma breve recapitulação de todo o trabalho e ofereço algumas observações finais.

Ninguém, ao notar nossa profunda ignorância no que se refere às relações mútuas entre todos os seres que vivem ao nosso redor, deverá surpreender-se com tantos temas ainda não explicados em relação à origem das espécies e de suas variedades. Quem pode explicar por que uma espécie possui uma distribuição ampla e é muito numerosa enquanto outra espécie muito parecida possui distribuição mais restrita e é rara? Mas essas relações são extremamente importantes, pois determinam o estado atual e, como eu acredito, o futuro sucesso e as modificações de cada um dos

---

12. Note-se a importância que Darwin atribui às extinções, que contradizem a ideia da perfeição dos seres vivos. (N.R.T.)

habitantes deste mundo.[13] Sabemos menos ainda sobre as relações mútuas dos inúmeros habitantes do mundo durante as diversas épocas geológicas passadas de sua história. Embora muito ainda permaneça obscuro, e continuará assim por muito tempo, eu, após o estudo mais meticuloso e o julgamento mais imparcial de que sou capaz, não tenho dúvidas de que a posição sustentada pela maioria dos naturalistas – e sustentada também por mim anteriormente –, ou seja, de que cada uma das espécies foi criada independentemente, é falsa. Estou plenamente convencido de que as espécies não são imutáveis; mas que aquelas pertencentes àquilo que chamamos de mesmo gênero são descendentes diretas de algumas outras espécies que geralmente estão extintas, da mesma maneira que as variedades reconhecidas de qualquer espécie são descendentes daquela espécie. Além disso, estou convencido de que a seleção natural tenha sido o meio principal, mas não o único, de modificação.

13. É muito importante esse trecho no qual Darwin chama a atenção para o sucesso futuro dos atuais indivíduos, o que realça sua convicção de que as adaptações atuais não são necessariamente perfeitas e tanto podem levar à extinção como a modificações. (N.R.T.)

CAPÍTULO 1
A VARIAÇÃO NA DOMESTICAÇÃO

CAUSAS DE VARIABILIDADE – EFEITOS DO HÁBITO – CORRELAÇÃO DE CRESCIMENTO-HEREDITARIEDADE – CARACTERÍSTICAS BÁSICAS DAS VARIEDADES DOMÉSTICAS – DIFICULDADE EM DISTINGUIR ENTRE VARIEDADES E ESPÉCIES – ORIGEM DAS VARIEDADES DOMÉSTICAS A PARTIR DE UMA OU MAIS ESPÉCIES – POMBOS DOMÉSTICOS, SUAS DIFERENÇAS E ORIGEM – PRINCÍPIO DE SELEÇÃO APLICADO NA ANTIGUIDADE, SUAS CONSEQUÊNCIAS – SELEÇÃO METÓDICA E INCONSCIENTE – ORIGEM DESCONHECIDA DE NOSSAS PRODUÇÕES DOMÉSTICAS – CIRCUNSTÂNCIAS FAVORÁVEIS AO PODER DE SELEÇÃO DO HOMEM

Quando observamos os indivíduos da mesma variedade ou subvariedade de nossas plantas de cultivo e animais domésticos mais antigos, um dos primeiros fatos que chamam nossa atenção é a existência de maior diferença entre eles do que entre os indivíduos de uma espécie ou variedade em estado natural. Quando refletimos sobre a vasta diversidade de plantas e animais que foram cultivados e que sofreram variações durante todas as eras sob os mais diversos climas e tratamentos, somos motivados a concluir que essa maior variabilidade ocorre simplesmente devido às nossas produções domésticas terem sido criadas sob condições de vida não tão uniformes – e um tanto diferentes – daquelas cujas espécies paternas foram expostas às condições da natureza. Há também, me parece, alguma probabilidade de verdade na hipótese proposta por Andrew Knight:[1] ele diz que a variabilidade

1. Thomas Andrew Knight (1759-1838), destacado botânico inglês ganhador da Medalha Copley de 1806 por seus trabalhos nessa área, realizou experimentos com muitas plantas, inclusive

pode estar parcialmente conectada ao excesso de alimentos. Parece bastante claro que os organismos devem ser expostos às novas condições de vida por várias gerações para que isso cause um nível apreciável de variação; e, assim que o organismo começa a variar, ele geralmente continua a variar por muitas gerações. Não há casos registrados de que o cultivo tenha feito com que uma variedade da espécie deixasse de ser variável. Nossas mais antigas plantas de cultivo, como o trigo, ainda costumam gerar novas variedades: nossos mais antigos animais domesticados ainda podem sofrer um rápido aprimoramento ou modificação.

Tem-se discutido em qual período as causas da variabilidade, sejam quais forem, geralmente atuam; se ocorrem durante o período inicial ou final do desenvolvimento do embrião, ou no instante da concepção. As experiências de Geoffroy St. Hilaire[2] mostram que o tratamento artificial do embrião cria monstruosidades; e as monstruosidades não podem ser separadas por nenhuma linha demarcatória de meras variações.[3] Mas estou fortemente inclinado a suspeitar que a causa mais frequente da variabilidade possa ser atribuída ao fato de os elementos reprodutivos masculinos e femininos terem sido afetados antes do ato da concepção.[4] Várias razões me fazem acreditar nisso; mas a principal é a consequência notável que o cativeiro ou o cultivo tem sobre as funções do sistema reprodutivo; este sistema parece ser muito mais sensível do que qualquer outra parte do organismo à ação de qualquer alteração nas condições de vida. Nada é mais fácil do que domar um animal, e poucas coisas são mais difíceis do que fazê-los procriar livremente em cativeiro, e isso nem mesmo, em muitos casos, quando o macho e a fêmea se unem. Quantos animais existem que não se reproduzem, apesar de já viverem há muito tempo em cativeiro não muito rigoroso em

---

ervilhas (em 1823), com resultados semelhantes aos de Mendel, mas interpretando-os de forma muito diferente, como nessa passagem citada por Darwin. (N.R.T.)

2. Étiene Geoffroy Saint-Hilaire (1772-1844), zoólogo francês, pai de Isidore Geoffroy Saint-Hilaire (1805-1861). (N.T.)

3. Note a insistência de Darwin ao tomar as "monstruosidades" como variedades, ou seja, como parte de um estado natural dos seres vivos, o que contrariava a tradição aristotélica, que as via como exceções inexplicáveis, pois incompatíveis com a ideia de perfeição da natureza, ideia ainda muito presente na história natural anglicana da época. (N.R.T.)

4. Aqui Darwin fala de sua Teoria da Pangênese, ainda sem nomeá-la. Ele fará uma exposição mais detida apenas em 1868, em seu *Variations of Animals and Plants under Domestication.* (N.R.T.)

sua região nativa! Isso costuma ser atribuído à invalidação dos instintos; mas quantas plantas de cultivo exibem grande vigor e, ainda assim, raramente ou nunca produzem sementes! Em alguns poucos casos semelhantes verificou-se que mudanças muito insignificantes, tal como regar com um pouco mais ou menos de água em algum período particular de crescimento, determinará se a planta irá ou não produzir uma semente. Eu não posso entrar aqui nos detalhes abundantes que coletei sobre esse assunto curioso; mas, para mostrar como as leis que determinam a reprodução dos animais em cativeiro são singulares, posso apenas mencionar que os animais carnívoros, mesmo os dos trópicos, cruzam neste país[5] de forma bastante livre quando estão em cativeiro, com exceção dos plantígrados, isto é, a família dos ursos; no entanto, as aves carnívoras, com raras exceções, quase nunca põem ovos férteis. O pólen de muitas plantas exóticas é completamente inútil, estando na mesma condição dos mais estéreis híbridos. Quando, por um lado, vemos animais e plantas domesticados, embora muitas vezes fracos e doentes que, ainda assim, reproduzem-se de forma livre em cativeiro; e quando, por outro lado, vemos indivíduos que, embora tenham sido retirados ainda jovens da natureza, são perfeitamente domados, vivendo por muitos anos e saudáveis (dentre os quais eu poderia citar inúmeros casos) e que, apesar disso, possuem seus sistemas reprodutivos tão gravemente afetados por causas não observadas a ponto de não funcionarem, então não devemos nos surpreender quando esses sistemas não funcionam em cativeiro de forma razoavelmente regular e produzem crias que não são perfeitamente semelhantes a seus pais ou a variações próximas a eles.

Dizem que a esterilidade é a ruína da horticultura; mas, sobre este ponto de vista, a variabilidade assenta-se sobre a mesma causa que produz a esterilidade; e a variabilidade é a fonte das melhores produções de um jardim. Devo ainda dizer que alguns organismos procriarão de forma mais livre em condições mais artificiais (por exemplo, o coelho e o furão mantidos em jaulas), mostrando que seu sistema reprodutivo não foi afetado; assim, o mesmo vale para alguns animais e plantas que toleram a domesticação ou o cultivo e sofrerão pequenas variações, talvez não mais do que em seu estado natural.

---

5. Inglaterra. (N.T.)

Poderíamos facilmente oferecer uma longa lista de "plantas mutantes";[6] por este termo, os horticultores entendem um único botão ou ramo que assume repentinamente um caráter novo e, às vezes, muito diferente do resto da planta. Esses botões podem ser propagados por meio de enxertos etc. e, às vezes, por meio das sementes. Essas "mutações" são extremamente raras na natureza, mas são muito comuns entre as plantas cultivadas; e nesse caso vemos que o tratamento da planta progenitora afetou um broto ou ramo, mas não os óvulos ou o pólen. Porém a maioria dos fisiologistas acredita que, em seus primeiros estágios de formação, não há diferença essencial entre um botão e um óvulo; dessa forma, na verdade, as "mutantes" oferecem apoio a meu ponto de vista, isto é, que essa variabilidade pode ser atribuída em grande parte aos óvulos, ao pólen, ou a ambos, que teriam sido afetados pelo tratamento dado à planta progenitora antes do ato da concepção. De qualquer forma, esses casos mostram que a variação não está necessariamente ligada, como alguns autores acreditam, ao ato de geração.

As mudas da mesma fruta e as crias da mesma ninhada são às vezes bastante diferentes entre si, embora tanto as crias quanto os progenitores, conforme observou Muller, tenham sido aparentemente expostos a exatamente as mesmas condições de vida; e isso mostra a pouca importância dos efeitos diretos das condições de vida em comparação com as leis da reprodução, do crescimento e da hereditariedade; pois, caso a ação das condições de vida fosse direta, quando qualquer uma das crias variasse, todas as outras teriam provavelmente sofrido variações da mesma forma. No caso de qualquer variação, é bastante difícil decidirmos o quanto devemos atribuí-la à ação direta do calor, da umidade, da luz, da alimentação etc.: minha impressão é que esse tipo de ação produz poucos efeitos diretos no caso dos animais, embora aparentemente produza mais consequências no caso das plantas. Desse ponto de vista, as experiências recentes do senhor Buckman[7] com plantas parecem extremamente valiosas. À primeira vista,

---

6. Darwin utiliza a expressão *sporting plants* entre aspas, demonstrando certa discordância em tomá-las como simples *sports of nature*, uma maneira de contornar as dificuldades do mundo estático de Aristóteles, mas ainda sem a conotação de mutações em sentido moderno. (N.R.T.)

7. James Buckman (1816-1884), geólogo e botânico, professor no Royal Agricultural College em Cirencester, Gloucestershire, Reino Unido. (N.T.)

quando todos ou quase todos os indivíduos expostos a determinadas condições são igualmente afetados, a mudança parece ser resultado direto dessas condições; mas em alguns casos pode-se mostrar que condições bastante opostas produzem alterações estruturais similares. No entanto, acredito que algumas pequenas mudanças podem ser atribuídas à ação direta das condições de vida como, em alguns casos, o aumento de tamanho devido à quantidade de alimentos, a cor devido a certos tipos de alimentos e à luz; e, talvez, a espessura da pelagem devido ao clima.[8]

O hábito também constitui uma influência decisiva, como no período da floração das plantas, quando transportadas de um clima para outro. Nos animais há um efeito mais acentuado; descobri, por exemplo, que, em relação a todo o esqueleto do pato doméstico, os ossos das asas ficam menos pesados e os ossos das patas ficam mais pesados do que os mesmos ossos do pato selvagem; e eu presumo que esta mudança possa ser atribuída com segurança ao fato de o pato doméstico voar muito menos e andar mais que seu ancestral selvagem. O aumento – grande e herdado[9] – do úbere de vacas e cabras em países onde elas são habitualmente ordenhadas, em comparação com o estado desses órgãos em outros países, é outro exemplo do efeito do uso. Não há um único animal doméstico que não tenha, em alguma região, orelhas caídas; parece algo provável o ponto de vista sugerido por alguns autores de que tal fato ocorre devido ao desuso da musculatura da orelha, pois os animais não se alarmam muito com o perigo.

Existem muitas leis que regulamentam a variação, dentre as quais algumas podem ser vagamente notadas e serão doravante brevemente mencionadas. Neste ponto, farei alusão apenas àquilo que podemos chamar de correlação de crescimento. Qualquer alteração no embrião ou na larva quase certamente implicará em alterações no animal adulto. Nas monstruosidades, as correlações entre partes bastante distintas são muito curiosas; e muitos exemplos são oferecidos por Isidore Geoffroy St. Hilaire em sua grande obra sobre o tema. Os criadores acreditam que os membros longos são quase sem-

---

8. Darwin enfatiza formas de geração de diversidade, mantendo implicitamente a lógica da pangênese. O ambiente poderia alterar as características dos seres vivos, como se verá nos exemplos seguintes. (N.R.T.)

9. Note-se que essas mudanças seriam não apenas provocadas pelo ambiente, mas se tornariam hereditárias, em modelo muito semelhante ao defendido por Lamarck. (N.R.T.)

pre acompanhados por uma cabeça alongada. Alguns exemplos de correlação são bastante caprichosos; assim, os gatos com olhos azuis são invariavelmente surdos; cores e peculiaridades constitucionais caminham juntas, tema sobre o qual poderíamos oferecer muitos exemplos notáveis entre animais e plantas. A partir dos fatos coletados por Heusinger,[10] parece que certos venenos vegetais afetam porcos e ovelhas brancos e indivíduos coloridos de forma diversa. Os cães sem pelos têm dentes imperfeitos; animais de pelo longo ou áspero estão propensos a ter, como se afirma, chifres longos ou muitos chifres; pombos com pés emplumados têm pele entre os dedos mais longos; pombos com bico curto têm pés pequenos e aqueles com bicos longos têm pés grandes. Assim, quando o homem continua selecionando e, dessa forma, aumentando a ocorrência de qualquer característica, ele, quase certamente, modifica de maneira inconsciente outras partes da estrutura, devido às leis misteriosas da correlação de crescimento.

Os resultados das leis diversas, bastante desconhecidas ou pouco percebidas que regem a variação são infinitamente complexos e diversificados. Vale a pena estudar os vários tratados publicados sobre algumas de nossas antigas plantas de cultivo, como o jacinto, a batata, até mesmo a dália etc.; e é realmente surpreendente observar os pontos infindáveis da estrutura e da constituição nos quais as variedades e subvariedades diferem ligeiramente entre si. O organismo todo parece ter se tornado adaptável ao ambiente e tende a afastar-se ligeiramente do seu tipo parental.

Quaisquer variações não hereditárias não são importantes para nós. Mas são quase infinitas a quantidade e a diversidade dos desvios hereditários estruturais, tanto os pequenos quanto os de considerável importância fisiológica. O tratado do doutor Prosper Lucas[11] sobre o assunto, em dois grandes volumes, é o melhor e mais completo material sobre o tema. Nenhum criador duvida da força das tendências hereditárias; "semelhante produz semelhante" é sua crença fundamental; e dúvidas sobre o assunto foram lançadas a esse princípio por alguns teóricos isolados. Quando surge um desvio frequente e verificado no pai e no filho, não podemos afirmar

---

10. Karl von Heusinger (1792-1883), médico alemão. (N.T.)

11. Prosper Lucas (1805-1885), médico francês, autor do *Traité philosophique et physiologique de l'heredité naturalle* (Tratado filosófico e fisiológico da hereditariedade natural, em tradução livre) em dois volumes (1847 e 1850). (N.T.)

que o desvio ocorreu por uma mesma causa original que atuou em ambos os indivíduos; mas, por outro lado, quando entre os indivíduos aparentemente expostos às mesmas condições verificamos qualquer desvio muito raro devido a uma extraordinária combinação de circunstâncias que surja no ascendente – digamos, apenas uma vez dentre vários milhões de indivíduos – e que reapareça no filho, a mera doutrina das probabilidades quase nos obriga a atribuir sua reaparição à hereditariedade. Creio que todos já ouviram falar de casos de albinismo, ou pele espinhosa, ou corpos peludos etc., que apareceram em vários membros da mesma família. Se os desvios estranhos e raros da estrutura são verdadeiramente hereditários, então deve-se admitir que os desvios menos estranhos e mais comuns são hereditários. Talvez a maneira correta de examinar o tema em sua totalidade seria considerar a hereditariedade de qualquer característica como a regra e a não hereditariedade como a anomalia.

As leis que regem a hereditariedade são bastante desconhecidas; não sabemos por que a mesma peculiaridade em diferentes indivíduos da mesma espécie e em indivíduos de espécies diferentes é por vezes herdada e por vezes não; por que a criança muitas vezes reverte a certas características de seu avô ou avó ou de outro ancestral mais remoto;[12] por que uma peculiaridade é muitas vezes transmitida de um sexo para ambos os sexos e em outras vezes para apenas um sexo, mais comumente para o mesmo sexo, mas não exclusivamente. Tem pouca importância para nós o fato de que as peculiaridades que aparecem nos machos de nossas criações domésticas sejam frequentemente transmitidas exclusivamente ou em um grau muito maior apenas aos machos. Uma regra muito mais importante, e que me parece confiável, é que, independentemente do período da vida em que uma peculiaridade apareça pela primeira vez, ela tenderá a surgir na prole em uma idade correspondente, embora às vezes ocorra mais cedo. Em muitos casos isso não poderia ser diferente; assim, as peculiaridades hereditárias dos chifres do gado somente podem aparecer na prole quando ela está quase

---

12. Aqui aparece a primeira referência ao "princípio da reversão", que explicaria o reaparecimento de uma característica de ancestral próximo ou "mais remoto". Trata-se de assunto doloroso para Darwin, que havia acabado de perder um filho com dois anos, batizado com seu nome (Charles), com síndrome de Down, vista à época como um tipo de "reversão mongólica". O assunto será aprofundado logo adiante. (N.R.T.)

adulta; sabe-se que as peculiaridades do bicho-da-seda surgem nas correspondentes fases lagarta ou casulo. Mas as doenças hereditárias e alguns outros fatos me fazem acreditar que a regra tem uma extensão mais ampla e que, não havendo qualquer razão aparente para que alguma peculiaridade apareça em uma certa idade específica, ela realmente tenderá a surgir na prole no mesmo período em que apareceu pela primeira vez nos pais. Eu acredito que essa regra é extremamente importante para explicar as leis da embriologia. Essas observações, claro, aplicam-se apenas ao primeiro *surgimento* da particularidade e não à sua causa primária, que pode ter ocorrido nos óvulos ou no elemento masculino; quase da mesma maneira como na prole cruzada de uma vaca de chifres curtos com um touro de chifres longos, o maior comprimento do chifre, embora apareça mais tarde na vida, deve-se claramente ao elemento masculino.

Tendo aludido à reversão, farei referência neste ponto a uma afirmação muitas vezes feita pelos naturalistas, ou seja, que nossas variedades domesticadas, quando se tornam novamente selvagens, gradual mas certamente readquirem as características de seus ancestrais. Portanto, foi argumentado que não se pode projetar deduções com base em raças domésticas para explicar espécies em estado natural. Em vão, me esforcei para descobrir em que fatos decisivos a afirmação acima foi tantas vezes e tão corajosamente feita. Há uma grande dificuldade em provar a sua veracidade: podemos seguramente concluir que muitas das variedades domésticas mais fortemente distintas não conseguiriam, em nenhuma hipótese, viver em estado selvagem. Em muitos casos, não sabemos como eram seus ancestrais e então não poderíamos dizer se a reversão quase perfeita teria ou não ocorrido. Seria indispensável, para evitar as consequências do cruzamento, que apenas uma única variedade fosse posta em liberdade. No entanto, tendo em vista que nossas variedades certamente revertem ocasionalmente algumas de suas características às formas ancestrais, não me parece improvável que, caso conseguíssemos reinseri-las ao mundo natural, ou caso cultivássemos, durante muitas gerações, os vários tipos, por exemplo, de repolho, em solo muito pobre (caso em que, no entanto, parte do resultado teria que ser atribuída à ação direta do solo pobre), elas reverteriam largamente, ou até mesmo totalmente, a suas formas selvagens primitivas. O sucesso ou não do experimento não é de grande importância para nossa linha de argumento; pois, por meio do próprio experimento, ocorrem alterações das condições de vida. Se conseguíssemos demonstrar que nossas variedades domesticadas manifestaram uma forte tendência para a reversão – ou seja, para perder suas características adquiridas, enquanto as condições são mantidas inalteradas e as variedades são mantidas em um grupo consideravelmente grande, para que o cruzamento livre possa cancelar, por meio da mistura, qualquer pequeno desvio de estrutura –, então, nesse caso, garanto que não poderíamos deduzir nada sobre as espécies com base nas variedades domésticas. Mas não há sequer sombras de evidências que favoreçam essa opinião: seria contra toda nossa experiência afirmar que não poderíamos, durante um número quase infinito de gerações, criar cavalos de corrida e cavalos para as carroças, gado de chifres longos ou curtos, aves de várias raças e vegetais comestíveis. Devo acrescentar que, quando em estado natural, as condições de vida são alteradas e provavelmente ocorrem variações e reversões das características, mas a seleção natural, como explicado mais adiante, determina até que ponto as novas características que assim surgem devem ser preservadas.[13]

Quando examinamos as variedades hereditárias ou as raças de nossas plantas e dos animais domésticos e as comparamos com as espécies mais afins, geralmente percebemos que cada uma das raças domesticadas, como já observado, tem características menos uniformes do que nas espécies verdadeiras. As raças domésticas da mesma espécie também têm, muitas vezes, características um tanto monstruosas; isto é, embora sejam diferentes entre si e diferentes de outras espécies do mesmo gênero em vários aspectos insignificantes, muitas vezes contêm diferenças extremas em certos aspectos, tanto quando comparadas entre si e mais especialmente quando comparadas a todas as espécies mais afins presentes na Natureza. Com essas exceções (e com a da fertilidade perfeita das variedades quando cruzadas, um assunto a ser discutido mais adiante), as raças domésticas da mesma espécie diferem entre si da mesma maneira como o fazem as espécies afins do mesmo gênero em estado natural (ainda que, na maioria dos casos, isso ocorra em menor grau). Acredito que isso deve ser aceito, já que quase não há raça doméstica – seja planta ou animal – que não tenha sido classificada por certos julgadores

---

13. Darwin deixa claro aqui como a seleção natural tem ação complementar, e não exclusiva, na visão original darwinista. (N.R.T.)

competentes tanto como meras variedades quanto como descendentes de espécies aborígenes distintas. Caso existisse uma distinção bastante perceptível entre as raças domésticas e as espécies, essa fonte de dúvidas não seria tão recorrente. Afirma-se que as raças domésticas não diferem entre si em relação às suas características de valor genérico. Acredito que é possível demonstrar que a afirmação não está correta; mas os naturalistas diferem bastante em relação à determinação das características de valor genérico, pois todas essas avaliações são até agora empíricas. Além disso, sob a perspectiva da origem dos gêneros que oferecerei aqui, não deveremos encontrar frequentemente essas diferenças genéricas em nossas criações domésticas.

Ao tentarmos estimar a quantidade de diferenças estruturais entre raças domesticadas da mesma espécie, ficaremos rapidamente envoltos por dúvidas por não sabermos se elas são descendentes de uma ou de várias espécies progenitoras. Seria muito interessante se pudéssemos esclarecer esse assunto; se conseguíssemos, por exemplo, demonstrar que o galgo, o *bloodhound*, o *terrier*, o *spaniel* e o buldogue[14] – que, como todos sabemos, propagam sua espécie de forma tão exata – são descendentes de uma única espécie. Tais fatos teriam grande peso para fazer-nos duvidar da imutabilidade das muitas espécies naturais muito afins, como, por exemplo, o caso das muitas raposas que habitam diferentes regiões do mundo. Eu não acredito, como veremos em breve, que todos os nossos cães sejam descendentes de apenas uma espécie selvagem; mas, no caso de algumas outras raças domésticas, existem provas circunstanciais ou até mesmo fortes evidências a favor dessa perspectiva.

Costuma-se supor que o homem optou pela domesticação de animais e plantas que possuíam uma extraordinária tendência inerente para variar e, da mesma forma, para resistir a diferentes climas. Não discuto que essas capacidades aumentaram bastante o valor da maioria de nossas criações domesticadas; mas quando um selvagem domesticou um animal pela primeira vez, como ele poderia saber se iriam ocorrer variações nas gerações seguintes, ou se este animal resistiria a outros climas?[15] Será que a pequena variabilidade do burro ou da galinha-d'angola, ou a baixa resistência da rena

---

14. O *bloodhound* pode também ser chamado de cão de santo Humberto. Manterei o nome das raças inglesas em sua língua original, exceto o *bulldog*, que foi dicionarizado como buldogue. (N.T.)
15. Darwin ressalta agora o caráter aleatório das variações, a matéria-prima sobre a qual a seleção pode operar, seja ela realizada pela mão humana ou não. (N.R.T.)

ao calor ou do camelo comum ao frio impediram que esses animais fossem domesticados? Não tenho dúvidas de que se outros animais e plantas, em número igual ao de nossas criações domesticadas e igualmente pertencentes a diversas classes e regiões, fossem tirados de seu estado de natureza e se fosse possível fazer com que eles se reproduzissem por um número igual de gerações sob domesticação, eles iriam variar, em média, tanto quanto têm variado as espécies progenitoras de nossas criações domesticadas atuais.

No caso da maioria de nossas plantas e animais domesticados desde a Antiguidade, não acredito ser possível sabermos de forma definitiva se eles descendem de uma ou de várias espécies. O principal argumento invocado por aqueles que acreditam na origem múltipla de nossos animais domésticos é o fato de encontrarmos grande diversidade de raças nos registros mais antigos, especialmente nos monumentos do Egito; e que algumas das raças se assemelham e talvez sejam idênticas às ainda existentes. Mesmo que se descobrisse que isso é mais estrita e geralmente verdadeiro do que me parece ser o caso, o que demonstraria, senão que algumas de nossas raças originaram-se naquele local há quatro ou cinco mil anos? Mas as pesquisas do senhor Horner[16] mostram a possibilidade de que homens suficientemente civilizados possam ter fabricado a cerâmica existente no vale do Nilo há 13 mil ou 14 mil anos; assim, quem poderá afirmar quanto tempo antes desses períodos antigos já havia selvagens, assim como já existiam na Terra do Fogo ou na Austrália, que possuíam cães semidomesticados no Egito?[17]

Todo esse tema, penso eu, continuará vago; devo afirmar no entanto, a partir de considerações geográficas e outras, e sem aqui entrar em detalhes, que é altamente provável que nossos cães domésticos sejam descendentes de várias espécies selvagens.[18] Em relação a ovinos e caprinos, eu não tenho

---

16. Leonard Horner (1785-1864), geólogo escocês. (N.T.)

17. Darwin está respondendo a réplicas de autoridades eclesiásticas, desafiadas pelos achados da invasão de Napoleão no Egito. Em diversos casos, a datação dos historiadores franceses, conflitante com a cronologia bíblica, provara estar errada diante de estudos da Pontifícia Academia de Religião Católica do Vaticano, fundada em 1801 e incorporada à Pontifícia Academia de S. Tomás de Aquino em 1934. (N.R.T.)

18. Estudos moleculares modernos falharam em elucidar claramente a origem do cão doméstico, mas provavelmente a hipótese de Darwin se mantém válida, havendo indicações de mais de um evento de domesticação no passado, possivelmente há 33 mil anos, sendo que a(s) espécie(s) ancestral(is) teria(m) sido extinta(s). (N.R.T.)

como formar uma opinião. Parece-me, pelos fatos trazidos a mim pelo senhor Blyth[19] a respeito dos hábitos, da voz, da constituição etc. do gado indiano corcunda, que estes descendem de um grupo aborígene diferente de nosso gado europeu; e vários especialistas competentes acreditam que estes últimos tenham contado com mais de um ascendente selvagem. No que diz respeito aos cavalos, por razões que não posso oferecer aqui, estou mesmo inclinado a acreditar, em oposição a vários autores, que todas as raças descendem de um único grupo selvagem. O senhor Blyth, cujo parecer, fruto de seu grande e variado conhecimento, eu devo valorizar mais do que a opinião de qualquer outra pessoa, acredita que todas as raças de galinhas originam-se da ave indiana selvagem comum (*Gallus bankiva*).[20] Em relação a patos e coelhos, não duvido que as raças que diferem consideravelmente entre si em estrutura sejam todas descendentes do pato selvagem comum e do coelho selvagem comum.

A doutrina segundo a qual as nossas várias raças domésticas teriam se originado de várias unidades populacionais aborígenes foi levada a um absurdo extremo por alguns autores. Eles acreditam que todas as raças que conseguem se reproduzir de forma correta, mesmo que suas características distintivas sejam extremamente sutis, possuem um protótipo selvagem. Segundo este raciocínio, é preciso que tenha existido pelo menos uma vintena de espécies de gado selvagem, o mesmo número de ovelhas e vários tipos de cabras somente na Europa e outras várias apenas dentro da Grã-Bretanha. Um desses autores acredita que, somente na Grã-Bretanha, existiram onze espécies únicas de ovelhas selvagens! Quando levamos em conta que o país atualmente mal possui um mamífero peculiar, que a França tem apenas alguns diferentes da Alemanha e vice-versa e que o mesmo vale para a Hungria, Espanha etc., e que, além disso, se notarmos que cada um desses reinos possui diversas raças peculiares de gado, ovelhas etc., então devemos aceitar que muitas raças domésticas originaram-se na Europa; pois, de onde

---

19. Edward Blyth (1810-1873), zoólogo inglês, curador do museu da Sociedade Asiática Real de Bengala, em Calcutá, na Índia, publicou um catálogo das aves desse museu: *Catalogue of the Birds of the Asiatic Society* (1849) e *The Natural history of Cranes* (postumamente, em 1881). (N.T.)
20. Essa ideia foi reafirmada em seu livro de 1868 (*Variations*...). A nomenclatura moderna para o galo banquiva é *Gallus gallus bankiva*, uma subespécie do galo vermelho selvagem (*Gallus gallus*). O galo doméstico (*Gallus gallus domesticus*) é considerado outra subespécie, que não deriva diretamente do galo banquiva, de acordo com estudos moleculares recentes de DNA mitocondrial, embora tenham parentesco próximo. (N.R.T.)

mais poderiam ter surgido, já que nenhum entre esses vários países conta com um número de espécies peculiares que suporte grupos ancestrais distintos? Situação semelhante ocorre na Índia. Mesmo no caso dos cães domésticos de todo o mundo, que afirmo serem provavelmente descendentes de várias espécies selvagens, não tenho como duvidar de que tenha ocorrido uma imensa quantidade de variação hereditária. Quem pode acreditar que animais tão parecidos com o galgo italiano, o *bloodhound*, o buldogue, o *spaniel* de Blenheim etc., que são tão diferentes de todos os Canidae selvagens, tenham existido livremente em estado natural? Muitas vezes, afirmou-se de forma vaga que todas as nossas raças de cães teriam sido produzidas a partir do cruzamento de algumas espécies aborígenes; mas por meio do cruzamento podemos apenas chegar a certas formas intermediárias dos pais; e então, para darmos conta de nossas várias raças domésticas por meio desse processo, deveríamos admitir a existência anterior de formas mais extremas, como o galgo italiano, o *bloodhound*, o buldogue etc. em estado selvagem. Além disso, a possibilidade de criar raças distintas por meio do cruzamento tem sido muito exagerada.[21] Não há dúvida de que uma raça pode ser modificada por meio de cruzamentos ocasionais auxiliados pela seleção cuidadosa desses mestiços individuais que apresentam as características desejadas; mas não acredito que possa ser obtida uma raça quase intermediária entre duas espécies ou raças extremamente diferentes. Sir J. Sebright[22] realizou experimentos com esse objetivo específico e fracassou. A prole do primeiro cruzamento entre duas raças puras é tolerável e, às vezes (como observei entre os pombos), extremamente uniforme, e tudo parece suficientemente simples; mas quando esses mestiços são cruzados uns com os outros por várias gerações, dificilmente teremos dois espécimes iguais e, desse modo, a tarefa se mostra extremamente difícil, ou melhor, totalmente desencorajadora. Certamente, uma raça intermediária entre duas raças MUITO DISTINTAS não pode ser obtida sem que haja extremo cuidado e uma longa e contínua seleção; além disso, não conheço um único caso registrado no qual se tenha obtido uma raça dessa maneira.

---

21. Essa era a posição de Lineu, que era fixista, mas defendia o poder da hibridização para a criação de novas formas de seres vivos. (N.R.T.)
22. Sir John Sebright (1767-1846), político e criador inglês. Publicou artigos sobre a criação de animais. (N.T.)

Sobre as raças de pombos domésticos

Acreditando que é sempre melhor estudar um grupo especial, escolhi, após refletir sobre o assunto, os pombos domésticos. Além de ter mantido todas as raças que consegui comprar ou obter, também fui generosamente agraciado com espécimes empalhadas vindas de várias regiões do mundo, mais especialmente da Índia e da Pérsia, enviadas pelos honoráveis W. Elliot e C. Murray, respectivamente. Muitos tratados sobre pombos foram publicados em diferentes línguas, alguns deles são muito importantes por serem consideravelmente antigos. Associei-me a vários grandiosos criadores e fui aceito em dois clubes londrinos de criadores de pombos. A diversidade de linhagens é algo surpreendente. Compare o pombo-correio inglês[23] e o *tumbler* de cara curta[24] e veja a maravilhosa diferença entre seus bicos, a qual implica distinções correspondentes em seus crânios. O pombo-correio, mais especialmente o macho, também é notável pelo maravilhoso desenvolvimento de uma carúncula em torno da cabeça, e isso é acompanhado por pálpebras muito alongadas, narinas muito grandes e uma abertura ampla do bico. O *tumbler* de cara curta possui um bico perfilado, semelhante ao do tentilhão; além disso, o *tumbler* comum tem o hábito singular e estritamente herdado de voar a uma grande altura num bando compacto e dar cambalhotas no ar. O pombo *runt* é uma ave de tamanho grande, com bico longo e maciço e pés grandes; algumas das sub-raças de *runts* têm pescoços muito longos, outras têm asas e caudas muito longas, outras têm caudas consideravelmente curtas. O pombo *barb* é afim do pombo-correio mas, em vez de ter bico muito longo, tem um bico muito curto e muito largo. O *pouter* tem corpo, asas e pernas muito alongados; seu papo extremamente desenvolvido, que ele infla com orgulho, bem pode causar espanto e até mesmo risos. O *turbit* tem um bico muito curto e cônico, com uma linha de penas invertidas abaixo do peito; e tem o hábito de continuamente expandir ligeiramente a parte superior do esôfago. O *jacobin* tem as penas ao longo da

---

23. *English carrier*, em inglês. Os nomes das linhagens de pombos ingleses serão dados em sua língua original, exceto o pombo-correio (*carrier*) e o pombo-das-rochas (*rock pigeon, rock dove)*, também conhecido como pombo comum, pombo doméstico ou por seu nome binomial *Columba livia*. (N.T.)
24. *Short-faced tumbler*, em inglês. (N.T.)

parte dorsal do pescoço tão invertidas a ponto de formarem uma capa, e ele tem, proporcionalmente ao seu tamanho, penas muito alongadas nas asas e na cauda. O *trumpeter* e o *laugher*, conforme indicado por seus nomes, proferem sons muito diferentes dos emitidos pelas outras raças. O *fantail* tem trinta ou até mesmo quarenta penas na cauda, em vez de 12 ou 14, o número normal para todos os membros da grande família dos pombos; além disso, essas penas são mantidas abertas e são tão eretas que, em aves bem formadas, a cabeça e a cauda se tocam; a glândula de óleo[25] é bastante atrofiada. Várias outras linhagens menos distintas poderiam ter sido especificadas.

Nos esqueletos das diversas linhagens, o desenvolvimento dos ossos da face difere bastante em relação ao comprimento, à largura e à curvatura. A forma, bem como a largura e o comprimento do ramo da mandíbula inferior, varia de forma altamente notável. O número de vértebras caudais e sacrais varia; bem como o número de costelas, a amplitude relativa destas e a presença de apófises. O tamanho e a forma das cavidades torácicas são altamente variáveis; o mesmo vale para o grau de divergência e tamanho relativo dos dois ramos da fúrcula.[26] A largura proporcional da abertura da boca, o comprimento proporcional das pálpebras, do orifício das narinas, da língua (nem sempre em estrita correlação com o comprimento do bico), o tamanho do papo e da parte superior do esôfago; o desenvolvimento e a atrofia da glândula sebácea; o número de penas primárias da asa e da cauda; o comprimento relativo entre as asas, a cauda e o corpo; o comprimento relativo entre pernas e pés; o número de pequenas escamas nos dedos, o desenvolvimento da pele entre os dedos, são todos pontos variáveis da estrutura. O período dentro do qual a plumagem perfeita é adquirida varia, e o mesmo vale para o estado de cobertura da plumagem das aves filhotes ao nascerem. A forma e o tamanho dos ovos variam. A forma do voo difere bastante, o que também ocorre, em algumas linhagens, com a voz e a disposição. Por fim, em determinadas linhagens, machos e fêmeas são levemente diferentes.

---

25. Trata-se da glândula uropigiana, que produz um muco oleoso, espalhado com o bico sobre as penas para impermeabilizá-las. Darwin dedicou especial atenção a órgãos atrofiados, que causavam desconforto aos naturalistas anglicanos da tradição aristotélica. (N.R.T.)
26. Trata-se do osso popularmente conhecido como "forquilha". (N.R.T.)

No geral, se selecionássemos e mostrássemos a um ornitólogo ao menos uma vintena de pombos e disséssemos a ele que são aves selvagens, acredito que ele as classificaria certamente como espécies distintas. Além disso, não acredito que os ornitólogos colocariam o pombo-correio inglês, o *tumbler* de cara curta, o *runt*, o *barb*, o *pouter* e o *fantail* no mesmo gênero; mais especialmente porque de cada uma dessas várias linhagens poderíamos mostrar a eles várias sublinhagens – ou espécies, como ele poderia tê-las chamado – com características indubitavelmente herdadas.

Mesmo que as diferenças entre as linhagens de pombos sejam grandes, estou totalmente convencido de que a opinião comum dos naturalistas está correta, ou seja: todas elas descendem do pombo-das-rochas (*Columba livia*);[27] sob este termo estão incluídas várias raças geográficas ou subespécies,[28] as quais diferem entre si em aspectos menos relevantes. Tendo em vista que os vários motivos que me levaram a esta crença são, em certo grau, aplicáveis a outros casos, farei uma exposição breve deles. Se as diversas raças não fossem variedades e não tivessem descendido do pombo-das-rochas, elas precisariam ser descendentes de pelo menos sete ou oito grupos aborígenes; pois é impossível obtermos as atuais raças domésticas pelo cruzamento de qualquer número menor; por exemplo, será que um *pouter* poderia ser produzido pelo cruzamento de duas raças, a menos que um dos grupos paternos tivesse seu característico papo enorme? Todos os supostos grupos aborígenes devem ter sido pombos-das-rochas, isto é, não se reproduziam nem empoleiravam-se voluntariamente em árvores. Mas além do *C. livia*, com suas subespécies geográficas,[29] apenas duas ou três outras espécies de pombos-das-rochas são conhecidas; e estas não têm nenhuma das características das linhagens domésticas. Portanto,

---

27. Darwin compartilhava a ideia dos criadores de seu tempo, a qual foi confirmada por grande número de estudos posteriores, inclusive recentes. Algumas subespécies da atualidade podem ser linhagens ferais, ou seja, originadas de indivíduos domesticados que passaram a viver livremente e que, com o passar das gerações, manifestam algumas características selvagens. (N.R.T.)

28. Darwin quase sempre faz uso rigoroso da terminologia científica, diferenciando linhagens (*breeds*), sabidamente produzidas pela mão humana, das raças geográficas (*geographical races*) ou subespécies (*sub-species*), variações encontradas na natureza. O paralelo entre as duas produções é crucial para seu argumento e se mantém válido até os dias atuais. (N.R.T.)

29. Trata-se de um termo impróprio (ver nota anterior), mas que parece não ter incomodado Darwin, pois o manteve em todas as edições seguintes do livro. (N.R.T.)

os supostos grupos aborígenes ou deveriam existir nos países onde foram originalmente domesticados e, além disso, ser desconhecidos dos ornitólogos (e isso, considerando seu tamanho, hábitos e características notáveis, parece muito improvável); ou deveriam estar extintos no estado selvagem. Mas as aves que se reproduzem em precipícios e conseguem voar bem provavelmente não teriam sido exterminadas; note que o pombo-das-rochas comum, que tem os mesmos hábitos das linhagens domésticas, não foi exterminado nem mesmo nas menores ilhas britânicas ou às margens do Mediterrâneo. Portanto, o suposto extermínio de tantas espécies de hábitos similares ao do pombo-das-rochas me parece uma suposição muito precipitada. Além disso, as diversas linhagens domesticadas acima mencionadas foram transportadas para todas as partes do mundo e, portanto, algumas delas devem ter sido trazidas de volta para sua região de origem; mas nenhuma delas se tornou selvagem ou feral,[30] exceto o pombo *dovecot* – o pombo-das-rochas em um estado ligeiramente alterado –, que se tornou feral em vários lugares. Mais uma vez, todas as experiências recentes mostram que é extremamente difícil conseguir que um animal domesticado procrie livremente; mas, na hipótese da origem múltipla de nossos pombos, deve-se assumir que pelo menos sete ou oito espécies desses animais tenham sido, na Antiguidade, domesticadas de forma tão profunda por homens semicivilizados a ponto de terem se tornado bastante prolíficas em cativeiro.

Um argumento que a mim parece carregar grande peso e ser aplicável a vários outros casos é o seguinte: embora tenham de forma geral a mesma constituição, hábitos, voz, coloração e grande parte de sua estrutura do pombo selvagem, as linhagens acima especificadas ainda são certamente bastante irregulares em relação a outras partes de sua estrutura: buscaríamos em vão ao longo de toda a grande família das Columbidae um bico semelhante ao do pombo-correio inglês, do *tumbler* de cara curta ou do *barb*; penas invertidas como as do *jacobin*; um papo como o do *pouter*; penas da cauda como as do *fantail*. Portanto, seria necessário aceitar que aquele homem semicivilizado conseguiu domesticar completamente várias espécies e que, além disso, ele intencionalmente ou por acaso escolheu espécies extraordinariamente irregulares; e mais que isso, deveríamos aceitar que

30. Ver nota 27, página 45. (N.R.T.)

estas próprias espécies são atualmente desconhecidas ou que extinguiram--se desde então. Essas muitas e estranhas contingências parecem-me extremamente improváveis.

Alguns fatos em relação à coloração dos pombos também merecem ser considerados. O pombo-das-rochas é azul ardósia e sua anca é branca (a da subespécie indiana, *C. intermedia* de Strickland,[31] é azulada); a ponta da cauda tem uma faixa escura e a base das penas externas são afiladas em branco na parte de fora; as asas têm duas faixas pretas: algumas linhagens semidomesticadas e algumas linhagens aparentemente selvagens verdadeiras têm, além de duas faixas pretas, as asas axadrezadas com a cor preta. Estas várias características não ocorrem juntas em nenhuma outra espécie de toda a família. Agora, em todas as linhagens domésticas, levando em conta as aves completamente bem procriadas, todas as marcas mostradas acima, até mesmo a afilação branca das penas exteriores da cauda, ocorrem às vezes de forma perfeitamente desenvolvida. Além disso, ao cruzarmos duas aves pertencentes a duas linhagens distintas, sendo que nenhuma delas é azul nem tem qualquer uma das marcas especificadas acima, a prole mestiça fica repentinamente bastante apta a adquirir essas características; por exemplo, eu cruzei alguns *fantails* uniformemente brancos com alguns *barbs* uniformemente pretos e eles produziram aves malhadas de castanho e aves pretas; em seguida, cruzei estas aves novamente. Um dos netos do *fantail* branco e do *barb* preto nasceu com uma bela cor azul, com a anca branca, uma dupla faixa preta nas asas e barradas e penas afiladas de branco na cauda, como qualquer outro pombo-das-rochas selvagem! Caso todas as raças domésticas sejam descendentes do pombo-das-rochas, podemos entender esses fatos por meio do conhecido princípio da reversão às características ancestrais. Mas, se negarmos essa possibilidade, deveremos fazer uma das duas seguintes suposições, as quais são altamente improváveis: a primeira delas seria que, embora nenhuma outra espécie existente possua as cores e marcas do pombo-das-rochas, deveríamos imaginar que todos os vários grupos aborígenes tinham essas características para que, em cada uma das linhagens, pudesse haver uma tendência a reverter para as mesmas

---

31. Hugh Edwin Strickland (1811-1853), geólogo e zoólogo especializado em aves, contemporâneo de Darwin. (N.T.)

cores e marcas. Ou então imaginar que todas as linhagens, até mesmo as mais puras, foram cruzadas com o pombo-das-rochas há uma dúzia ou, no máximo, há vinte gerações: falo em doze ou vinte gerações pois não conhecemos casos de descendentes que tenham revertido para algum ancestral separado por um número maior de gerações. No caso de uma linhagem que tenha sido cruzada apenas uma vez com uma linhagem distinta, a tendência de reversão para quaisquer características derivadas de tal cruzamento será, naturalmente, cada vez menor, pois em cada nova geração haverá menos sangue alheio; mas quando não houve nenhum cruzamento com uma linhagem distinta e há em ambos os pais a tendência de reversão das características perdidas em alguma geração anterior, então essa tendência (apesar de toda evidência contrária) pode ser transmitida sem alterações para um número indefinido de gerações. Estes dois casos distintos são muitas vezes confundidos nos tratados sobre hereditariedade.[32]

Por último, os híbridos ou mestiços de todas as linhagens domésticas de pombos são perfeitamente férteis. Posso afirmar isso com base em minhas próprias observações, propositadamente feitas com as mais diferentes linhagens. Agora, é difícil, talvez impossível, apresentar algum caso de descendentes híbridos e perfeitamente férteis gerados por dois animais *claramente distintos*. Alguns autores acreditam que uma longa domesticação contínua elimine essa forte tendência à esterilidade: tomando a história dos cães como exemplo, acredito que essa hipótese – caso seja aplicada a espécies estreitamente relacionadas – possa ser verdadeira, mas ela ainda não foi provada por nenhum experimento. No entanto, parece-me precipitado ao extremo estender essa hipótese para a suposição de que espécies aborígenes tão distintas como os pombos-correio, *tumblers*, *pouters* e *fantails* possam produzir uma prole perfeitamente fértil entre si.

Por esses diversos motivos, a saber, a improbabilidade de que o homem tivesse no passado domesticado sete ou oito supostas espécies de pombos e que conseguisse fazê-las procriar livremente; essas supostas espécies serem bastante desconhecidas em estado selvagem e não terem se tornado

---

32. Note-se como Darwin tinha elementos para acreditar que uma teoria da hereditariedade deveria explicar necessariamente a reversão ao tipo selvagem; além disso, ele utiliza a lógica dos criadores ao falar em "diluição de sangue" para explicar a constituição genética dos indivíduos. (N.R.T.)

indóceis em nenhum lugar; essas espécies apresentarem características muito irregulares em certos aspectos, em comparação com todos os outros *Columbidae*, mas em muitos outros aspectos serem bastante semelhantes ao pombo-das-rochas; a cor azul e várias marcas que ocasionalmente aparecem em todas as raças, tanto nas que foram mantidas puras quanto nas cruzadas; a prole mestiça ser perfeitamente fértil. Por esses diversos motivos tomados em conjunto, não tenho qualquer dúvida de que todas as nossas raças domésticas são descendentes da *Columba livia* e de suas subespécies geográficas.

A favor desta opinião, posso acrescentar, em primeiro lugar, que se descobriu na Europa e na Índia que a *C. livia* podia ser domesticada; e que ela possui os mesmos hábitos e, em muitos pontos, a mesma estrutura existente em todas as raças domésticas. Em segundo lugar, embora o pombo-correio inglês ou o *tumbler* de cara curta sejam imensamente diferentes do pombo-das-rochas em certas características, comparando as várias sub-raças dessas raças, e mais especialmente os trazidos de países distantes, podemos traçar uma série quase perfeita entre os extremos dessas estruturas. Em terceiro lugar, as características distintas de cada raça são eminentemente variáveis, como por exemplo a carúncula e o comprimento do bico do pombo-correio, o reduzido bico do *tumbler* e o número de penas da cauda do *fantail*; e a explicação para esse fato se tornará clara quando falarmos sobre seleção. Em quarto lugar, os pombos têm sido acompanhados e cuidados com muita dedicação, bem como amados por muitas pessoas. Eles têm sido domesticados há milhares de anos em várias regiões do mundo; o registro mais antigo relacionado aos pombos pode ser encontrado na quinta dinastia egípcia, por volta de 3000 a.C., como foi dito para mim pelo professor Lepsius;[33] mas o senhor Birch[34] informou-me que os pombos aparecem em um cardápio da dinastia anterior. Nos tempos dos romanos, como ouvimos de Plínio, os pombos atingiam preços altíssimos; "além disso, chegaram ao ponto de darem conta do *pedigree* e da raça [dos pombos]". Aproximadamente em 1600 os pombos eram muito valorizados por Akbar Khan,[35] na Índia; a corte nunca saía com

33. Karl Richard Lepsius (1810-1884), arqueólogo alemão. (N.T.)

34. Samuel Birch (1813-1885), egiptólogo inglês. (N.T.)

35. Jalaluddin Muhammad Akbar (1542-1605), terceiro imperador mongol da Índia. (N.T.)

menos de 20 mil pombos. "Os monarcas do Irã e de Turan enviavam algumas aves muito raras a ele"; e, continua o historiador da corte, "sua majestade, pelo cruzamento das linhagens a partir de um método nunca praticado anteriormente, melhorou espantosamente sua qualidade". Mais ou menos na mesma época, os holandeses estavam tão ávidos por pombos quanto os antigos romanos. A grande importância dessas considerações para explicar a imensa quantidade de variações sofridas pelos pombos se tornará mais clara quando tratarmos da seleção. Em seguida, veremos também por que as linhagens costumam apresentar certas características um tanto monstruosas. Há uma circunstância bastante favorável para a produção de linhagens distintas: pombos machos e fêmeas podem, facilmente, formar casais para toda a vida; e, assim, diferentes linhagens podem ser mantidas juntas no mesmo aviário.

Tratei da provável origem dos pombos domésticos de forma um pouco longa, mas bastante insuficiente; a primeira vez que criei pombos e observei os vários tipos, sabendo bem que as crias mantêm as características dos pais, senti extrema dificuldade em acreditar que eles pudessem ser descendentes de um pai comum, como poderia ocorrer com qualquer naturalista ao chegar a uma conclusão semelhante em relação às muitas espécies de tentilhões ou outros grandes grupos de aves, na natureza. Uma circunstância me impressionou muito: todos os criadores dos vários animais domésticos e os cultivadores de plantas com quem conversei, ou cujos tratados li, estão firmemente convencidos de que as várias linhagens tratadas por cada um deles são descendentes de espécies aborígenes distintas. Pergunte, como eu perguntei, a um célebre criador de gado *hereford* se o seu gado poderia ser descendente da raça *longhorn*, e ele rirá de você com desprezo. Nunca conheci um apreciador de pombos, galináceos, patos ou coelhos que não estivesse totalmente convencido de que cada linhagem principal é descendente de uma espécie distinta. Van Mons[36] mostra, em seu tratado sobre as peras e as maçãs, quão grande é sua descrença na possibilidade de que os vários tipos, por exemplo, de maçãs *ribston-pippin* ou *codlin*, possam ter procedido das sementes de uma mesma árvore. Eu poderia oferecer muitos outros exemplos. A explicação, me parece, é simples: por conta de seus estu-

---

36. Jean Baptiste van Mons (1765-1842), médico e botânico belga, escreveu *Arbres frutières* (Árvores frutíferas) em 1835 e 1836. (N.T.)

dos contínuos e prolongados, eles ficaram fortemente impressionados com as diferenças entre as diversas raças; e embora eles bem saibam que cada raça varia ligeiramente, pois eles ganham seus prêmios ao selecionar essas pequenas diferenças, eles ainda ignoram todos os argumentos gerais, eles se recusam a sintetizar em suas mentes as pequenas diferenças acumuladas durante muitas gerações sucessivas. Será que aqueles naturalistas – que sabem muito menos sobre as leis da hereditariedade do que os criadores e que sabem tanto quanto eles sobre as conexões intermediárias das longas linhas de descendência, mas que, mesmo assim, admitem que muitas de nossas raças domésticas são descendentes dos mesmos pais – não poderiam aprender a ter cautela quando zombam da ideia de espécies em estado natural serem descendentes lineares de outras espécies?

Seleção

Consideremos brevemente agora as etapas pelas quais as raças domésticas foram produzidas a partir de uma ou de várias espécies afins. Parte do resultado possa talvez ser atribuído à ação direta das condições externas da vida e um pouco ao hábito; mas será muito ousado aquele que responsabilizar estes fatores pelas diferenças entre um cavalo de carga e um cavalo de corrida, um galgo e um cão de caça, um pombo-correio e um *tumbler*. Uma das características mais marcantes de nossas raças domesticadas é que nelas podemos enxergar a adaptação; não de fato para o próprio bem do animal ou da planta, mas para o uso e admiração do homem. Algumas variações úteis para os humanos teriam provavelmente surgido repentinamente, ou em apenas um passo; muitos botânicos, por exemplo, acreditam que o *Dipsacus fullonum*,[37] com seus ganchos, para os quais não existem artifícios mecânicos rivais, é apenas uma variedade do *Dipsacus* selvagem; e que essa quantidade de alterações possa ter surgido repentinamente em uma muda. O mesmo deve, então, ter ocorrido com o cão *turnspit*; e sabemos que esse é o caso das ovelhas da raça ancon. Mas quando comparamos o cavalo de carga e o cavalo de corrida, o dromedário e o camelo, as várias linhagens de ovinos, equipadas para viver em terras cultivadas ou pastagens de montanha, sendo a lã de uma linhagem boa para uma finalidade e

---

37. Conhecido por Darwin com o nome de *fuller's teasel*. (N.T.)

a da outra linhagem para outra finalidade; quando comparamos as muitas linhagens de cães, cada um útil para o homem de maneiras muito diferentes; quando comparamos o galo de briga, tão obstinado em suas batalhas, com outras linhagens tão pouco briguentas, como as "poedeiras infinitas"[38] que nunca desejam chocar, e com os bantam, tão pequenos e elegantes; quando comparamos a gigantesca variedade de raças de plantas para a agricultura, a culinária, o pomar e os jardins, mais úteis ao homem em épocas diferentes e para diferentes fins, ou tão belas aos olhos, devemos, penso eu, ir além da mera variabilidade. Não supomos que todas as linhagens tenham sido produzidas repentinamente da forma tão perfeita e útil como as vemos hoje; com efeito, sabemos que em vários casos essa não é sua história. A chave da questão é o poder do homem para realizar uma seleção acumulativa: a natureza nos dá as sucessivas variações; o homem adiciona variações em determinadas direções úteis para si. Nesse sentido, pode-se dizer que o homem produz linhagens úteis para si mesmo.

A grande força do princípio da seleção não é hipotética. É certo que vários dos nossos maiores criadores conseguiram modificar algumas raças de gado e ovelhas de forma significativa, mesmo no período de uma única vida humana. Para compreendermos bem o que eles fizeram, é quase necessário lermos alguns dos muitos tratados dedicados ao assunto e avaliar os próprios animais. Os criadores costumam referir-se aos organismos dos animais como algo plástico que pode ser modelado quase que da forma que desejarem. Se houvesse espaço, eu poderia citar inúmeras passagens de autoridades muito competentes sobre o tema. Youatt,[39] que provavelmente conhecia mais as atividades dos agricultores do que quase qualquer outro indivíduo e que era grande conhecedor dos animais, fala do princípio da seleção como "algo que permite ao agricultor não apenas modificar as características de seu rebanho, mas sim transformá-las completamente. É a varinha do mágico, por meio da qual ele pode trazer à vida quaisquer formas e modelos que desejar".[40] O

---

38. *Everlasting layers* em inglês. (N.T.)
39. William Youatt (1776-1847), veterinário inglês que escreveu diversos livros muito populares sobre animais domésticos, como cães, ovelhas e cavalos, alguns ainda sendo editados até hoje (inclusive como e-books). (N.R.T.)
40. Youatt, William. *Sheep: Their Breeds, Management, and Diseases, to Which Is Added the Mountain Shepherd's Manual*. Londres: Baldwin and Cradock, 1837. p. 60. (N.T.)

Lorde Somerville,[41] ao falar sobre o que os criadores fizeram pelas ovelhas, diz: "É como se desenhassem na parede uma forma perfeita com giz e depois dessem existência a ela". Sir John Sebright, um criador habilidoso, costumava dizer em relação aos pombos que "ele conseguiria produzir qualquer tipo de pena em três anos, mas que levaria seis anos para conseguir moldar a cabeça e o bico". Na Saxônia, a importância do princípio da seleção em relação às ovelhas merino é tão plenamente reconhecida que os homens o seguem como um negócio: as ovelhas são colocadas em uma mesa e são analisadas assim como um especialista estuda uma pintura; isso é feito três vezes, com intervalos de meses; nesses períodos as ovelhas são marcadas e classificadas para que a melhor seja, por fim, selecionada para reprodução.

O resultado obtido pelos criadores ingleses é evidenciado pelos altíssimos preços oferecidos aos animais com um bom *pedigree* e por estes serem atualmente exportados para quase todas as regiões do mundo. A melhoria não se deve de uma forma geral ao cruzamento de raças diferentes; todos os melhores criadores opõem-se fortemente a esta prática, exceto às vezes entre sub-raças muito próximas. E quando esse tipo de cruzamento é realizado, eles devem fazer uma seleção muito mais rigorosa do que a realizada nos casos normais. Se a seleção consistisse em apenas separar alguma variedade bastante distinta e reproduzir a partir dela, o princípio seria tão óbvio que nem valeria a pena ser notado; mas sua importância consiste no grande resultado produzido pela acumulação em uma única direção, durante sucessivas gerações, de diferenças absolutamente inapreciáveis para os olhos incultos; diferenças que eu tentei apreciar em vão. Nem um homem em mil tem olhos tão precisos e é tão criterioso para se tornar um importante criador. Se a pessoa dotada com essas qualidades estudar o tema durante anos e dedicar sua vida a isso com perseverança indomável, ela terá sucesso e poderá criar grandes melhorias; se lhe faltarem essas qualidades, certamente fracassará. Poucos acreditariam prontamente nessa capacidade natural e nos anos de prática que são necessários para se tornar ao menos um bom apreciador de pombos.

Os mesmos princípios são seguidos pelos horticultores; mas as variações nesse campo são frequentemente mais abruptas. Ninguém pressupõe que nossas melhores produções são criadas por meio de única variação do

41. Lorde John Southey Somerville (1765-1819), agricultor, criador de ovelhas merino. (N.T.)

grupo aborígene. Mas temos provas de casos registrados com dados corretos mostrando que isso nem sempre ocorre; assim, como um exemplo bastante insignificante podemos citar o aumento constante do tamanho da groselheira. Se compararmos as flores dos dias atuais com os desenhos feitos apenas há vinte ou trinta anos, notaremos uma melhora surpreendente nas flores de muitos floristas. Quando uma raça de plantas já está bem estabelecida, os produtores de sementes já não escolhem as melhores plantas, mas vão simplesmente até suas plantações e arrancam as "daninhas" (*rogues*), como eles chamam as plantas que se desviam do padrão adequado. Em relação aos animais também se utiliza esse mesmo tipo de seleção; pois quase ninguém é tão descuidado a ponto de permitir que seus piores animais procriem.[42]

Em relação às plantas, há outro meio de observar os efeitos acumulados da seleção, a saber, comparar, no jardim, a diversidade das flores das diferentes variedades da mesma espécie; na horta, comparar a diversidade das folhas, vagens, tubérculos ou qualquer parte valorizada com as flores das mesmas variedades; e, no pomar, a diversidade dos frutos da mesma espécie com as folhas e flores do mesmo grupo de variedades. Veja como as folhas do repolho são diferentes e como suas flores são extremamente parecidas; como as flores do amor-perfeito (*Viola tricolor*) são dissimilares e quão semelhantes são suas folhas; note como os frutos dos vários tipos de groselheiras diferem em tamanho, forma, cor e pilosidade, mas, mesmo assim, como suas flores apresentam diferenças muito pequenas. Não podemos dizer que as variedades muito diferentes em alguma característica não tenham quaisquer diferenças em outras características; isso quase nunca, ou talvez nunca, ocorre. As leis da correlação de crescimento, cuja importância nunca deve ser menosprezada, garantirão algumas diferenças; mas, como regra geral, não tenho como duvidar de que a seleção contínua de pequenas variações, seja em folhas, flores, seja nos frutos, produzirão raças diferentes umas das outras principalmente nessas características.

É possível rejeitar o princípio da seleção ao afirmar que ele se tornou uma prática metódica há apenas pouco mais de três quartos de século; cer-

---

42. Darwin utilizará essa frase novamente em 1871, em seu livro *Origem do homem* (*Descent of Man*, p. 138), ao abordar a questão da eugenia: "Mas, com exceção do caso do próprio homem, dificilmente alguém é tão ignorante para permitir que seus piores animais procriem". (N.R.T.)

tamente demos maior atenção a ele nesses últimos anos e muitos tratados têm sido publicados sobre o assunto; posso ainda acrescentar que o resultado disso tem sido correspondentemente rápido e importante. Mas está muito longe de ser verdade que o princípio é uma descoberta moderna. Eu poderia oferecer várias referências do completo reconhecimento da importância do princípio da seleção em obras muito antigas. Nos períodos rudes e bárbaros da história inglesa, os melhores animais eram muitas vezes importados e havia leis que impediam a exportação deles: ordenou-se a destruição de cavalos que tivessem um determinado tamanho. Podemos comparar isso aos viveiristas que arrancam as "daninhas" de suas plantações. O princípio da seleção encontra-se claramente apresentado em uma antiga enciclopédia chinesa. Há o estabelecimento de regras explícitas por alguns escritores da Roma clássica. Certas passagens do *Gênesis* não deixam dúvidas de que, já naquele tempo, cuidava-se da cor dos animais domésticos. Os selvagens atuais às vezes cruzam seus cães com animais caninos selvagens para melhorar a raça, e faziam o mesmo no passado, conforme podemos ler em certas passagens de Plínio, o Velho.[43] Os selvagens da África do Sul emparelham seu gado de tração por cor e alguns esquimós fazem o mesmo com seus cães. Livingstone[44] mostra que as boas linhagens domésticas são muito valorizadas por negros do interior da África que não têm relacionamento algum com os europeus. Alguns desses fatos não são exemplos claros de seleção, mas mostram que, nos tempos antigos, a criação de animais domésticos recebia uma atenção cuidadosa e que os selvagens mais primitivos fazem o mesmo na atualidade. Uma vez que a hereditariedade de qualidades boas e más é algo tão óbvio, não dar atenção à criação e ao cruzamento seria, na verdade, um fato muito estranho.

Neste momento, criadores eminentes tentam formar uma nova estirpe ou sub-raça, superior a qualquer coisa existente no país, por meio da seleção metódica, com um objetivo distinto. Mas, para o nosso propósito, há um tipo de seleção mais importante, que podemos chamar de inconsciente, e que é o resultado de todos estarem tentando ter e cruzar os melhores animais

---

43. Caio Plínio II (23 d.C.-79 d.C.), conhecido como Plínio, o Velho, foi um naturalista romano. Escreveu o livro *História natural*. (N.T.)

44. David Livingstone (1813-1873), missionário inglês e explorador do continente africano. (N.T.)

individuais. Dessa forma, uma pessoa que deseja criar *pointers* tenderá naturalmente a tentar obter os melhores cães que puder e, em seguida, cruzar seus melhores cães; mas ela não deseja ou espera alterar a linhagem de forma permanente. No entanto, não duvido que este processo, continuado durante séculos, poderia melhorar e modificar quaisquer raças da mesma forma como Bakewell,[45] Collins[46] e outros, que conseguiram obter grandes modificações nas formas e qualidades de seu gado por este mesmo processo (mas de forma mais metódica), durante a própria vida. As alterações lentas e insensíveis deste tipo nunca poderiam ser reconhecidas, a menos que medições reais ou desenhos impecáveis das linhagens em questão já viessem sendo feitos há muito tempo para que pudéssemos compará-las. Em alguns casos, contudo, indivíduos inalterados ou pouco modificados da mesma linhagem podem ser encontrados nos distritos menos civilizados, onde a linhagem foi menos aprimorada. Há razões para acreditarmos que o *spaniel* do Rei Carlos recebeu grandes modificações inconscientes desde a época desse monarca. Algumas autoridades bastante competentes estão convencidas que o *setter* é derivado diretamente do *spaniel* e provavelmente foi alterado lentamente a partir dele. Sabe-se que o *pointer* inglês foi bastante alterado no século passado e, neste caso, acredita-se que a mudança tenha ocorrido principalmente por cruzamentos com o *foxhound*; mas o que nos diz respeito é que a mudança foi realizada de forma inconsciente e gradual, e, apesar disso, de maneira efetiva; e assim, embora o velho *pointer* espanhol tenha certamente vindo da Espanha, o senhor Barrow[47] não encontrou, como fui informado por ele mesmo, nenhum cão nativo da Espanha semelhante ao nosso *pointer.*

Por um processo semelhante de seleção e pelo treinamento cuidadoso, os cavalos de corrida ingleses superam sua linhagem árabe paterna em velocidade e tamanho, ao ponto de esta última, de acordo com os regulamentos das corridas de Goodwood, ser favorecida pelo peso que carrega. O Lorde Spencer[48] e outros mostraram que o gado da Inglaterra tem aumentado

45. Robert Bakewell (1725-1795), agricultor e criador inglês. Implementou a criação seletiva e aprimorou vários animais: ovelhas, gado, cavalos. (N.T.)
46. "Collins", na verdade Charles Colling (1751-1836), criador inglês. (N.T.)
47. John Barrow (1764-1848), escritor viajante inglês. (N.T.)
48. Lorde John Charles Spencer (1782-1845), primeiro presidente da Sociedade Real de Agricultura da Inglaterra e conhecido criador de gado. (N.T.)

seu peso e apresenta maturidade adiantada em comparação com os grupos mais antigos. Comparando-se as descrições de antigos tratados sobre pombos-correio e *tumblers* com as raças existentes atualmente na Grã-Bretanha, Índia e Pérsia, acredito podermos detectar claramente os estágios pelos quais eles passaram sem percebermos o quanto se tornaram tão diferentes do pombo-das-rochas.

Youatt oferece uma excelente ilustração dos efeitos de um processo de seleção que pode ser considerado inconsciente, já que os criadores não esperavam, ou nem mesmo desejavam, ter produzido o resultado que se seguiu, a saber, a produção de duas linhagens distintas. Os dois rebanhos de ovelhas *leicester* mantidos pelos senhores Buckley e Burgess, conforme observa o senhor Youatt, "foram criados a partir de linhagens puras do grupo de animais originais do senhor Bakewell por mais de cinquenta anos. Dentre aqueles que estão familiarizados com o caso, não há a mínima suspeita de que os proprietários desses dois rebanhos tenham se desviado do rebanho puro-sangue do senhor Bakewell mas, ainda assim, a diferença entre as ovelhas de cada um desses dois senhores é tão grande que elas parecem ser variedades completamente diferentes".

Mesmo que existam selvagens tão bárbaros a ponto de nunca pensarem sobre as características herdadas dos descendentes de seus animais domésticos, um animal que seja particularmente útil a eles para qualquer finalidade especial será cuidadosamente preservado durante períodos de carestia e outras adversidades às quais os selvagens estão tão expostos, e esses melhores animais geralmente deixariam, dessa forma, mais descendentes do que os inferiores a eles; assim, estaríamos neste caso observando um tipo de seleção inconsciente. Vemos que os animais são muito valorizados até mesmo pelos bárbaros da Terra do Fogo; em tempos de escassez, eles matam e devoram as mulheres velhas, pois elas têm menos valor que seus cães.[49]

Nas plantas, o mesmo processo gradual de aprimoramento – através da preservação ocasional dos melhores indivíduos, sejam eles ou não suficientemente distintos para serem classificados em sua primeira aparição como variedades distintas, e mesmo que duas ou mais espécies ou raças tenham

---

49. Darwin reproduz informação recebida na viagem do *Beagle*, um mito repetido desde o século XVI. Em 1888, ficou bem estabelecido ser totalmente falso. (N.R.T.)

ou não se misturado por cruzamento – pode ser claramente reconhecido pela beleza e pelo aumento de tamanho que verificamos atualmente nas variedades de amores-perfeitos, rosas, gerânios, dálias e outras plantas quando as comparamos com as variedades mais antigas ou com suas espécies paternas. Ninguém espera obter um amor-perfeito de primeira qualidade ou uma dália a partir da semente de uma planta selvagem. Ninguém espera obter uma pera que derrete na boca e de primeira qualidade a partir da semente de uma pera selvagem, embora se possa ter sucesso a partir de uma muda de sementes fracas que estivesse crescendo em local selvagem, mas cuja origem fosse uma espécie doméstica. A pera, embora cultivada na época clássica, parece, pela descrição de Plínio, ter sido um fruto de qualidade muito inferior. Surpreendi-me bastante com algumas obras da horticultura feitas pela maravilhosa habilidade dos horticultores, que produziram resultados tão esplêndidos a partir de materiais tão pobres; mas a arte, não duvido, é simples, e o resultado final tem sido obtido de forma quase inconsciente. Ela consiste em cultivar sempre as melhores variedades conhecidas, semeando suas sementes, e, quando uma variedade um pouco melhor surge por acaso, selecioná-la, e assim em diante. Mas os horticultores do período clássico que cultivaram a melhor pera que conseguiram obter nunca imaginaram a esplêndida fruta que teríamos hoje, embora devamos nossa fruta excelente, em certo grau, ao fato de elas terem sido naturalmente escolhidas e as melhores variedades terem sido preservadas sempre que eram encontradas.

Dessa forma, grande parte das mudanças em nossas plantas de cultivo foram acumuladas de forma lenta e inconsciente; acredito que isso explica o fato bem conhecido de que em muitos casos não há como reconhecer e, portanto, conhecer as espécies paternas selvagens das plantas mais antigas de nossos jardins de flores e hortas. Já que foram necessários séculos ou milhares de anos para aprimorar ou modificar a maioria de nossas plantas até seu presente padrão de utilidade para o homem, então podemos entender por que não recebemos nem uma única planta de cultivo da Austrália, do Cabo da Boa Esperança ou de qualquer outra região habitada por homens incivilizados. Não que esses países, tão ricos em espécies, não possuam por um estranho acaso os grupos aborígenes de quaisquer plantas úteis, mas as plantas nativas não foram aprimoradas pela seleção contínua até atingirem um padrão de perfeição comparável ao oferecido, na Antiguidade, às plantas dos países civilizados.

No que se refere aos animais domésticos dos homens incivilizados, não devemos nos esquecer de que eles precisavam, quase sempre e pelo menos durante algumas estações, lutar por sua própria comida. Por vezes, em duas regiões com condições muito diferentes, indivíduos de uma mesma espécie que possuem estruturas ou constituições ligeiramente diferentes podem obter maior sucesso em uma região que na outra e, desse modo, por meio do processo de "seleção natural" (que será mais bem explicado a partir de agora), duas sub-raças podem ser formadas. Isso talvez explique em parte o que foi observado por alguns autores, que as variedades mantidas pelos selvagens contam com mais características das espécies originais do que as variedades dos países civilizados.

Conforme o ponto de vista aqui exposto sobre a importância da seleção feita pelo homem, torna-se imediatamente óbvia a razão pela qual nossas raças domésticas se mostram adaptadas, em suas estruturas ou hábitos, aos desejos ou à imaginação dos homens. Acredito que podemos entender melhor as características irregulares de nossas raças domésticas e por que, da mesma forma, as suas diferenças são tão grandes em relação às características externas e relativamente tão pequenas nas partes ou nos órgãos internos. O homem dificilmente pode selecionar, ou só com muita dificuldade, qualquer desvio de estrutura, excetuando aqueles que são externamente visíveis; e de fato ele raramente se importa com o que é interno. O homem somente consegue agir por meio da seleção após ter visto algum tipo de modificação ligeira ocorrida na natureza. Ninguém jamais tentaria criar um *fantail* sem antes ter visto um pombo com uma cauda ligeiramente mais desenvolvida de forma um tanto incomum, nem um *pouter* sem antes ter visto um pombo com um papo de dimensões ligeiramente incomuns; e quanto mais irregulares ou incomuns fossem as características vistas pela primeira vez, maior seria a probabilidade de elas chamarem a atenção dos homens. Mas utilizar a expressão "tentar criar um *fantail*" é, não tenho dúvidas, na maioria dos casos, totalmente incorreto. O primeiro homem a selecionar um pombo com uma cauda ligeiramente mais desenvolvida não imaginava, nem em sonho, o que os descendentes daquele pombo se tornariam por meio da longa seleção contínua, tendo sido essa seleção parcialmente inconsciente e parcialmente metódica. Talvez o pássaro paterno de todos os *fantails* tivesse apenas catorze penas um pouco maiores na cauda, como a cauda do atual *fantail* de Java, ou como os indivíduos de outras raças distintas nos quais foram encontradas até dezessete penas em suas caudas. Talvez o primeiro pombo *pouter* não inflasse seu papo tanto quanto o atual *turbit* o faz com a parte superior do seu esôfago, um hábito que é ignorado por todos os criadores por não ser uma das características da raça.

Também não devemos imaginar que seria necessária alguma grande diferença estrutural para chamar atenção dos apreciadores: estes percebem as mais sutis diferenças; faz parte da natureza humana valorizar quaisquer novidades, mesmo que pequenas, daquilo que tem em mãos. Não devemos, também, julgar o valor que era anteriormente dado a qualquer pequena diferença nos indivíduos da mesma espécie pelo valor que, após várias linhagens já estarem razoavelmente bem definidas, é dado atualmente a elas. Muitas pequenas diferenças podem surgir e, de fato, atualmente surgem entre os pombos rejeitados como fracassos ou por serem desvios do padrão de perfeição estabelecido para a linhagem. O ganso comum não deu origem a qualquer grande variedade; por isso a linhagem comum e a linhagem *thoulouse*, que diferem apenas na cor (a característica mais fugaz de todas), têm sido apresentadas nas exposições de aves domésticas como se fossem linhagens distintas.

Acredito que esses pontos de vista expliquem melhor algo que temos notado: não sabemos nada sobre a origem ou a história de nossas linhagens domésticas. Mas, na verdade, dificilmente podemos dizer que uma linhagem, assim como o dialeto de uma língua, tenha uma origem definitiva.[50] Uma pessoa preserva e reproduz um indivíduo com um ligeiro desvio em sua estrutura, ou toma mais cuidado do que o habitual para cruzar seus melhores animais e, assim, os aprimora, e os indivíduos aprimorados se espalham lentamente para a vizinhança próxima. Mas, nesse momento, essa forma ainda não tem um nome distinto; e por ser apenas um pouco mais valorizada, sua

50. Note-se a analogia, que se revelou notavelmente apropriada após estudos de marcadores genéticos nos grupos humanos europeus que seguem o padrão linguístico do continente. (N.R.T.)

história será desconsiderada. Quando eles são mais aprimorados por meio do mesmo processo lento e gradual, espalham-se mais, passam a ser reconhecidos como algo distinto, valioso e, provavelmente, só então recebem um nome provincial pela primeira vez. Em países semicivilizados, com pouca comunicação livre, o processo de propagação e de conhecimento de qualquer nova sublinhagem será lento. Tão logo os pontos valorizados da nova sublinhagem sejam plenamente reconhecidos, o princípio da seleção inconsciente, conforme eu o denominei, sempre tenderá a acrescentar lentamente as características da linhagem, sejam elas quais forem – talvez mais em um período do que em outro, conforme a linhagem ganhe ou perca valor, talvez mais em uma área que em outra, de acordo com o grau de civilização dos habitantes. Mas a chance de haver registros preservados sobre essas variações lentas, variadas e imperceptíveis será infinitamente pequena.[51]

Falarei agora um pouco sobre as circunstâncias favoráveis ou desfavoráveis ao poder de seleção dos homens. O alto grau de variabilidade é obviamente favorável, pois nos oferece mais material para podermos selecionar; não que as meras diferenças individuais sejam insuficientes para que, com extremo cuidado, permitam a acumulação de uma grande quantidade de alterações em quase qualquer direção desejada. Mas, já que as variações verdadeiramente úteis ou agradáveis aos homens surgem apenas ocasionalmente, a probabilidade de que elas surjam será muito maior se forem criados muitos indivíduos; a quantidade é portanto extremamente importante para o sucesso. Por esse princípio, Marshall observou o seguinte em relação às ovelhas de algumas áreas de Yorkshire: "Elas não podem ser aprimoradas, pois pertencem normalmente aos pobres e existem em *pequenos grupos*". Por outro lado, os viveiristas costumam obter mais sucesso que os amadores ao criarem grandes grupos das mesmas plantas, obtendo variedades novas e valiosas. A manutenção de um grande número de indivíduos de uma espécie em uma região requer que as espécies sejam expostas a condições favoráveis de vida, a fim de procriarem livremente naquela região. Quando os indivíduos da espécie são escassos, é permitido que todos os indivíduos, quaisquer que sejam suas qualidades, procriem, e isto é um

51. Aqui Darwin antecipa, com outra analogia muito interessante, a resposta a uma das críticas mais severas que iria enfrentar: as lacunas do registro fóssil. (N.R.T.)

obstáculo efetivo à seleção. Mas provavelmente o ponto mais importante é que o animal ou a planta deva ser tão altamente útil ao homem, ou muito valorizado por ele, que a máxima atenção seja dada até mesmo ao menor desvio nas qualidades ou na estrutura de cada indivíduo. A menos que tal atenção seja dada, nenhum resultado será obtido. Já vi comentado de forma muito séria que, afortunadamente, os morangos apenas passaram a variar quando os horticultores começaram a cuidar dessa planta com mais atenção. Sem dúvida, desde que são cultivados, os morangos sempre variaram, mas as pequenas variações foram negligenciadas. No entanto, logo que os horticultores começaram a escolher plantas individuais com frutas ligeiramente maiores, mais precoces ou melhores, plantaram mudas delas e, novamente, escolheram as mudas e as plantaram uma vez mais; em seguida surgiram (pelo cruzamento com espécies distintas) as muitas variedades admiráveis de morango dos últimos trinta ou quarenta anos.

No caso de animais com os sexos separados, a facilidade da prevenção de cruzamentos é um elemento importante para o sucesso na formação de novas raças, pelo menos em uma região já abastecida por outras raças. Nesse sentido, o cercamento da terra desempenha um papel importante. Os selvagens nômades ou os habitantes de grandes planícies raramente possuem mais de uma linhagem da mesma espécie. Os pombos podem formar casais por toda a vida; isso é bastante conveniente para os apreciadores, pois assim muitas raças podem ser mantidas puras, mesmo que convivam no mesmo aviário; e esta circunstância deve ter favorecido bastante o aprimoramento e a formação de novas linhagens. Os pombos, posso acrescentar, propagam-se em grande número e em um ritmo muito rápido; além disso, as aves inferiores podem ser livremente rejeitadas, pois servem de alimento quando mortas. Por outro lado, os gatos, por causa de seus hábitos noturnos e de perambularem, não podem ser facilmente cruzados e, embora muito valorizados pelas mulheres e crianças, raramente vemos uma linhagem distinta; as linhagens por vezes encontradas quase sempre são importadas de outros países, muitas vezes de ilhas. Embora eu não duvide de que alguns animais domésticos variem menos do que outros, a raridade ou ausência de raças distintas de gatos, burros, pavões, gansos etc. pode ser atribuída principalmente ao fato de a seleção não ter sido posta em prática: nos gatos, por causa da dificuldade de acasalamento; nos burros, por serem criados por pessoas pobres e da pouca atenção que é dada à sua reprodução; nos pavões, por sua difícil criação e pela manutenção de pequenos grupos; nos gansos, por serem valiosos apenas para duas finalidades, alimento e penas; e, de forma mais específica, porque as pessoas não sentem prazer em exibir raças distintas deste animal.

Resumamos o que foi citado sobre a origem de nossas raças domésticas de animais e plantas. Eu acredito que as condições de vida, por sua ação no sistema reprodutivo, são muito importantes para a variabilidade. Não acredito, conforme acreditam outros autores, que a variabilidade seja uma contingência inerente e necessária em todas as circunstâncias e para todos os organismos. Os efeitos da variabilidade são modificados por vários graus de hereditariedade e reversão. A variabilidade é governada por muitas leis desconhecidas, mais especialmente pela lei de correlação de crescimento. É possível atribuir certa influência à ação direta das condições de vida; algo também deve ser atribuído ao uso e desuso.[52] O resultado final torna-se, assim, infinitamente complexo. Em alguns casos, não duvido que o cruzamento de espécies aborígenes distintas tenha desempenhado um papel importante na origem de nossas produções domésticas. Quando, em algum país, várias linhagens domésticas tornam-se bem estabelecidas, o cruzamento ocasional destas com o auxílio da seleção ajuda bastante na formação de novas sublinhagens; mas acredito que tem-se exagerado muito no que se refere à importância do cruzamento das variedades, tanto no que diz respeito aos animais quanto às plantas que se propagam por sementes. Nas plantas que são temporariamente propagadas por enxertos, brotos etc., a importância do cruzamento entre espécies e variedades distintas é imensa; pois, nesse ponto, o cultivador costuma desconsiderar a variabilidade extrema de híbridos e mestiços, bem como a esterilidade frequente dos híbridos; mas os casos de plantas não propagadas por sementes são de pouca importância para nós, uma vez que sua resistência é apenas temporária. Ao longo de todas estas causas para as mudanças, estou convencido de que a ação acumulativa da seleção, quando aplicada rápida e metodicamente, ou lenta e inconscientemente mas de forma mais eficiente, é de longe a força predominante.

---

52. Note-se como os mecanismos ditos "lamarquistas" estavam presentes em Darwin desde a primeira edição do *On The Origin of Species*. No original ele emprega o verbo "must", o que indica que algo deve obrigatória e forçosamente ser atribuído aos efeitos hereditários do uso e desuso. (N.R.T.)

CAPÍTULO 2
A VARIAÇÃO NA NATUREZA

VARIABILIDADE – DIFERENÇAS INDIVIDUAIS – ESPÉCIES DUVIDOSAS – AS ESPÉCIES COM MAIOR DISTRIBUIÇÃO, MAIS DIFUNDIDAS E COMUNS SÃO AS QUE MAIS VARIAM – AS ESPÉCIES DOS GÊNEROS MAIORES DE QUALQUER REGIÃO VARIAM MAIS DO QUE AS ESPÉCIES DOS GÊNEROS MENORES – MUITAS ESPÉCIES DOS GÊNEROS MAIORES ASSEMELHAM-SE ÀS SUAS VARIEDADES POR ESTAREM MAIS INTIMAMENTE RELACIONADAS ENTRE SI, MAS DE FORMA DESIGUAL, E POR TEREM DISTRIBUIÇÃO RESTRITA

Antes de aplicarmos os princípios do último capítulo aos organismos em estado selvagem, devemos discutir brevemente se estes estão sujeitos a variações. Para tratar do assunto de forma correta, deveríamos oferecer uma longa lista de fatos brutos, mas reservarei isso para uma obra futura. Também não discutirei as várias definições que foram dadas ao termo "espécie". Ainda não há uma única definição que tenha satisfeito a todos os naturalistas; além disso, todo naturalista sabe de forma vaga o que quer dizer quando utiliza o vocábulo. Geralmente, o termo inclui o elemento desconhecido de um ato distinto de criação. O termo "variedade" é quase tão difícil de ser definido; mas, nesse ponto, quase sempre está implícita a ideia de uma comunidade de ascendentes,[1] embora isso raramente possa ser provado. Há também o que é chamado de monstruosidades,[2] mas

---

1. Isto é, uma origem comum. (N.T.)
2. O termo "monstruosidades" (θηρατά / *teratá*) foi utilizado por Aristóteles para designar os seres com órgãos sem finalidade de linhagens domésticas, como a planta que produz a couve-flor. O termo foi continuamente utilizado pelos naturalistas, inclusive por Lineu. (N.R.T.)

estas, gradualmente, passam a ser variedades. Acredito que por monstruosidade entende-se um desvio estrutural considerável de alguma parte, prejudicial ou inútil para a espécie e que normalmente não se propaga.[3] Alguns autores usam o termo "variação" em um sentido técnico, implicando uma modificação direta devido às condições físicas da vida; e, nessa acepção, as "variações" não são hereditárias: mas quem pode dizer que o nanismo das conchas das águas salobras do Báltico, que o nanismo das plantas de cumes alpinos ou que a pelagem mais espessa de um animal do extremo norte não foram, em alguns casos, herdados por, ao menos, algumas poucas gerações? E nesse caso presumo que a forma seria chamada de variedade.

Da mesma maneira, há muitas pequenas diferenças que podem ser chamadas de diferenças individuais, tais como aquelas que surgem frequentemente na prole dos mesmos pais ou que se pode presumir que assim tenham surgido por serem comumente observadas em indivíduos da mesma espécie e que habitam uma mesma região confinada. Ninguém acredita que todos os indivíduos da mesma espécie sejam originados de um mesmo molde. Essas diferenças individuais são muito importantes para nós, pois elas oferecem recursos materiais para que a seleção natural se acumule – da mesma maneira como o homem pode fazer com que diferenças individuais em suas produções domésticas sejam acumuladas, na direção que desejar. Essas diferenças individuais geralmente afetam as partes que os naturalistas consideram sem importância; mas posso mostrar, a partir de uma longa lista de fatos, que as partes chamadas de importantes, seja do ponto de vista fisiológico ou classificatório, às vezes variam em indivíduos da mesma espécie. Estou convencido de que os naturalistas mais experientes ficariam surpresos com o número de casos de variações que ocorrem até mesmo em partes estruturais importantes e que podem ser coletadas a partir de fontes legítimas ao longo de vários anos, assim como eu o fiz. Deve-se lembrar de que a variação de características importantes está longe de agradar aos

---

3. Trata-se de uma afirmação de grande impacto, pois contrariava a tradição da história natural anglicana, ligada à teologia natural, que entendia o mundo como uma criação perfeita. Darwin questiona até mesmo o termo, pois reúne provas de que as "monstruosidades" são herdáveis e, portanto, não acidentais. (N.R.T.)

sistematas[4] e que não existem muitas pessoas que se dariam ao árduo trabalho de comparar os importantes órgãos internos de muitos indivíduos da mesma espécie. Assim, deveríamos esperar que as ramificações dos principais nervos próximos daquele grande gânglio central de um inseto nunca variassem na mesma espécie; deveríamos esperar que esses tipos de mudanças somente ocorressem lenta e gradualmente; mas, recentemente, o senhor Lubbock[5] demonstrou um grau de variabilidade desses nervos principais no *Coccus*[6] que quase pode ser comparado às ramificações irregulares do tronco de uma árvore. Esse filósofo naturalista, posso acrescentar, também demonstrou recentemente que os músculos das larvas de certos insetos estão muito longe de ser uniformes. Às vezes, os autores discutem isso de forma circular, pois afirmam que os órgãos importantes nunca variam, mas esses mesmos autores (conforme foi sinceramente confessado por alguns poucos naturalistas) praticamente chamam de importantes as características que não variam; e, por esse ponto de vista, jamais serão encontrados casos de variação de partes importantes; mas sob qualquer outro ponto de vista, serão encontrados muitos casos.

Há um ponto relacionado às diferenças individuais que me parece extremamente desconcertante: refiro-me àqueles gêneros que foram chamados de "proteiformes"[7] ou "polimórficos", em que as espécies apresentam uma quantidade desordenada de variações; dificilmente dois naturalistas concordam sobre quais serão classificadas como espécie e quais serão as variedades. Podemos exemplificar isso com *Rubus*, *Rosa*

---

4. Cientistas que se dedicam à classificação dos seres vivos. (N.R.T.)
5. John Lubbock (1834-1913), entomologista e antropólogo, um jovem brilhante que frequentava a casa de Darwin, tendo sido por ele muito estimulado. De uma família de banqueiros, seguiu carreira nas finanças, mas também se tornou um cientista evolucionista muito respeitado. (N.R.T.)
6. Lubbock publicou, em 1858, estudos sobre a anatomia interna de um inseto conhecido como cochonilha (à época, chamado *Coccus hesperidium*), de grande interesse econômico, de onde se extrai um corante vermelho (ácido carmínico) com largo emprego até hoje, inclusive na indústria alimentícia (corante E 120). Em seu artigo, ele escreveu que "o sistema nervoso, longe de ser similar em todos os espécimes, variava de maneira muito extraordinária". (N.R.T.)
7. Em inglês, *protean* significa extremamente variável, no sentido de poder assumir diferentes formas. Em português o termo polimórfico tem uso consagrado na terminologia especializada. (N.R.T.)

e *Hieracium*,[8] entre as plantas, e vários gêneros de insetos e vários gêneros de conchas de braquiópodes. A maioria dos gêneros polimórficos de algumas espécies possui características fixas e definidas. Os gêneros que são polimórficos em uma região parecem ser, com algumas poucas exceções, polimórficos em outras regiões e, julgando pelas conchas dos braquiópodes, também em períodos anteriores. Esses fatos são muito desconcertantes, pois parecem mostrar que esse tipo de variabilidade independe das condições de vida. Estou inclinado a suspeitar que observamos nestes gêneros polimórficos variações em pontos da estrutura que não servem nem prejudicam a espécie e que, consequentemente, não foram tomadas nem aceitas como definitivas pela seleção natural, como será explicado daqui por diante.[9]

Em vários aspectos, as formas mais importantes para nós são aquelas que, em algum grau considerável, têm as características da espécie mas que são tão semelhantes a algumas outras formas – ou estão tão intimamente vinculadas a elas por gradações intermediárias – que os naturalistas não gostam de classificá-las como espécies distintas. Temos todas as razões para acreditar que muitas dessas formas duvidosas e intimamente ligadas permanentemente mantiveram, em suas regiões de origem, suas características por um longo tempo; por tanto tempo, pelo que sabemos, quanto as espécies boas e puras. Na prática, quando um naturalista consegue, por meio de formas com características intermediárias, unir duas formas, ele tratará uma como sendo variedade da outra, chamando de espécie a mais comum (ou às vezes aquela que foi descrita em primeiro lugar) e a outra de variedade. Mas em casos de muita dificuldade que não listarei aqui, às vezes, mesmo quando as formas estão bem vinculadas por elos intermediários, é necessário decidir se uma forma deve ser classificada como variedade da outra ou não, pois nem mesmo a suposta natureza híbrida dos elos intermediários será capaz de sempre repelir essa dificuldade. Em muitos casos, no entanto, uma forma é classificada como variedade da outra não porque

---

8. Após trabalhar com variedades de ervilhas domesticadas, Mendel fez experimentos com o gênero *Hieracium* sp, que tem variedades naturais, esperando encontrar os mesmos resultados, o que não ocorreu. (N.R.T.)
9. Darwin antecipa neste trecho elementos do que veio a ser chamado "neutralismo", entre os anos 1960-1970, visto então como evolucionismo "antidarwiniano". (N.R.T.)

os elos intermediários tenham sido realmente encontrados, mas porque a analogia leva o observador a supor que esses elos ou existam em algum lugar ou tenham existido no passado; e aqui abre-se uma grande porta para a entrada de dúvidas e conjecturas.

Portanto, para determinar se uma forma deve ser classificada como uma espécie ou uma variedade, parece que o único caminho a seguir é a opinião dos naturalistas que possuem bom julgamento e ampla experiência. Devemos, no entanto, em muitos casos, decidir a partir da opinião da maioria dos naturalistas, pois poucas são as variedades bem marcadas e conhecidas que não tenham sido classificadas como espécies por pelo menos algumas opiniões competentes.

Não há como contestar: essas variedades de natureza duvidosa estão longe de ser incomuns. Compare a flora da Grã-Bretanha, da França ou dos Estados Unidos descrita por diferentes botânicos e note o número surpreendente de formas que foram classificadas por um botânico como uma espécie boa e por outro como mera variedade. O senhor H. C. Watson,[10] a quem eu devo profundo agradecimento por todo tipo de assistência, mostrou-me 182 plantas britânicas que geralmente são consideradas variedades, mas que foram todas classificadas por botânicos como espécies; e ao fazer a lista ele omitiu muitas variedades insignificantes que, no entanto, foram classificadas por alguns botânicos como espécies e, por fim, omitiu inteiramente vários gêneros altamente polimórficos. Nos gêneros que incluem as formas mais polimórficas, o senhor Babington[11] classifica 251 espécies, enquanto o senhor Bentham[12] classifica apenas 112, uma diferença de 139 formas duvidosas! Entre os animais que se unem para cada ninhada e que se locomovem muito, as formas duvidosas – classificadas por um zoólogo como uma espécie e por outro como uma variedade – são raramente encontradas em uma mesma região, mas são comuns

---

10. Hewett Cottrell Watson (1804-1881), botânico pioneiro no estudo da distribuição das plantas (biogeografia) que se correspondeu intensamente com Darwin; publicou os relatos de sua expedição feita em 1842 aos Açores e, em 1845, publicou na revista *Phytologist* um artigo sobre Desenvolvimento Progressivo. (N.T.)

11. Charles Cardale Babington (1808-1895), botânico, taxonomista e colecionador de besouros. (N.T.)

12. George Bentham (1800-1884), botânico e presidente da *Linnaean Society* durante treze anos (1861-1874). Publicou os sete volumes de sua obra *Flora* entre 1863 e 1878. (N.T.)

em regiões afastadas. Quantos desses pássaros e insetos da América do Norte e da Europa, que diferem muito pouco uns dos outros, já foram classificados indubitavelmente como espécies por um eminente naturalista e, por outro, como variedades ou, como são chamadas frequentemente, raças geográficas! Há muitos anos, quando eu estava comparando e vendo outros naturalistas compararem os pássaros das várias ilhas do arquipélago de Galápagos, tanto uns com os outros quanto os pássaros das ilhas com os do continente americano, fiquei muito impressionado ao notar como a distinção entre espécies e variedades é tão inteiramente vaga e arbitrária. Há muitos insetos nas ilhotas do pequeno grupo da Madeira que foram caracterizados como variedades na admirável obra do senhor Wollaston[13] mas que, sem sombra de dúvida, seriam classificados como espécies distintas por muitos entomologistas. Até mesmo a Irlanda tem alguns animais que são geralmente considerados como variedades mas que foram classificados como espécies por alguns zoólogos. Vários dos ornitólogos mais experientes consideram nosso faisão vermelho [*L. lagopus*][14] como apenas uma raça fortemente distinta de uma espécie norueguesa, mas a maioria o classifica como uma espécie indubitável e peculiar à Grã-Bretanha. A grande distância entre os hábitats das duas formas duvidosas leva muitos naturalistas a classificá-las como espécies distintas; mas tem-se perguntado com justeza: qual distância é suficiente? A distância entre a América e a Europa é grande, mas será que é suficiente a distância entre o continente e os Açores ou a ilha da Madeira, as Canárias ou a Irlanda? Deve-se admitir que muitas formas, consideradas por especialistas extremamente competentes como variedades, possuem as características tão perfeitas da espécie que são classificadas por outros especialistas extremamente competentes como espécies puras e boas. Mas discutir quais formas são espécies ou variedades antes desses termos contarem com uma definição amplamente aceita é como brigar em vão com o vento.

---

13. Thomas Vernon Wollaston (1822-1878), entomologista e especialista em insetos do Museu Britânico. Publicou o livro *On the Variation of Species with Special Reference to the Insecta; Followed by an Enquiry Into the Nature of Genera* (Londres, 1856). (N.T.)

14. Para designar as aves da família dos faisanídeos, dos gêneros *Lagopus* e *Tetrao*, que só ocorrem nas partes setentrionais do hemisfério Norte, foi adotado o nome popular "faisão" aqui e adiante, pois se refere a várias espécies e é mais familiar ao leitor, em vez de "lagópode", "tetraz" ou "galo-lira", que seriam mais precisos. (N.R.T.)

Muitos casos de espécies duvidosas ou variedades fortemente distintas merecem consideração; pois, na tentativa de determinar sua classificação, surgiram várias linhas interessantes de argumento: a distribuição geográfica, a variação analógica, o hibridismo etc. Darei aqui apenas um exemplo bem conhecido, da prímula (*Primula veris*) e da prímula-do-pasto *(Primula elatior)*.[15] A aparência dessas plantas é consideravelmente diferente; elas têm um sabor diferente e emitem um odor diferente; florescem em períodos ligeiramente diferentes; crescem mais ou menos em estações diferentes; brotam nas montanhas em alturas diferentes; possuem diferentes distribuições geográficas; e, por fim, de acordo com diversos experimentos feitos durante vários anos por Gärtner,[16] um observador extremamente cuidadoso, é possível cruzá-las, mas com muita dificuldade. Não há como desejar melhor evidência de duas formas especificamente distintas. Por outro lado, elas estão unidas por muitos elos intermediários, e há muita dúvida sobre a natureza híbrida desses elos; e me parece que existem muitas evidências experimentais demonstrando que os elos descendem de pais comuns, o que, consequentemente, torna necessário classificá-las como variedades.[17]

A investigação mais precisa, na maioria dos casos, levará os naturalistas a um acordo sobre a maneira para classificar as formas duvidosas. No entanto, devo confessar que o maior número de formas de valor duvidoso encontra-se nos países mais conhecidos. Fiquei fascinado pelo seguinte fato: quando algum animal ou vegetal em estado natural é muito útil para as pessoas ou, por qualquer outro motivo, atrai sua atenção, suas variedades são quase universalmente encontradas nos registros. Essas variedades, além disso, são muitas vezes classificadas por alguns autores como espécies. Veja como o carvalho comum tem sido estudado com afinco; ainda assim, um autor alemão classificou como espécies mais de uma dúzia de formas

---

15. Em inglês é chamada *oxlip*, ou *true oxlip*, uma planta invasora de pastos europeus de campos com poucos nutrientes ou excesso de cálcio. (N.R.T.)

16. Karl Friedrich von Gärtner (1772-1850), botânico alemão, famoso pelos experimentos sobre hibridização dos vegetais, que acreditava ter provado que novas espécies não podem ser criadas por hibridização. (N.R.T.)

17. Darwin substituiu esse exemplo em edições subsequentes, preferindo estender o exemplo das espécies de carvalho, mencionado logo adiante. O exemplo, no entanto, continua válido até hoje, e as duas espécies continuam a ser designadas pelos mesmos nomes científicos. (N.R.T.)

do vegetal que são normalmente consideradas como variedades; em nosso país[18] poderíamos chamar as mais altas autoridades botânicas e homens práticos para demonstrar que o carvalho séssile e o pedunculado[19] ou são espécies boas e distintas ou apenas meras variedades.

Quando um jovem naturalista inicia o estudo de um grupo de organismos bastante desconhecidos para ele, inicialmente fica bastante confuso para determinar quais diferenças deve considerar como específicas e quais como variedades, pois nada sabe sobre a quantidade e os tipos de variação a que o grupo está sujeito; e isso mostra, no mínimo, a existência geral de algumas variações. Mas, caso ele consiga limitar sua atenção a uma única classe de uma região, poderá, em pouco tempo, encontrar uma maneira de classificar a maioria das formas duvidosas. Sua tendência geral será estabelecer muitas espécies, pois ele ficará impressionado – assim como os apreciadores de pombos ou de aves domésticas anteriormente mencionados – com a quantidade de diferenças nas formas que estuda com frequência; mas ele tem pouco conhecimento geral sobre a variação analógica de outros grupos e em outras regiões que sirvam para que possa corrigir suas primeiras impressões. Conforme ele estender o campo de suas observações, irá deparar com mais casos difíceis, pois encontrará maior número de formas muito afins. Mas se suas observações forem largamente ampliadas, ele conseguirá, ao final, distinguir entre variedades e espécies; porém ele poderá fazer isso em detrimento da admissão de muita variação, e a verdade dessa admissão poderá ser questionada por outros naturalistas. Quando, além disso, ele começar a estudar as formas semelhantes, mas marcadamente diferentes, trazidas de regiões distantes – caso em que ele mal conseguirá encontrar os elos intermediários entre as formas que geram dúvida –, ele precisará confiar quase inteiramente na analogia: suas dificuldades chegarão ao ponto máximo.

Certamente, ainda não há uma linha clara de demarcação entre espécies e subespécies, isto é, entre as formas que, na opinião de alguns naturalistas,

---

18. Inglaterra. (N.T.)

19. No manuscrito, a caligrafia desse trecho não é de Darwin, indicando uma correção por especialista. Em edições posteriores ele modificou esse trecho e registrou que essas duas formas são consideradas subespécies da espécie *Quercus robur*, mas são também conhecidas como *Quercus sissiliflora* e *Quercus pedunculata*. (N.R.T.)

estejam muito próximas mas não cheguem a compor uma espécie; ou, além disso, entre subespécies e variedades bem marcadas, ou entre as variedades menores e as diferenças individuais. Essas diferenças misturam-se entre si em uma série imperceptível; e a série imprime na mente a ideia de uma passagem real.

Esse é o modo como vejo as diferenças individuais, que, embora sejam de pequeno interesse para o sistemata, possuem elevada importância para nós, pois são o primeiro passo para aquelas pequenas variações que mal são dignas de entrar nos trabalhos sobre história natural. Eu vejo as variedades que são, em qualquer grau, mais distintas e permanentes como se fossem etapas que conduzissem às variedades mais fortemente marcadas e mais permanentes; e essas últimas nos levam às subespécies e às espécies. A passagem de uma fase de diferenciação para outra mais elevada pode se dever, em alguns casos, apenas à longa ação contínua de diferentes condições físicas de duas regiões diferentes; mas eu acredito muito pouco neste ponto de vista; e eu atribuo a passagem de uma variedade – que migra de um estado em que ela difere ligeiramente de seus progenitores para outro em que a diferença é maior – à ação da seleção natural, que acumula (como será daqui por diante mais plenamente explicado) diferenças de estrutura em determinadas direções definitivas. Portanto, acredito que uma variedade bem marcada pode ser justamente chamada de espécie incipiente; mas o julgamento sobre o fato dessa crença ser ou não justificável deve ser dado pelo peso geral dos vários fatos e opiniões oferecidos ao longo deste trabalho.

Não precisamos supor que todas as variedades ou espécies incipientes necessariamente chegarão a ser espécies. Elas podem extinguir-se enquanto ainda estão em seu estado incipiente, ou podem perdurar como variedades por períodos muito longos, como foi demonstrado pelo senhor Wollaston com as variedades de determinados fósseis de braquiópodes terrestres da Ilha da Madeira. Se uma variedade florescesse a ponto de ultrapassar o número de indivíduos da espécie materna, então aquela seria classificada como a espécie e a espécie como a variedade; ou ela poderia suplantar e exterminar a espécie materna; ou ambas poderiam coexistir, e ambas seriam classificadas como espécies diferentes. Contudo, precisaremos retornar a esse assunto mais tarde.

Por essas observações, veremos que considero o termo espécie como um vocábulo arbitrário, dado por uma questão de conveniência a um conjunto de indivíduos muito semelhantes entre si; o termo não difere muito da palavra variedade, que é dada a formas menos distintas e mais flutuantes. Então, o termo variedade – em comparação às meras diferenças individuais – também é aplicado arbitrariamente e por mera conveniência.

Orientado por considerações teóricas, imaginei que alguns resultados interessantes pudessem ser obtidos em relação à natureza e às relações das espécies que mais variam, tabulando todas as variedades em diversas floras bem constituídas. No início parecia uma tarefa simples, mas o senhor H. C. Watson – a quem sou extremamente grato pelos valiosos conselhos e pela assistência em relação a este assunto – logo me convenceu que existiam muitas dificuldades, como fez posteriormente o doutor Hooker em termos ainda mais fortes. Deixarei a discussão sobre essas dificuldades e as próprias tabelas das porcentagens das diferentes espécies para um trabalho futuro.[20] O doutor Hooker, após ter cuidadosamente lido o meu manuscrito e examinado as tabelas, permitiu-me acrescentar que ele acha que as seguintes afirmações estão razoavelmente bem estabelecidas. O assunto, no entanto, necessariamente tratado aqui de forma muito breve, é um pouco desconcertante; além disso, não há como evitar metáforas como a "luta pela existência", "divergência de características" e outras questões que serão discutidas a partir deste ponto.

Alphonse de Candolle[21] e outros mostraram que os vegetais com distribuição muito ampla geralmente apresentam variedades; e isso seria esperado, pois estão expostos a diversas condições físicas e porque passam a competir (uma circunstância que é muito mais importante) com diferentes grupos de organismos. Entretanto minhas tabelas também mostram que, nos limites de quaisquer regiões, as espécies mais comuns são as que

---

20. Entre meados de dezembro de 1856 e o final de janeiro de 1857, Darwin escreveu um longo texto sobre variação na natureza, do qual este capítulo é apenas um breve resumo. No manuscrito constavam as tabelas que são referidas aqui e adiante, a partir de dados selecionados por Joseph Hooker. (N.R.T.)

21. Alphonse de Candolle (1806-1893), famoso botânico franco-suíço, nascido em Paris, que seguiu a carreira do pai no Jardim Botânico de Genebra, o também famoso botânico suíço Augustin de Candolle (1778-1841). Aqui, faz-se referência à sua obra *Géographie botanique raisonée*. 2 v. Paris: Victor Masson, 1855. (N.R.T.)

possuem o maior número de indivíduos e as espécies que estão difundidas de forma mais ampla dentro da sua própria região (em certa medida esta é uma questão diferente da discussão sobre estar bastante distribuída e de ser comum), muitas vezes, dão origem a variedades tão bem marcadas a ponto de estarem registradas nos textos botânicos. Dessa forma, as que mais florescem ou, conforme dizemos, as espécies dominantes – aquelas que estão amplamente distribuídas por todo o mundo – são as mais difundidas em sua própria região e são as que possuem maior número de indivíduos, que com maior frequência produzem variedades bem marcadas ou, conforme eu as chamo, espécies incipientes. Isso talvez poderia já ter sido previsto, pois para que as variedades possam, de alguma forma, se tornar permanentes, elas necessariamente terão de lutar contra os outros habitantes da região; as espécies que já são dominantes terão a maior probabilidade de produzir descendentes que, embora um pouco modificados, ainda irão herdar as vantagens que permitiram que seus pais se tornassem dominantes em relação a seus compatriotas.

Se as plantas que habitam um país, conforme descritas em qualquer flora, forem divididas em dois grupos iguais, colocando os maiores gêneros de um lado e os menores de outro, o lado dos maiores gêneros conterá um número maior de espécies mais comuns e difusas ou dominantes. Isso, novamente, poderia ter sido antecipado; pois o simples fato de muitas espécies do mesmo gênero habitarem todo o país mostra que há algo nas condições orgânicas ou inorgânicas desse país que favorece o gênero; e, então, poderíamos esperar encontrar maior proporção de espécies dominantes nos maiores gêneros, ou naqueles que incluem muitas espécies. Mas muitas causas tendem a obscurecer esse resultado, e me surpreende ver em minhas tabelas uma pequena maioria no lado dos gêneros maiores. Irei fazer referência a apenas duas causas de obscuridade. As plantas de água doce e as que vivem em meio a grandes concentrações de sal[22] costumam ter uma distribuição bastante ampla e são muito difundidas, mas isso parece estar ligado à natureza dos locais habitados por elas e tem pouca ou nenhuma relação com o tamanho dos gêneros a que pertencem as espécies. Além disso, as plantas pertencentes aos níveis mais baixos da escala da organização

22. Halófilas. (N.T.)

costumam estar difundidas de forma mais ampla que as plantas pertencentes aos níveis mais altos da escala;[23] e aqui, mais uma vez, não encontramos relação estreita com o tamanho dos gêneros. A causa da distribuição ampla das plantas que estão na parte inferior da escala será discutida em nosso capítulo sobre distribuição geográfica.

Ao ver as espécies apenas como variedades fortemente marcadas e bem definidas, fui levado a prever que as espécies dos maiores gêneros de cada país apresentariam variedades com mais frequência que as espécies dos gêneros menores; pois sempre que espécies intimamente relacionadas (ou seja, espécies do mesmo gênero) são formadas, surgem, como regra geral, muitas variedades ou espécies incipientes. Onde crescem muitas árvores grandes, esperamos encontrar árvores jovens. Onde muitas espécies de um gênero são formadas através da variação, as circunstâncias se tornam favoráveis para variação; e, portanto, podemos esperar que as circunstâncias ainda sejam favoráveis à variação. Por outro lado, se olharmos para cada espécie como um ato especial de criação, não encontraremos razão aparente para que outras variedades surjam mais em um grupo com muitas espécies do que em um grupo com poucas.

Para testar a verdade dessa previsão, eu organizei as plantas de doze países e os insetos coleópteros de dois distritos em dois grupos quase iguais, com as espécies dos gêneros maiores de um lado e as dos gêneros menores do outro lado, e invariavelmente notei que, em comparação às espécies dos gêneros menores, uma porcentagem maior de espécies dos gêneros maiores apresentava variedades. Além disso, as espécies dos grandes gêneros que apresentam qualquer variedade invariavelmente apresentam um maior número médio de variedades do que as espécies dos gêneros pequenos. Ambos estes resultados são válidos quando fazemos outra divisão e quando todos os gêneros menores, com apenas uma a quatro espécies, são completamente excluídos das tabelas. Esses fatos são significativos para a hipótese de que as espécies são apenas variedades fortemente marcadas e permanentes; pois sempre que se formam muitas espécies do mesmo gênero, ou quando, se nos é permitido usar a expressão, a fabricação das

---

23. Aqui, Darwin utiliza uma terminologia claramente lamarckista ao falar da "escala de organização" dos organismos. (N.R.T.)

espécies está muito ativa, normalmente encontramos a fabricação ainda em ação, mais especialmente porque temos razões para acreditar que o processo de fabricação de novas espécies seja algo lento. E este é certamente o caso se olharmos para as variedades como espécies incipientes; pois minhas tabelas mostram claramente que, como regra geral, onde quer que se formem muitas espécies de um gênero, a espécie deste gênero apresenta um grande número de variedades, isto é, de espécies incipientes. Não que todos os grandes gêneros atuais estejam variando muito e estejam aumentando o número de suas espécies ou que algum gênero pequeno esteja atualmente variando e aumentando; porque, se fosse assim, isso teria sido fatal para minha teoria, na medida em que a geologia nos diz claramente que os pequenos gêneros têm, muitas vezes, aumentado extremamente com o passar do tempo; e que os grandes gêneros chegaram, muitas vezes, a seu valor máximo e que depois diminuíram em número e desapareceram. Tudo o que queremos mostrar é que sempre que se formam muitas espécies de um gênero, em média, muitas ainda estão se formando; e que isso é algo válido.[24]

Existem outras relações entre as espécies dos grandes gêneros e suas variedades registradas que merecem nossa atenção. Vimos que não há nenhum critério infalível para que possamos distinguir entre espécies e variedades bem marcadas; e que nos casos em que não foram encontrados elos intermediários entre as formas duvidosas, os naturalistas são obrigados a resolver o assunto por meio da quantidade de diferenças entre elas, julgando por meio da analogia se a quantidade é suficiente ou não para elevar uma ou ambas ao grau de espécie. Portanto, o grau de diferença é um critério muito importante para resolvermos se duas formas devem ser classificadas como espécies ou variedades. Fries[25] observou em relação às plantas e Westwood,[26] em relação aos insetos, que, nos grandes gêneros, o montante da diferença entre as espécies é, muitas vezes, extremamente pequeno.

---

24. Neste trecho e adiante Darwin demonstra uma metodologia quantitativa experimental bastante sofisticada, contrariando a imagem de teoria meramente dedutiva, impossível de ser colocada à prova. No entanto, ela era conhecida em detalhes apenas por seus amigos especialistas, como J. Hooker. (N.R.T.)

25. Elias Fries (1794-1878), autor de *Systema orbis vegetabilis* (Lund, 1825). (N.T.)

26. John Obadiah Westwood (1805-1893), entomólogo inglês, especialista em himenópteros (como abelhas, vespas, formigas e tentredéns), tem diversas publicações com descrições de gêneros e espécies novas. Escreveu um famoso compêndio em dois volumes (*An Introduduction*

Resolvi testar o fato por médias numéricas e, apesar de meus resultados imperfeitos, eles sempre confirmam a hipótese. Também consultei alguns observadores mais experientes e sagazes e, após deliberação, eles concordaram com esse ponto de vista. A este respeito, portanto, as espécies dos gêneros maiores assemelham-se mais às variedades do que as espécies dos gêneros menores. Ou a questão pode ser colocada de outra forma, e pode-se dizer que nos gêneros maiores, nos quais um número maior do que a média de variedades ou espécies incipientes está sendo fabricado, muitas das espécies já produzidas ainda se assemelham, em certa medida, a variedades, pois elas diferem umas das outras por uma quantidade de diferenças menor do que a habitual.

Além disso, as espécies dos grandes gêneros estão relacionadas umas com as outras da mesma maneira como as variedades de qualquer espécie estão relacionadas entre si. Nenhum naturalista acredita que todas as espécies de um gênero sejam igualmente distintas umas das outras; elas geralmente podem ser divididas em subgêneros, seções ou grupos menores. Conforme afirmado por Fries, pequenos grupos de espécies estão geralmente organizados como satélites em torno de outras espécies determinadas. E o que são as variedades senão grupos de formas, desigualmente relacionados uns aos outros e reunidos em torno de certas formas, ou seja, em torno de sua espécie-mãe? Há sem dúvida uma diferença mais importante entre variedades e espécies; a saber, que o montante das diferenças entre as variedades, quando comparado com o das outras variedades ou com o da sua espécie-mãe, é muito menor do que entre as espécies do mesmo gênero. Mas quando discutirmos o princípio que eu chamo de divergência de caracteres,[27] veremos como isso pode ser explicado, e como as menores diferenças entre as variedades tendem a aumentar até atingirem as maiores diferenças que caracterizam as espécies.

Há outro ponto que, ao que me parece, devemos observar. As variedades abrangem uma distribuição muito restrita: esta afirmação é, na verdade, pouco mais que um lugar-comum, pois, se descobrimos que a distribuição

---

to the Modern Classification of Insects: founded on the natural habits and corresponding organisation of the different families, Londres, 1839-1840). (N.R.T.)

27. Darwin desenvolvera esse princípio pouco antes da publicação do livro, definindo-o como "pedra angular" de sua teoria, capaz de explicar a diversidade biológica como especialização a condições microambientais. (N.R.T.)

de uma variedade é mais ampla do que a de sua suposta espécie-mãe, suas denominações devem ser invertidas. Mas também há razões para acreditar que as espécies muito próximas a outras espécies e muito semelhantes às variedades costumam ter uma distribuição bastante limitada. Por exemplo, o senhor H. C. Watson mostrou-me, na bem fundamentada 4ª edição do *London Catalogue of Plants*, 63 plantas que no catálogo são classificadas como espécies mas que ele considera tão afins a outras espécies que chegam a ter valor duvidoso: o senhor Watson dividiu a Grã-Bretanha em províncias e estas 63 supostas espécies estão espalhadas, em média, em 6,9 províncias dessa divisão. Mas, neste mesmo catálogo, há o registro de 53 variedades conhecidas que estão distribuídas por 7,7 províncias; já a espécie a que pertencem estas variedades está distribuída por 14,3 províncias. Dessa forma, as variedades reconhecidas têm quase a mesma distribuição média restrita que aquelas formas muito afins que o senhor Watson a mim afirmou serem duvidosas, mas que são quase universalmente classificadas pelos botânicos britânicos como espécies boas e verdadeiras.

Finalmente, as variedades têm, assim, as mesmas características gerais das espécies, pois não há como diferenciá-las das espécies, exceto, em primeiro lugar, pela descoberta de formas intermediárias que as vinculem – a ocorrência de tais elos não pode afetar as características das formas que conectam; e exceto, em segundo lugar, por uma certa quantidade de diferença, pois quando duas formas se diferenciam muito pouco, são geralmente classificadas como variedades, mesmo que a forma intermediária não tenha sido descoberta; mas a quantidade de diferenças considerada necessária para que uma forma receba o nome de espécie é indefinida. Em gêneros que contêm mais do que o número médio de espécies em quaisquer países, as espécies desse gênero englobam mais do que o número médio de variedades. Nos grandes gêneros, as espécies podem ser muito afins, mas de forma desigual, formando pequenos aglomerados em torno de certas espécies. As espécies muito próximas a outras espécies apresentam distribuições aparentemente restritas. Em todos estes diversos aspectos, as espécies dos gêneros grandes têm uma forte analogia com as variedades. E, caso a espécie tenha existido em algum momento como variedade, originando-se dessa forma, podemos claramente entender essas analogias: elas se tornam completamente inexplicáveis se cada uma das espécies tiver sido criada de forma independente.

Também vimos que as espécies dos gêneros maiores que mais florescem e que são mais dominantes variam mais, em média; e que as variedades, como veremos adiante, tendem a converter-se em espécies novas e distintas. Os gêneros maiores, portanto, tendem a tornar-se ainda maiores; e, em toda a natureza, as formas de vida que agora são dominantes tendem a tornar-se ainda mais dominantes, deixando muitos descendentes dominantes modificados. Mas, por etapas que serão explicadas adiante, os gêneros maiores também tendem a se dividir em gêneros menores. E, assim, as formas de vida em todo o universo tendem a se dividir em grupos subordinados a outros grupos.

CAPÍTULO 3
LUTA PELA EXISTÊNCIA

RELAÇÃO COM A SELEÇÃO NATURAL – O TERMO USADO EM UM SENTIDO AMPLO – PROGRESSÃO GEOMÉTRICA DO AUMENTO – RÁPIDO AUMENTO DE ANIMAIS E PLANTAS ACLIMATADOS – A NATUREZA DOS OBSTÁCULOS PARA O CRESCIMENTO – COMPETIÇÃO UNIVERSAL – EFEITOS DO CLIMA – PROTEÇÃO PELO NÚMERO DE INDIVÍDUOS – RELAÇÕES COMPLEXAS ENTRE TODOS OS ANIMAIS E PLANTAS DA NATUREZA – A LUTA PELA SOBREVIVÊNCIA É MAIS SEVERA ENTRE OS INDIVÍDUOS E AS VARIEDADES DA MESMA ESPÉCIE; E MUITAS VEZES TAMBÉM ENTRE ESPÉCIES DO MESMO GÊNERO – A RELAÇÃO ENTRE UM ORGANISMO E OUTRO É A RELAÇÃO MAIS IMPORTANTE DE TODAS

Antes de iniciar o assunto do presente capítulo, devo fazer algumas observações preliminares, para mostrar como a luta pela existência se relaciona com a seleção natural. Foi visto no último capítulo que existe certa variabilidade individual nos organismos em estado natural; na verdade, isso me parece nunca ter sido contestado. Além disso, quando admitimos a existência de variedades bem definidas, é irrelevante sabermos se uma multiplicidade de formas duvidosas é chamada de espécie, subespécie ou variedade; ou sabermos a categoria a que pertencem, por exemplo, as duzentas ou trezentas formas duvidosas de plantas britânicas. Mas a mera existência da variabilidade individual e de algumas poucas variedades bem definidas, embora necessária como base para o trabalho, nos ajuda muito pouco a compreender como as espécies surgem na natureza. Como foram aperfeiçoadas todas essas adaptações requintadas de uma parte do organismo para outra parte e para as condições de vida ou de um organismo distinto para outro? Vemos estas belas coadaptações de forma mais clara no pica-pau e no visco;

e de forma um pouco menos clara no mais humilde parasita que se apega aos pelos de um quadrúpede ou às penas de uma ave; na estrutura do besouro que mergulha na água; na semente plumada que flutua pela mais suave brisa; em suma, vemos belas adaptações em todos os lugares e em todas as partes do mundo orgânico.

Além disso, pode-se perguntar de que forma as variedades que chamei de espécies incipientes finalmente convertem-se em espécies boas e distintas que, na maioria dos casos, obviamente diferem muito mais umas das outras do que as variedades da mesma espécie. Ou ainda, como surgem os grupos de espécies que constituem os chamados gêneros distintos e que diferem entre si mais do que as espécies do mesmo gênero? Todos esses resultados, como veremos mais detalhadamente no próximo capítulo, são consequência inevitável da luta pela sobrevivência. Devido a essa luta pela vida, quando qualquer variação, mesmo que pequena e independentemente da razão que a originou, oferece qualquer grau de vantagem para um indivíduo de qualquer espécie nas suas relações infinitamente complexas com os outros seres orgânicos e com a natureza externa, esta tende à preservação do indivíduo e geralmente será herdada por seus descendentes. Dessa forma, a prole também terá mais chance de sobreviver, pois, dos muitos indivíduos de qualquer espécie que nascem periodicamente, apenas um pequeno número consegue sobreviver. A esse princípio, por meio do qual cada pequena variação, quando útil, é preservada, eu chamo seleção natural, a fim de indicar sua relação com a seleção feita pela ação humana. Já vimos que, por meio da seleção, as pessoas conseguem produzir grandes resultados e adaptar os seres orgânicos para seu próprio uso através da acumulação de pequenas, mas úteis, variações, dadas a eles pelas mãos da Natureza. No entanto a seleção natural, como veremos adiante, é um poder que está sempre pronto para agir e é imensamente superior aos fracos esforços do ser humano, da mesma forma como o são as obras da Natureza quando comparadas às obras de arte.

Trataremos agora um pouco mais detalhadamente da luta pela existência. Esse assunto será discutido com mais abrangência em uma obra futura, conforme ele bem merece. Mostraram De Candolle Sênior[1] e Lyell, de forma

---

1. Augustin de Candolle (1778-1841), botânico. Trabalhou na França, inclusive com Lamarck, mas tornou-se professor de história natural em Genebra. Sua obra mais famosa, *Prodimus regni*

ampla e filosófica, que todos os seres orgânicos estão expostos a uma severa competição. Em relação às plantas, ninguém tratou desse assunto com mais entusiasmo e capacidade que W. Herbert,[2] reitor de Manchester, evidentemente como resultado de seu grande conhecimento em horticultura. Nada é mais fácil de admitir-se por palavras que a verdade da luta universal pela sobrevivência; nem tão difícil – pelo menos foi o que me pareceu – que manter constantemente essa conclusão na memória. Ainda assim, a não ser que ela esteja completamente enraizada em nossa mente, estou convencido de que a economia global da natureza, com todos os fatos sobre distribuição, raridade, abundância, extinção e variação, será mal vista ou muito mal compreendida. Costumamos ver a face lustrosa da natureza com alegria, muitas vezes vemos a superabundância de alimentos; mas não vemos, ou esquecemos, que os pássaros, que cantam à toa em nosso entorno, vivem principalmente de insetos ou sementes e estão, portanto, constantemente destruindo a vida; ou esquecemos que grande parte destes canoros, ou seus ovos, ou seus filhotes, é destruída por aves de rapina e outros animais; nem sempre temos consciência de que, embora a comida possa ser superabundante no presente, isso não é o que ocorre em todas as estações de cada novo ano.

Devo estabelecer que uso o termo luta pela existência em sentido amplo e metafórico, que inclui a dependência de um ser em relação a outro e, ainda mais importante, que inclui não só a vida do indivíduo, mas o sucesso em deixar descendentes. Podemos dizer que, em tempos de escassez, dois animais caninos realmente lutam um contra o outro para que um deles possa conseguir alimentos e sobreviver. Mas dizemos que uma planta na orla de um deserto luta para sobreviver contra a seca, embora fosse mais correto dizer que ela busca a umidade. Em relação a uma planta que produz anualmente milhares de sementes, das quais em média apenas uma chega à maturidade, pode-se dizer com mais propriedade que ela luta contra as plantas do mesmo tipo e de outros tipos que já cobrem o solo. O visgo depende da macieira e de algumas outras árvores, mas somente em um sentido muito

---

vegetabilis, teve sua publicação terminada por seu filho (Alphonse de Candolle). Pai e filho são frequentemente confundidos. (N.R.T.)

2. William Herbert (1778-1847), ministro anglicano, botânico e membro do Parlamento inglês. Propôs que deveríamos considerar o gênero como a unidade estável da natureza, não a espécie. (N.T.)

forçado poderíamos dizer que ele luta contra essas árvores, pois, caso muitos parasitas[3] semelhantes cresçam na mesma árvore, esta irá definhar e morrer. Mas, de forma mais apropriada, podemos dizer que várias mudas de visgo que crescem juntas no mesmo galho lutam umas contra as outras. Uma vez que a dispersão do visgo é realizada por pássaros, sua ocorrência depende das aves; e podemos dizer metaforicamente que ele luta contra as outras plantas frutíferas para que os pássaros comam e dispersem as suas sementes e não as de outras plantas. Nesses vários sentidos, que vão de um a outro, eu uso, por conveniência, a expressão "luta pela existência" como um termo geral.

A luta pela existência decorre inevitavelmente da alta taxa de crescimento na quantidade de todos os seres orgânicos. Todos os seres que durante seu tempo de vida natural produzem vários ovos ou sementes devem sofrer destruição durante algum período de sua vida ou durante uma temporada ou um ano ocasional; caso contrário, pelo princípio da progressão geométrica, a quantidade de indivíduos se multiplicaria tão rápida e extraordinariamente que nenhuma região seria capaz de manter essa multidão. Daí, na medida em que são produzidos mais indivíduos do que os que podem sobreviver, deve sempre existir uma luta pela existência, ou de um indivíduo contra outro da mesma espécie ou contra os indivíduos de espécies distintas ou contra as condições físicas da vida. É a teoria de Malthus[4] aplicada com forças múltiplas a todo o mundo dos reinos animal e vegetal; pois não há neste caso como ocorrer nenhum aumento artificial da quantidade de alimentos nem restrições discricionárias aos casamentos. Algumas espécies podem estar atualmente aumentando numericamente de forma mais ou menos acelerada, mas isso não pode ser feito por todas elas, pois o mundo não conseguiria mantê-las.

Não há exceção à regra de que todos os seres orgânicos aumentam naturalmente a uma taxa tão alta que, se não fossem destruídos, a Terra logo estaria coberta pela descendência de um único casal. Mesmo o ser humano,

---

3. Não se trata de parasita verdadeiro, pois é verde e realiza fotossíntese. Contudo, o argumento está construído corretamente. (N.R.T.)

4. Thomas Robert Malthus (1766-1834) publicou o livro *Ensaio sobre o princípio da população* (1798), deduzindo que a fome das populações humanas seria inevitável, baseado no fato de que a agricultura não teria aumento de produtividade, suposição que provou estar errada. (N.R.T.)

que se reproduz de forma lenta, dobrou sua população em 25 anos e, neste ritmo, em alguns milhares de anos, literalmente não haverá mais espaço para que toda a sua descendência fique em pé. Lineu calculou que, se uma planta anual produzir apenas duas sementes (sendo que não existe qualquer planta tão improdutiva como essa), suas mudas produzirão mais duas no ano seguinte e assim por diante e, em vinte anos, haverá 1 milhão de plantas. O elefante é tido como o reprodutor mais lento de todos os animais conhecidos; dei-me ao trabalho de estimar sua provável taxa mínima de crescimento natural: admitindo que sua reprodução comece aos trinta anos e continue até noventa, dando à luz três pares de jovens reprodutores neste intervalo; se fosse assim, no final do quinto século haveria quinze milhões de elefantes vivos descendentes do primeiro casal.

Mas nós temos melhores evidências sobre esse assunto do que meros cálculos teóricos, ou seja, os inúmeros casos registrados do aumento surpreendentemente rápido das populações de vários animais em estado natural quando as circunstâncias são favoráveis a eles durante duas ou três temporadas consecutivas. Ainda mais impressionante é a evidência de muitos animais domésticos de diferentes tipos que se tornaram selvagens em diversas partes do mundo: se as declarações sobre a taxa de aumento do gado e de cavalos na América do Sul e mais tarde na Austrália não estivessem tão bem documentadas, seria bastante difícil dar crédito a elas. O mesmo vale para as plantas: é possível oferecer provas de plantas que foram introduzidas em certas ilhas e que se tornaram comuns em menos de dez anos. Várias das plantas mais numerosas atualmente na grande planície de La Plata, cobrindo algumas léguas quadradas da superfície e quase à exclusão de todos os outros vegetais, foram trazidas da Europa;[5] e existem plantas – importadas da América desde a sua descoberta – que hoje estão distribuídas pela Índia e, pelo que eu soube pelo doutor Falconer,[6] espalham-se desde o Cabo Comorin até o Himalaia. Em tais casos – e intermináveis exemplos poderiam ser

5. Darwin se baseia na opinião dos botânicos da época, inclusive Lineu, sobre as gramíneas sul-americanas. Hoje se sabe que este exemplo não é correto. No entanto o argumento geral é válido, como em Galápagos, onde há centenas de espécies invasoras, inclusive a goiabeira. (N.R.T.)

6. Hugh Falconer (1808-1865), paleontologista e botânico escocês com atuação na Índia, premiado com a Medalha Wollaston em 1837; escreveu *Fauna Antiqua Silva*, partes 1-9 (Londres, 1845-1849). (N.T.)

oferecidos – sabe-se que não ocorreu qualquer tipo de aumento repentino e temporário da fertilidade desses animais ou plantas. A explicação óbvia é que as condições de vida foram muito favoráveis e que, consequentemente, houve menos destruição de velhos e jovens, e que quase todos os jovens estavam aptos a procriar. Em tais casos, a progressão geométrica do aumento, cujo resultado nunca deixa de ser surpreendente, simplesmente explica o crescimento extraordinariamente rápido de indivíduos e a ampla difusão desses seres vivos em seus novos lares.

Em estado natural, quase todas as plantas produzem sementes, e existem pouquíssimos animais que não se acasalam todo ano. Daí podemos afirmar com confiança que todas as plantas e todos os animais tendem a aumentar em progressão geométrica, que todos preencheriam rapidamente todos os nichos em que conseguissem de alguma forma sobreviver e que a tendência do aumento em progressão geométrica deve ser balanceada pela destruição de indivíduos em algum período de suas vidas. Nossa familiaridade com os animais domésticos maiores tende, assim imagino, a nos enganar: não vemos neles nenhuma grande destruição e esquecemos que milhares são abatidos anualmente para nos alimentar; além disso, em estado natural, um número igual de organismos também é eliminado de alguma forma.

A única diferença entre organismos que produzem anualmente milhares ou apenas alguns poucos ovos ou sementes é que os procriadores lentos precisariam de alguns anos a mais para povoar, em condições favoráveis, uma região inteira, mesmo que esta fosse enorme. O condor bota um par de ovos e o avestruz, vinte, e, ainda assim, na mesma região o condor pode ser o mais numeroso dos dois; a procelária coloca apenas um ovo, e acredita-se no entanto que seja a ave mais numerosa do mundo. Certa mosca deposita centenas de ovos, e outras, como as da família Hipobboscidae, um único; mas essa diferença não determina quantos indivíduos das duas espécies podem ser mantidos em uma região. Um grande número de ovos tem alguma importância para as espécies que dependem de uma quantidade levemente flutuante de alimentos, pois isso lhes permite aumentar rapidamente o número de seus indivíduos. Porém a verdadeira importância de um grande número de ovos ou sementes é compensar a grande destruição que pode ocorrer em algum período da existência; e, na grande maioria dos casos, este período ocorre na fase inicial da vida. Se um animal consegue proteger de alguma forma seus próprios ovos ou suas crias, ele poderá produzir um pequeno número de indivíduos e, ainda assim, manter sua média de indivíduos; mas se muitos ovos ou crias são destruídos, será preciso produzir muitos deles; caso contrário, a espécie será extinta. Para manter o número total de uma árvore que viva mil anos, em média, basta que uma única semente seja produzida uma vez a cada mil anos, supondo que esta semente nunca seja destruída e haja garantia de que germinará em local adequado. Assim, em todos os casos, o número médio de indivíduos de qualquer animal ou planta depende apenas de forma indireta do número de ovos ou sementes produzidos por ele.

Ao observarmos a Natureza, é bastante necessário manter as considerações precedentes sempre em mente para que não nos esqueçamos nunca de que cada um dos seres orgânicos ao nosso redor, por assim dizer, está se esforçando ao máximo para aumentar a quantidade numérica de seus indivíduos; que cada um deles vive em algum período de sua vida por meio da luta; que a grave destruição chega inevitavelmente ao jovem ou ao velho a cada geração ou em intervalos recorrentes. Diminua um obstáculo, mitigue levemente a destruição e o número das espécies aumentará quase instantaneamente para quantidades cada vez maiores. A face da Natureza pode ser comparada a uma superfície macia coberta com 10 mil cunhas afiadas e muito próximas umas das outras, as quais são empurradas para baixo por golpes incessantes, às vezes uma cunha sendo atingida e, então, outra sendo atingida com mais força.[7]

Os fatores que restringem a tendência natural de aumento do número de indivíduos de cada espécie são muito obscuros. Observe as espécies mais vigorosas: quanto maior for o número de seus indivíduos, maior será sua tendência para crescer ainda mais. Não sabemos exatamente o que restringe o crescimento, nem mesmo em um único exemplo. Isso não surpreenderá a ninguém que reflita sobre nossa ignorância nesse tópico, nem mesmo em relação aos seres humanos, um animal incomparavelmente mais bem conhecido do que qualquer outro. Esse assunto tem sido tratado de forma competente por diversos autores e, em um trabalho futuro, discutirei alguns dos controles de aumento de forma mais ampla, mais especialmente

---

7. Essa última sentença foi excluída nas edições seguintes. (N.R.T.)

em relação aos animais selvagens da América do Sul. Farei aqui apenas algumas observações para relembrar ao leitor de alguns dos principais pontos. Os ovos ou os animais muito jovens parecem geralmente sofrer mais, mas esse nem sempre é o caso. No que se refere às plantas, há uma vasta destruição de sementes, mas, a partir de algumas observações que fiz, acredito que as mudas são as que mais sofrem, por germinarem em um terreno que já está densamente ocupado por outras plantas. As mudas são destruídas também em grande número por vários inimigos; por exemplo, em uma área com três pés de comprimento e dois pés de largura (aproximadamente um por meio metro), cavada, limpa e desimpedida de outras plantas, contei todas as mudas de nossas ervas nativas assim que brotaram; das 357 mudas, não menos que 295 foram destruídas, principalmente por lesmas e insetos. Se deixarmos crescer o gramado cortado há muito tempo – ou mesmo um gramado repisado por quadrúpedes –, as plantas mais vigorosas, mesmo já sendo adultas, gradualmente matarão as menos vigorosas; assim, de vinte espécies que crescerem em uma área gramada (de três pés por quatro, aproximadamente um metro quadrado), nove morrerão se deixarmos que outras espécies cresçam livremente.

A quantidade de alimento existente para cada espécie, é claro, determina o limite extremo de crescimento de cada uma delas; mas muito frequentemente não é a obtenção de alimentos, mas o servir como presa para outros animais, que determina os números médios de uma espécie. Assim, parece haver pouca dúvida de que a manutenção de um grande número de perdizes, faisões e lebres em um amplo território depende principalmente da destruição de seus predadores naturais. Se nenhuma caça fosse abatida durante os próximos vinte anos na Inglaterra e, ao mesmo tempo, se nenhum predador fosse destruído,[8] haveria, muito provavelmente, um menor número de animais de caça no futuro, apesar de centenas de milhares de animais de caça estarem sendo atualmente abatidos a cada ano. Por outro lado, em alguns casos, como acontece com o elefante e com o rinoceronte,

---

8. Darwin refere-se aos animais que prejudicavam os estoques de alimentos, que faziam parte da lista editada por Henrique VIII, em 1532, e ampliada por sua filha, que pagava uma recompensa pelo abate de falcões, raposas etc., o chamado "Vermin Act". As paróquias que não abatessem predadores eram multadas. Essa caça foi intensa até meados do século XVIII, e quase extinguiu diversos animais "nocivos" na Inglaterra. (N.R.T.)

nenhum deles é destruído por predadores; mesmo o tigre da Índia raramente ousa atacar um elefante jovem protegido por sua mãe.

O clima desempenha um papel importante na determinação dos números médios de uma espécie; as estações periódicas de extremo frio ou as secas, acredito, são os controles mais eficazes de todos. Estimo que o inverno de 1854-1855 destruiu quatro quintos das aves de meu próprio terreno; e essa pode ser considerada uma tremenda destruição quando nos lembramos que dez por cento constitui uma mortalidade extraordinariamente grave nas epidemias humanas. A ação do clima parece, à primeira vista, ser completamente independente da luta pela existência; mas, uma vez que o clima age principalmente na redução dos alimentos, ele causa lutas mais severas entre os indivíduos da mesma espécie ou de espécies distintas que dependem do mesmo tipo de alimento. Mesmo quando o clima, como o frio extremo, por exemplo, age diretamente, serão os menos vigorosos, ou aqueles que têm menos comida durante o avanço do inverno os que mais sofrerão. Quando viajamos do sul para o norte[9] ou de uma região úmida para uma seca, invariavelmente notamos que algumas espécies vão gradualmente ficando mais e mais raras até que finalmente desaparecem; e, quando a mudança do clima é evidente, ficamos tentados a atribuir o resultado integral à sua ação direta. Mas essa é uma hipótese bastante falsa: esquecemos que cada espécie, mesmo onde ela é mais abundante, sofre constantemente uma enorme destruição em algum período de sua vida, seja por parte de inimigos ou por animais que competem pelo mesmo lugar ou pelo mesmo alimento; se esses inimigos ou competidores forem favorecidos, mesmo que no menor grau possível, por quaisquer pequenas mudanças do clima, eles aumentarão o número de seus indivíduos e, tendo em vista que cada região já está totalmente abastecida de habitantes, a quantidade de indivíduos de outras espécies diminuirá. Ao viajarmos para o sul, quando notamos a diminuição da ocorrência de uma espécie, podemos ter certeza de que a causa disso está no favorecimento de algumas espécies em detrimento de outras. O mesmo ocorre quando viajamos para o norte, mas em um grau um pouco menor, pois o número de indivíduos de todas

---

9. Darwin escreve com base na perspectiva do habitante da Europa, continente do hemisfério Norte onde a ideia de "rumar em direção ao norte" implica em ir na direção de condições climáticas cada vez mais severas e, portanto, adversas à vida. (N.P.)

as espécies – e, portanto, dos concorrentes – diminui conforme vamos para o norte; assim, em direção ao norte, ou subindo uma montanha, encontramos, com mais frequência, formas mais atrofiadas, devido à ação *direta* (e prejudicial) do clima,[10] do que encontramos ao caminharmos para o sul ou ao descermos uma montanha. Quando chegamos às regiões do Ártico, nos cumes cobertos de neve ou nos desertos absolutos, a luta pela vida se dá quase exclusivamente contra os elementos.

É possível notar claramente o favorecimento de outras espécies pela atuação indireta do clima no prodigioso número de plantas de nossos jardins que conseguem suportar perfeitamente o nosso clima, mas que nunca se tornarão invasoras, uma vez que não podem competir com nossas plantas nativas nem resistir à destruição por nossos animais nativos.[11]

Quando uma espécie, devido a circunstâncias altamente favoráveis, aumenta excessivamente o número de seus indivíduos em uma pequena região, surgem epidemias; pelo menos isso é o que parece acontecer com frequência com nossos animais de caça: e aqui temos um controle limitador que independe da luta pela vida. Mas mesmo algumas dessas epidemias parecem ser causadas por vermes parasitas que – de alguma forma, e possivelmente em parte, através de sua fácil dispersão entre os animais aglomerados – foram desproporcionalmente favorecidos; e nesse caso surge uma espécie de luta entre o parasita e sua presa.

Por outro lado, em muitos casos é algo absolutamente necessário para a preservação de uma espécie manter um grande grupo de indivíduos em relação ao número de indivíduos de seus inimigos. Assim, podemos facilmente obter uma abundância de milho, semente de colza etc., em nossos campos porque existe um excesso de sementes em relação ao número de aves que se alimentam delas; apesar de haver uma superabundância de alimentos nessa época, as aves também não conseguem aumentar sua quantidade em número proporcional à oferta de sementes, pois o número de aves é controlado durante o inverno: mas qualquer um que já tenha tentado obter sementes de trigo ou

10. Darwin destaca sua crença na ação direta dos elementos do ambiente, como temperatura, unidade etc., como explicação para as características dos organismos. (N.R.T.)

11. Não deixa de ser evidente a visão de Darwin, compartilhando a ideologia da época, de que as plantas europeias exterminariam as dos demais continentes, mas nunca o inverso. (N.R.T.)

de outras plantas semelhantes em um jardim sabe como isso é difícil; em meu jardim, eu perdi todas as sementes. Esse ponto de vista sobre a necessidade da existência de um grande número de indivíduos da mesma espécie para sua preservação explica, creio eu, algumas situações estranhas da Natureza, como, por exemplo, o fato de algumas plantas muito raras serem por vezes extremamente abundantes nos poucos lugares onde ocorrem; e algumas plantas serem sociais, isto é, terem uma abundância de exemplares mesmo dentro dos limites extremos de suas áreas de distribuição. Pois podemos acreditar que em tais casos uma planta seja capaz de se desenvolver somente onde condições para sua vida forem favoráveis a ponto de permitir que muitos indivíduos vivam juntos e, assim, evitem sua destruição total.[12] Devo acrescentar que os bons resultados dos cruzamentos entre diferentes indivíduos e os efeitos nocivos dos cruzamentos entre parentes próximos provavelmente entram em jogo em alguns desses casos; mas não me estenderei aqui sobre esse assunto intrincado.

Muitos casos apresentados nos registros mostram o quão complexos e inesperados são os controles de restrição e as relações entre os seres orgânicos que precisam lutar juntos na mesmo região. Darei apenas um único exemplo que, embora simples, interessou-me. Em Staffordshire, na propriedade de um parente onde eu contava com amplos meios de investigação, havia uma extensa região improdutiva de campos nunca tocados pela mão humana; mas várias centenas de acres da mesma natureza haviam sido cercadas 25 anos antes e plantadas com pinheiros-da-escócia.[13] A mudança na vegetação nativa da parte plantada do campo foi bastante notável, mais do que geralmente se vê ao passar de um solo para outro completamente diferente; não apenas os números relativos das plantas do campo foram totalmente alterados, mas doze espécies de plantas (sem contar as gramíneas e plantas do gênero *Carex*)[14] que não são encontradas no campo floresceram nas plantações. O efeito sobre os insetos deve ter sido ainda maior, pois seis aves insetívoras que não são vistas nessas regiões áridas passaram a ser muito comuns nas plantações; o campo era frequentado por duas ou três aves insetívoras. Aqui notamos o resultado poderoso da introdução de uma única árvore, nada mais tendo sido feito, ape-

---

12. Darwin demonstra percepção moderna da importância do tamanho da população para conservação. (N.R.T.)
13. *Pinus sylvestris*. (N.R.T.)
14. Ciperáceas, plantas herbáceas, monocotiledôneas, que lembram as gramíneas. (N.R.T.)

nas o cercamento da área para que o gado nela não entrasse. Mas em Surrey, perto de Farnham, notei claramente a importância do cercamento. Lá existem extensas áreas de campos, com alguns grupos de velhos pinheiros escoceses nos topos de colinas distantes; nos últimos dez anos, grandes áreas foram cercadas, e um grande número de pinheiros brotados sem a intervenção humana começou a crescer tão próximo uns aos outros que nem todos conseguiram sobreviver. Quando eu verifiquei que essas árvores jovens não haviam sido semeadas ou plantadas, fiquei tão surpreso com a quantidade delas que resolvi verificar vários pontos da paisagem onde eu poderia examinar centenas de acres do campo que não haviam sido cercados, e não vi literalmente nenhum pinheiro, exceto as velhas árvores que já haviam sido plantadas. Ao observar mais atentamente entre os talos do campo, encontrei uma infinidade de mudas e pequenas árvores que haviam sido continuamente repisadas pelo gado. Em uma jarda quadrada (aproximadamente 0,8 metro quadrado), em um local a algumas centenas de jardas distante de um dos grupos mais velhos de pinheiros, eu contei 32 pequenas árvores; e uma delas, a julgar pelos anéis de crescimento, tentara sem sucesso, durante 26 anos, elevar sua copa acima dos talos do campo. Não é de admirar que a terra tenha ficado densamente coberta pelo crescimento vigoroso de jovens pinheiros logo após o seu cercamento. Mas, mesmo assim, o campo era tão improdutivo e tão extenso que ninguém teria sido capaz de imaginar que o gado poderia ter se aproximado tanto e de forma tão eficaz em busca de comida.

Nessa região, percebemos que a ocorrência de pinheiros é determinada de forma absoluta pelo gado; mas, em várias partes do mundo, são os insetos que determinam o surgimento do gado. Talvez o Paraguai ofereça o exemplo mais curioso disso; pois lá, nem gado, nem cavalos, nem cães se tornaram em algum momento selvagens, apesar de deslocarem-se para o sul ou para o norte em um estado mais selvagem; Azara[15] e Rengger[16] mostraram que isto é causado pela grande quantidade de uma certa mosca existente no Paraguai que deposita seus ovos nos umbigos desses animais logo que nascem. O aumento da quantidade dessas moscas, numerosas como são, deve ser habitualmente

15. Felix de Azara (1746-1821), zoólogo espanhol que viajou para o Paraguai e para o Brasil. (N.T.)
16. Johann Rengger (1795-1832), zoólogo alemão. (N.T.)

controlado por algum meio, provavelmente por aves. Portanto, se ocorresse no Paraguai um aumento no número de certas aves insetívoras (cujo limite de indivíduos é provavelmente regulado por falcões ou outros animais predadores), o número de moscas diminuiria, o gado e os cavalos se tornariam selvagens, e isso certamente causaria muitas alterações na vegetação (como de fato tenho observado em partes da América do Sul): isso, mais uma vez e em grande medida, afetaria os insetos e, como acabamos de ver no exemplo de Staffordshire, as aves insetívoras, e assim em círculos de complexidade cada vez maiores. Começamos esta série pelas aves insetívoras e podemos muito bem terminá-la por elas. Não é verdade que as relações na natureza sejam sempre tão simples como essas.[17] A uma batalha segue-se outra incessantemente e com vitórias variadas; e, ainda, já que as forças estão tão bem equilibradas, a longo prazo, a face da natureza permanece uniforme por longos períodos, mesmo que o fato mais insignificante ofereça uma vitória segura de um organismo sobre outro. No entanto, tão profunda é a nossa ignorância e tão alta nossa presunção ao nos admirarmos quando temos notícia da extinção de um ser orgânico; e, como não vemos a causa, invocamos cataclismos a desolar o mundo ou inventamos leis sobre a duração das formas de vida![18]

Estou tentado a oferecer mais um exemplo para mostrar como as plantas e os animais mais remotos entre si na escala da natureza estão ligados por uma teia de relações complexas. Eu terei mais adiante oportunidade de mostrar que a exótica *Lobelia fulgens*[19] nunca é visitada por insetos nesta parte da Inglaterra e consequentemente, por causa de sua estrutura peculiar, não produz sementes. Muitas de nossas orquídeas exigem as visitas de mariposas para que suas massas polínicas sejam transferidas e, portanto, fecundadas. Também tenho razões para acreditar que as abelhas do gênero *Bombus*[20] são indispensáveis para a fertilização do amor-perfeito (*Viola tricolor*), pois outras

---

17. Note-se o raciocínio da moderna ecologia, ao tratar de cadeias e teias alimentares, quando o nome dessa ciência sequer havia sido criado. Adiante Darwin fornece outro exemplo com animais polinizadores. (N.R.T.)

18. Trata-se de uma crítica ácida ao catastrofismo de Georges Cuvier (1769-1832) e à chamada "hipótese da polaridade", apresentada pelo presidente da Sociedade Geológica de Londres, Edward Forbes, em fevereiro de 1854. (N.R.T.)

19. Planta ornamental com flores vermelhas originária do Canadá. (N.R.T.)

20. Abelha mamangaba. (N.T.)

abelhas não visitam esta flor. A partir de experiências realizadas por mim, descobri que as visitas das abelhas, além de indispensáveis, são, no mínimo, altamente benéficas para a fertilização de nossos trevos; mas apenas as abelhas do gênero *Bombus* visitam o trevo vermelho,[21] pois as outras abelhas não conseguem alcançar o seu néctar. Portanto, tenho pouquíssima dúvida de que se todas as abelhas do gênero *Bombus* desaparecessem ou se tornassem muito raras na Inglaterra, o amor-perfeito e o trevo vermelho também se tornariam raros ou desapareceriam completamente. O número de abelhas do gênero *Bombus* de qualquer região depende em grande medida do número de ratos do campo,[22] que destroem seus favos e colmeias; o senhor H. Newman, que estuda já há bastante tempo os hábitos dessas abelhas, acredita que "mais de dois terços delas são destruídos desse modo em toda Inglaterra". Porém o número de ratos depende muito, como todos sabem, do número de gatos; e senhor Newman diz: "Percebi que, perto de aldeias e cidades, o número de colmeias dessas abelhas era mais elevado do que em outros lugares. Atribuo esse fato ao número de gatos que matam os ratos". Portanto, é possível acreditar que a presença de um grande número de animais felinos em uma região pode determinar, primeiro através da intervenção dos ratos e depois das abelhas, a frequência de certas flores ali existentes!

No caso de todas as outras espécies, entram em jogo muitos controles diferentes que atuam em diversos períodos da vida e durante as diferentes estações do ano ou dos anos; um ou alguns poucos controles podem ser mais poderosos, mas todos concorrem para determinar o número médio ou mesmo a ocorrência da espécie. Em alguns casos pode ser demonstrado que controles completamente diferentes agem na mesma espécie em variadas regiões. Quando notamos as plantas e os arbustos que se emaranham em um barranco, somos tentados a atribuir seus números relativos e tipos ao que chamamos de acaso. Ah, mas que ponto de vista falso! Todos nós já ouvimos dizer que, quando uma floresta americana é cortada, brota ali uma vegetação muito diversa; mas tem sido observado que as árvores que agora crescem sobre os antigos montes indígenas, no sul dos Estados Unidos, exibem a mesma bela diversidade e o mesmo número de tipos que as florestas virgens

---

21. *Trifolium pratense.* (N.T.)
22. Os roedores do gênero *Apodemus.* (N.T.)

de seu entorno. Que luta entre os vários tipos de árvores deve ter ocorrido lá durante muitos séculos! Cada uma delas dispersando suas sementes aos milhares a cada ano; que guerra de insetos contra insetos, de insetos, caramujos e outros animais contra os pássaros e outros predadores! Todos lutando para aumentar o número de seus indivíduos, todos alimentando-se uns dos outros, ou das árvores, ou das sementes e mudas, ou das plantas que foram as primeiras a cobrir aquele solo, controlando o crescimento das árvores! De acordo com leis definitivas, lance um punhado de penas e todas cairão no solo: mas como é simples esse problema comparado com a ação e reação de incontáveis plantas e animais que determinaram, no decurso de séculos, os números relativos e os tipos de árvores que hoje crescem sobre as velhas ruínas indígenas![23]

A dependência de um ser orgânico diante de outro, como a de um parasita diante de sua presa, encontra-se geralmente entre seres que, na escala da natureza, estão bem distantes uns dos outros. É isso o que ocorre frequentemente com os animais sobre os quais podemos dizer com mais rigor que lutam uns contra os outros pela existência, como é o caso dos gafanhotos e dos quadrúpedes que se alimentam de grama. Contudo, quase invariavelmente, a luta será mais séria entre os indivíduos da mesma espécie, pois eles frequentam as mesmas regiões, requerem os mesmos alimentos e estão expostos aos mesmos perigos. No caso das variedades da mesma espécie, a luta costuma ser quase igualmente séria; às vezes a competição é rapidamente resolvida: por exemplo, se diversas variedades de trigo forem semeadas juntas e as sementes misturadas forem replantadas no ano seguinte, as variedades mais adequadas ao solo, ou ao clima, ou que são naturalmente mais férteis, vencerão as outras e produzirão, assim, mais sementes, tendo em pouquíssimos anos substituído as outras variedades. Para manter um grupo misto, mesmo de variedades tão próximas como as multicoloridas ervilhas-de-cheiro,[24] deve-se a cada ano colhê-las separadamente e então misturar as sementes na devida proporção; caso contrário, os tipos mais fracos irão diminuir de forma constante e desaparecerão. O mesmo ocorre com as variedades de ovelhas: foi afirmado

---

23. Neste trecho Darwin utiliza conceitos ecológicos modernos, como competição interespecífica, sucessão e clímax. (N.R.T.)
24. *Lathyrus odoratus.* (N.T.)

que certas variedades montanhesas matam de fome outras variedades típicas das montanhas e que por isso devem ser criadas separadamente. O mesmo resultado foi obtido com variedades diferentes de sanguessugas medicinais mantidas juntas. Poderíamos até pôr em dúvida se as variedades de nossas plantas ou animais domésticos possuem exatamente a mesma força, hábitos e constituição, a ponto de a quantidade relativa original de indivíduos de um grupo misto poder ser mantida por meia dúzia de gerações, caso deixássemos que eles lutassem uns com os outros, como os organismos em estado natural, e se deixássemos de selecionar anualmente as sementes e as crias.

Uma vez que as espécies do mesmo gênero normalmente têm alguma semelhança em seus hábitos e sua constituição – embora isso não seja de forma alguma invariável – e que isso sempre se verifique no que se refere às suas estruturas, a luta será geralmente mais severa entre as espécies do mesmo gênero quando entram em competição umas com as outras do que entre espécies de gêneros distintos. Isso pode ser observado na recente propagação de uma espécie de andorinha em partes dos Estados Unidos que causou a diminuição de outra espécie. O recente aumento da tordoveia[25] em partes da Escócia tem causado a diminuição do tordo comum.[26] Com que frequência ouvimos falar de uma espécie de rato tomando o lugar de outra espécie sob os mais diferentes climas! Em todas as partes da Rússia, a pequena barata asiática tem levado consigo sua congênere, a grande. Uma espécie de mostarda substituirá outra, e o mesmo ocorrerá em outros casos. Podemos ver de forma vaga por que a competição é mais severa entre as formas mais próximas, que ocupam quase o mesmo lugar na economia da natureza;[27] mas provavelmente não há um só caso em que poderíamos dizer de forma precisa o motivo pelo qual, na grande batalha da vida, uma espécie saiu vitoriosa e a outra não.

Um corolário da mais alta importância pode ser deduzido das observações anteriores: a estrutura de todos os seres orgânicos está relacionada de forma essencial, mas muitas vezes oculta, a todos os outros seres orgânicos com os quais entra em competição por comida ou residência, ou àque-

---

25. *Turdus viscivorus.* (N.T.)
26. *Turdus philomelos.* (N.T.)
27. A referência ao lugar na economia da natureza, expressão utilizada antes por Lineu e Lyell, parece central na argumentação de Darwin. (N.R.T.)

les dos quais têm que escapar, ou àqueles que ataca. Isso é óbvio na estrutura dos dentes e garras do tigre; e na estrutura das pernas e das garras do parasita que se agarra aos pelos do corpo do tigre. Porém na semente belamente plumada do dente-de-leão[28] e nas pernas achatadas e franjadas do besouro-de-água, a relação parece inicialmente confinada aos elementos do ar e da água. Além disso, a vantagem de sementes plumadas está indubitavelmente relacionada com o fato de o terreno já estar densamente tomado por outras plantas; as plumas permitem que as sementes sejam levadas para mais longe e caiam em solo desocupado. No besouro, a estrutura de suas pernas, tão bem adaptadas para o mergulho, permite-lhe competir com outros insetos aquáticos, caçar suas próprias presas e fugir para não ser presa de outros animais.

A provisão de nutrientes presente nas sementes de muitas plantas parece, à primeira vista, não ter qualquer tipo de relação com outras plantas. Mas dado o vigoroso crescimento de plantas jovens produzidas a partir dessas sementes (como ervilhas e feijões) quando lançadas em meio à grama alta, eu suspeito que a principal utilidade dos nutrientes da semente é favorecer o crescimento da muda jovem enquanto esta luta contra as outras plantas que crescem vigorosamente em seu entorno.

Observe uma planta na sua região de distribuição; por que ela não duplica ou quadruplica o número de seus indivíduos? Sabemos que ela pode suportar muito bem um pouco mais de calor ou frio, umidade ou secura, pois em outros lugares ela se distribui por regiões ligeiramente mais quentes ou mais frias, mais úmidas ou mais secas. Nesse caso podemos ver claramente que, se quiséssemos imaginar a possibilidade de oferecer à planta o poder de aumentar o número de seus indivíduos, precisaríamos dar-lhe alguma vantagem sobre seus concorrentes, ou sobre os animais que as consomem. Nas fronteiras das regiões de sua distribuição geográfica, uma mudança em sua constituição legada ao clima seria claramente uma vantagem para nossa planta; mas temos razões para acreditar que somente algumas plantas ou alguns animais atingem uma distribuição tão ampla a ponto de poderem ser destruídos apenas

---

28. Tecnicamente, trata-se de pequenos frutos chamados aquênios. Essa correção foi introduzida por sugestão de seu amigo botânico J. D. Hooker ("por semente leia-se *fruto* ou *aquênio*"), mas apenas na segunda edição do livro *Variation*... (Carta de JDH a CD, 15/1/1869). (N.R.T.)

pelo clima. A competição não deixará de existir até que cheguemos aos limites extremos da vida, nas regiões do Ártico ou nas fronteiras de uma região completamente desértica. O território pode ser extremamente frio ou seco, mas ainda haverá competição pelos pontos mais quentes ou mais úmidos entre algumas poucas espécies, ou entre os indivíduos da mesma espécie.

Daí também podemos observar que quando uma planta ou um animal é colocado em uma nova região, entre novos competidores, ainda que o clima seja exatamente o mesmo de sua antiga distribuição geográfica, as condições de sua vida são geralmente alteradas de forma radical. Se desejássemos aumentar o número médio de indivíduos dessa espécie, teríamos que modificá-la de uma maneira diferente da qual utilizaríamos em sua região de origem; pois precisaríamos dar a ela alguma vantagem sobre um conjunto variado de competidores ou inimigos.

Seria interessante imaginarmos como proporcionaríamos esta vantagem a uma espécie. Provavelmente não saberíamos o que fazer para obtermos sucesso, nem mesmo em um único caso. Isso nos convencerá de nossa ignorância sobre as relações mútuas de todos os seres orgânicos; uma convicção tão necessária quanto difícil de adquirir. Tudo o que podemos fazer é estar sempre consciente de que cada organismo está se esforçando para aumentar o número de seus indivíduos em progressão geométrica; que cada um, em algum período de sua vida, durante uma época do ano, em cada geração ou em intervalos, tem que lutar pela vida e sofrer grande destruição. Quando refletimos sobre essa luta, podemos nos consolar com a crença de que a guerra da natureza não é incessante, o medo não é sentido, a morte é geralmente rápida e que o vigoroso, o saudável e o feliz sobrevivem e se multiplicam.

CAPÍTULO 4
SELEÇÃO NATURAL[1]

SELEÇÃO NATURAL – SEU PODER COMPARADO COM A SELEÇÃO FEITA PELOS SERES HUMANOS – SEU PODER SOBRE AS CARACTERÍSTICAS DE MENOR IMPORTÂNCIA – SEU PODER SOBRE TODAS AS IDADES E EM AMBOS OS SEXOS – SELEÇÃO SEXUAL – SOBRE A GENERALIDADE DOS CRUZAMENTOS ENTRE INDIVÍDUOS DA MESMA ESPÉCIE – CIRCUNSTÂNCIAS FAVORÁVEIS E DESFAVORÁVEIS À SELEÇÃO NATURAL, OU SEJA, CRUZAMENTO, ISOLAMENTO, NÚMERO DE INDIVÍDUOS – AÇÃO LENTA – EXTINÇÃO CAUSADA PELA SELEÇÃO NATURAL – DIVERGÊNCIA DE CARACTERÍSTICAS RELACIONADAS À DIVERSIDADE DOS HABITANTES DE QUALQUER ÁREA PEQUENA E À ACLIMATAÇÃO – AÇÃO DA SELEÇÃO NATURAL ATRAVÉS DA DIVERGÊNCIA DE CARACTERES E EXTINÇÃO EM DESCENDENTES DE UM ANCESTRAL COMUM – EXPLICAÇÃO DO AGRUPAMENTO DE TODOS OS ORGANISMOS[2]

Como a luta pela existência, discutida muito brevemente no último capítulo, age em relação à variação? O princípio da seleção, o qual vimos ser tão poderoso nas mãos dos seres humanos, pode ser aplicado à Natureza? Veremos que ele pode agir de forma muito mais eficaz. Pense em como nossas produções domésticas e, em menor grau, aquelas em estado natural variam em um número infinito de estranhas peculiaridades; pense na força da tendência hereditária. Sob domesticação, podemos afirmar

1. Na quinta edição de *Origin* (1869), Darwin complementou o título do capítulo: "ou a sobrevivência do mais apto". (N.R.T.)
2. Na primeira versão manuscrita deste capítulo, que terminou de ser redigida em 31 de março de 1857, a última linha deste índice estava escrita a lápis: "teoria aplicada às raças humanas". Aparentemente, a seção estava prevista, mas não foi escrita. (N.R.T.)

corretamente que toda a organização se torna em certo grau adaptável. Pense como as relações mútuas de todos os seres orgânicos entre si e com suas condições físicas de vida são infinitamente complexas e bem ajustadas. Já que ocorreram variações indubitavelmente úteis aos criadores, será que deveríamos imaginar ser improvável que, no decorrer de milhares de gerações, ocorressem, às vezes, outras variações que fossem de alguma forma úteis para cada um dos seres vivos na grande e complexa batalha da vida?[3] Se isso de fato ocorrer, poderíamos duvidar (lembrando que nascem muito mais indivíduos do que os que conseguem sobreviver) que os indivíduos que contassem com alguma vantagem, mesmo que pequena, sobre os outros, teriam maiores chances de sobreviver e procriar? Por outro lado, podemos garantir que quaisquer variações minimamente prejudiciais serão rigorosamente destruídas. A essa preservação das variações favoráveis e rejeição das variações prejudiciais eu chamo seleção natural.[4] As variações que não são úteis nem prejudiciais não seriam afetadas pela seleção natural e funcionariam como um elemento flutuante, conforme notamos, talvez, nas espécies ditas polimórficas.

Compreenderemos melhor o caminho provável da seleção natural ao tomarmos como exemplo o caso de uma região que esteja passando por alguma transformação física como, por exemplo, mudanças climáticas. Nesse caso, ocorreria uma alteração quase imediata dos números relativos de seus habitantes e talvez algumas espécies fossem extintas. Podemos concluir, a partir do que já vimos sobre a forma íntima e complexa pela qual os habitantes de cada região estão ligados uns aos outros, que quaisquer alterações nas proporções numéricas de alguns habitantes, independentemente da mudança climática em si, afetariam seriamente muitos outros indivíduos. Se a região tivesse fronteiras abertas, certamente ocorreria a imigração de novas formas para a região, e isso também poderia perturbar seriamente as relações entre alguns dos antigos habitantes. Pode ser lembrado quão

---

3. Esta afirmação é uma grande ruptura com a tradição da teologia natural, que apresentava a natureza como tão perfeita que qualquer modificação perturbaria o perfeito ajuste entre as espécies. (N.R.T.)

4. A complementação do título do capítulo na quinta edição foi estendida a outras ocorrências da expressão "seleção natural" na obra, como nesta, onde ele também inseriu o complemento "ou a sobrevivência dos mais aptos". (N.R.T.)

poderosa demonstrou ser a introdução de uma única árvore ou de um mamífero.[5] Mas no caso de uma ilha, ou de uma região parcialmente cercada por barreiras, na qual organismos novos e mais bem adaptados não pudessem entrar livremente, teríamos, então, lugares na economia da natureza que estariam seguramente mais bem preenchidos caso alguns dos habitantes originais fossem de alguma maneira modificados; pois, se a região estivesse aberta à imigração, esses mesmos pontos seriam tomados pelos intrusos. Em tal caso, cada pequena modificação que surja no decurso dos séculos e que de alguma forma favoreça os indivíduos de qualquer uma das espécies – adaptando-as às alterações de suas condições – tende a ser preservada; a seleção natural teria, portanto, espaço livre para o melhoramento.

Há razões para acreditarmos, como dito no primeiro capítulo, que uma mudança nas condições de vida, atuando especialmente sobre o sistema reprodutor, provoca ou aumenta a variabilidade; no caso acima, as condições de vida supostamente passaram por uma alteração, e isso seria manifestamente favorável à seleção natural, dando uma chance melhor de ocorrência de variações vantajosas; e, caso não ocorram variações vantajosas, não há nada que a seleção natural possa fazer. Não que, como eu acredito, certa quantidade extrema de variabilidade seja necessária; da mesma forma que os seres humanos podem certamente produzir grandes resultados ao adicionar meras diferenças individuais em qualquer direção, o mesmo pode ser feito pela Natureza, mas com muito mais facilidade, pois ela tem um tempo incomparavelmente maior à sua disposição. Também não acredito na necessidade absoluta de uma grande mudança física – a climática, por exemplo – ou de qualquer grau de isolamento que controle a imigração para que surjam novos espaços desocupados que serão preenchidos pela seleção natural por meio da modificação e do melhoramento de alguns habitantes que apresentam variações. Pois, já que todos os habitantes de cada região estão lutando entre si com forças muito bem equilibradas, modificações extremamente pequenas da estrutura ou dos hábitos de um habitante tendem a oferecer uma vantagem sobre os outros; e outras modificações adicionais da mesma natureza geralmente aumentam ainda mais a vantagem.

---

5. Darwin se refere às mudanças relatadas no capítulo anterior sobre uma área de Staffordshire (p. 90-91). (N.R.T.)

Não há uma só área em que todos os habitantes nativos estejam atualmente tão perfeitamente bem adaptados uns aos outros e às condições físicas em que vivem que nenhum deles possa, de alguma maneira, ganhar novos aperfeiçoamentos;[6] pois, em todas as regiões, os organismos nativos foram conquistados de tal forma por produções aclimatadas a ponto de permitirem que os estrangeiros tomassem posse firme da terra. E já que os estrangeiros superaram em todos os lugares alguns dos organismos nativos, podemos concluir com segurança que os nativos podem ter sido modificados com vantagem, a fim de melhor resistirem a esses intrusos.[7]

Considerando que as pessoas conseguem obter, e certamente têm obtido, grandes resultados por meio da seleção metódica e pela seleção inconsciente, o que a natureza não pode fazer? Os criadores conseguem atuar somente sobre as características externas e visíveis; a Natureza não se preocupa com as aparências, exceto na medida em que podem ser úteis aos organismos. Ela pode atuar em todos os órgãos internos, em todos os tons de diferenças estruturais, em todo o maquinário da vida. O ser humano seleciona apenas para o seu próprio bem; a Natureza, apenas para o bem do ser que ela tem sob seus cuidados. Todas as características são plenamente exploradas por ela; e o ser é colocado em condições adequadas de vida.[8] O ser humano mantém os nativos de diferentes climas no mesmo país; ele raramente explora cada uma das características selecionadas de forma específica e apropriada; ele alimenta o pombo de bico longo e o pombo de bico curto com a mesma comida; ele não exercita um quadrúpede de pernas curtas de forma diferente de outro de pernas alongadas; ele expõe os ovinos de pelos curtos e longos ao mesmo clima. Ele não permite que os machos mais vigorosos lutem pelas fêmeas. Ele não destrói rigorosamente todos os animais inferiores, mas, na medida em que pode, protege todas as suas produções durante as diferentes estações do ano. Ele costuma iniciar sua seleção por

---

6. Note-se que Darwin parte do princípio de que não existe perfeição nas relações entre os seres vivos, contrariando as visões da época, principalmente da teologia natural anglicana, derivada de Aristóteles. (N.R.T.)

7. Neste trecho Darwin demonstra compartilhar o pensamento colonialista de seu tempo, o que o induziu a pensar de maneira errônea, por exemplo, que as espécies herbáceas dos pampas fossem europeias. Esse trecho permaneceu inalterado em todas as edições do livro. (N.R.T.)

8. Este trecho está exageradamente antropoformizado, com a personificação da Natureza sendo destacada com a letra maiúscula, e ganhou nova versão em edições posteriores. (N.R.T.)

alguma forma semimonstruosa;[9] ou, pelo menos, por alguma modificação suficientemente proeminente que chame sua atenção, ou que possa ser claramente útil para ele. Na Natureza, a mínima diferença de estrutura ou constituição de um organismo pode causar variações na balança bem equilibrada da luta pela vida e, dessa forma, preservá-la. Como são fugazes os desejos e os esforços dos seres humanos! Como seu tempo é curto! E, por isso, como serão pobres seus produtos comparados com aqueles acumulados pela Natureza durante as eras geológicas. Poderíamos então imaginar que as produções da Natureza são muito mais "puras" do que as produções humanas, que elas são infinitamente mais bem adaptadas a condições de vida mais complexas e que, claramente, deveriam portar sinais de uma elaboração muito superior?

Pode-se dizer que a seleção natural examina diariamente, em todo o mundo e a cada minuto, todas as variações, até mesmo as ínfimas; rejeitando o que é ruim, preservando e somando tudo que é bom; trabalhando silenciosa e imperceptivelmente, quando e onde surgem as oportunidades para melhorar todos os organismos em relação às suas condições orgânicas e inorgânicas de vida. Até que a mão do tempo tenha marcado os longos lapsos das eras, nada vemos do progresso lento dessas mudanças e, além disso, nossa visão do longo passado das eras geológicas é tão imperfeita que só notamos que as formas de vida são atualmente diferentes do que eram anteriormente.[10]

Embora a seleção natural aja somente em cada um dos seres e para o bem deles, ela também atua sobre características e estruturas que costumamos considerar de importância muito insignificante.[11] Quando vemos que os insetos comedores de folhas são verdes e aqueles que se alimentam de troncos são manchados de cinza; que o faisão alpino[12] é branco no inverno,

9. Darwin insiste no termo "monstruosidade", utilizado por Aristóteles e seus seguidores modernos (como Lineu) para designar variações inexplicáveis em um mundo "perfeito". Darwin defende que "monstruosidades" são apenas variedades, parte da natureza dos seres vivos, e que são hereditárias. (N.R.T.)

10. Note-se como a grande extensão do tempo geológico é outra premissa darwiniana obrigatória. (N.R.T.)

11. Darwin antecipa aqui claramente o conceito de mimetismo em sentido evolutivo, que será desenvolvido dois anos depois por Henry Bates (1815-1892). (N.R.T.)

12. *Lagopus mutus*: ave migratória da família Phasianidae, encontrada na região ártica e na tundra alpina, em grandes regiões do hemisfério Norte (ver nota 14, página 69). (N.T.)

que o faisão vermelho[13] tem a cor do solo de argila vermelha e que o faisão preto[14] tem a cor do solo turfoso negro, devemos crer que essas colorações são importantes para essas aves e esses insetos, pois os mantêm longe do perigo. Os faisões aumentariam a números incontáveis se não fossem destruídos em algum período de suas vidas; sabemos que eles são predados por aves de rapina; e, já que os falcões são guiados pela visão até as suas presas, as pessoas são aconselhadas, em partes do continente, a não criar pombos brancos, pois esses são os mais visados. Daí não vejo nenhuma razão para duvidar da eficácia da seleção natural em dar a cor adequada para cada tipo de faisão, bem como em manter essa cor, uma vez adquirida, pura e constante. Também não devemos imaginar que a destruição ocasional de um animal de alguma cor específica produza poucas consequências: devemos lembrar como é essencial que, em um rebanho de ovelhas brancas, sejam destruídas as ovelhas que tenham qualquer traço negro, por menor que seja.[15] Em relação às plantas, os botânicos consideram a penugem da fruta e a cor da polpa como características da mais insignificante importância: ainda assim, ouvimos de um horticultor excelente, Downing,[16] que nos Estados Unidos os frutos com pele lisa sofrem muito mais pela ação do gorgulho[17] do que aqueles com penugem; que as ameixas roxas sofrem muito mais de uma determinada doença que as ameixas amarelas; já outra doença ataca muito mais os pêssegos de polpa amarela do que os que têm polpas de outras cores. Se, com todo o auxílio técnico, essas pequenas variações causam uma grande diferença no cultivo de diversas variedades, seguramente, em estado natural, onde as árvores teriam de lutar contra outras árvores e contra uma série de inimigos, tais variações iriam, de fato, definir qual variedade de fruto teria sucesso – o liso ou o com penugens, o de polpa amarela ou roxa.

---

13. *Lagopus lagopus scotica*: ave da família Phasianidae, endêmica das ilhas britânicas. (N.T.)
14. *Tetrao tetrix*: ave da família Phasianidae, de ampla distribuição, compreendendo Eurásia, países escandinavos, Escócia e regiões montanhosas da Europa continental. (N.R.T.)
15. A lã branca era muito mais valorizada pela indústria têxtil, devido às possibilidades de tingimento. Daí a seleção rígida dos criadores contra as ovelhas negras, o que gerou a expressão idiomática que utilizamos hoje para designar indivíduos discriminados por serem "desviantes". (N.R.T.)
16. Andrew Jackson Downing (1815-1852) foi editor da revista *The Horticulturist Magazine*. (N.R.T.)
17. Besouro do gênero *Curculio*, tipo de caruncho muito comum no hemisfério Norte que ataca sementes perfurando os frutos. (N.R.T.)

Ao observarmos as muitas e pequenas diferenças entre as espécies – as quais, na medida em que nossa ignorância nos permite julgar, parecem ser bastante insignificantes –, não podemos nos esquecer de que o clima, o alimento etc. também podem ter provavelmente produzido algum efeito pequeno e direto. É, no entanto, muito mais necessário mantermos em mente que existem muitas leis de correlação de crescimento desconhecidas que – quando uma parte do organismo é modificada através da variação e essas modificações são acumuladas pela seleção natural para o bem do ser – causaram outras modificações que são, muitas vezes, absolutamente inesperadas.

Notamos que aquelas variações encontradas nas espécies domesticadas e que surgem em qualquer período particular da vida tendem a reaparecer na prole no mesmo período – por exemplo, nas sementes de muitas variedades de plantas culinárias e agrícolas; na lagarta e nas fases de casulo das variedades do bicho-da-seda; nos ovos dos galináceos e na cor da penugem de suas galinhas; nos cornos de nossas ovelhas e do gado quando quase adultos. Da mesma forma, em estado natural, a seleção natural pode agir e modificar os organismos em qualquer idade por meio da acumulação das variações vantajosas naquele período e pela herança em uma idade correspondente. Se for vantajoso a uma planta que suas sementes sejam disseminadas pelo vento a distâncias cada vez mais longas, não vejo nenhuma dificuldade maior em que isso seja realizado pela seleção natural do que pelo cultivador de algodão que aumenta e aperfeiçoa a penugem das vagens dos algodoeiros por meio de uma seleção. A seleção natural pode modificar e adaptar a larva de um inseto a várias contingências, totalmente diversas daquelas que se referem ao inseto maduro. Essas modificações sem dúvida afetarão a estrutura do adulto por meio das leis de correlação; e, provavelmente no caso desses insetos adultos que vivem apenas por algumas horas e que nunca se alimentam, uma grande parte de sua estrutura é meramente resultado correlacionado de sucessivas mudanças na estrutura de suas larvas. Então, de forma inversa, é provável que as modificações no adulto podem afetar com frequência a estrutura da larva; mas em todos os casos a seleção natural irá garantir que as modificações decorrentes de outras modificações em um período diferente da vida não sejam prejudiciais; pois, se assim fosse, isso causaria a extinção daquela espécie.

A seleção natural modificará a estrutura dos jovens em relação ao genitor e vice-versa. Nos animais sociais, ela irá adaptar a estrutura de cada indivíduo em benefício da comunidade se cada um, como consequência, obtiver vantagens da mudança selecionada. O que a seleção natural não pode fazer é modificar a estrutura de uma espécie sem oferecer qualquer vantagem a ela e beneficiando outra espécie; e, apesar das afirmações encontradas nos livros de história natural neste sentido, não deparei com nenhum caso digno de investigação. Uma estrutura usada apenas uma vez em toda a vida do animal, se de grande importância a ele, pode ser modificada em qualquer medida pela seleção natural; temos como exemplo as grandes mandíbulas de certos insetos, utilizadas exclusivamente para a abertura do casulo, ou a ponta dura do bico dos filhotes das aves, usada para quebrar o ovo. Foi afirmado que dentre os melhores *tumblers* de bico curto nem todos conseguem sair de seus ovos, e a maioria morre dentro deles; por esse motivo, os criadores os auxiliam a romper a casca. Agora, se a natureza precisasse encurtar o bico do pombo adulto para que este obtivesse algum proveito disso, o processo de modificação seria muito lento e haveria, simultaneamente, uma seleção extremamente rigorosa das aves jovens ainda em seus ovos, favorecendo bicos mais poderosos e mais duros, pois todos aqueles com bicos fracos inevitavelmente pereceriam; ou, então, cascas mais delicadas e mais facilmente quebráveis poderiam ser selecionadas, pois sabe-se que, assim como todas as outras estruturas, a casca também apresenta variações de espessura.[18]

Seleção sexual

Na mesma medida em que, nas espécies em domesticação, frequentemente surgem peculiaridades em um dos sexos que se tornam hereditariamente ligadas àquele sexo, o mesmo fato provavelmente também ocorre com as espécies em estado natural e, sendo assim, a seleção natural é capaz de modificar as relações funcionais de um sexo para o outro sexo, ou no que diz

---

18. Em edições posteriores Darwin inseriu um longo parágrafo logo em seguida, relativizando o poder da seleção natural, citando que muitos ovos são destruídos a cada geração por fatores fortuitos, sem nenhuma relação com possíveis características vantajosas que os filhotes eventualmente portassem. Ele conclui que os fatores casuais, no entanto, apenas retardam a ação da seleção natural. (N.R.T.)

respeito a diferentes hábitos de vida dos dois sexos, como é às vezes o caso dos insetos. E isso me leva a dizer algumas palavras sobre o que eu chamo de seleção sexual.[19] Ela não depende da luta pela existência, mas de uma luta entre os machos pela posse das fêmeas; o resultado não é a morte do concorrente sem sucesso, mas a redução parcial ou total de seus descendentes. A seleção sexual é, portanto, menos rigorosa do que a seleção natural. Geralmente, os machos mais vigorosos, aqueles que estão mais bem-adaptados para assumir seus postos na Natureza, vão deixar um maior número de descendentes. Contudo, em muitos casos, a vitória não dependerá do vigor geral, mas de contar com armas especiais que são exclusivas dos machos. Um cervo sem chifres ou um galo sem esporões teriam poucas chances de deixar descendentes. A seleção sexual, sempre permitindo que o vencedor procrie, pode certamente oferecer coragem indomável, maior tamanho ao esporão e força nas asas para atacar com a perna com esporões. Faz o mesmo o brutal criador de galos de briga que sabe bem que sua raça pode ser aprimorada por meio da cuidadosa seleção dos melhores galos. Na escala da natureza, não sei qual o ponto mais baixo em que essa lei da batalha ainda é válida; foi descrito que os jacarés machos brigam, rugem e giram pela posse das fêmeas como os índios em uma dança de guerra;[20] os salmões machos foram vistos lutando o dia todo; os besouros lucanos[21] machos costumam ter feridas enormes provocadas pelas mandíbulas de outros machos. A guerra é, talvez, mais severa entre os machos de animais polígamos, os quais costumam possuir armas especiais. Apesar de os machos dos animais carnívoros já estarem bem armados, eles – e outros animais – podem ter recebido outros meios especiais de defesa por meio da seleção sexual: a juba do leão, a ombreira do javali e a mandíbula em forma de gancho do salmão macho, pois, para a vitória, um escudo pode ser tão importante quanto uma espada ou uma lança.

---

19. Note-se o destaque dado ao tema já na primeira edição do *On the Origin of Species*. O tema foi tratado desde o manuscrito de 1842, embora sem o emprego do termo específico. (N.R.T.)
20. Darwin repassa a informação sem investigá-la. Provavelmente se refere aos jacarés da Flórida (aligátores), cujos machos são territoriais e, embora não tenham cordas vocais, vocalizam expelindo água com ar inspirado, soando um rugido grave, capaz de atrair fêmeas e repelir outros machos. (N.R.T.)
21. Besouros da família Lucanidae, cujos machos têm grandes mandíbulas, ao contrário das fêmeas. Darwin colecionava besouros desde muito jovem. (N.R.T.)

Entre as aves, a luta muitas vezes tem um caráter mais pacífico. Todos aqueles que estudaram o tema acreditam que há uma rivalidade extremamente séria entre os machos de muitas espécies para atrair as fêmeas pelo canto. O tordo-das-rochas da Guiana,[22] as aves-do-paraíso e algumas outras aves se reúnem e os machos passam a exibir, um a um, sua linda plumagem e executam estranhos movimentos para as fêmeas, as quais assistem a tudo como espectadoras e, por fim, escolhem o parceiro mais atraente. Ainda, todos aqueles que estudaram mais de perto as aves em confinamento bem sabem que muitas vezes elas apresentam preferências e antipatias pessoais: assim, Sir R. Heron[23] descreveu como um pavão malhado era altamente atraente para todas as suas fêmeas. Pode parecer infantil atribuir qualquer efeito a tais meios aparentemente fracos: não poderei aqui dedicar-me aos detalhes necessários para oferecer suporte a essa perspectiva; mas se as pessoas, de acordo com seus padrões de beleza, conseguem em um curto espaço de tempo dar um porte elegante e beleza às suas garnisés, então não vejo nenhuma razão para duvidar que as aves fêmeas, selecionando durante milhares de gerações os machos mais melodiosos ou bonitos, de acordo com seu padrão de beleza, tenham produzido um efeito marcante. Eu suspeito fortemente que algumas leis bem conhecidas com relação à plumagem das aves machos e fêmeas em comparação com a plumagem dos jovens podem ser explicadas pela hipótese de a plumagem ter sido modificada principalmente pela seleção sexual, agindo quando as aves chegaram à idade de reprodução ou durante a época de acasalamento; as modificações assim produzidas seriam herdadas nas idades ou estações do ano correspondentes somente pelos machos, ou por machos e fêmeas; mas não tenho espaço aqui para me embrenhar nesse assunto.

---

22. Este exemplo está presente desde o manuscrito do ensaio de 1844 (p. 27), com uma rasura, tendo sido transcrito na comunicação à Sociedade Lineana (em 1858), e em todas as edições do *On the Origin of Species*. Mas não existe tordo-das-rochas (*rock-thrush*) nas Américas. Darwin, na verdade, se refere ao galo-da-serra-do-pará (*Rupicola rupicola*), da família Cotingidae (*Guianan cock-of-the-rock*, em inglês), descrito por Lineu, cujo ritual de acasalamento já era conhecido como uma disputa por fêmeas sem luta física. Inicialmente, Darwin se referiu a ele como *dancing rock-thrush*, uma referência ao ritual dessas "aves de arena". Apesar do equívoco do nome, o exemplo descrito logo adiante está correto. (N.R.T.)

23. Refere-se ao relato de um caso de 1814 atribuído ao barão Robert Heron (1765-1854), presente no verbete "pavão", publicado no volume 17 da famosa *The Penny Cyclopedia for the Difusion of Useful Knowledge* (1840). Ele descreve como o papel de escolher o macho cabe às pavoas. (N.R.T.)

Isso é o que acredito que ocorre: quando os machos e fêmeas de quaisquer animais têm os mesmos hábitos gerais de vida, mas diferem em estrutura, cor ou ornamentos, tais diferenças são causadas principalmente pela seleção sexual; ou seja, os machos individuais tiveram, em sucessivas gerações, uma ligeira vantagem sobre outros machos em suas armas, meios de defesa ou encantos; e transmitiram essas vantagens à sua prole masculina. Não posso, no entanto, atribuir todas essas diferenças sexuais a esse fator: pois vemos também que certas peculiaridades surgem e fixam-se nos machos de nossos animais domésticos (como a carúncula nos pombos-correio machos, as protuberâncias em forma de chifre em machos de certos galináceos etc.) e que não acreditamos que sejam úteis para os machos em batalha nem atraentes para as fêmeas. Vemos casos análogos em meio à Natureza, como, por exemplo, o tufo de pelos no peito do peru macho, que dificilmente pode ser útil ou ornamental para esse pássaro; na verdade, se o tufo surgisse em aves domésticas, seria chamado de monstruosidade.

Exemplos da ação da seleção natural[24]

A fim de esclarecer a forma como eu acredito que a seleção natural atue, peço permissão para ilustrá-la com um ou dois exemplos imaginários. Tomemos o caso de um lobo que preda vários animais, alguns com sua destreza, alguns com sua força e outros por conta da sua velocidade; e suponhamos que uma presa veloz, um cervo, por exemplo, tenha aumentado o número de seus indivíduos por alguma alteração daquela região, ou que outras presas tenham diminuído o número de seus indivíduos durante aquela época do ano em que o lobo mais necessita de alimentos. Em tais circunstâncias, não vejo nenhuma razão para duvidar que os lobos mais rápidos e mais delgados teriam melhor chance de sobreviver e assim ser preservados ou selecionados, desde que eles retivessem a força para dominar suas presas nesse ou em algum outro período do ano em que podem ser obrigados a buscar outros animais para nutrir-se. Não vejo outra razão para duvidar disso, senão que as pessoas podem aperfeiçoar a velocidade de seus cachorros pela seleção cuidadosa e metódica, ou pela seleção inconsciente,

24. O intertítulo também recebeu o complemento "ou da sobrevivência do mais apto" a partir da quinta edição (1869). (N.R.T.)

a qual ocorre quando todos tentam manter seus melhores cães sem pensar em modificar a raça.

Mesmo sem quaisquer alterações nos números relativos dos animais caçados por nosso lobo, pode ocorrer de um filhote nascer com uma propensão inata para perseguir determinados tipos de presas. Não podemos ver isso como algo muito improvável; pois muitas vezes notamos grandes diferenças nas tendências naturais de nossos animais domésticos; enquanto um gato, por exemplo, tem a propensão de caçar ratos, outro caça camundongos; outro gato, de acordo com o senhor St. John,[25] traz aves para casa, ainda outro traz lebres ou coelhos e outro caça em terreno pantanoso e quase todas as noites captura galinholas e maçaricos.[26] Sabemos que a tendência para capturar ratos em vez de camundongos é hereditária. Agora, caso qualquer pequena mudança inata dos hábitos ou da estrutura tenha beneficiado um lobo individual, este último terá mais chance de sobreviver e deixar descendentes. Alguns de seus filhotes provavelmente herdariam os mesmos hábitos ou a mesma estrutura e, pela repetição desse processo, poderia surgir uma nova variedade, a qual suplantaria ou coexistiria com a forma parental do lobo. Ou, mais uma vez, os lobos que habitam uma região montanhosa e aqueles que frequentam as planícies seriam naturalmente forçados a caçar presas diferentes; e por meio da preservação contínua dos indivíduos mais bem-adaptados a cada uma das regiões, seria possível a lenta formação de duas variedades. Sempre que se encontrassem, essas variedades cruzariam e se misturariam; mas retornaremos em breve ao assunto do entrecruzamento. Posso acrescentar que, de acordo com o senhor Pierce, existem duas variedades de lobos que habitam as montanhas Catskill, nos Estados Unidos: uma delas tem uma leve semelhança com a forma do galgo e caça os cervos; a outra é mais corpulenta, tem pernas mais curtas e normalmente ataca os rebanhos dos pastores.[27]

---

25. O relato é de Charles George William St. John (1809-1856), neto do visconde de Bolingbroke, em seu livro *Short Sketches of the Wild Sports & Natural History of the Highlands*, publicado em 1846. (N.R.T.)

26. No original, as aves são *woodcocks* e *snipes*, as primeiras de movimento mais lento, incapazes de voar, e as últimas voadoras rápidas (de onde deriva o nome *sniper* para atirador com grande pontaria). (N.R.T.)

27. Trata-se de informação duvidosa publicada em *Memoir on the Catskill Mountains with Notices of their Topography, Scenery, Mineralogy, Zoology, and economical resources*, de autoria de James Pierce (1780-1846) no *American Journal of Science*, em 1823. Não há outro registro

Vejamos agora um caso mais complexo. Certas plantas excretam um néctar doce, aparentemente pela eliminação de algo prejudicial em sua seiva: isso ocorre por meio de glândulas encontradas na base das estípulas de algumas leguminosas e na parte posterior da folha do louro comum. Esse néctar, apesar de ocorrer em pequena quantidade, é avidamente procurado pelos insetos. Agora, suponhamos que um pouco desse suco doce ou néctar fosse excretado pelas bases internas das pétalas de uma flor. Neste caso, ao buscar néctar, os insetos ficariam polvilhados com o pólen e certamente transportariam com frequência o pólen de uma flor para o estigma de outra flor. As flores de dois indivíduos diferentes da mesma espécie, portanto, cruzariam; e temos boas razões para acreditar (como será doravante mais plenamente aludido) que o ato de cruzamento produziria mudas muito vigorosas que, consequentemente, teriam melhores chances de florescer e sobreviver. Algumas dessas mudas iriam provavelmente herdar o poder de excretar aquele néctar. As flores individuais que possuíssem as maiores glândulas ou nectários e que excretassem mais néctar seriam mais visitadas por insetos e cruzariam com maior frequência; e então sairiam vitoriosas no longo prazo. Seriam igualmente favorecidas ou selecionadas aquelas flores que, em relação ao tamanho e aos hábitos dos insetos particulares que as visitassem, tivessem seus estames e pistilos dispostos de forma a favorecer de algum modo o transporte de seu pólen de uma flor para outra. Tomamos o caso de insetos que visitam flores para coletar o pólen, em vez do néctar; e, levando em conta que o único objetivo do pólen é a fertilização, sua destruição parece ser uma perda clara para a planta; no entanto, se apenas um pouco de pólen fosse carregado de flor em flor, primeiro de forma ocasional e depois com habitualidade por insetos devoradores de pólen e, assim, ocorresse o cruzamento, embora nove décimos do pólen fossem destruídos, ainda assim seria um grande ganho para a planta e, dessa forma, os indivíduos selecionados seriam aqueles que produzissem muito mais pólen e tivessem anteras maiores.

Quando nossa planta, por esse processo de preservação continuada ou seleção natural das flores mais atraentes, foi tida como altamente atraente pe-

---

dessas duas variedades de lobos naquela região do leste dos Estados Unidos. Darwin conferiu credibilidade ao relato provavelmente pelo parentesco de Pierce com o renomado botânico Asa Gray (1810-1888), com quem Darwin se correspondia com muita frequência. (N.R.T.)

los insetos, estes, sem esse propósito,[28] transportariam regularmente o pólen para outras flores; eu poderia facilmente demonstrar por muitos exemplos fascinantes que eles estão capacitados para fazer isso de forma extremamente eficaz. Darei apenas um exemplo não muito fascinante mas que, da mesma forma, ilustra uma etapa da separação dos sexos nas plantas, assunto que ainda será retomado. Algumas árvores do gênero *Ilex*[29] possuem apenas flores masculinas, com quatro estames, que produzem uma pequena quantidade de pólen, e um pistilo rudimentar; outras árvores do gênero contêm apenas flores femininas; estas têm um pistilo de tamanho normal e quatro estames com anteras enrugadas nas quais não se consegue detectar nem mesmo um grão de pólen. Ao encontrar uma árvore fêmea a sessenta jardas (aproximadamente 54 metros) de distância de uma árvore macho, eu examinei ao microscópio os estigmas de vinte flores provenientes de diferentes ramos; em todos, sem exceção, havia grãos de pólen; em alguns, havia uma profusão desses grãos.[30] Como o vento havia soprado por vários dias da árvore fêmea em direção à árvore do sexo masculino, o pólen não poderia, assim, ter sido carregado. O clima estava frio e turbulento e não era, portanto, favorável às abelhas, não obstante cada flor feminina que examinei houvesse sido efetivamente fertilizada pelas abelhas – acidentalmente polvilhadas com pólen – que voavam de árvore em árvore em busca de néctar. Retornemos ao nosso caso imaginário: a planta passou a ser considerada tão atraente pelos insetos que o pólen foi levado de flor em flor, e, assim, tem início outro processo. Nenhum naturalista põe em dúvida a vantagem do que tem sido chamado de "divisão fisiológica do trabalho"; portanto, acreditamos que seria vantajoso para uma planta produzir estames em apenas uma flor ou planta inteira, e pistilos apenas em outra flor ou planta. Nas plantas cultivadas e colocadas em novas condições de vida, às vezes os órgãos masculinos e, por vezes, os órgãos femininos tornam-se mais ou menos impotentes; agora, se supusermos que isso ocorre, ainda que em grau leve, na Natureza, então como o

28. Note-se a ênfase de Darwin em deixar claro que a ação era destituída de uma finalidade, de uma causa final, como defendiam os aristotélicos. (N.R.T.)
29. O azevinho é uma arvore original da Europa e de partes da África e Ásia que produz pequenos frutos vermelhos tradicionalmente utilizados como enfeites de Natal na Inglaterra. (N.R.T.)
30. Darwin relatou esse experimento a Asa Gray, que o elogiou pelos resultados obtidos, em carta datada de 7 de julho de 1857. (N.R.T.)

pólen já é normalmente transportado de flor em flor e como, pelo princípio da divisão do trabalho, a separação mais completa dos sexos de nossa planta seria vantajosa, os indivíduos que tivessem o aumento dessa tendência seriam continuamente favorecidos ou selecionados até que, finalmente, ocorresse a completa separação dos sexos.

Passemos agora para os insetos que se alimentam de néctar em nosso caso imaginário: poderíamos supor que a planta cujo néctar estamos lentamente aumentando por meio da seleção contínua seja uma planta comum; e que certos insetos se alimentassem principalmente do néctar dela. Eu poderia enumerar muitos fatos que mostrassem a ansiedade das abelhas em economizar tempo; por exemplo, seu hábito de sugar o néctar por meio de um buraco feito por elas na base de certas flores nas quais poderiam entrar, com um pouco mais de trabalho, pela corola. Tendo tais fatos em mente, não enxergo nenhuma razão para duvidar que um desvio acidental no tamanho e na forma do corpo ou na curvatura e no comprimento da probóscide etc. – algo demasiado pequeno para ser apreciado por nós –, poderia ser vantajoso para uma abelha ou outro inseto, e, dessa forma, um indivíduo com essas características seria capaz de obter seu alimento de modo mais rápido e, então, ter uma chance melhor de sobreviver e de deixar descendentes. Seus descendentes provavelmente herdariam a tendência semelhante do pequeno desvio da estrutura. Os tubos das corolas dos trevos vermelhos e encarnados (*Trifolium pratense* e *T. incarnatum*)[31] não parecem a um olhar apressado diferir em seus comprimentos; mas a abelha europeia pode facilmente sugar o néctar do trevo encarnado mas não o do trevo vermelho, que é visitado apenas por abelhões;[32] assim, campos inteiros de trevos vermelhos oferecem em vão um suprimento abundante do precioso néctar

---

31. *Red and incarnate clovers* são termos tradicionais em inglês, sendo comercializados entre nós como trevos vermelhos e encarnados; embora os termos soem como sinônimos, designam tonalidades um pouco diferentes. (N.R.T.)

32. Darwin diferencia a abelha europeia (*hive-bee*, *Apis mellifera*) da *humble-bee* (literalmente abelha-de-zumbido), que não forma colmeias das quais se retira mel. São as hoje chamadas *bumble-bees*, em inglês, e abelhão, abelha-de-rodeio e mamangava, em português (o último termo deriva do tupi). Pertencem principalmente aos gêneros *Bombus* e *Xylocopa*, que abrangem cerca de setecentas espécies, com ampla distribuição, sendo importantes agentes polinizadores e atualmente com populações em declínio. O capítulo anterior discutiu como seus ninhos são destruídos por ratos. (N.R.T.)

para a abelha europeia.[33] Assim, pode ser bastante vantajoso para a abelha europeia ter uma probóscide ligeiramente mais alongada ou construída de forma diferente. Por outro lado, descobri por experiência que a fertilidade do trevo depende muito da visita de abelhas e das partes móveis da corola, para que o pólen seja empurrado para a superfície do estigma. Daí, novamente, se os abelhões se tornassem raros em alguma região, os trevos vermelhos obteriam uma grande vantagem caso tivessem um tubo mais curto ou mais profundamente dividido até sua corola para que as abelhas europeias pudessem visitar suas flores. Desse modo, posso entender como, lentamente, uma flor e uma abelha podem, simultaneamente ou uma após a outra, modificar-se e adaptar-se umas às outras da forma mais perfeita pela contínua preservação de indivíduos que apresentam desvios mútuos e ligeiramente favoráveis em suas estruturas.[34]

Estou ciente de que esta doutrina da seleção natural, apresentada nos exemplos imaginários acima, está aberta às mesmas objeções que foram inicialmente oferecidas contra os nobres pontos de vista de Sir Charles Lyell em relação às "mudanças modernas da Terra como exemplos da geologia";[35] mas hoje em dia raramente ouvimos alguém dizer que a ação, por exemplo, das ondas costeiras[36] seja uma causa fútil e insignificante quando usada para explicar as escavações de gigantescos vales ou para a formação das mais longas linhas de falésias interiores. A seleção natural pode agir somente por meio da preservação e do acúmulo de modificações hereditárias infinitamente pequenas, cada uma delas vantajosa ao ser preservada; e, assim como a geologia moderna baniu certas hipóteses, como a escavação de um grande vale por

33. Darwin apresenta outro forte elemento contra a lógica aristotélica expressa na máxima *Natura nihil frustra facit* (A natureza nada faz em vão). O argumento é, contudo, questionável nesse caso, pois os abelhões também coletam néctar (são chamados até hoje de "ladrões de néctar", da mesma forma que formigas e certas aves). (N.R.T.)

34. Darwin explicita aqui claramente o conceito de coevolução de polinizadores e peças florais, tema que dirigirá suas pesquisas e publicações nos anos seguintes. (N.R.T.)

35. A expressão está entre aspas no original por ser uma referência ao subtítulo da versão revisada do livro de Sir Charles Lyell, *Principles of Geology*, que era ainda mais provocativa, falando das mudanças da Terra "e seus habitantes". Na primeira edição, o subtítulo de Lyell enfatizava a uniformidade dos processos geológicos e sua longa extensão temporal. (N.R.T.)

36. Darwin se refere a *coast-waves*, ondas conhecidas hoje como *tsunamis* ou maremotos, referidas pelos "geólogos diluvianos" como causas de mudanças geológicas repentinas. (N.R.T.)

uma única onda diluviana,[37] a seleção natural também, caso seja um princípio verdadeiro, banirá a crença na criação contínua de novos seres orgânicos ou de quaisquer modificações grandes e súbitas em suas estruturas.[38]

Sobre o cruzamento dos indivíduos

Devo apresentar uma breve digressão neste momento. No caso de animais e plantas com os sexos separados, é obviamente claro que os dois indivíduos devem sempre unir-se para produzir um novo indivíduo; mas no caso dos hermafroditas, isso está longe de ser óbvio. Estou, no entanto, fortemente inclinado a acreditar que todos os hermafroditas precisam de dois indivíduos, de forma ocasional ou costumeira, para realizar a reprodução de sua espécie. Essa hipótese, posso acrescentar, foi a princípio sugerida por Andrew Knight.[39] Veremos neste ponto sua importância; mas, apesar de eu possuir material preparado para uma ampla discussão, devo aqui tratar o assunto com extrema concisão. Todos os animais vertebrados, todos os insetos e alguns outros grandes grupos de animais unem-se para procriar.[40] A pesquisa moderna diminuiu muito o número de supostos hermafroditas e, dentre os hermafroditas verdadeiros, muitos deles também se unem; ou seja, dois indivíduos se unem regularmente para a reprodução, e isso é o que nos interessa. Ainda assim, há muitos animais hermafroditas que certamente não costumam se emparelhar; a grande maioria das plantas é hermafrodita. Poderíamos perguntar sobre o motivo que leva dois indi-

---

37. Darwin afirma o conceito moderno de tempo geológico, em clara oposição à "geologia diluviana", que ainda tinha alguns poucos representantes em seu tempo. (N.R.T.)
38. Darwin deixa clara sua oposição à ideia de que catástrofes seriam seguidas de criação de novas espécies, ideia proposta por Georges Cuvier. (N.R.T.)
39. Em publicação de 1799, Knight questiona a ideia de que as flores hermafroditas (com os dois sexos) sempre se autopolinizassem, dispensando totalmente agentes polinizadores. Em edições posteriores, Darwin incluiu o nome de Joseph Gottlieb Kölreuter (ver nota 44, página 116) como coautor da mesma ideia. Darwin realizou muitos experimentos sobre esse tema. (N.R.T.)
40. Já eram bem conhecidas exceções a essa regra, como o caso dos pulgões. O desenvolvimento do ovo sem fecundação (partenogênese), em algumas espécies de invertebrados (como alguns vermes, escorpiões, abelhas, vespas, pulgões, bichos-pau) e mesmo de vertebrados, como algumas espécies de peixes, anfíbios, lagartos e até mesmo em perus. Mas não se trata nesses casos de hermafroditismo verdadeiro, o qual é, de fato, raro na maioria dos grandes grupos animais. (N.R.T.)

víduos a se unir para que ocorra a reprodução. Como é impossível entrar aqui em detalhes, devo confiar apenas em algumas considerações gerais.

Em primeiro lugar, eu coletei muitíssimos fatos que demonstram a crença quase universal de criadores, a saber: o cruzamento entre variedades diferentes de animais e plantas – ou entre indivíduos da mesma variedade, mas de outra linhagem – oferece vigor e fertilidade à prole; e que, por outro lado, o cruzamento entre parentes próximos diminui o vigor e a fertilidade; somente esses fatos já me levam a crer que podemos confiar ser a seguinte ideia uma lei geral da Natureza (apesar de sermos totalmente ignorantes do significado dessa lei): que nenhum organismo fertiliza-se a si mesmo por uma eternidade de gerações, mas que o cruzamento com outro indivíduo é indispensável – ainda que isso se dê ocasionalmente, talvez em intervalos muito longos.

Acreditando tratar-se de uma lei da Natureza, podemos, penso eu, entender várias classes de fatos diversos, como as que se seguem, que seriam inexplicáveis por outros pontos de vista. Todo aquele que trabalha com hibridização sabe que a exposição à umidade é desfavorável à fertilização das flores; mas há, ainda assim, uma infinidade de flores que possuem anteras e estigmas completamente expostos! Ocorre que, se um cruzamento ocasional for indispensável, a mais completa liberdade para a entrada do pólen de outro indivíduo explica esse estado de exposição, mais especialmente porque as anteras e os pistilos da própria planta estão geralmente tão próximos uns dos outros que a autofertilização parece ser quase inevitável. Muitas flores, por outro lado, têm seus órgãos de frutificação estreitamente fechados, como é o caso da grande família das ervilhas ou papilionáceas;[41] mas em várias dessas flores, talvez em todas elas, há uma adaptação muito curiosa entre a estrutura da flor e a maneira pela qual as abelhas sugam seu néctar; pois, ao fazê-lo, elas empurram o pólen da própria flor para o estigma, ou levam o pólen para outra flor. As visitas das abelhas são tão

---

41. Darwin se refere às flores de plantas como ervilha e feijão, que pertenciam à família chamada Papilioniaceae à época. O nome deriva do arranjo das cinco pétalas de sua corola, que lembram uma borboleta. Logo depois da publicação do livro de Darwin, foram propostos outros nomes para a família (Fabaceae ou Leguminosae), que levam em conta a forma dos frutos, e não da flor, e que são adotados até hoje. Em seu livro de 1868 (*Variation...*), Darwin passou a utilizar o termo Leguminosae para a família. (N.R.T.)

necessárias às flores das papilionáceas que descobri, por experimentos publicados em outro lugar,[42] que sua fertilidade fica muito diminuída quando essas visitas são evitadas.[43] Agora, é praticamente impossível que as abelhas voem de flor em flor e não carreguem pólen de uma para outra, para o bem maior, como eu acredito, da planta. As abelhas atuarão como um pincel; é suficiente tocar as anteras de uma flor e depois o estigma de outra com o mesmo pincel para garantir sua fertilização; mas não devemos supor que as abelhas produziriam dessa forma uma infinidade de híbridos entre espécies distintas; pois, se você coloca o pólen da própria planta no pincel junto com o pólen de outra espécie, o primeiro tem um efeito tão preponderante que destrói invariável e completamente quaisquer influências de grãos de pólen externos, conforme foi demonstrado por Gärtner.

Quando os estames de uma flor se lançam repentinamente ao pistilo ou se movem lentamente nessa direção um após o outro, o artifício parece adaptado exclusivamente para garantir a autofecundação; e sem dúvida é útil para este fim: mas a atuação dos insetos é geralmente necessária para que os estames se lancem para a frente, conforme mostrado por Kölreuter[44] dentre as plantas do gênero *Berberis*; e, curiosamente, nesse mesmo gênero que parece ter um artifício especial para a autofertilização, sabemos que, quando formas ou variedades muito afins são plantadas umas perto das outras, é quase impossível gerar mudas puras, pois seus cruzamentos ocorrem naturalmente de forma muito fácil. Em muitos outros casos, longe de haver quaisquer auxílios para a autofertilização, existem artifícios especiais, como eu poderia provar a partir dos textos de C. C. Sprengel[45] e de minhas próprias observações, que efetivamente impe-

---

42. Darwin se refere à sua publicação de 18 de outubro de 1857, em *Gardeners' Chronicle and Agricultural Gazette*, em que ele relata a ação de abelhas europeias e abelhões em flores de feijão e ervilhas, concluindo que os feijões devem ser visitados por abelhas para frutificar. (N.R.T.)

43. Darwin publicou, em seu livro de 1868 (*Variation...*), seus experimentos sobre a polinização de ervilhas, concluindo que elas não dependem de insetos para a frutificação (*Variation*, I: 349). (N.R.T.)

44. Joseph Gottlieb Kölreuter (1733-1806), botânico alemão. (N.T.)

45. Christian C. [Konrad] Sprengel (1750-1816), botânico alemão que defendeu com eloquência a ideia de que tudo nas flores – forma, cor, perfume, néctar – tinha por função atrair insetos para evitar autopolinização. Suas ideias deixaram de ser consideradas absurdas apenas com os trabalhos de Darwin, que as confirmou experimentalmente. (N.R.T.)

dem o estigma de receber o pólen de sua própria flor: por exemplo, há na *Lobelia fulgens* um artifício muito bonito e elaborado pelo qual cada um dos infinitamente numerosos grânulos de pólen são removidos das anteras de cada flor antes de o estigma das flores individuais estar pronto para recebê-los; e como esta flor nunca é visitada por insetos, pelo menos no meu jardim, ela nunca produz uma semente; apesar disso, consegui criar muitas sementes ao colocar o pólen de uma flor sobre o estigma de outra; enquanto isso, outra espécie de *Lobelia*, que cresce perto da primeira, é visitada por abelhas e produz sementes livremente. Em muitíssimos outros casos, embora não existam artifícios mecânicos especiais para evitar que o estigma de uma flor receba seu próprio pólen, ainda assim, segundo demonstrado por C. C. Sprengel e confirmado por mim, ou as anteras surgem antes de o estigma estar pronto para a fertilização ou o estigma está pronto antes de o pólen da flor estar pronto e, assim, essas plantas têm de fato sexos separados e devem ser cruzadas com frequência. Quão estranhos são esses fatos! Quão estranho é o fato de o pólen e a superfície do estigma da mesma flor estarem tão próximos, mas – como se esse fato tivesse como objetivo a própria autofertilização – serem, em tantos casos, mutuamente inúteis uns para os outros! E quão simples tornam-se esses fatos se explicados pelo ponto de vista de que o cruzamento ocasional com um indivíduo distinto é vantajoso ou indispensável!

Conforme descobri, se plantássemos perto umas das outras diversas variedades de repolho, rabanete, cebola e de algumas outras plantas e deixássemos que produzissem sementes, a grande maioria das sementes assim geradas seria híbrida; por exemplo, plantei 233 mudas de repolho de algumas plantas de diferentes variedades e as deixei crescer perto umas das outras; apenas 78 mantiveram-se puras, e mesmo algumas dentre estas não eram perfeitamente puras. Além disso, o pistilo de cada uma das flores do repolho está rodeado não apenas por seus seis próprios estames, mas também por outros das muitas outras flores da mesma planta. Como, então, se deu essa grande hibridização? Eu suspeito que isso tenha ocorrido porque o pólen de uma *variedade* distinta tem efeito preponderante sobre o pólen da própria flor; e isso faz parte da lei geral segundo a qual as formas boas derivam do cruzamento entre indivíduos distintos da mesma espécie. Quando *espécies* distintas são cruzadas, o caso é o inverso, pois o pólen da própria planta é sempre prepotente sobre o pólen externo; voltaremos a esse assunto em um capítulo futuro.[46]

No caso de uma gigantesca árvore coberta com inúmeras flores, pode--se fazer a seguinte objeção: o pólen é raramente levado de uma árvore para outra e, no máximo, só de uma flor para outra na mesma árvore, e as flores da mesma árvore podem ser consideradas como indivíduos distintos apenas em um sentido limitado. Acredito que essa objeção seja válida mas que a natureza tenha em grande parte se precavido contra isso, dando às árvores uma forte tendência para carregar flores com sexos separados. Quando os sexos estão separados, embora as flores masculinas e femininas possam ser produzidas na mesma árvore, podemos ver que o pólen deve ser regularmente levado de flor em flor; e isso proporcionará maior chance de o pólen ser ocasionalmente transportado de uma árvore para outra. Parece ser verdade que, neste país, as árvores pertencentes a todas as ordens têm os sexos separados mais frequentemente do que outras plantas; e, a meu pedido, o doutor Hooker tabulou as árvores da Nova Zelândia e o doutor Asa Gray[47] aquelas dos Estados Unidos; o resultado foi como eu esperava. Por outro lado, o doutor Hooker recentemente informou-me que acha que a regra não é válida para a Austrália. Eu fiz estas poucas observações sobre os sexos das árvores simplesmente a fim de chamar atenção para o assunto.

Voltando-nos brevemente aos animais: no ambiente terrestre há alguns hermafroditas, como lesmas, caracóis e vermes terrestres; mas todos eles se acasalam. Até este momento não encontrei nenhum animal terrestre que fertilize a si mesmo. Esse fato notável, que oferece um contraste tão forte com as plantas terrestres, pode ser entendido por meio da hipótese de um cruzamento ocasional ser indispensável, pois, tendo em conta o meio em que vivem os animais terrestres e a natureza de seu elemento fecundante, não conhecemos nenhuma maneira, análoga à ação dos insetos e do vento no caso das plantas, pela qual um cruzamento ocasional poderia ser realizado em animais terrestres sem a concordância de dois indivíduos. Em relação aos animais aquáticos, existem muitos hermafroditas autofecun-

---

46. Aqui Darwin começa a expor sua teoria da hereditariedade, antecipando termos como "prepotência", similar à "dominância" em terminologia mendeliana. (N.R.T.)
47. Asa Gray (1810-1888), botânico americano. (N.T.)

dantes; mas neste caso as correntes de água oferecem um meio óbvio para um cruzamento ocasional. E, como no caso das flores, após consultar uma das mais altas autoridades no tema, ou seja, o professor Huxley,[48] ainda não encontrei um único caso de animal hermafrodita com os órgãos de reprodução tão perfeitamente colocados dentro do corpo que o acesso externo e a influência ocasional de um indivíduo distinto pudesse ser visto como fisicamente impossível. Durante muito tempo, pareceu-me que, sob esta hipótese, os crustáceos da infraclasse Cirripedia[49] apresentavam um caso bastante difícil; mas eu consegui, por um acaso feliz, provar que dois indivíduos podem cruzar, mesmo que os dois sejam hermafroditas que se autofertilizem.

Certamente surpreendeu a maioria dos naturalistas como uma estranha anomalia, tanto em animais como em plantas, a descrição não rara de espécies da mesma família e até mesmo do mesmo gênero, algumas como hermafroditas e outras unissexuais, apesar de serem muito parecidas entre si em quase todos os detalhes de sua organização. Mas se, de fato, todos os hermafroditas cruzam ocasionalmente com outros indivíduos, resulta muito pequena a diferença entre hermafroditas e as espécies unissexuais, pelo menos no que diz respeito à reprodução.

Destas várias considerações e dos muitos fatos especiais que tenho recolhido, mas que não serei aqui capaz de relatar, estou fortemente inclinado a suspeitar que, tanto no reino animal como no vegetal, o cruzamento ocasional com um indivíduo distinto é uma lei da natureza. Estou bem ciente de que existem muitos casos difíceis nesta hipótese, alguns dos quais estou tentando investigar. Finalmente, podemos concluir que, em muitos seres orgânicos, o cruzamento entre dois indivíduos é uma necessidade óbvia para a procriação; em muitos outros talvez isso ocorra somente após longos intervalos; mas em nenhum deles, como eu suspeito, pode a autofecundação perpetuar-se.[50]

---

48. Thomas Henry Huxley (1825-1895), famoso zoólogo britânico, grande defensor da perspectiva evolutiva. (N.R.T.)
49. Darwin estudou detidamente esses animais por diversos anos, categoria da qual fazem parte as conhecidas cracas, produzindo estudos zoológicos considerados válidos até hoje. (N.R.T.)
50. Os casos difíceis parecem ter convencido Darwin a retirar este trecho final das edições posteriores, dado esse caráter de lei universal sem exceções. (N.R.T.)

Circunstâncias favoráveis à seleção natural[51]

Este é um assunto extremamente complexo. Uma grande quantidade de variabilidade hereditária e diversificada é favorável à seleção natural, mas acredito que as meras diferenças individuais sejam suficientes para cumprir essa função. Um grande número de indivíduos que ofereçam em um determinado período uma melhor oportunidade para o surgimento de variações vantajosas irá compensar a menor quantidade de variabilidade em cada indivíduo, e eu acredito que esse seja um elemento extremamente importante para o sucesso. Embora a Natureza conceda vastos períodos para que a seleção natural faça seu trabalho, essa quantidade de tempo não é infinita; pois, uma vez que todos os seres orgânicos estão se esforçando, pode-se assim dizer, para aproveitar todas as possibilidades da economia da Natureza,[52] quando uma espécie qualquer não é modificada e aperfeiçoada em um grau correspondente ao de seus competidores, não demorará muito até que seja exterminada.

Na seleção metódica, um criador seleciona com algum propósito em mente; assim, o cruzamento livre desfaria todo o seu trabalho. Mas quando muitas pessoas, sem a intenção de alterar a raça, possuem um padrão quase comum de perfeição e todos tentam obter e cruzar seus melhores animais, conseguem certamente obter vários melhoramentos e modificações, ainda que lentamente, por meio desse processo inconsciente de seleção, sem prejuízo dos muitos cruzamentos com animais inferiores. O mesmo acontecerá na Natureza; pois dentro de uma área confinada, com alguns lugares não tão perfeitamente ocupados como poderiam estar, a seleção natural sempre tende a preservar todos os indivíduos variando na direção certa, embora em graus diferentes, de modo a preencher os lugares desocupados da melhor maneira possível. Mas, se a área for grande, suas várias regiões quase certamente apresentarão diferentes condições de vida; e se a seleção natural estiver modificando e aperfeiçoando uma espécie nas várias regiões, então ocorrerão entrecruzamentos com os outros indivíduos da mesma espécie nos limites de cada uma delas. E, nesse caso, os efeitos dos cruzamentos

---

51. Em edições posteriores esse intertítulo ganhou um acréscimo: "Circunstâncias favoráveis à produção de novas formas através da seleção natural". (N.R.T.)

52. Darwin utiliza linguagem figurada, que não deve ser entendida literalmente. (N.R.T.)

dificilmente podem ser contrabalançados pela seleção natural, que tende a sempre modificar todos os indivíduos de cada região exatamente da mesma maneira, dependendo das condições de cada uma delas; pois, em uma área contínua, as condições irão modificar-se de forma imperceptível entre uma região e outra. O intercruzamento afetará mais aqueles animais que se unem para procriar, que se deslocam muito e que não se reproduzem de forma muito rápida. Daí nos animais dessa natureza, como, por exemplo, em aves, as variedades geralmente estarão confinadas a áreas separadas; acredito que esse seja o caso. Em organismos hermafroditas que cruzam apenas ocasionalmente, e da mesma forma em animais que se unem para procriar mas que se deslocam pouco e que podem se multiplicar em uma taxa muito rápida, uma nova variedade aperfeiçoada poderá ser formada rapidamente em qualquer lugar, podendo ali manter-se, de modo que qualquer cruzamento ocorrerá principalmente entre os indivíduos da mesma variedade nova. Após uma variedade local ser assim formada, ela poderá lentamente espalhar-se mais tarde para outras regiões. De acordo com o princípio acima, os horticultores preferem as sementes de um grande grupo de plantas da mesma variedade, pois dessa forma ficam diminuídas as chances de cruzarem com outras variedades.

Mesmo no caso de animais de reprodução lenta, que copulam para procriar, nós não devemos superestimar os efeitos resultantes dos cruzamentos para a diminuição da seleção natural; pois eu posso oferecer uma lista considerável de fatos para mostrar que, dentro de uma mesma área, as variedades do mesmo animal podem permanecer distintas por muito tempo, por não frequentarem os mesmos locais, por se reproduzirem em épocas ligeiramente diferentes ou por preferirem cruzar com variedades da mesma espécie.[53]

O cruzamento desempenha um papel muito importante na Natureza, pois mantém os indivíduos da mesma espécie, ou da mesma variedade, puros e uniformes em suas características. Dessa maneira, ela irá obviamente agir de forma muito mais eficiente com aqueles animais que se cruzam para a procriação; mas eu já tentei mostrar que temos razão para acreditar que os cruzamentos ocasionais ocorrem com todos os animais e com

---

53. Darwin antecipa claramente aqui os princípios do isolamento reprodutivo etológico e sazonal. (N.R.T.)

todas as plantas. E mesmo que ocorram somente após longos intervalos de tempo, estou convencido de que os indivíduos assim produzidos ganharão vantagens tanto em vigor quanto em fertilidade sobre a prole resultante da autofecundação continuada por muito tempo e que eles terão melhores chances de sobreviver e propagar suas espécies; e assim, no longo prazo, a influência dos intercruzamentos, mesmo em intervalos raros, será ótima. Caso existam seres orgânicos que nunca cruzam, a uniformidade de suas características poderá ser mantida, contanto que suas condições de vida permaneçam as mesmas, apenas através do princípio da hereditariedade e através da seleção natural, destruindo quaisquer indivíduos diferentes do tipo apropriado; mas se as suas condições de vida mudarem e eles passarem por modificações, a uniformidade das características poderá ser transmitida aos descendentes modificados unicamente por seleção natural, preservando as mesmas variações favoráveis.

O isolamento[54] também é um elemento importante para o processo de seleção natural. Em uma área confinada ou isolada não muito grande, as condições orgânicas e inorgânicas de vida geralmente terão um grande grau de uniformidade, pois a seleção natural tende a modificar todos os indivíduos de uma espécie variante em toda a área da mesma maneira em relação às mesmas condições. Além disso, não ocorrerão os cruzamentos com indivíduos da mesma espécie que, de outro modo, habitariam as regiões próximas e com outras condições. Mas o isolamento provavelmente age de forma mais eficaz para o controle da imigração de organismos mais bem-adaptados depois da ocorrência de alterações físicas em uma área (tais como o clima ou a elevação do terreno etc.); e, assim, novos nichos são abertos na economia da natureza daquele lugar para que seus antigos moradores lutem por eles e se adaptem através de modificações em suas estruturas e constituições. Por último, o isolamento, ao restringir a imigração e, consequentemente, a competição, dará tempo para que novas variedades sejam lentamente aperfeiçoadas; e isso pode, às vezes, ter grande importância para a produção de novas espécies. Se, no entanto, uma área isolada for muito pequena – porque está cercada por barreiras ou por contar com condições físicas muito peculiares –, o número total de indivíduos suportado por ela

54. Darwin trata aqui do isolamento geográfico. (N.R.T.)

será necessariamente muito pequeno; e o número pequeno de indivíduos irá retardar sobremaneira a produção de novas espécies através da seleção natural, diminuindo as chances do aparecimento de variações favoráveis.[55]

Se, para testar a verdade destas observações, nos voltarmos para a Natureza e observarmos uma área isolada qualquer, como uma ilha oceânica, por exemplo, embora o número total de espécies que a habitem seja pequeno – como veremos em nosso capítulo sobre distribuição geográfica –, mesmo assim, perceberemos que a grande maioria das espécies desse local é endêmica, ou seja, foi produzida lá e em nenhum outro lugar. Portanto, uma ilha oceânica poderia à primeira vista parecer altamente favorável para a produção de novas espécies. Porém estaríamos nos enganando, pois devemos fazer a comparação em períodos iguais para verificar se uma pequena área isolada ou uma grande área aberta como um continente é mais favorável para a produção de novas formas orgânicas; e trata-se de algo que somos incapazes de fazer.[56]

Embora eu não duvide que o isolamento tenha considerável importância para a produção de novas espécies, em geral estou inclinado a acreditar que a amplidão da área é mais importante, especialmente para a produção de espécies que irão se mostrar capazes de sobreviver por um longo período e de difundir-se por todas as partes. Em uma área grande e aberta, não só haverá maiores chances da ocorrência de variações favoráveis, decorrentes do grande número de indivíduos da mesma espécie que a área suporta, mas também de as condições de vida serem infinitamente complexas por causa do grande número de espécies já existentes; e se algumas destas muitas espécies forem modificadas e aperfeiçoadas, outras precisarão ser aperfeiçoadas em um grau correspondente para que não sejam exterminadas. Cada nova forma, assim que estiver bastante aperfeiçoada, também será capaz de espalhar-se sobre a área aberta e contínua e, assim, passará a competir com muitas outras. Daí serão formados novos nichos

55. Darwin não via papel importante nas populações pequenas para a evolução, mas a ciência comprovou que elas podem ter papel decisivo no aparecimento de novas variedades e espécies. (N.R.T.)

56. Darwin deve ter sido convencido da importância das grandes populações pelos levantamentos que realizou sobre o número de gêneros e espécies de grupos taxonômicos, nos quais comprovou que grandes áreas detinham grande número de entidades taxonômicas. (N.R.T.)

e a concorrência para preenchê-los será mais severa em uma área grande do que em uma área pequena e isolada. Além disso, as grandes áreas contínuas da atualidade existiram de forma fracionada no passado recente devido às oscilações do solo e, dessa forma, os bons efeitos do isolamento já estarão, em certa medida, assentados. Finalmente, concluo que, embora pequenas áreas isoladas tenham provavelmente sido em alguns aspectos altamente favoráveis para a produção de novas espécies, ainda assim, o curso das modificações tem sido em geral mais rápido em grandes áreas; e o que é mais importante, as novas formas, produzidas em grandes áreas, tendo já sido vitoriosas sobre muitos concorrentes, serão aquelas que conseguirão espalhar-se mais amplamente e dar origem à maioria das novas variedades e espécies, desempenhando um papel importante na história da mudança do mundo orgânico.[57]

Podemos, talvez, por meio desses pontos de vista, entender alguns fatos que serão novamente aludidos em nosso capítulo sobre distribuição geográfica; como, por exemplo, que as produções do menor continente, a Austrália, tenham parado antes e que atualmente estejam aparentemente cedendo ante àquelas da grande área euroasiática. É por isso, também, que as produções continentais se tornaram em todos os lugares tão largamente aclimatadas às ilhas. Em uma ilha pequena, a competição pela vida é menos grave; ocorrem menos modificações e menos extermínios. Talvez esse seja o motivo pelo qual a flora da Madeira, de acordo com Oswald Heer,[58] assemelhe-se à extinta flora europeia do Terciário. Todas as bacias de água doce, quando tomadas em conjunto, somam uma área pequena quando comparada às extensões ocupadas pelo mar ou pela terra; e, por conseguinte, as competições ocorridas em torno da água doce foram menos severas que as de outros lugares; novas formas teriam sido criadas mais lentamente e as velhas teriam sido extintas mais lentamente. É na água doce que encontramos sete gêneros de peixes ganoides,[59] remanescentes de uma ordem uma vez preponderante: na água doce encontramos algumas das formas mais anômalas

57. Darwin antecipa as linhas gerais da especiação simpátrica, amplamente admitida nos dias atuais, mas se equivoca em seguida ao dizer que a evolução "parou" na Austrália. (N.R.T.)
58. Oswald Heer (1809-1883), botânico suíço e climatologista. (N.T.)
59. Peixes com escamas ganoides eram comuns no Paleozoico. (N.R.T.)

atualmente conhecidas no mundo, como o ornitorrinco[60] e a piramboia, os quais, como fósseis, conectam até certo ponto ordens que hoje estão amplamente separadas na escala natural. Essas formas anômalas podem quase ser chamadas de fósseis vivos; elas sobreviveram até os dias atuais por habitarem uma área confinada e por terem sido dessa maneira expostas a uma competição menos severa.[61]

Resumamos as circunstâncias favoráveis e desfavoráveis à seleção natural, na medida em que a extrema complexidade do assunto permite. Olhando para o futuro, eu concluo que uma grande área continental – que provavelmente passará por muitas oscilações de nível e que consequentemente existirá por longos períodos de forma fragmentada – será mais favorável para a produção de muitas novas formas de vida terrestres que, provavelmente, sobreviverão por muito tempo e se dispersarão amplamente. A área que antes formava um único continente e os habitantes desse período, numerosos e de muitos tipos, ficou sujeita à competição muito severa. Quando o continente transformar-se em várias ilhas separadas devido ao afundamento de partes da superfície terrestre, restarão confinados muitos indivíduos da mesma espécie em cada ilha; o cruzamento fora dos limites da distribuição de cada espécie será, assim, impedido; depois das alterações físicas de quaisquer tipos, a imigração não será possível, de tal forma que os novos nichos de cada uma das ilhas serão preenchidos por modificações nos antigos habitantes; e o tempo permitirá que as variedades de cada uma se tornem bastante modificadas e aperfeiçoadas.[62] Quando, por uma nova elevação, as ilhas forem reconvertidas em uma área continental ilimitada, novamente haverá competição severa; as variedades mais favorecidas ou melhoradas poderão se espalhar; haverá muita extinção das formas menos melhoradas e os números relativos dos vários habitantes do

---

60. Mamífero ovíparo, com pelos e bico córneo, do qual não se conhecem variedades. Ao contrário do que afirma Darwin, tem ampla distribuição geográfica no leste australiano e na Tasmânia, tendo sido introduzido na ilha Kangoroo, onde mantém população estável. (N.R.T.)

61. Trata-se de uma afirmação equivocada de Darwin. A noção de fóssil vivo transmite a falsa ideia de que seja uma espécie que "sobreviveu", permanecendo inalterada por milhões de anos, o que tem sido amplamente contrariado por estudos moleculares. Essas espécies continuaram a se adaptar sucessivamente. (N.R.T.)

62. Darwin faz um resumo, mas utiliza exemplo de especiação alopátrica, com isolamento geográfico. (N.R.T.)

novo continente serão novamente alterados; e haverá mais uma vez um campo justo para a seleção natural melhorar ainda mais os habitantes e, portanto, produzir novas espécies.[63]

Admito plenamente que a seleção natural agirá sempre com extrema lentidão. Sua ação depende da existência de nichos na natureza que possam ser ocupados de melhor forma por alguns dos habitantes da região que passaram por algum tipo de modificação. A existência de tais espaços dependerá frequentemente das mudanças físicas, que são geralmente muito lentas, dependerá também do controle sobre a imigração de formas mais bem-adaptadas. Mas, com frequência, a ação da seleção natural dependerá provavelmente da modificação lenta de alguns dos habitantes, que causará a perturbação das relações mútuas com alguns outros habitantes. Nada pode ser realizado, a menos que ocorram variações favoráveis, mas a variação em si aparentemente é sempre um processo muito lento. O processo costuma ser muitas vezes fortemente desacelerado pelo cruzamento livre entre indivíduos. Muitos irão afirmar que essas várias causas são mais do que suficientes para impedir completamente a ação da seleção natural. Não creio nisso. Por outro lado, acredito que a seleção natural sempre agirá muito lentamente, muitas vezes apenas em longos intervalos de tempo e geralmente apenas em alguns poucos habitantes da mesma região ao mesmo tempo. Também acredito que essa ação muito lenta e intermitente da seleção natural concorda perfeitamente bem com o que a geologia nos diz sobre o modo pelo qual os habitantes deste mundo sofreram mudanças e sobre as taxas através das quais essas alterações ocorreram.

Embora o processo de seleção seja lento, se uma pessoa qualquer consegue fazer tanta coisa por meio da seleção artificial, não vejo limites para a quantidade de alterações – para a beleza e para a infinita complexidade das coadaptações entre todos os seres orgânicos, uns com os outros e com suas condições físicas de vida – que podem ser realizadas no longo curso do tempo pelo poder de seleção da Natureza.

---

63. Embora Darwin fale de espécies "aperfeiçoadas" (*perfected*) e "melhoradas" (*improved*), tomando emprestados os termos dos criadores de seu tempo, em ambos os casos o correto seria se referir a espécies "mais bem-adaptadas". (N.R.T.)

Extinção

Este assunto será mais plenamente discutido em nosso capítulo sobre geologia; mas devemos aludi-lo aqui por estar intimamente ligado à seleção natural. A seleção natural age unicamente através da preservação de variações que são mantidas por serem, de alguma forma, vantajosas. Mas, tendo em vista que todos os seres orgânicos aumentam o número de seus indivíduos por progressão geométrica, seus hábitats já estão totalmente preenchidos, daí, à medida que o número de cada forma selecionada e favorecida aumenta, as formas menos favorecidas diminuem e tornam-se raras. A raridade, conforme nos diz a geologia, é a precursora da extinção. Podemos também ver que qualquer forma representada por poucos indivíduos irá, durante as flutuações das estações do ano ou do número de seus inimigos, ter uma boa chance de ser completamente extinta. Entretanto, podemos ir mais longe; pois, conforme as novas formas são contínua e lentamente produzidas, outras deverão ser inevitavelmente extintas – a menos que acreditemos que o número de formas específicas exista perpetuamente e continue aumentando quase indefinidamente. A geologia nos mostra claramente que o número de formas específicas não aumenta indefinidamente; e há de fato um motivo para esse aumento não ter ocorrido, uma vez que na Natureza o número de nichos não aumenta indefinidamente – não que tenhamos meios de saber se uma região já tem no momento seu número máximo de espécies. Provavelmente nenhuma região está hoje totalmente abastecida, pois no Cabo da Boa Esperança, onde há mais espécies de plantas do que em qualquer outra região do mundo,[64] algumas plantas estrangeiras têm se tornado aclimatadas, sem causar, tanto quanto sabemos, a extinção de espécies nativas.

Além disso, as espécies que são mais numerosas em indivíduos terão maiores chances de produzir variações favoráveis em um período qualquer. Temos provas disso nos fatos oferecidos no segundo capítulo, mostrando que são as espécies comuns que produzem o maior número de variedades registradas, isto é, de espécies incipientes. Assim, as espécies raras serão modificadas ou melhoradas de forma mais lenta em um período qualquer

64. Já era reconhecida a grande diversidade florística daquela região, mas espécies invasoras sempre alteram as interações ecológicas locais. (N.R.T.)

e, na competição pela vida, serão consequentemente derrotadas pelos descendentes modificados das espécies mais comuns.

A partir dessas várias considerações, acredito que podemos inevitavelmente concluir que, à medida que novas espécies são formadas pela seleção natural no decorrer do tempo, outras se tornam cada vez mais raras, até serem extintas. As formas que estão em competição direta com aquelas submetidas à modificação e ao melhoramento naturalmente sofrerão mais. Conforme vimos no capítulo sobre a luta pela existência, são as formas mais intimamente afins, as variedades da mesma espécie e as espécies do mesmo gênero ou de gêneros relacionados que, por terem quase a mesma estrutura, a mesma constituição e os mesmos hábitos, geralmente entram em competição mais severa umas com as outras. Consequentemente, toda nova variedade ou espécie, durante o progresso de sua formação, será geralmente mais pressionada por seus semelhantes mais próximos que tendem a exterminá-la. Vemos o mesmo processo de extermínio em nossas produções domésticas, através da seleção de formas melhoradas pelo ser humano.[65] Poderíamos oferecer muitos casos curiosos para demonstrar quão rapidamente as novas raças de bovinos, ovinos e outros animais, bem como as variedades de flores, tomam o lugar dos tipos mais velhos e inferiores. Em Yorkshire, historicamente sabe-se que o antigo gado preto foi deslocado pelo *de chifre longo* e que estes "foram varridos pelo *de chifre curto*" (passo a citar as palavras de um escritor agrícola) "como se por alguma pestilência assassina".

Divergência de caracteres

O princípio que designei por este termo é de grande importância para minha teoria e acredito que explica vários fatos importantes. Em primeiro lugar, as variedades, mesmo as fortemente distintas, apesar de possuírem um pouco das características da espécie, como pode ser notado pelas dúvidas irremediáveis sobre a forma pela qual classificá-las, ainda certamente diferem umas das outras muito menos do que as espécies boas e distintas. No entanto, de acordo com meu ponto de vista, as variedades são espécies

---

65. Nota-se como Darwin toma dos criadores de seu tempo o termo "melhoramento". Até hoje se usa o termo "melhoramento genético" para as formas domesticadas. (N.R.T.)

em vias de formação ou, conforme as denominei anteriormente, espécies incipientes. Como, então, essa diferença mínima entre as variedades é aumentada e torna-se a grande diferença entre as espécies? A ocorrência desse fato pode ser deduzida pelas diferenças bem marcadas que a maioria das inúmeras espécies de toda a natureza apresenta; já as variedades, os supostos protótipos e pais das futuras espécies bem marcadas, apresentam diferenças ligeiras e mal definidas. O mero acaso, como podemos denominá-lo, pode fazer com que uma variedade se diferencie de seus pais em alguma característica e fazer que a prole dessa variedade novamente torne-se mais diferente de seus pais na mesma característica e em maior grau; mas não podemos responsabilizar apenas o acaso por diferenças tão grandes e habituais como as existentes entre as variedades da mesma espécie e entre espécies do mesmo gênero.

Conforme tem sido minha prática, busquemos alguma luz sobre esse tópico em nossas produções domésticas. Encontraremos aqui algo análogo. Um criador fica impressionado por um pombo com um bico ligeiramente mais curto; outro criador se impressiona com um pombo com bico bastante longo; e pelo princípio reconhecido de que "os criadores de pombos não admiram nem admirarão um padrão médio, mas apreciam os extremos", ambos passam a escolher (conforme realmente ocorreu com os *tumblers*) e reproduzir aves com bicos cada vez mais longos ou com bicos cada vez mais curtos. Novamente, podemos supor que em um estágio anterior uma pessoa preferia cavalos mais rápidos e outro homem queria cavalos mais fortes. As diferenças iniciais seriam muito pequenas; no decorrer do tempo, pela contínua seleção de cavalos mais rápidos por alguns criadores e de cavalos mais fortes por outros, as diferenças se tornariam maiores e a formação de duas subvariedades seria notada; finalmente, após o lapso de séculos, as subvariedades transformar-se-iam em duas variedades distintas e bem estabelecidas. Conforme as diferenças lentamente se tornam maiores, os animais inferiores com características intermediárias, que não são nem muito rápidos nem muito fortes, são negligenciados e tendem a desaparecer. Aqui, então, vemos nas produções dos seres humanos a ação daquilo que pode ser chamado de princípio da divergência, causando diferenças que, ainda que mal perceptíveis no início, aumentam constantemente e fazem com que as variedades passem a divergir em suas características, tanto entre umas e outras quanto em relação aos seus ancestrais comuns.

Mas é possível perguntarmos: como poderíamos aplicar um princípio análogo à Natureza? Eu acredito que pode ser aplicado e aplica-se de forma bastante eficaz pelo simples fato de que quanto mais diversificados se tornam os descendentes de uma espécie qualquer em estrutura, constituição e hábitos, tanto mais eles são capazes de ocupar muitos nichos diversificados na Natureza e, assim, aumentar o número de seus indivíduos.

Isso pode ser notado de forma clara nos animais com hábitos simples. Tomemos o caso de um quadrúpede carnívoro, cuja quantidade máxima de indivíduos que pode ser mantida em uma área já atingiu seu máximo há muito tempo. Se deixarmos que a espécie utilize seu poder de crescimento de forma natural, ela somente poderá aumentar o número de seus indivíduos (se não ocorrerem alterações nas condições de sua região) caso seus descendentes variem e busquem aproveitar os nichos atualmente ocupados por outros animais: alguns deles podem fazer isso ao, por exemplo, passarem a se alimentar de novos tipos de presas, mortas ou vivas; outros, ao habitar novos pontos, outros ainda, ao subir em árvores, ao frequentar a água, e alguns, talvez, tornando-se menos carnívoros. Quanto mais diversificados forem os hábitos e a estrutura dos descendentes de nosso animal carnívoro, mais lugares eles conseguirão ocupar. O que se aplica a um animal aplica-se em qualquer tempo a todos os animais sempre que houver variação; caso contrário, não há nada que a seleção natural possa fazer. O mesmo ocorre com as plantas. Provou-se experimentalmente que se um pedaço de terra for semeado com diversos gêneros distintos de gramíneas, poder-se-á obter um maior número de plantas e um maior peso de ervas secas. O mesmo resultado foi obtido quando foram semeadas primeiro uma variedade e depois diversas variedades mistas de trigo em espaços iguais de terra. Portanto, se uma espécie qualquer de gramínea variasse e, então, selecionássemos de forma contínua as variedades que diferissem umas das outras em todos os aspectos que as espécies e os gêneros distintos de gramíneas diferem entre si, um maior número de plantas individuais dessa espécie de gramínea, incluindo seus descendentes modificados, conseguiria viver em um mesmo terreno. Além disso, sabemos que cada espécie e cada variedade de gramínea produzem um número quase incontável de sementes por ano; e assim está, por assim dizer, esforçando-se ao máximo para aumentar o número de seus indivíduos. Por conseguinte, não tenho como duvidar de que, no decorrer de muitos milhares de gerações, as variedades mais distintas de quaisquer espécies de gramíneas sempre teriam melhores chances de obter sucesso e de aumentar o número de seus indivíduos e, portanto, de suplantar as variedades menos distintas; e as variedades, quando se tornam muito distintas entre si, passam a ser classificadas como espécies.

A afirmação desse princípio – isto é, de que a maior quantidade de vida pode ser mantida pela grande diversificação das estruturas – é vista em muitas circunstâncias naturais. Sempre encontraremos uma grande diversidade de habitantes em uma área extremamente pequena e onde a competição entre os indivíduos for severa, especialmente se esta estiver aberta à imigração. Por exemplo, descobri que um pedaço de relva de três pés por quatro (aproximadamente um metro quadrado) que havia sido exposto a exatamente as mesmas condições por muitos anos continha vinte espécies de plantas, e estas pertenciam a dezoito gêneros e oito ordens diferentes, mostrando o quanto essas plantas diferiam umas das outras. O mesmo ocorre com plantas e insetos em ilhotas uniformes; e o mesmo também em lagoas de água doce. Os agricultores perceberam que podem obter mais alimentos por meio da rotação de plantas pertencentes às mais diferentes ordens: a natureza segue o que pode ser chamado de rotação simultânea. A maioria dos animais e plantas que vivem no entorno de qualquer pequeno pedaço de terra poderia viver nele (supondo que sua natureza não possua alguma forma peculiar), e pode-se dizer que se esforçam ao máximo para viver ali; mas, nos pontos mais acirrados de competição, as vantagens da diversificação da estrutura, junto às diferenças de hábitos e constituição, determinam que os habitantes que estão muito próximos uns dos outros devem, como regra geral, pertencer ao que chamamos de diferentes ordens e gêneros.

Em terras estrangeiras, vê-se o mesmo princípio em relação à aclimatação de plantas por meio da ação humana. Poderíamos esperar que as plantas que conseguiram se aclimatar em qualquer terra fossem em geral muito próximas das nativas; pois estas últimas são comumente vistas como especialmente criadas e adaptadas para o seu próprio país. Poderíamos também talvez esperar que as plantas naturalizadas pertencessem a alguns grupos mais especialmente adaptados a determinadas estações em seus novos lares. Mas o caso é muito diferente; e Alphonse de Candolle bem observou em sua grande e admirável obra[66] que, em relação à proporção de gêneros e espécies nativas, as floras aclimatadas ganham muito mais em número de gêneros do que em número de espécies. Vejamos um exemplo: o doutor Asa Gray, na última edição do *Manual of the Flora of the Northern United States* (*Manual da flora do norte dos Estados Unidos*), enumerou 260 espécies de plantas exóticas pertencentes a 162 gêneros. Assim, notamos que essas plantas aclimatadas são de natureza altamente diversificada. Além disso, elas diferem bastante das nativas, pois, desses 162 gêneros de plantas introduzidas, não menos do que cem gêneros da lista não são nativos; portanto, houve uma grande adição proporcional aos gêneros dos Estados Unidos.

Ao considerarmos a natureza das plantas ou dos animais que lutaram com sucesso em alguma região contra suas contrapartes nativas e que lá conseguiram se aclimatar, podemos formar uma ideia grosseira sobre como alguns indivíduos nativos poderiam ser modificados para que obtivessem vantagens sobre os outros nativos; e poderíamos, acredito, inferir com segurança qual diversificação estrutural, que levasse a novas diferenças genéricas, poderia ser favorável a eles.

A vantagem da diversificação dos habitantes de uma mesma região é, na verdade, o mesmo que a divisão fisiológica do trabalho encontrada nos órgãos do corpo de um mesmo indivíduo, conforme foi tão bem elucidado por Milne-Edwards.[67] Nenhum fisiologista duvida que um estômago adaptado para digerir somente matéria vegetal, ou apenas carne, retira, cada um deles, o máximo de nutrientes dessas respectivas substâncias. Assim, na economia geral de qualquer região, quanto mais ampla e perfeitamente diversificados forem os hábitos de animais e plantas, maior será o número de indivíduos sustentados pela área. Um grupo de animais com pouca diversificação de

---

66. A obra a que Darwin se refere é *Prodromus systematis naturalis regni vegetabilis*, que contou com a ajuda de seu filho Casimir de Candolle (1836-1918), ocupando, assim, três gerações da mesma família. (N.R.T.)

67. Henri Milne-Edwards (1800-1885), zoólogo francês. Estudou com Georges Cuvier e pesquisou invertebrados, ocupando o posto de Isidore Geoffroy Saint-Hilaire, após sua morte, no Museu de História Natural de Paris. Concebeu a ideia de divisão fisiológica do trabalho. (N.R.T.)

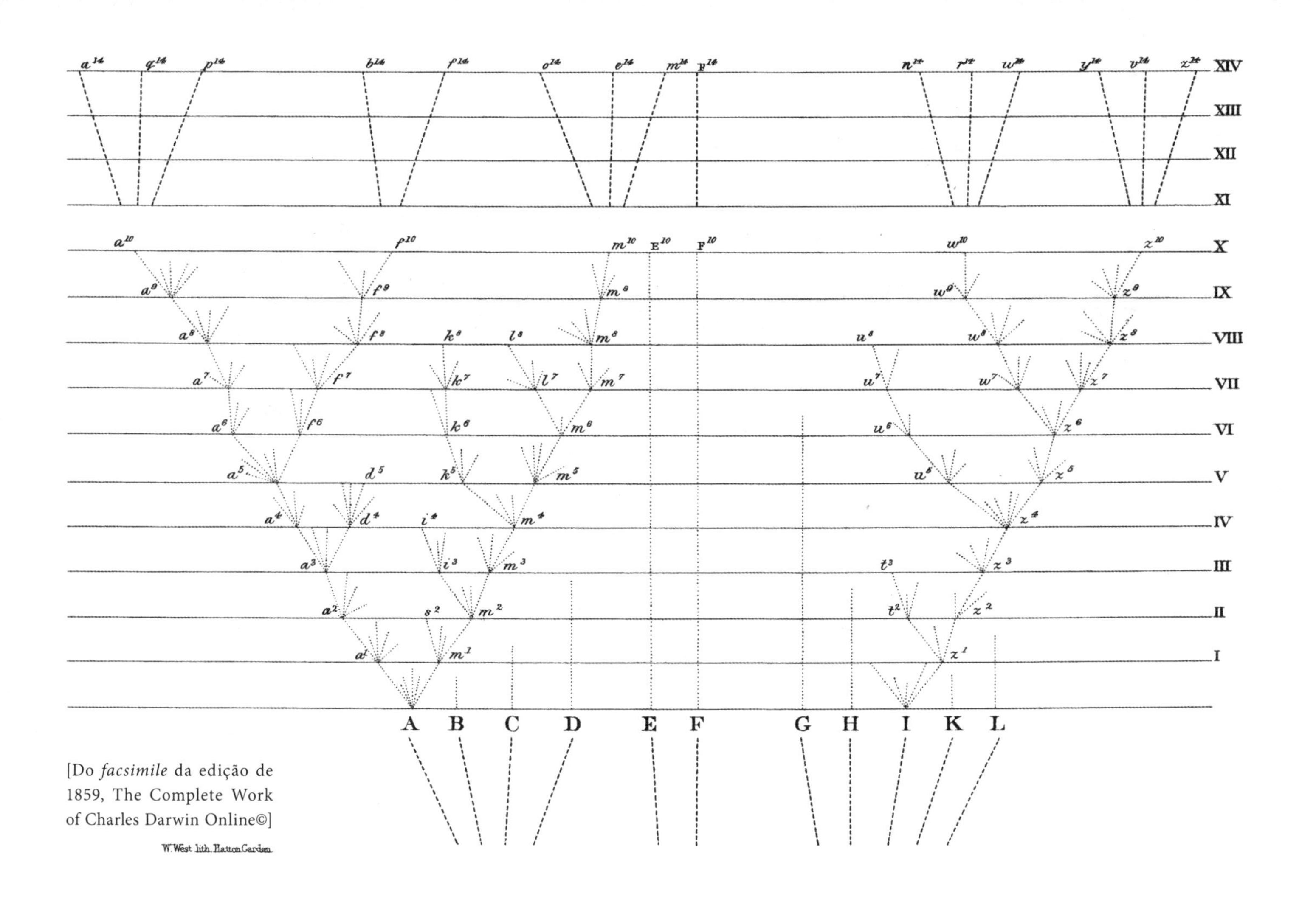

[Do *facsimile* da edição de 1859, The Complete Work of Charles Darwin Online©]

organismos dificilmente poderia competir com um grupo cuja estrutura fosse mais perfeitamente diversificada. É possível pôr em dúvida, por exemplo, se os marsupiais australianos – que são divididos em grupos com poucas diferenças e que, conforme afirmado pelo senhor Waterhouse[68] e outros, mal representam nossos animais carnívoros, ruminantes e roedores – conseguiriam competir, com sucesso, com essas ordens bem definidas. Observamos nos mamíferos australianos o processo de diversificação em uma fase de desenvolvimento precoce e incompleta.[69]

Após a discussão acima, que deveria ter sido muito mais ampla, podemos, penso eu, presumir que os descendentes modificados de quaisquer espécies serão bem-sucedidos na medida em que suas estruturas se tornarem mais diversificadas e estarão portanto habilitados a invadir lugares ocupados por outros seres. Vejamos agora como poderá ser a ação deste princípio que busca vantagens derivadas da divergência de características quando combinadas com os princípios da seleção natural e da extinção.

O diagrama apresentado nos ajudará a compreender esse assunto de certa forma intrigante. As letras A a L representam as espécies de um grande gênero em sua própria região; supõe-se que, como geralmente ocorre na Natureza, essas espécies sejam semelhantes em graus desiguais. O fato está representado no diagrama por letras dispostas em distâncias desiguais. Falo em um grande gênero porque vimos no segundo capítulo que as espécies dos grandes gêneros variam em média mais que as dos pequenos; além disso, as diferentes espécies dos grandes gêneros apresentam maior número de variedades. Também vimos que as espécies mais comuns e mais extensamente difundidas variam mais do que as espécies raras e com distribuição restrita. Seja (A) uma espécie muito comum, amplamente difundida e variável, pertencente a um gênero grande em sua própria região. O pequeno leque procedente de (A) com linhas pontilhadas divergentes e comprimentos desiguais representa as variações de sua prole. Supõe-se que as variações sejam extremamente leves, mas de natureza

---

68. George Robert Waterhouse (1810-1888), zoólogo. (N.T.)
69. Darwin aplica um raciocínio que toma os marsupiais como mamíferos "primitivos" e "incompletos", pois é comum serem exterminados por mamíferos placentários introduzidos. No entanto esse raciocínio tem premissas falsas. Marsupiais e placentários são igualmente "evoluídos", cada um à sua maneira. (N.R.T.)

bastante diversificada; não se supõe que todas tenham surgido simultaneamente, mas sim depois de longos intervalos; nem se supõe que todas elas tenham vivido por tempos iguais. Apenas as variações que são, de alguma forma, vantajosas serão preservadas ou naturalmente selecionadas. É neste ponto que entra a importância do princípio da vantagem derivada da divergência de características; pois este geralmente fará com que mais variações diferentes ou divergentes (representadas pelas linhas pontilhadas externas) sejam preservadas e acumuladas pela seleção natural. Quando uma linha pontilhada chega a uma das linhas horizontais e recebe uma letra minúscula numerada, isso significa a acumulação de uma quantidade suficiente de variação e a formação de uma variedade já bem marcada, a qual já terá condições de ser registrada em um trabalho de sistemática.[70]

No diagrama, cada intervalo entre as linhas horizontais pode representar mil gerações; mas teria sido melhor se cada um representasse 10 mil gerações. Supõe-se que, após milhares de gerações, a espécie (A) produza duas variedades razoavelmente bem marcadas, ou seja, a^1 e m^1. Estas duas variedades geralmente continuarão expostas às mesmas condições que tornaram seus pais variantes. Como a tendência à variabilidade é em si hereditária, elas consequentemente tenderão a variar e em geral variam quase da mesma maneira que seus ascendentes. Além disso, essas duas variedades, sendo apenas formas ligeiramente modificadas, tendem a herdar as vantagens que tornaram seus pais comuns (A) mais numerosos do que a maioria dos outros habitantes de um mesmo local; elas também terão as vantagens mais gerais que tornaram o gênero da espécie-mãe em um grande gênero dentro de seu próprio limite de distribuição. Sabemos que essas circunstâncias são favoráveis para a produção de novas variedades.

Se, então, estas duas variedades forem variáveis, suas variações mais divergentes serão geralmente preservadas durante as próximas mil gerações. E, após esse intervalo, supõe-se que a variedade a^1 do diagrama produzirá uma variedade a^2, que, devido ao princípio da divergência, diferirá mais de (A) que a variedade a^1. A variedade m^1 poderá produzir duas variedades, ou seja, m^2 e s^2, diferenciando-se uma da outra e, mais consideravelmente,

70. Um trabalho de sistemática refere-se ao realizado por um especialista na classificação dos seres vivos, que então registrará a existência da variedade da espécie em questão. (N.R.T.)

de seu ancestral comum (A). Podemos continuar o processo em etapas semelhantes por qualquer período; algumas das variedades, após cada mil gerações, produzirão apenas uma única variedade, mas, em uma condição mais modificada, algumas produzirão duas ou três variedades e algumas deixarão de produzir quaisquer variedades. Assim, as variedades ou descendentes modificados do ancestral comum (A) irão aumentar o número de seus indivíduos e de características divergentes. No diagrama, o processo é representado até a décima milésima geração e de uma forma condensada e simplificada até a décima quarta milésima geração.

Devo neste ponto observar que não acredito que o processo continue de forma tão regular conforme está representado no diagrama, mas sim de forma um pouco mais irregular. Estou longe de imaginar que as variedades mais divergentes irão invariavelmente prevalecer e se multiplicar: uma forma mediana pode muitas vezes durar e pode produzir ou não mais de um descendente modificado; pois a seleção natural sempre atuará de acordo com a natureza dos lugares que estão desocupados, ou ocupados de forma imperfeita por outros seres; e isso depende de relações infinitamente complexas. Porém, como regra geral, quanto mais diversificada for a estrutura dos descendentes de qualquer espécie, mais nichos eles conseguirão ocupar e maior será o número de indivíduos de sua descendência modificada. Em nosso diagrama, a linha de sucessão está quebrada em intervalos regulares por pequenas letras numeradas, marcando as sucessivas formas que se tornaram suficientemente distintas para serem registradas como variedades. Mas essas quebras são imaginárias e poderiam ter sido inseridas em qualquer lugar após intervalos que fossem suficientemente longos para permitir a acumulação de uma quantidade considerável de variações divergentes.

Já que todos os descendentes modificados de uma espécie comum e amplamente difundida, pertencentes a um gênero, tendem a participar das mesmas vantagens que tornaram seu ascendente bem-sucedido, eles continuarão geralmente a multiplicar sua quantidade de indivíduos, bem como divergir em suas características; isso está representado no diagrama por meio de vários ramos divergentes procedentes de (A). A descendência modificada dos ramos superiores e mais altamente aperfeiçoados nas linhas de descendência provavelmente irá muitas vezes tomar o lugar e, assim, destruir os ramos anteriores e menos aperfeiçoados; isso está representado no diagrama pelas linhas dos ramos inferiores que não chegam até as linhas horizontais superiores. Em alguns casos não há dúvida de que o processo de modificação ficará confinado a uma única linha de descendência e o número de descendentes não será aumentado; não obstante, a quantidade de modificações divergentes poderá aumentar nas sucessivas gerações. Esse caso poderia ser representado no diagrama pela remoção de todas as linhas procedentes de (A), exceto a que parte de a^1 em direção a a^{10}. Da mesma forma, o cavalo de corrida inglês, por exemplo, e o pointer inglês (ou perdigueiro) aparentemente seguiram linhas lentamente divergentes em relação às características de seus grupos originais, sem que nenhum deles gerasse novos ramos ou raças.

Após 10 mil gerações, supõe-se que a espécie (A) tenha produzido três formas, a^{10}, f^{10} e m^{10}, as quais, por terem divergido em suas características durante sucessivas gerações, passaram a ser bastante diferentes, mas talvez de maneira desigual, umas das outras e de seu ancestral comum. Se imaginarmos que a quantidade de mudanças entre cada linha horizontal de nosso diagrama tenha sido excessivamente pequena, essas três formas podem ainda ser apenas variedades bem marcadas; ou elas podem ter atingido a categoria duvidosa de subespécies; mas se imaginarmos que as etapas do processo de modificações tenham sido mais numerosas ou maiores a ponto de converter essas três formas em espécies bem definidas, então o diagrama ilustra as etapas pelas quais as pequenas diferenças que distinguem as variedades são aumentadas até as grandes diferenças que distinguem as espécies. Continuando o mesmo processo por um número maior de gerações (como mostrado no diagrama de forma simplificada e condensada), obtemos oito espécies, marcadas pelas letras entre a^{14} e m^{14}, todas descendentes de (A). Acredito que as espécies se multiplicam e os gêneros são formados dessa maneira.

É provável que mais de uma espécie varie dentro de um grande gênero. No diagrama, eu assumi que, após dez mil gerações, uma segunda espécie (I) produziu, por etapas análogas, ou duas variedades bem marcadas (w^{10} e z^{10}) ou duas espécies, de acordo com a quantidade de mudança que tenha ocorrido entre as linhas horizontais. Após 14 mil gerações, seriam produzidas seis novas espécies, marcadas pelas letras que vão de n^{14} até z^{14}. Em cada gênero, a espécie, que já possui características extremamente diferentes, geralmente tende a produzir o maior número de descendentes modificados; pois estes últimos terão mais chance de preencher novos e diferentes nichos na Natureza: portanto, no diagrama eu escolhi a espécie extrema (A) e a espécie quase extrema (I) como aquelas que mais variaram e deram origem a novas variedades e espécies. As outras nove espécies de nosso gênero original (marcadas por letras maiúsculas) podem continuar transmitindo descendentes inalterados por um longo período; isso é mostrado na figura por meio das linhas pontilhadas que não se prolongam muito para cima por falta de espaço.

Porém durante o processo de modificação, representado no diagrama, outro princípio, a saber, a extinção, desempenha um papel importante. Tendo em vista que, nas regiões totalmente ocupadas, a seleção natural age necessariamente porque, na luta pela vida, a forma selecionada tem alguma vantagem sobre outras formas, então haverá uma tendência constante de que os descendentes aperfeiçoados de quaisquer espécies suplantem e exterminem, em cada etapa de sua descendência, seus antecessores e seus pais originais. Devemos lembrar que a competição irá geralmente ser mais severa entre as formas que estão mais relacionadas umas às outras por seus hábitos, sua constituição e estrutura. Portanto, todas as formas intermediárias entre os estados anteriores e posteriores, isto é, entre os estados menos e mais melhorados de uma espécie, bem como as espécies paternas em si, geralmente tendem a se extinguir. Então o mesmo provavelmente ocorrerá com várias linhas colaterais inteiras de descendência, que serão conquistadas por linhas de descendência posteriores e aperfeiçoadas. Se, no entanto, os descendentes modificados de uma espécie entrarem em alguma região distinta, ou rapidamente se adaptarem a novos nichos em que não há competição entre ascendente e descendente, os dois poderão continuar a existir.

Se então adotarmos nosso diagrama para representar uma quantidade considerável de modificações, a espécie (A) e todas as variedades anteriores terão sido extintas, substituídas por oito novas espécies (de a^{14} até m^{14}); e (I) terá sido substituída por seis novas espécies (de n^{14} até z^{14}).

No entanto podemos ir mais longe. Supondo que as espécies originais do gênero hipotético em questão se assemelhem umas às outras em graus desiguais, como geralmente é o caso na Natureza; sendo que a espécie (A) está mais próxima de (B), (C) e (D), do que das outras espécies; e a espécie

(I) mais próxima de (G), (H), (K), (L), do que de outras. Supondo-se também que essas duas espécies, (A) e (I), também sejam espécies muito comuns e amplamente difundidas, de forma que originalmente tivessem alguma vantagem sobre a maioria das outras espécies do gênero. Seus descendentes modificados – 14 na décima quarta milésima geração – irão provavelmente herdar algumas das mesmas vantagens; eles também foram modificados e melhorados de forma diversificada em cada fase de suas descendências para que se adaptassem a muitas regiões relacionadas na economia natural de sua região. Parece-me, portanto, extremamente provável que eles ocupem os lugares e que exterminem não só os pais (A) e (I), mas também algumas das espécies originais que estavam relacionadas de forma mais próxima aos seus pais. Daí poucas espécies originais terão prole na décima quarta milésima geração. Podemos supor que, das duas espécies que estavam menos estreitamente relacionadas às outras nove espécies originais, apenas a espécie (F) transmitiu descendentes a essa fase final da descendência.

Haverá agora quinze espécies novas que, em nosso diagrama, são descendentes de onze espécies originais. Devido à tendência divergente da seleção natural, a quantidade extrema de características diferentes entre as espécies a^{14} e z^{14} será muito maior do que entre as diferenças das onze espécies originais. As novas espécies, além disso, estarão aliadas umas às outras de forma amplamente diferente. Das oito descendentes de (A), a^{14}, q^{14}, p^{14} terão um relacionamento próximo por causa da ramificação de a^{14}; b^{14} e f^{14}, por terem divergido de a^{5} em um período anterior, serão em certo grau distintas das três espécies mencionadas em primeiro lugar; e, por último, o^{14}, e^{14} e m^{14} terão um relacionamento próximo, mas por terem divergido já no início do processo de modificação, serão bastante diferentes das outras cinco espécies e poderão constituir um subgênero ou até mesmo um gênero distinto. Os seis descendentes de (I) formarão dois subgêneros ou até mesmo dois gêneros. Mas, já que a espécie original (I) difere bastante de (A), estando posicionada em pontos quase extremos do gênero original, as seis descendentes de (I), devido à hereditariedade, serão consideravelmente diferentes das oito descendentes de (A); supõe-se, além disso, que os dois grupos tenham divergido em direções diferentes. Além disso, todas as espécies intermediárias (e esta é uma consideração muito importante) que conectam as espécies originais (A) e (I) se tornarão extintas, com exceção da espécie (F), e não terão deixado nenhum descendente. Daí as seis novas espécies descendentes de (I) e as oito descendentes de (A) deverão ser classificadas como gêneros distintos ou até mesmo como subfamílias distintas.

Desse modo, acredito que dois ou mais gêneros são assim produzidos pela descendência com modificações, a partir de duas ou mais espécies do mesmo gênero. Supõe-se que as duas ou mais espécies parentais são descendentes de alguma espécie de um gênero anterior. Em nosso diagrama, isso é indicado por linhas pontilhadas abaixo das letras maiúsculas, que convergem para baixo em sub-ramos que se dirigem para um único ponto; esse ponto representa uma única espécie, o suposto ascendente único de nossos vários novos subgêneros e gêneros.

Vale a pena refletirmos por um momento sobre as características da nova espécie f^{14} que supostamente não tem características muito divergentes, mas cuja forma (F) manteve-se inalterada ou apenas levemente alterada. Neste caso, suas afinidades com as outras catorze novas espécies serão de natureza curiosa e tortuosa. Por ter descendido de uma forma que se situava entre as duas espécies parentais (A) e (I), supostamente extintas e desconhecidas agora, ela terá características em certo grau intermediárias entre os dois grupos descendentes dessas espécies. Mas, tendo em vista que as características desses dois grupos seguiram divergindo do tipo de seus pais, a nova espécie (f^{14}) não será uma intermediária direta entre eles, mas sim entre tipos dos dois grupos; todo naturalista será capaz de lembrar-se de algum caso semelhante.

No diagrama, supusemos até agora que o espaço entre cada linha horizontal representa milhares de gerações, mas poderia representar 1 milhão ou centenas de milhões de gerações e, da mesma forma, uma seção das sucessivas camadas da crosta terrestre que contêm os restos de organismos extintos. Falaremos de novo sobre esse assunto quando chegarmos a nosso capítulo sobre geologia.[71] E então acredito que será possível percebermos que o diagrama lança luz sobre as afinidades dos seres extintos que, embora pertençam em geral às mesmas ordens, famílias ou aos mesmos gêneros dos organismos atualmente vivos, costumam ainda assim ter características em

---

71. Darwin antecipa a explicação para a existência de lacunas no registro fóssil. (N.R.T.)

certo grau intermediárias entre os grupos existentes; o fato é explicável, pois as espécies extintas viveram em épocas muito antigas, quando as linhas de ramificação de ascendência possuíam menor número de divergências.

Não vejo razão para limitar o processo de modificação agora explicado apenas à formação dos gêneros. Se, em nosso diagrama, supusermos que a quantidade de mudanças representada por cada grupo sucessivo de linhas divergentes de pontos seja muito grande, as formas a^{14} até p^{14}, as formas entre b^{14} e f^{14} e aquelas que vão de o^{14} a m^{14} formarão três gêneros distintos. Teremos também dois gêneros descendentes de (I) bastante distintos; conforme estes últimos dois gêneros – a partir da contínua divergência de características e da herança de um ascendente diferente – se diferenciam bastante dos três gêneros descendentes de (A), os dois pequenos grupos de gêneros formam duas famílias distintas, ou até mesmo ordens, de acordo com a quantidade de modificações divergentes supostas na representação do diagrama. As duas novas famílias, ou ordens, serão descendentes de duas espécies do gênero original; essas duas espécies seriam, então, descendentes de uma espécie de um gênero ainda mais antigo e desconhecido.

Vimos que em cada região são as espécies dos gêneros maiores que apresentam com mais frequência variedades ou espécies incipientes. Isso, de fato, era de esperar, pois uma vez que a seleção natural atua por meio da vantagem que uma forma tem sobre as outras formas na luta pela existência, ela age principalmente sobre aqueles que já contam com alguma vantagem; dessa forma, a grandeza de um grupo qualquer mostra que sua espécie herdou de um ancestral comum alguma vantagem em comum. Portanto, a luta para a produção de descendentes novos e modificados ocorrerá principalmente entre os grupos maiores, nos quais todos estão tentando aumentar o número de seus indivíduos. Um grupo grande irá lentamente conquistar outro grupo grande, reduzir o número de seus indivíduos, juntamente com suas chances de produzir mais variações e melhoramentos. Dentro do mesmo grande grupo, os subgrupos mais jovens e mais eficientemente melhorados, ao se ramificarem e dominarem diversos novos nichos da Natureza, tenderão constantemente a suplantar e destruir os subgrupos anteriores e menos melhorados. Subgrupos e grupos pequenos e fragmentados tenderão finalmente ao desaparecimento. Olhando para o futuro, é possível prever que os grupos de seres orgânicos que são atualmente grandes e vitoriosos, e que estão menos fragmentados, ou seja, aqueles que até o momento sofreram menos extinção, continuarão aumentando por um longo período. Mas não há como prever quais grupos irão, em última análise, prevalecer; pois nós bem sabemos que no passado muitos grupos bastante desenvolvidos foram extintos. Olhando ainda para um futuro ainda mais distante, é possível prever que, devido ao contínuo e constante aumento dos grupos maiores, uma multidão de pequenos grupos será completamente extinta e não deixará descendentes modificados; e, consequentemente, que dentre as espécies que vivem em qualquer período, pouquíssimas transmitirão descendentes a um futuro ainda mais distante. Voltarei a esse assunto no capítulo sobre classificação, mas posso acrescentar que a partir desse ponto de vista segundo o qual pouquíssimas espécies do passado mais remoto tenham gerado descendentes, e do ponto de vista de que todos os descendentes da mesma espécie formam uma classe, podemos entender por que existem poucas classes em cada divisão principal dos reinos vegetal e animal. Embora pouquíssimas espécies mais antigas tenham descendentes vivos e modificados atualmente, a Terra também pode ter sido povoada no período geológico mais remoto por muitas espécies de vários gêneros, diversas famílias, ordens e classes, como ocorre nos dias de hoje.[72]

Resumo do capítulo

Se os seres orgânicos variam de alguma forma nas distintas partes de seu organismo durante o longo curso das eras e em diferentes condições de vida – e acredito que isso não possa ser contestado; se, além disso, ocorre uma intensa luta pela vida em alguma época, estação ou ano devido ao aumento em progressão geométrica de cada uma das espécies – e isso certamente não pode ser contestado; então, considerando a infinita complexidade das relações de todos os seres orgânicos entre si e com suas condições de existência que causam uma infinita diversidade de suas estruturas, constituições e hábitos vantajosos para eles, acredito que seria um fato extraordinário se nunca ocorresse uma variação útil para o bem-estar de

---

72. A afirmação de que a maioria das espécies que já existiram no planeta foi extinta é corajosa e se mantém correta; o mesmo não se pode dizer da variação do número de classes, uma conjectura sem base factual. (N.R.T.)

cada um dos organismos, da mesma forma que ocorrem muitas variações úteis aos seres humanos. Mas se ocorrem variações úteis a qualquer ser orgânico, os indivíduos com tais características seguramente têm mais chance de ser preservados na luta pela sobrevivência; e, a partir do forte princípio da hereditariedade, eles tenderão a produzir descendentes com as mesmas características. Para ser breve, chamei esse princípio da preservação de seleção natural. A seleção natural, pelo princípio das qualidades que são herdadas em idades correspondentes, pode modificar os ovos, as sementes ou os jovens, tanto quanto os adultos. Entre muitos animais, a seleção sexual oferecerá auxílio para a seleção comum, garantindo que os machos mais vigorosos e bem-adaptados tenham o maior número de descendentes. A seleção sexual também oferecerá características que são úteis somente para os machos, em suas lutas contra outros machos.

O fato de a seleção natural realmente agir dessa maneira na Natureza, isto é, modificando e adaptando as diversas formas de vida a suas diversas condições e locais, deverá ser julgado pela qualidade e pelo equilíbrio geral das evidências oferecidas nos capítulos seguintes. Contudo, já notamos como ela implica em extinção; e a geologia define claramente como a extinção já atuou em grande medida na história do mundo. A seleção natural também leva à divergência de características, pois, quanto mais divirjam em suas estruturas, seus hábitos e sua constituição, maior o número de seres vivos que podem encontrar sustento em uma mesma área; prova disso pode ser encontrada nos habitantes de qualquer pequena área ou nas produções aclimatadas. Portanto, durante a modificação dos descendentes de qualquer espécie e a luta incessante de todas as espécies para aumentar o número de seus indivíduos, quanto mais diversificados forem esses descendentes, maior será a chance de terem sucesso na batalha pela vida. Assim, as pequenas diferenças que distinguem as variedades da mesma espécie tendem a aumentar constantemente até que elas se igualem às maiores diferenças entre as espécies do mesmo gênero, ou mesmo de gêneros distintos.

Já vimos que são as espécies comuns, amplamente difundidas e bastante distribuídas, pertencentes aos gêneros maiores, que mais variam; e estas tendem a transmitir aos descendentes modificados a superioridade que os torna atualmente dominantes em seus próprios países. A seleção natural, como dissemos, leva à divergência de características e extinção das formas de vida menos melhoradas e intermediárias. Por esses princípios, creio eu, pode-se explicar a natureza das afinidades de todos os seres orgânicos. É um fato verdadeiramente espantoso a maravilha que, pela familiaridade, somos capazes de ignorar, isto é, que todos os animais e todas as plantas de todos os períodos e lugares estejam relacionados uns aos outros, em grupos subordinados a outros grupos, como podemos ver em todos os lugares, a saber, variedades da mesma espécie com maior grau de relacionamento, espécie do mesmo gênero com menor grau de relacionamento e desigualmente relacionadas, formando grupos e subgêneros, espécies de gêneros distintos com graus de relacionamento muito menores e gêneros com diferentes graus de relacionamento, formando subfamílias, famílias, ordens, subclasses e classes. Os diversos grupos subordinados em qualquer classe não podem ser classificados em um único registro, mas parecem estar agrupados em torno de pontos, e estes em torno de outros pontos e assim por diante em ciclos quase infinitos. Pelo ponto de vista da criação independente de cada espécie, não encontro nenhuma explicação para esse grande fato na classificação de todos os seres orgânicos; mas, salvo melhor julgamento, pode ser explicado através da hereditariedade e pela ação complexa da seleção natural, provocando extinção e divergência de características, como já vimos ilustrado no diagrama.

As afinidades de todos os seres da mesma classe têm sido, por vezes, representadas por uma grande árvore. Acredito que tal analogia é bastante verdadeira. Os galhos e brotos verdes podem representar as espécies existentes; e aqueles produzidos durante cada ano anterior podem representar a longa sucessão de espécies extintas. Em cada período de crescimento, todos os galhos em crescimento tentam expandir-se por todos os lados, bem como sobrepor-se e matar os galhos e ramos circundantes, da mesma maneira que espécies e grupos de espécies tentam dominar outras espécies na grande batalha pela sobrevivência. Os ramos maiores dos troncos, que se dividiram em grandes ramos e estes em ramos cada vez menores, já foram brotos quando a árvore era pequena; e essa ligação entre os antigos brotos e os atuais, por meio da ramificação, pode representar a classificação de todas as espécies extintas e vivas em grupos subordinados uns aos outros. Dos muitos galhos que floresceram quando a árvore era um mero arbusto, apenas dois ou três estão agora crescidos em grandes ramos, ainda sobrevivem e suportam todos os outros ramos; o mesmo vale para as espécies que viveram durante as eras geológicas passadas: pouquíssimas ainda possuem descendentes vivos e modificados. Desde que a árvore começou a crescer, muitos galhos grandes e ramos deterioraram-se e caíram; e estes ramos perdidos de vários tamanhos podem representar todas as ordens, famílias e todos os gêneros que hoje não têm representantes vivos e que conhecemos apenas porque os encontramos em estado fossilizado. Da mesma forma que aqui e ali podemos ver um pequeno ramo brotando de algum ramo baixo da árvore que, por acaso, foi favorecido e ainda está vivo no topo, então ocasionalmente vemos um animal – como o ornitorrinco ou a piramboia (*Lepidosiren*) – que em certo grau conecta por suas afinidades dois grandes ramos da vida e que aparentemente foi salvo da competição fatal por ter habitado uma região protegida.[73] Assim como os botões, pelo crescimento, dão origem a novos brotos e estes, quando são fortes, ramificam-se e se espalham para todos os lados, cobrindo a maioria dos ramos mais fracos, acredito que as gerações fizeram o mesmo na grande Árvore da Vida que preenche a crosta terrestre com seus ramos mortos e quebrados e a superfície com suas ramificações que nunca deixam de se dividir e que estão sempre belas.

---

73. Vimos que essa ideia é equivocada. Trata-se de animais que exploram nichos muito particulares, como as margens lamacentas dos rios amazônicos, caso da piramboia. (N.R.T.)

CAPÍTULO 5
LEIS DA VARIAÇÃO

CONSEQUÊNCIAS DAS CONDIÇÕES EXTERNAS – USO E DESUSO COMBINADOS COM A SELEÇÃO NATURAL; ÓRGÃOS DE VOO E DE VISÃO – ACLIMATAÇÃO – CORRELAÇÃO DE CRESCIMENTO – COMPENSAÇÃO E ECONOMIA DO CRESCIMENTO – CORRELAÇÕES FALSAS – ESTRUTURAS MÚLTIPLAS, RUDIMENTARES E POUCO ORGANIZADAS SÃO VARIÁVEIS – PARTES DESENVOLVIDAS DE FORMA INCOMUM SÃO ALTAMENTE VARIÁVEIS; CARACTERÍSTICAS ESPECÍFICAS SÃO MAIS VARIÁVEIS DO QUE AS GENÉRICAS; CARACTERÍSTICAS SEXUAIS SECUNDÁRIAS SÃO VARIÁVEIS – ESPÉCIES DO MESMO GÊNERO VARIAM DE FORMA ANÁLOGA – REVERSÕES DE CARACTERÍSTICAS HÁ MUITO PERDIDAS – RESUMO

Eu tenho até aqui falado das variações tão comuns e multiformes dos seres orgânicos domésticos e, em menor grau, daqueles em estado natural[1] como se elas ocorressem devido ao acaso. Essa, obviamente, é uma expressão totalmente incorreta,[2] mas serve para reconhecermos claramente nossa ignorância sobre as causas de variações específicas. Alguns autores acreditam que o sistema reprodutor funcione tanto para produzir diferenças individuais, ou desvios estruturais muito leves, quanto para tornar os filhos semelhantes aos seus pais. Porém a existência de uma variabilidade muito

1. Não há nenhuma evidência de que as espécies em estado natural variem menos do que as espécies domesticadas. No tempo de Darwin as populações naturais eram pouco estudadas. Darwin modificou muito este capítulo ao longo das edições – indicação das incertezas da matéria. (N.R.T.)
2. A opinião de Darwin estava, a rigor, errada. A variação hoje reconhecida como alteração do material genético (mutação gênica) é devida ao acaso. Evidências moleculares recentemente pesquisadas ("silenciamento" de DNA por metilação etc.) podem amenizar um pouco o erro. (N.R.T.)

maior, bem como a maior frequência de monstruosidades nos organismos domésticos ou sob cultivo do que nos produzidos naturalmente, me levam a crer que os desvios estruturais, de alguma forma, se devem à natureza das condições de vida a que os pais e os seus antepassados mais remotos estiveram expostos durante várias gerações.[3] Já comentei no primeiro capítulo que seria necessário enumerar uma longa lista de fatos, impossível de ser oferecida aqui, para demonstrar a verdade sobre a afirmação de que o sistema reprodutivo é eminentemente suscetível às alterações das condições de vida; atribuo principalmente à variação ou às condições plásticas dos descendentes a perturbação funcional desse sistema nos pais. Os elementos sexuais masculinos e femininos parecem ser afetados antes do cruzamento para a formação de um novo ser.[4] No caso de plantas "diferentes", somente a raiz – que quando está muito jovem parece não diferir muito de um óvulo – é afetada. Mas ignoramos profundamente a razão – após o sistema reprodutivo ficar perturbado – pela qual esta ou aquela parte variará mais ou menos. Não obstante, é possível vermos aqui e ali um pálido raio de luz e percebermos que deve haver alguma causa, mesmo que leve, para cada desvio estrutural.

É extremamente difícil quantificar em qualquer ser a diferença produzida pelo efeito direto do clima, dos alimentos etc. Tenho a impressão de que o efeito é extremamente pequeno no caso dos animais, mas talvez seja nestes um pouco maior do que nas plantas. Podemos pelo menos concluir com segurança que essas influências não produziram as diversas coadaptações estruturais marcantes e complexas existentes entre os seres orgânicos que encontramos em toda a Natureza e em todos os lugares. Podemos atribuir uma pequena influência ao clima, aos alimentos etc.: assim, E. Forbes afirma com confiança que as conchas do extremo sul, quando vivem em águas rasas, são mais coloridas do que aquelas da mesma espécie que vivem um pouco ou muito mais ao norte. Gould[5] acredita que as aves da mesma

---

3. No sistema darwiniano de herança, as influências do ambiente têm importância muito maior do que a genética mendeliana veio a estabelecer. (N.R.T.)

4. A concepção de Darwin demonstrou ser totalmente incorreta. August Weismann (1834-1914) descreveu a separação entre as células do corpo (somáticas) e as reprodutivas (germinativas). (N.R.T.)

5. John Gould (1804-1881), ornitólogo, taxidermista e exímio desenhista britânico, a quem Darwin confiou a análise das aves de Galápagos. (N.R.T.)

espécie são mais coloridas quando vivem em uma atmosfera clara do que quando vivem em ilhas ou perto da costa. O mesmo ocorre com os insetos, uma vez que Wollaston está convencido de que suas cores são afetadas pelo fato de habitarem áreas próximas ao mar. Moquin-Tandon[6] disponibiliza uma lista de plantas que, ao crescerem perto da costa, contêm folhas um tanto carnudas, característica que não é verificada em outras partes. Vários outros exemplos poderiam ser dados.[7]

O fato de as variedades de uma espécie, quando estão distribuídas até a área de habitação de outras espécies, muitas vezes adquirirem de forma muito leve algumas das características destas últimas está de acordo com nosso ponto de vista de que as espécies de todos os tipos são apenas variedades bem marcadas e permanentes. Assim, as espécies de conchas que estão confinadas aos mares rasos e tropicais geralmente têm cores mais brilhantes do que aquelas que estão confinadas aos mares frios e mais profundos. Os pássaros que se limitam aos continentes têm, de acordo com o senhor Gould, cores mais brilhantes do que os das ilhas. Os insetos confinados às costas dos mares, como todo colecionador sabe, têm cor de latão ou cores sombrias. As plantas que vivem exclusivamente próximo ao mar estão bastante aptas a ter folhas carnudas. Aqueles que acreditam na criação de cada uma das espécies terão de dizer que esta concha, por exemplo, foi criada com cores brilhantes e para um mar morno; mas que esta outra concha tornou-se colorida pela variação quando ela distribuiu-se para águas mais quentes ou mais rasas.

Quando uma variação é bem pouco útil para um ser, não podemos dizer quanto dessa variação é devida à ação acumulativa da seleção natural e quanto é devida às condições de vida. Assim, os peleteiros sabem bem que, quanto mais severas são as condições climáticas do local em que os animais vivem, melhores e mais grossas serão as peles das mesmas espécies; mas quem pode dizer em que medida essa diferença deve-se ao fato de

---

6. Horace Bénédict Alfred Moquin-Tandon (1804-1863), botânico, médico e escritor francês. (N.T.)

7. As descrições podem ser precisas, mas podem ser explicadas pelo fenômeno que a genética clássica denomina de "norma de reação", quando as condições ambientais modulam a expressão das características hereditárias, sem alterá-las. Darwin acreditava em influência muito maior, provocando alterações que se tornariam permanentes. (N.R.T.)

os indivíduos envoltos por pelagens mais quentes terem sido favorecidos e preservados durante muitas gerações e quanto se deve à ação direta do clima mais severo? Pois parece que o clima tem certa ação direta na pelagem de nossos quadrúpedes domésticos.

Poderíamos dar exemplos da produção de uma mesma variedade sob as mais diversas condições de vida que se possa imaginar; e, por outro lado, de diferentes variedades produzidas a partir da mesma espécie nas mesmas condições. Tais fatos mostram que as condições de vida agem de forma indireta. Além disso, todo naturalista conhece vários exemplos de espécies que se mantêm puras – ou que não variam nem um pouco – embora vivam em climas extremamente opostos. Considerações como estas me levam a dar pouquíssimo peso à ação direta das condições de vida. Indiretamente, como já observado, elas parecem desempenhar um papel importante ao afetar o sistema reprodutivo e, assim, induzir à variabilidade; depois, a seleção natural acumulará todas as variações vantajosas, mesmo que leves, até que elas se tornem claramente desenvolvidas e apreciáveis por nós.

Efeitos do uso e do desuso[8]

Com base nos fatos mencionados no primeiro capítulo, acredito que há pouca dúvida de que, em nossos animais domésticos, o uso reforça e aumenta certas partes e o desuso as diminui; e que essas modificações são herdadas.[9] Livres na natureza, não há como compará-los para podermos avaliar os efeitos do uso contínuo por muito tempo ou do desuso, pois não conhecemos as formas parentais; mas muitos animais possuem estruturas que podem ser explicadas pelos efeitos do desuso. Conforme observado pelo professor Owen, não há nenhuma anomalia maior na natureza do que uma ave que não voa; mas, mesmo assim, há várias nessa condição. Na América do Sul, o pato das ilhas Malvinas[10] é capaz de voar apenas ao longo da superfície da água e tem suas asas em condições quase semelhantes às do

---

8. Em edições posteriores Darwin alterou esse intertítulo, inserindo um complemento – "controlados pela seleção natural" –, indicativo das incertezas que cercavam o tema. (N.R.T.)

9. Note-se que essa ideia foi erroneamente atribuída exclusivamente a Lamarck. Na verdade, tratava-se de uma ideia muito comum à época. (N.R.T.)

10. *Steamer duck*, em inglês. Trata-se da espécie *Tachyeres brachypterus* (sinônimo: *Anas brachyptera*). Ave da família Anatidae, à qual pertencem patos, cisnes e gansos. O gênero tem quatro espécies; apenas uma delas é capaz de voar. (N.T.)

pato doméstico de Aylesbury.[11] Tendo em vista que as grandes aves que se alimentam no solo raramente levantam voo, exceto para escapar do perigo, acredito que o desuso fez com que diversas aves – que agora habitam ou já habitaram várias ilhas oceânicas, sem ser ameaçadas por outros animais – quase deixassem de ter asas.[12] O avestruz, na verdade, vive no continente e está exposto a perigos dos quais não consegue escapar pelo voo, mas consegue defender-se dos inimigos por meio de coices, como bem fariam todos os quadrúpedes menores. Podemos imaginar que o antigo progenitor do avestruz tivesse hábitos semelhantes aos de uma abetarda[13] e que – após a seleção natural ter aumentado o tamanho e o peso do seu corpo em gerações consecutivas – suas pernas tenham passado a ser mais utilizadas e suas asas menos, até que eles se tornaram incapazes de voar.[14]

Kirby[15] observou (e eu observei o mesmo fato) que os tarsos anteriores, ou pés, de muitos besouros coprófagos machos estão muitas vezes ausentes; ele examinou 17 espécimes de sua própria coleção: nenhum deles tinha nem mesmo um resto dessa parte. No *Onites apelles*,[16] os tarsos estão ausentes com tanta habitualidade que os insetos foram descritos como não possuidores de tarsos. Em alguns outros gêneros estão presentes, mas em condição rudimentar. Eles estão completamente ausentes no *Ateuchus*,[17] ou escaravelho sagrado dos egípcios. Não há provas suficientes para acreditarmos que as mutilações sejam hereditárias; e prefiro explicar toda ausência dos tarsos anteriores nos *Ateuchus* e sua condição rudimentar em alguns outros gêneros pelos efeitos contínuos do longo desuso em seus progenitores; como os tarsos são quase sempre perdidos em muitos besouros coprófagos, eles

11. Linhagem de patos brancos bastante popular na cidade de Aylesbury (Buckinghamshire, Inglaterra) nos séculos XVIII e XIX. (N.T.)

12. A explicação mais simples seria que, nessa situação, a habilidade para o voo deixou de ser fundamental para a sobrevivência e deixou de ser alvo da seleção natural. (N.R.T.)

13. Nome genérico das aves da família Otididae. (N.T.)

14. Note-se que as aves referidas (abetardas) são aves do Velho Mundo com hábitos corredores, mas Darwin não afirma que sejam ancestrais dos avestruzes. O exemplo parece ser contraditório, pois ressalta o efeito da seleção natural e não do uso e desuso das partes. (N.R.T.)

15. William Kirby (1759-1850), entomologista, coautor com William Spence de *Introduction to Entomology* (1815 e 1826); escreveu *On the History, Habits and Instincts of Animals* (1835). (N.T.)

16. *Onites apelles*, espécie de besouro. (N.T.)

17. *Ateuchus*, gênero de besouros (escaravelho). (N.T.)

talvez os percam no início da vida e, portanto, não podem ser muito usados por esses insetos.[18]

Em alguns casos poderíamos facilmente atribuir ao desuso as modificações de estrutura que ocorrem completamente, ou principalmente, devido à seleção natural. O senhor Wollaston descobriu o fato notável de que, das 550 espécies de besouros que habitam a Madeira,[19] duzentas possuem asas que não lhes oferecem capacidade de voo; e que, dentre os 29 gêneros endêmicos, nada menos que todas as espécies de 23 desses gêneros estão nessa condição![20] Diversos fatos, a saber, que os besouros de muitas partes do mundo costumam ser soprados com muita frequência para o mar e que lá perecem; que os besouros na Madeira, conforme observado pelo senhor Wollaston, escondem-se até que os ventos fiquem mais calmos e o sol brilhe; que a porcentagem de besouros sem asas é maior nas expostas ilhas Desertas do que na própria ilha da Madeira, no mesmo arquipélago; e especialmente o fato extraordinário, tão fortemente afirmado pelo senhor Wollaston, sobre a quase completa ausência de alguns grandes grupos de besouros que existem em grande número em outro lugares e cujos grupos têm hábitos de vida que requerem o voo frequente; essas várias considerações me fazem acreditar que a falta de asas em tantos besouros na ilha da Madeira se deve principalmente à ação da seleção natural, mas provavelmente combinada com o desuso. Pois, durante milhares de gerações sucessivas, cada besouro isolado que voasse menos – ou porque suas asas se desenvolveram de forma menos perfeita ou por causa de hábitos indolentes – teria contado com melhores chances de sobreviver, de não ser soprado para o mar; e, por outro lado, os besouros que tendiam mais prontamente a voar teriam sido soprados para o mar e, portanto, destruídos.

Os insetos da ilha da Madeira que não se alimentam no solo e que – como os coleópteros e lepidópteros que forrageiam em flores[21] – habitualmente devem usar suas asas para obter alimento não apenas não têm as asas

---

18. Darwin modificou esse trecho em edições posteriores, com base em evidências que tendiam a comprovar a herança das mutilações. Ele próprio apresentaria uma explicação em seu *Variations...* de 1868, aplicável a mutilações realizadas "no início da vida". (N.R.T.)

19. *Insecta Maderensia* (1854), de Thomas Vernon Wollaston. (N.T.)

20. Trata-se de uma flagrante contradição aos princípios aristotélicos utilizados pela teologia natural: *Naturae non frutra facit* (A natureza nada faz em vão). (N.R.T.)

21. Besouros, borboletas e mariposas que buscam alimento em flores, seja na forma de pólen ou néctar. (N.R.T.)

com o tamanho normal, como suspeita o senhor Wollaston, mas as têm até mesmo aumentadas. Isso é bastante compatível com a ação da seleção natural. Pois, quando um novo inseto chega à ilha, a seleção natural tende a aumentar ou reduzir suas asas, dependendo da sobrevivência de um maior número de indivíduos após o combate vitorioso com os ventos, ou após desistirem da tentativa e passarem a nunca voar – ou a raramente fazê-lo. Assim como poderia acontecer com os marinheiros de um navio naufragado perto da costa, os bons nadadores precisariam nadar ainda mais, enquanto os maus nadadores estariam melhores se, na verdade, não soubessem nadar e apenas se agarrassem aos destroços.

Os olhos das toupeiras e de alguns roedores que vivem em tocas têm tamanhos rudimentares e, em alguns casos, são completamente cobertos por pele e pelos. Isso se deve provavelmente à redução gradual causada pelo desuso, mas talvez auxiliada pela seleção natural. Na América do Sul, um roedor que vive em tocas, o tuco-tuco (ou *Ctenomys*), tem hábitos ainda mais subterrâneos que a toupeira; e foi-me assegurado por um espanhol que, tendo apanhado muitos deles, notou que eram frequentemente cegos; eu criei um que certamente estava nessa condição, e a causa, como pareceu pela dissecação, foi uma inflamação da membrana nictitante. Já que a frequente inflamação dos olhos deve ser prejudicial a qualquer animal e já que os olhos não são certamente indispensáveis para animais com hábitos subterrâneos, a redução de seu tamanho com a adesão das pálpebras e o crescimento de pelos sobre eles seria, neste caso, uma vantagem; e, se assim for, a seleção natural constantemente auxiliaria os efeitos do desuso.[22]

É sabido que vários animais, pertencentes às mais diferentes classes e que habitam as cavernas da Estíria[23] e do Kentucky,[24] são cegos. Em alguns

22. Darwin escreveu sobre esse animal em seu livro *A viagem do Beagle* usando o nome científico completo – *Ctenomys brasiliensis* –, conferido pelo francês Blainville em 1826 com base em exemplares coletados em Las Minas, no Uruguai. O nome específico causa confusão, pois o território hoje uruguaio fazia parte da Província Cisplatina, território brasileiro até a Guerra Cisplatina de 1825-1828, ao final da qual se formou a República Oriental do Uruguai, com o apoio da Inglaterra. (N.R.T.)

23. Região da Áustria. A partir da terceira edição, Darwin trocou essa referência pelas cavernas de Carniola, hoje território da Eslovênia. (N.R.T.)

24. Estado norte-americano. (N.R.T.)

caranguejos, o pedúnculo para os olhos permanece, apesar de os próprios olhos já não existirem mais; o suporte para o olho telescópico está lá, mas o telescópio, juntamente com as suas lentes, foi perdido. Tendo em vista ser difícil imaginarmos que os olhos, embora inúteis, poderiam ser, de alguma forma, prejudiciais para os animais que vivem na escuridão, eu atribuo sua perda somente ao desuso. Em um dos animais cegos, a saber, o rato da caverna, os olhos têm um tamanho imenso; o professor Silliman[25] acredita que alguns deles recuperaram um pouco da visão após viverem alguns dias sob a luz. Da mesma forma como na ilha da Madeira as asas têm sido aumentadas em alguns insetos e reduzidas em outros pela seleção natural, auxiliada pelo uso e desuso, então, no caso do rato de caverna, a seleção natural parece estar lutando contra a perda de luz e, por isso, ter aumentado o tamanho dos olhos; enquanto, ao mesmo tempo, parece que todos os outros habitantes das cavernas receberam apenas os efeitos do desuso.[26]

É difícil imaginar condições de vida mais semelhantes que as das cavernas profundas de calcário sob um clima quase semelhante; de forma que, se acreditássemos na hipótese comum de que os animais cegos foram criados separadamente para as cavernas americanas e europeias, deveríamos esperar uma estreita semelhança entre os organismos e suas afinidades; mas, como já observaram Schiödte[27] e outros, este não é o caso: os insetos das cavernas dos dois continentes não são mais parecidos entre si do que o são os outros animais habitantes da América do Norte e da Europa. Em minha opinião, nós devemos supor que animais americanos com visão normal migraram lentamente, em sucessivas gerações, do mundo ao ar livre para os recessos cada vez mais profundos das cavernas do Kentucky, da mesma forma como fizeram os animais europeus nas cavernas da Europa. Temos algumas provas dessa gradação de hábito; pois, conforme é notado por Schiödte, "animais não muito diferentes das formas comuns preparam-se para a transição da luz à escuridão. Em seguida vêm aqueles que estão construídos para a luz do crepúsculo; e, finalmente, aqueles destinados à

25. Benjamin Silliman Jr. (1805-1879), professor de química e história natural na Universidade de Yale, nos Estados Unidos. (N.T.)
26. Darwin exagera os efeitos do uso e desuso em vez de valorizar a seleção natural. (N.R.T.)
27. Jørgen Matthias Christian Schiødte (1815-1884), entomologista dinamarquês. (N.T.)

escuridão total". No momento em que um animal chega, depois de incontáveis gerações, aos recessos mais profundos, o desuso oblitera seus olhos de forma mais ou menos perfeita, e a seleção natural, muitas vezes, faz outras alterações, tais como o aumento no comprimento das antenas (ou *palpi*) para compensar a cegueira. Não obstante tais modificações, podemos esperar ainda ver nos animais de cavernas americanas afinidades com os outros habitantes daquele continente; e naqueles das cavernas europeias semelhanças com os outros habitantes do continente europeu. E este é o caso de alguns dos animais das cavernas americanas, conforme ouvi do professor Dana;[28] e alguns dos insetos das cavernas europeias são parentes muito próximos dos insetos da região circundante. Seria muito difícil oferecer qualquer explicação racional para as afinidades entre os animais cegos das cavernas e os outros habitantes dos dois continentes pelo ponto de vista comum da criação independente de cada um deles.[29] Deveríamos esperar que diversos habitantes das cavernas do Velho e do Novo Mundo fossem muito parecidos, uma vez que é bem conhecida a proximidade de muitas de suas outras produções. Longe de surpreender-se com o fato de alguns dos animais de caverna serem muito anômalos, como Agassiz observou em relação ao peixe cego, o *Amblyopsis*,[30] e como é o caso com o *Proteus*[31] cego quando comparado aos répteis da Europa, só estou surpreso que não tenham sido preservados mais destroços da antiga vida, dada a competição menos severa à qual os habitantes dessas moradas escuras estiveram provavelmente expostos.[32]

---

28. James Dwight Dana (1813-1895), geólogo e naturalista, professor de geologia na Universidade de Yale, nos Estados Unidos. (N.T.)

29. Estudos realizados com diferentes espécies de peixes cegos mexicanos muito aparentados revelou que do cruzamento de duas espécies sem olhos surgem híbridos com olhos normais. Isso reforça a tese de Darwin de que as causas da perda de órgãos são diferentes em cada caso. (N.R.T.)

30. *Amblyopsis*, pequeno gênero de poucas espécies de peixes que habitam cavernas. (N.T.)

31. Na verdade, o *Proteus* não é um réptil, mas uma salamandra cega, um tipo de anfíbio que vive em cavernas do sul da Europa. Há apenas uma espécie: *Proteus anguinus*. (N.T.)

32. Pesquisas recentes revelaram detalhes do desenvolvimento embriológico de peixes cegos mexicanos, provando que o grupo de neurônios do nervo óptico migra para o bulbo olfativo, o que aumenta a capacidade de captura de alimento no escuro. Isso sugere que a seleção natural possa ter favorecido peixes cegos em ambientes sem luz, sob competição "severa". (N.R.T.)

Aclimatação

O hábito é hereditário nas plantas, a saber, o período da floração, a quantidade de chuva necessária para a germinação das sementes, o tempo de repouso etc.; e isso me leva a dizer algumas palavras sobre a aclimatação. Tendo em vista ser extremamente comum que espécies do mesmo gênero habitem países muito quentes e muito frios e, conforme acredito, que todas as espécies do mesmo gênero descendam de um único ascendente – caso essa hipótese esteja correta –, os efeitos da aclimatação devem ter-se tornado muito efetivos durante uma longa e contínua descendência. É sabido que cada espécie está adaptada ao clima de seu próprio hábitat: uma espécie do Ártico ou mesmo de uma região temperada não consegue sobreviver no clima tropical ou vice-versa. Da mesma forma, muitas plantas cheias de seiva não conseguem suportar um clima úmido. Entretanto o grau de adaptação das espécies aos climas em que vivem é muitas vezes superestimado. Isso pode ser inferido por nossa frequente incapacidade de prever se uma planta importada irá ou não suportar por muito tempo o nosso clima, bem como por meio do número de plantas e animais importados de países mais quentes e que aqui gozam de boa saúde. Temos razões para acreditar que o limite da distribuição das espécies em estado natural ocorre tanto por meio da concorrência com outros seres orgânicos como, ou talvez mais ainda, pela adaptação a climas específicos. Contudo, quer seja essa adaptação geralmente muito rigorosa ou não, temos provas de que algumas plantas se tornam, em certa medida, naturalmente habituadas a diferentes temperaturas, ou aclimatam-se: assim, descobriu-se que os pinheiros e os rododendros[33] gerados a partir de sementes colhidas pelo doutor Hooker em árvores que cresciam em diferentes altitudes do Himalaia tinham níveis diferentes de resistência ao frio. O senhor Thwaites[34] informa-me que ele observou fatos semelhantes no Ceilão; observações análogas foram feitas pelo senhor H. C. Watson em relação às espécies de plantas europeias levadas dos Açores para a Inglaterra. Em relação aos animais, vários casos poderiam ser apresentados de espécies do período histórico que ampliaram bastante sua distribuição, das latitudes mais frias às mais quentes e vice-versa; não temos

---

33. Rododendros, plantas do gênero *Rhododendon* da família Ericaceae. (N.T.)
34. George Thwaites (1811-1882), botânico e entomologista. (N.T.)

certeza absoluta de que esses animais estavam bem-adaptados ao seu clima nativo, mas em todos os casos comuns supomos que estavam; também não sabemos se eles aclimataram-se posteriormente aos seus novos lares.

Como eu acredito que nossos animais domésticos foram originalmente escolhidos pelo ser humano primitivo por causa da facilidade com que eram criados em confinamento e por serem úteis, e não por ter sido descoberto mais tarde que poderiam realizar o transporte a longas distâncias, acredito que a capacidade comum e extraordinária de nossos animais domésticos de não apenas resistir aos climas mais diversos, mas também de manterem-se perfeitamente férteis (um teste muito mais forte) em qualquer um deles, possa ser usada como um argumento para defender a ideia de que muitos outros animais – neste caso em estado natural – poderiam facilmente suportar diversos tipos de clima. Não devemos, no entanto, levar muito além o argumento acima descrito com base no fato de nossos animais domésticos terem provavelmente sido originados de várias unidades populacionais selvagens: o sangue, por exemplo, de um lobo tropical e do ártico ou de um cão selvagem talvez esteja misturado ao de nossas raças domésticas. O rato e o camundongo não podem ser considerados animais domésticos, mas eles têm sido transportados pelo homem a muitas partes do mundo e abrangem agora uma distribuição muito maior do que qualquer outro roedor, vivendo livres tanto no clima frio de Faroe, no norte, e nas ilhas Malvinas, no sul, quanto em muitas ilhas das zonas quentes. Estou inclinado portanto a ver a adaptação a qualquer clima específico como uma qualidade facilmente enxertada com uma grande flexibilidade inata de constituições comum à maioria dos animais. Por esse ponto de vista, a capacidade do próprio ser humano e de seus animais domésticos de suportar os mais diferentes climas, bem como o fato de antigas espécies de elefantes e de rinocerontes terem sido capazes de aguentar o clima glacial, enquanto suas contrapartes atualmente vivas possuem hábitos tropicais ou subtropicais, não deve ser visto como uma anomalia, mas sim apenas como exemplo de uma flexibilidade de constituição muito comum que entra em funcionamento em determinadas circunstâncias.[35]

---

35. Um argumento central na teoria darwiniana, que rompe frontalmente com a teologia natural e sua base filosófica aristotélica, admitindo que os animais não estão perfeitamente adaptados a seu meio. Os exemplos do mamute e do rinoceronte europeu extinto são emblemáticos nesse sentido; eram exemplos bem conhecidos à época de Darwin. (N.R.T.)

Quanto da aclimatação das espécies a um clima específico deve-se ao mero hábito, quanto é devido à seleção natural de variedades com diferentes constituições inatas e quanto à combinação desses meios é uma questão muito obscura. Devo acreditar que o hábito ou o costume possuem alguma influência pela analogia e pelos incessantes conselhos oferecidos em livros sobre agricultura – mesmo em enciclopédias da China antiga – para que se tenha cautela na transposição de animais de um distrito para outro; pois é improvável que os seres humanos tenham conseguido selecionar tantas raças e sub-raças com constituições especificamente equipadas para seus próprios distritos; o resultado deve, penso eu, ser devido ao hábito. Por outro lado, não vejo nenhuma razão para duvidar de que a seleção natural continuará a preservar os indivíduos que nascerem com constituições mais bem-adaptadas aos seus países nativos. Nos tratados sobre muitos tipos de plantas de cultivo é dito que certas variedades suportam mais determinados climas que outras: isso é demonstrado de forma muito contundente em obras sobre árvores frutíferas publicadas nos Estados Unidos; esses trabalhos costumam recomendar que certas variedades sejam plantadas nos estados do sul e outras nos estados do norte; e, como a maioria dessas variedades é de origem recente, elas não devem suas diferenças constitucionais ao hábito. O caso da alcachofra de Jerusalém, a qual nunca se propaga por sementes e que consequentemente não produz variedades, foi utilizado como prova da impossibilidade da aclimatação, pois ela é atualmente tão tenra quanto no passado! Outro caso, o do feijão roxo, também tem sido frequentemente citado para um propósito semelhante e com muito maior peso; mas não podemos dizer que o experimento tenha sido realmente feito até que alguém semeie o feijão roxo por uma vintena de gerações antes da primavera, de modo que uma grande porcentagem seja destruída pelo gelo do inverno, e, depois, colete as sementes dos poucos sobreviventes com cuidado para evitar cruzamentos acidentais e, então, novamente recolha as sementes dessas mudas com as mesmas precauções. Também não devemos supor que nunca surjam diferenças na constituição das mudas de feijão roxo, pois foi publicado um relato sobre o quanto algumas dessas mudas pareciam ser mais resistentes do que outras.

No geral, parece que podemos concluir que o hábito, o uso e o desuso desempenham em alguns casos um papel considerável na modificação da constituição e da estrutura de vários órgãos; mas que os efeitos do uso e do desuso costumam ser combinados e muitas vezes dominados pela seleção natural de diferenças inatas.[36]

Correlação de crescimento

Com essa expressão quero dizer que as partes do organismo todo estão tão ligadas umas às outras durante seu crescimento e desenvolvimento que, quando ocorrem pequenas variações em qualquer dessas partes e essas são acumuladas através da seleção natural, outras partes também são modificadas. Esse é um assunto muito importante e compreendido de forma bastante imperfeita. O caso mais óbvio é o seguinte: as modificações acumuladas exclusivamente para o bem dos organismos jovens ou das larvas certamente afetarão a estrutura do adulto; da mesma forma como qualquer má-formação que afete o embrião afetará seriamente todo o organismo do adulto. As várias partes homólogas do corpo e que são iguais no período embrionário inicial parecem suscetíveis de variar de forma conjunta: vemos isso na variação conjunta e semelhante dos lados direito e esquerdo do corpo, nas pernas posteriores e anteriores e até mesmo em mandíbulas e membros que variam em conjunto, pois se acredita que o maxilar inferior seja homólogo dos membros. Não duvido que essas tendências possam ser mais ou menos completamente dominadas pela seleção natural: assim, existia uma família de cervos que tinha chifre apenas de um lado; e se isso tivesse sido útil para a raça, a seleção natural provavelmente teria incorporado essa característica de forma permanente.

As partes homólogas, como foi observado por alguns autores, tendem a ser incorporadas; isso é normalmente observado em plantas monstruosas; e nada é mais comum do que a união de partes homólogas em estruturas normais, como a reunião das pétalas da corola em um tubo. As partes duras parecem afetar a forma das partes macias adjacentes; alguns autores acreditam que a diversidade na forma da bacia das aves causa a notável diversidade da forma de seus rins. Outros acreditam que a forma da bacia da

---

36. Darwin reconhece que a seleção natural "domina" por atuar sobre "diferenças inatas". Note-se ainda o experimento proposto para o feijão e a distinção com o caso da alcachofra, reproduzida apenas por mudas, que contradizem a crença de que os hábitos tenham efeitos hereditários. (N.R.T.)

mãe humana influencia, por meio da pressão, a forma da cabeça da criança. Nas cobras, segundo Schlegel,[37] a forma do corpo e a maneira de engolir determinam a posição de várias vísceras importantes.

A natureza das correlações costuma ser bastante obscura. O senhor Isidore Geoffroy Saint-Hilaire[38] notou vigorosamente, sem que possamos oferecer as razões para esse fato, que certas más-formações coexistem com bastante frequência e outras apenas muito raramente. O que é mais comum do que a relação entre os olhos azuis e a surdez dos gatos ou do que a cor dos cascos e o sexo feminino das tartarugas? Ou, nos pombos, a relação entre os pés com penas e a pele entre os dedos externos, bem como a presença de mais ou menos penugem nas aves jovens quando saem de seus ovos com a futura cor de sua plumagem; ou, mais uma vez, a relação entre os pelos e os dentes do cão sem pelos da Turquia, ainda que neste caso a homologia tenha relevância? Em relação a este último caso de correlação, acredito que dificilmente poderia ser algo acidental que as duas ordens de mamíferos mais anômalas em suas coberturas dérmicas, como, por exemplo, os cetáceos (baleias) e a ordem Edentata (tatus, pangolins etc.), fossem também as ordens com mais formas anômalas de dentição.

Não conheço outro exemplo mais bem-adaptado para mostrar a importância das leis da correlação em modificar estruturas importantes, independentemente da utilidade e, portanto, de seleção natural, do que a diferença entre as flores internas e externas em certas plantas compostas e umbelíferas.[39] Todos conhecem a diferença entre as pequenas flores radiais e centrais das margaridas, por exemplo; e essa diferença é muitas vezes acompanhada da atrofia de partes da flor. Mas, em algumas plantas compostas, as sementes também possuem formas e relevos diferentes; e mesmo o próprio ovário e seus acessórios, conforme descrito por Cassini,[40] diferem. Alguns autores atribuíram essas diferenças à pressão; essa ideia é apoiada pela forma das sementes existentes nos flósculos radiais de algumas compósitas; mas, no

---

37. Hermann Schlegel (1804-1884), ornitólogo alemão. (N.T.)

38. Isidore Geoffroy Saint-Hilaire (1805-1861), naturalista francês que deu sequência ao trabalho do pai, Étienne Geoffroy Saint-Hilaire (1772-1844). (N.R.T.)

39. Famílias Asteraceae e Apiaceae, com pequenas flores que, juntas, parecem uma grande flor (inflorescência), como os girassóis e as margaridas. As pequenas flores externas são chamadas flores liguladas e parecem ser pétalas. (N.R.T.)

40. Alexandre Henri Gabriel de Cassini (1781-1832), botânico e naturalista francês. (N.T.)

caso da corola da umbelífera, conforme me informa o doutor Hooker, de maneira alguma as flores internas e externas das espécies com inflorescências mais densas são as que normalmente mais se diferenciam. Seria possível pensar que o desenvolvimento de pétalas radiais por meio da retirada de alimento de outras partes da flor pudesse ter causado a atrofia; mas em algumas compósitas há uma diferença entre as sementes dos flósculos internos e externos sem que a corola apresente qualquer diferença. Possivelmente, essas várias diferenças podem estar conectadas a alguma diferença no fluxo de alimento para as flores centrais e externas: sabemos pelo menos que, em flores irregulares, aquelas mais próximas do eixo estão mais sujeitas à peloria[41] e a tornarem-se regulares. Posso acrescentar, como um exemplo disso e de um caso marcante de correlação, que tenho observado recentemente em alguns pelargônios de jardim que a flor central do feixe costuma perder as manchas de cores mais escuras das duas pétalas superiores; e que quando isso ocorre o nectário contíguo desaparece completamente; quando a cor está ausente em apenas uma das duas pétalas superiores, o nectário fica apenas muito atrofiado.

No que diz respeito à diferença da corola das flores centrais e exteriores de uma inflorescência em forma de guarda-chuva ou umbela, não tenho muita certeza se a ideia de C. C. Sprengel de que pequenas flores radiais servem para atrair insetos – cuja ação é altamente vantajosa para a fertilização das plantas dessas duas ordens – seja tão absurda como pode parecer à primeira vista: e, se fosse vantajoso, a seleção natural teria feito sua parte. No entanto, em relação às diferenças estruturais internas e externas das sementes – que nem sempre estão correlacionadas com alguma diferença nas flores –, parece impossível que sejam de alguma forma vantajosas para a planta; ainda assim, nas umbelíferas, essas diferenças parecem ser tão importantes que as sementes, em alguns casos, de acordo com Tausch,[42] são ortospermas nas flores externas e celospermas[43] nas flores centrais, que De Candolle Sênior baseia

41. A palavra deriva do grego *péloros* (πέλωρος), que significa "monstruoso". Conhecem-se variações de flores ornamentais ditas pelóricas por serem variações raras da forma mais comum. (N.R.T.)
42. Ignaz Friedrich Tausch (1793-1848), botânico. (N.T.)
43. Termos antigos para designar sementes "retas" (ortospermas) e sementes "ocas" (celospermas). (N.R.T.)

suas principais divisões da ordem em diferenças análogas. Daí, notamos que as modificações da estrutura, vistas como de alto valor pelos sistematas, podem ocorrer em virtude de leis desconhecidas de crescimento correlacionado sem que isso tenha, tanto quanto podemos ver, qualquer utilidade para a espécie.

Muitas vezes, é possível atribuirmos erroneamente uma correlação de crescimento entre estruturas comuns a grupos inteiros de espécies, mas que, na verdade, deve-se simplesmente à hereditariedade; pois um progenitor antigo pode ter adquirido através da seleção natural alguma modificação em sua estrutura e, depois de milhares de gerações, outra modificação independente; e essas duas modificações, tendo sido transmitidas para todo um grupo de descendentes com hábitos diversos, poderiam naturalmente ser vistas como se estivessem correlacionadas de alguma maneira necessária. Então, também não há dúvida de que algumas correlações aparentes que ocorrem ao longo de toda uma ordem devem-se inteiramente apenas à atuação da seleção natural. Por exemplo, Alphonse de Candolle observou que as sementes aladas nunca são encontradas em frutos que não se abrem: a regra deve ser explicada pelo fato de que as sementes só conseguem se tornar aladas gradualmente através da seleção natural em frutos que se abrem; assim, as plantas individuais que produzem sementes um pouco mais bem equipadas para flutuar ainda mais podem ter uma vantagem sobre aquelas que produzem sementes menos equipadas para dispersão; e esse processo não pode ocorrer nos frutos que não se abrem. Geoffroy Sênior e Goethe[44] propuseram, mais ou menos na mesma época, a lei da compensação ou do equilíbrio do crescimento; ou, conforme disse Goethe, "a fim de gastar de um lado, a natureza é forçada a economizar do outro". Para mim isso é, em certa medida, verdadeiro em relação às nossas produções domésticas: se o alimento flui em excesso para uma parte ou um órgão, ele raramente fluirá, pelo menos em excesso, a outra parte; assim, é difícil fazer que uma vaca produza muito leite e, ao mesmo tempo, engorde com facilidade. As mesmas variedades de repolho não produzem folhagens abundantes e nutritivas e, ao mesmo tempo, uma abundante fonte de sementes oleaginosas. Quando as sementes de nossas frutas atrofiam-se, a própria fruta ganha muito em tamanho e

---

44. Johann Wolfgang von Goethe (1749-1832), escritor alemão. Publicou em 1790 a obra chamada *Versuch die Metamorphose der Pflanzen zu erklären* (*A metamorfose das plantas*). (N.E.)

qualidade. Dentre os galináceos, um grande tufo de penas na cabeça é geralmente acompanhado por uma crista menor; e uma grande barba, por uma carúncula diminuída. Em relação às espécies em estado natural, mal podemos dizer que a lei tenha aplicação universal; mas muitos bons observadores, mais especialmente os botânicos, acreditam em sua verdade. No entanto, não darei aqui exemplos, pois, por um lado, não vejo uma maneira de diferenciarmos entre os efeitos de uma parte amplamente desenvolvida pela seleção natural e de outra parte adjacente reduzida por este mesmo processo ou pelo desuso e, por outro lado, entre a retirada real dos nutrientes de uma parte devido ao excesso de crescimento de outra parte adjacente.

Suspeito, também, que alguns dos casos de compensação que têm sido apresentados e mesmo alguns outros fatos podem ser reunidos sob um princípio mais geral, ou seja, o de que a seleção natural tenta continuamente fazer economias em todas as partes do organismo. Se, em condições modificadas de vida, uma estrutura anteriormente útil torna-se menos útil, então qualquer redução dessa estrutura, mesmo que leve, será tomada pela seleção natural, pois ela irá favorecer o indivíduo e este não precisará desperdiçar nutrimentos para a construção de uma estrutura inútil. Consigo, dessa forma, entender um fato com o qual fiquei muito impressionado quando estudava os cirripédios[45] e a partir do qual muitos outros casos poderiam ser apresentados: quando um cirripédio vive como parasita dentro de outro e fica, assim, protegido, ele perde de forma mais ou menos completa sua própria concha ou carapaça. Isso é o que ocorre com os machos do gênero *Ibla*;[46] e, de forma verdadeiramente extraordinária, com os artrópodes do gênero *Proteolepas*: pois a carapaça de todos os outros cirripédios é formada por três segmentos anteriores da cabeça altamente importantes, superdesenvolvidos e providos com grandes nervos e músculos; mas nos animais desse gênero, parasitários e protegidos, toda a parte anterior da cabeça fica reduzida a um mero rudimento anexado nas bases das antenas preênseis. Agora a economia de uma estrutura grande e complexa, quando tida como supérflua pelos hábitos parasitários do gênero *Proteolepas*, embora realizada a passos lentos, seria uma vantagem decisiva para cada indivíduo sucessivo da espécie; pois, na luta pela

---

45. Infraclasse de crustáceos. (N.T.)
46. Gênero de cirripédio. (N.T.)

sobrevivência a que todos os animais estão expostos, cada *Proteolepas* individual teria mais chances de sustentar a si mesmo ao desperdiçar menos alimentos para o desenvolvimento de uma estrutura que agora se tornou inútil.

Assim, creio que, a longo prazo, a seleção natural sempre conseguirá reduzir e fazer economias em todas as partes dos organismos sempre que se tornem supérfluas sem fazer com que outra parte seja, por qualquer meio, muito desenvolvida em um grau correspondente. E, de forma inversa, que a seleção natural pode perfeitamente fazer com que um órgão se desenvolva bastante sem exigir como compensação necessária a redução de alguma parte adjacente.

Parece ser uma regra, conforme observado por Isidore Geoffroy Saint-Hilaire, que tanto nas variedades como nas espécies, quando qualquer parte ou órgão se repete muitas vezes na estrutura do mesmo indivíduo (como as vértebras nas cobras e os estames nas flores poliândricas),[47] o número é variável; já a quantidade da mesma parte ou do órgão é constante quando ocorre em números menores. O mesmo autor e alguns outros botânicos observaram que várias partes também estão muito propensas a ter variações em suas estruturas. Além disso, a "repetição vegetativa" – para usarmos a expressão do professor Owen – parece ser um sinal de um organismo inferior; a observação acima parece estar ligada com a opinião comum dos naturalistas, isto é, de que os seres inferiores na escala da natureza são mais variáveis do que aqueles que estão mais acima. Eu presumo que, nesse caso, inferioridade significa que as várias partes do organismo encerram pouca especialização para determinadas funções; e, contanto que a mesma parte tenha de realizar diversas atividades, talvez possamos entender por que ela deve permanecer variável, ou seja, por que a seleção natural deve preservar ou rejeitar cada pequeno desvio da forma, dando a isso menor atenção do que quando a parte compreende certo propósito especial.[48] Da mesma forma, uma faca que deve cortar todos os tipos de coisas pode ter quase qualquer forma; já uma ferramenta utilizada para um determinado objeto precisará ter uma forma

---

47. Flores com muitos estames (órgãos produtores de pólen). (N.R.T.)
48. Embora pareça estranha, a frase tem este sentido no original: *the part has to serve for one special purpose alone* – como se houvesse uma finalidade específica a explicar a existência de uma determinada parte. (N.R.T.)

específica. Não devemos nunca nos esquecer de que a seleção natural pode agir em todas as partes de um organismo, unicamente para sua vantagem e por meio dela.[49]

Tem sido afirmado por alguns autores, e acredito ser verdade, que as partes rudimentares tendem a ser altamente variáveis. Precisaremos recorrer ao tema geral dos órgãos rudimentares e atrofiados; e aqui acrescentarei apenas que a sua variabilidade parece ocorrer devido à sua inutilidade; portanto, a seleção natural não tem nenhum poder para controlar os desvios de sua estrutura. Assim, as partes rudimentares são deixadas ao livre jogo das várias leis do crescimento, aos efeitos do desuso contínuo e prolongado e à tendência para a reversão.[50]

Uma parte desenvolvida em qualquer espécie em grau ou maneira extraordinária, em comparação com a mesma parte das espécies mais próximas, tende a ser altamente variável

Há vários anos, fiquei muito impressionado com uma observação semelhante à informada acima publicada pelo senhor Waterhouse. Posso presumir por uma observação feita pelo professor Owen que ele também chegou a uma conclusão similar no que diz respeito ao comprimento dos braços do orangotango. É inútil tentar convencer os outros sobre a verdade dessa afirmação sem oferecer a longa lista de fatos recolhidos por mim que, possivelmente, não pode ser apresentada neste texto. Posso apenas afirmar minha convicção de que se trata de uma regra bastante geral. Estou ciente das várias causas de erro, mas espero que eu as tenha levado em consideração de forma apropriada. Devemos entender que a regra não se aplica a qualquer parte, ainda que esteja desenvolvida de forma incomum, a menos que ela esteja desenvolvida de forma incomum em comparação com a mesma parte em espécies muito próximas. Assim, dentre os mamíferos, a asa do

---

49. Embora Darwin utilize o conceito de "escala da natureza", próprio dos que defendiam a ideia de uma natureza estática, a ideia central permanece válida e a analogia da faca é elegante. Hoje se diria que a condição "basal" é a mais generalista e a condição "derivada" é a mais especializada. (N.R.T.)

50. Este argumento será retomado adiante no livro e configura uma das maiores dificuldades para os que defendiam a criação divina, perfeita e estática: como explicar os órgãos rudimentares, atrofiados e inúteis? (N.R.T.)

morcego é uma estrutura bastante anormal; mas a regra não se aplicaria aqui, pois há todo um grupo de morcegos com asas; isso se aplicaria somente se alguma espécie de morcego tivesse asas desenvolvidas de alguma forma notável em comparação com as outras espécies do mesmo gênero. A regra aplica-se muito fortemente no caso das características sexuais secundárias, quando ocorrem de forma incomum. O termo "características sexuais secundárias", usado por Hunter,[51] aplica-se às características ligadas a um dos sexos, mas que não estão diretamente ligadas ao ato de reprodução. A regra se aplica a machos e fêmeas; mas mais raramente a estas, pois as características sexuais secundárias notáveis são mais raras nas fêmeas. A regra, tão claramente aplicável no caso das características sexuais secundárias, talvez ocorra devido à grande variabilidade dessas características, exibidas de forma incomum ou não – acredito haver poucas dúvidas sobre isso. Mas está bem demonstrado pelo caso dos cirripédios hermafroditas que nossa regra não se limita às características sexuais secundárias; e posso acrescentar aqui que assisti à observação do senhor Waterhouse enquanto ele investigava essa ordem, e estou plenamente convencido de que a regra é quase invariavelmente verdadeira entre os cirripédios. Em minha futura obra,[52] listarei os casos mais notáveis; oferecerei aqui apenas um, pois serve de exemplo para a regra em sua aplicação mais geral. As valvas operculares dos cirripédios sésseis (cracas de rochas marinhas)[53] são, em todos os sentidos da palavra, estruturas muito importantes e, mesmo entre gêneros diferentes, possuem pouquíssimas diferenças; mas nas várias espécies do gênero *Pyrgoma*[54] essas valvas apresentam uma maravilhosa quantidade de diversificação, sendo que as valvas homólogas de várias espécies chegam às vezes a ter formas completamente diferentes; além disso, o número de variações entre os indivíduos de várias espécies é tão grande que não é exagero afirmar que as características dessas importantes valvas diferem muito mais em meio às variedades dessa espécie do que entre outras espécies de gêneros distintos.

---

51. John Hunter (1754-1809), médico. (N.T.)
52. Darwin já reservava material para um livro futuro que acabou sendo publicado em 1868 (*Variations of Animals and Plants Under Domestication*). (N.R.T.)
53. Organismos incrustantes que recobrem rochas da zona costeira da região entre marés e que se fixam em cascos de barcos e em grandes animais marinhos, como as baleias. (N.R.T.)
54. *Pyrgoma*, gênero de cirripédios (artrópodes). (N.T.)

Uma vez que as aves de uma mesma região variam em um grau muito pequeno, eu mesmo dediquei-me a elas e notei que a regra parece manter-se firme nesta classe. Não cheguei a observar a aplicação da regra às plantas, algo que abalaria seriamente minha confiança em sua verdade se a grande variabilidade das plantas não tornasse particularmente difícil a comparação de seus graus relativos de variabilidade.

Quando vemos uma parte ou um órgão de uma espécie desenvolvido em um grau ou uma forma notáveis, presumimos de maneira justa que aquela parte tem grande importância para a espécie; no entanto, nesse caso, a parte está muito sujeita a variações. Por que isso ocorre? Não encontro nenhuma explicação por meio da hipótese de que as espécies tenham sido criadas independentemente com todas as suas partes e exatamente como as vemos atualmente. Mas podemos encontrar alguma luz por meio da hipótese de que grupos da espécie são descendentes de outras espécies e foram modificados pela seleção natural. Em nossos animais domésticos, se qualquer parte, ou o animal inteiro, for negligenciada e não aplicarmos nenhum tipo de seleção, essa parte (por exemplo, as cristas das galinhas-de-Dorking) ou toda a linhagem deixaria de ter uma característica quase uniforme. Diríamos então que a linhagem se degenerou. Nos órgãos rudimentares, naqueles que são pouco especializados para qualquer propósito específico – e talvez nos grupos polimórficos –, vemos um caso natural quase paralelo; pois em tais casos a seleção natural não entra ou não consegue entrar completamente em ação e, assim, o organismo fica em uma condição flutuante. Mas o que aqui nos diz especial respeito é que aqueles pontos que estão, neste momento, passando por uma mudança rápida por meio da seleção contínua em nossos animais domésticos, também estão bastante propensos a variações. Observe as linhagens dos pombos; veja a quantidade prodigiosa de diferenças existentes no bico dos diferentes *tumblers*, no bico e na carúncula dos vários pombos-correio, no porte e na cauda de nossos *fantails* etc.; estes são os pontos que atualmente mais chamam a atenção dos criadores ingleses. Mesmo em suas sublinhagens, como no *tumbler* de cara curta, é notoriamente difícil criá-los quase à perfeição, e nascem com frequência indivíduos que fogem totalmente do padrão. Pode-se realmente dizer que há uma constante luta entre, por um lado, a tendência de reversão para um estado menos modificado junto à propensão inata para o avanço de todo tipo de variação e, por outro lado, a ação da seleção ininterrupta para manter pureza da linhagem. Em longo prazo, a seleção triunfa e, assim, não há como falharmos tão completamente a ponto de criarmos uma ave tão grosseira como um *tumbler* comum a partir de uma boa cepa de aves de cara curta. Mas, quando há um avanço acelerado da seleção, devemos sempre esperar bastante variação da estrutura que está passando por modificações. Devemos também notar que essas características variáveis produzidas pela seleção humana são, às vezes, incorporadas, por causas completamente desconhecidas para nós, mais em um dos sexos que no outro, geralmente no sexo masculino, assim como acontece com a carúncula dos pombos-correio e com o papo alargado dos *pouters*.[55]

Voltemos agora à Natureza. Quando, em qualquer espécie, uma parte é desenvolvida de forma extraordinária em comparação às outras espécies do mesmo gênero, podemos concluir que essa parte foi submetida a uma quantidade extraordinária de modificações desde o período em que a espécie ramificou-se do progenitor comum do gênero. Este período dificilmente será extremamente remoto, pois uma espécie quase nunca perdura por mais de um período geológico. Uma quantidade extraordinária de modificações implica uma quantidade anormalmente grande e longa de variações continuamente acumuladas pela seleção natural em benefício da espécie. Mas quando a variabilidade da parte ou do órgão desenvolvido de forma extraordinária é muito grande e longa em um período não excessivamente remoto, podemos ainda, como regra geral, encontrar mais variações nessas partes do que em outras partes do organismo, que, por um período muito maior, mantiveram-se quase inalteradas. E estou convencido de que este é o caso. Não há razão para duvidar que a luta entre a seleção natural, de um lado, contra a tendência para reversão e variabilidade, de outro, irá cessar com o decorrer do tempo; nem que os órgãos mais anormalmente desenvolvidos podem se tornar constantes. Portanto, quando um órgão, por mais anormal que seja, é transmitido em condições aproximadamente iguais para muitos descendentes modificados, como no caso da asa do morcego, então, de acordo com minha teoria, ele deve ter existido quase no mesmo estado por um período imenso; e,

55. Trata-se de *english pouter*, uma raça de pombo capaz de inflar o papo de maneira muito pronunciada. Essa variedade é criada há pelo menos quatrocentos anos na Inglaterra. (N.R.T.)

assim, chega a ser não mais variável que qualquer outra estrutura. A *variabilidade* que podemos chamar de *generativa* somente estará presente em alto grau nos casos em que a modificação é comparativamente recente e extraordinariamente grande. Pois nesse caso a variabilidade raramente já estará estabelecida pela seleção ininterrupta dos indivíduos que variaram na forma e no grau exigidos ou pela rejeição contínua daquelas que estão propensas a reverter para uma condição antiga e menos modificada.

O princípio incluído nessas observações pode ser alongado. É notório que as características específicas são mais variáveis que as genéricas. Para explicar o que isso significa, usarei apenas um exemplo. Caso certa espécie de um grande gênero de plantas tivesse flores azuis e outra, vermelhas, a cor seria apenas uma característica específica e ninguém ficaria surpreso se uma das espécies variasse do vermelho para o azul ou vice-versa; mas, se todas as espécies tivessem flores azuis, a cor se tornaria uma característica genérica e sua variação seria um fato mais incomum. Eu escolhi esse exemplo porque a explicação que a maioria dos naturalistas daria não é aplicável a esse caso, a saber, que as características específicas são mais variáveis do que as genéricas, porque são retiradas de partes fisiologicamente menos importantes do que aquelas utilizadas para classificar os gêneros. Acredito que essa explicação seja parcial, mas apenas indiretamente verdadeira; no entanto, voltarei a esse assunto em nosso capítulo sobre classificação. Seria quase supérfluo apresentarmos evidências para sustentar a afirmação acima, isto é, que as características específicas são mais variáveis do que as genéricas; mas tenho notado em obras sobre história natural que os autores, quando observam com surpresa que algum órgão ou parte *importante* – que em geral é estável em todo um grupo grande de espécies – *difere* de forma considerável nas espécies muito próximas, que as características também *variam* nos indivíduos de algumas espécies. Esse fato mostra que uma característica que geralmente tem valor genérico, quando perde esse valor e se torna específica, muitas vezes também se torna variável, embora sua importância fisiológica possa permanecer a mesma. Algo do mesmo tipo se aplica às monstruosidades: pelo menos Isidore Geoffroy Saint-Hilaire parece não ter qualquer dúvida de que, quanto mais um órgão normalmente se difere nas distintas espécies de um mesmo grupo, mais os indivíduos estão sujeitos a anomalias.

Pela hipótese comum de que cada espécie tenha sido criada de forma independente, não enxergo nenhuma explicação à seguinte questão: por que uma parte da estrutura que difere da mesma parte em outras espécies – também criada independentemente – do mesmo gênero seria mais variável do que aquelas partes que são muito similares nas diversas espécies? Mas, pela hipótese de as espécies serem apenas variedades muito evidentes e bem estabelecidas, certamente veremos que as partes de suas estruturas que variaram em um período moderadamente recente e que passaram a acumular diferenças normalmente continuam a variar. Ou para registrar o caso de outra forma: os pontos em que todas as espécies de um gênero se assemelham e diferem das espécies de outros gêneros chamamos de características genéricas; atribuo essas características comuns à herança de um progenitor comum, pois raramente a seleção natural terá modificado várias espécies – adaptadas a hábitos mais ou menos bem diferentes – exatamente da mesma maneira; e talvez não variem mais atualmente, pois essas características genéricas foram herdadas num período remoto, na primeira vez que a espécie ramificou-se de seu progenitor comum, e posteriormente não variaram mais, isto é, não mais se diferenciaram ou isso ocorreu apenas levemente. Por outro lado, os pontos em que as espécies diferem das outras espécies do mesmo gênero são chamados de características específicas; e, já que essas características específicas variaram e se diferenciaram no período em que a espécie ramificou-se de seu progenitor comum, é provável que elas ainda sejam variáveis até certo grau; mais, pelo menos, do que as partes do organismo que se mantiveram constantes por muito tempo.

Farei apenas duas outras observações em relação ao presente assunto. Sem que eu precise entrar em detalhes, acredito que a grande variabilidade das características sexuais secundárias é bem-aceita; também acredito que outro fato é bem-aceito: entre si, as espécies do mesmo grupo diferem mais em suas características sexuais secundárias do que em outras partes de seu organismo. A afirmação poderá ser notada ao compararmos, por exemplo, as diferenças existentes entre os machos de aves galináceas, cujas características sexuais secundárias são vigorosamente exibidas, e as diferenças entre suas fêmeas. Não conhecemos a causa da variabilidade original das características sexuais secundárias, mas é possível entender por que essas características não são constantes e uniformes como as outras partes do organismo; pois as características sexuais secundárias acumulam-se por meio da seleção sexual, a qual é menos rígida que a seleção comum, uma vez que não implica na morte, mas apenas em um número menor de descendentes dos machos menos favorecidos. Seja qual for a causa da variabilidade das características sexuais secundárias, por serem elas altamente variáveis, a seleção sexual terá tido um amplo campo de atuação e poderá, portanto, prontamente ter conseguido dar à espécie do mesmo grupo uma quantidade maior de diferenças em suas características sexuais do que em outras partes de sua estrutura.[56]

É um fato notável que as diferenças sexuais secundárias entre os dois sexos de uma mesma espécie geralmente apareçam nas mesmas partes do organismo em que as várias espécies do mesmo gênero diferem entre si. Deste fato, apresentarei dois exemplos, os primeiros que, por acaso, estão em minha lista; e, porque as diferenças nestes casos são de natureza invulgar, a relação dificilmente pode ser acidental. Ter o mesmo número de articulações nos tarsos é uma característica geralmente comum dos grandes grupos de besouros, mas nos Engidae,[57] como observou Westwood, esse número varia muito; e, da mesma forma, o número difere entre os sexos de uma mesma espécie. Agora, nos himenópteros fossoriais,[58] a forma de nervação das asas é uma característica importantíssima por ser comum a grandes grupos; mas em certos gêneros a nervação difere em suas várias espécies e, da mesma forma, nos dois sexos de uma mesma espécie. A meu ver, essa relação tem um claro significado: todas as espécies do mesmo gênero, bem como os dois sexos de qualquer uma das espécies, são certamente descendentes do mesmo progenitor. Consequentemente, quando quaisquer partes da estrutura do progenitor comum ou de seus primeiros descendentes passam a variar, é altamente provável que as variações dessas partes sejam aproveitadas pelas seleções natural e sexual com o objetivo de adaptar as várias espécies a seus vários nichos dentro

---

56. Darwin faz uma síntese particularmente feliz, comparando a ação da seleção natural e da seleção sexual, capazes de explicar uma ampla gama de fenômenos, contrariamente à "hipótese comum" (*ordinary hipothesis*) de que cada espécie tenha sido criada separadamente. (N.R.T.)
57. Família de besouros (coleópteros) chamada de Engidae por John Westwood e hoje denominada Erotylidae. (N.T.)
58. *Typhia*, gênero de vespa da família Typhiidae. (N.T.)

da economia da natureza e, da mesma forma, para que os dois sexos de uma mesma espécie se adaptem um ao outro, ou para adaptar machos e fêmeas com diferentes hábitos de vida ou para adaptar os machos à luta contra outros machos pela posse das fêmeas.

Por fim, concluo então que há maior variação das características específicas – ou seja, aquelas que distinguem uma espécie da outra – do que das características genéricas – ou seja, aquelas que as espécies têm em comum; uma variabilidade frequente e extrema de quaisquer partes que, em uma espécie, estejam desenvolvidas de forma extraordinária em comparação às mesmas partes em seus congêneres; um pequeno grau de variabilidade de uma parte, mesmo que se desenvolva de forma extraordinária, que seja comum a todo um grupo de espécies; uma grande variabilidade das características sexuais secundárias e um grande número de diferenças dessas mesmas características entre as espécies muito próximas; as diferenças específicas e as sexuais secundárias que geralmente surgem nas mesmas partes do organismo. Todos esses princípios ocorrem principalmente pelos seguintes motivos: porque as espécies do mesmo grupo são descendentes de um progenitor comum de quem herdaram muitas características em comum; porque as partes que variaram bastante recentemente têm mais probabilidade de continuar variando do que as partes que foram herdadas há muito tempo e, hoje, variam pouco; porque a seleção natural, de forma mais ou menos completa e de acordo com o lapso de tempo, dominou a tendência de reversão e de maior variabilidade; porque a seleção sexual é menos rígida do que a seleção comum e porque as variações das mesmas partes foram acumuladas pelas seleções natural e sexual e, portanto, adaptaram-se para fins sexuais secundários e para fins específicos comuns.

Espécies distintas apresentam variações análogas e, assim, a variedade de uma espécie frequentemente adquire algumas características de uma espécie próxima ou reverte a algumas características de algum progenitor antigo

Essas afirmações serão mais facilmente compreendidas se repararmos em nossas raças domésticas. As mais distintas linhagens de pombos, em países muito distantes, apresentam subvariedades com penas invertidas sobre a cabeça e com penas nos pés, características inexistentes no pombo--das-rochas aborígene; são, então, variações análogas em duas ou mais raças distintas. A presença frequente de catorze ou até dezesseis penas na cauda do *pouter* pode ser considerada como uma variação que representa a estrutura normal de outra raça, o *fantail*. Presumo que ninguém irá duvidar de que todas essas variações análogas ocorrem em razão de as diversas raças de pombos terem herdado de um ancestral comum a mesma constituição e tendência a variar quando sobre elas atuassem aquelas influências semelhantes e desconhecidas. No reino vegetal, temos um caso de variação análoga nos talos alargados, ou nas raízes, como são comumente chamados, do rabanete sueco e da rutabaga – plantas que vários botânicos classificam como variedades produzidas pelo cultivo de um ancestral comum.[59] Se este não fosse o caso, estaríamos então tratando de uma variação análoga de duas espécies supostamente distintas e poderíamos adicionar a elas uma terceira, ou seja, o nabo comum. De acordo com a hipótese comum de que cada espécie foi criada de forma independente, não deveríamos atribuir essa semelhança nas hastes alargadas dessas três plantas à sua causa real, isto é, à comunidade de ascendentes e à consequente tendência a variar de maneira similar, mas sim a três atos diversos e extremamente relacionados de criação.

Nos pombos, no entanto, temos outro caso, ou seja, o surgimento ocasional, em todas as linhagens, de aves de cor azul-ardósia com duas faixas pretas nas asas, uma anca branca, uma faixa no final da cauda e com a base das penas externas afiladas em branco na parte de fora. Como todas essas marcas são características de um ancestral, o pombo-das-rochas, eu presumo que ninguém duvidará de que se trate de um caso de reversão e não de uma variação nova ou análoga das várias linhagens. Podemos, acredito, chegar de maneira confiante a essa conclusão, pois, como já vimos, essas

59. As plantas do gênero *Brassica* têm origem provável na região da Índia e foram domesticadas há milênios, por seleção e cruzamentos, sendo selecionadas variedades com certo tipo de folha, como a couve, a couve-de-bruxelas e o repolho. Outras variedades foram selecionadas por causa de suas flores, como a couve-flor e o brócolis, ou ainda pelas sementes, como a mostarda e a canola. Darwin refere-se às variedades selecionadas pela raiz, como o rabanete-sueco, globoso e com casca vermelha e interior branco ou alongado com interior amarelo-alaranjado, conhecido em certas partes da Inglaterra como rutabaga, e ainda ao nabo comum, no sudeste brasileiro chamado nabo-japonês. (N.R.T.)

marcas coloridas tendem a aparecer com frequência na prole do cruzamento entre duas linhagens distintas e de cores diferentes; e neste caso, além da influência do simples ato de cruzamento sobre as leis da hereditariedade, não há nada nas condições externas de vida que possa causar o reaparecimento do azul-ardósia e das outras várias marcas.

É sem dúvida muito surpreendente que essas características reapareçam após perdidas já há muitas gerações, talvez centenas delas. Mas quando uma linhagem é cruzada apenas uma vez por alguma outra linhagem, a prole mostra ocasionalmente uma tendência para reverter às características da linhagem ancestral por muitas gerações, alguns dizem que por uma dúzia ou até mesmo uma vintena de gerações. Após doze gerações, a proporção de sangue (segundo a expressão comum) de qualquer ancestral é de apenas 1/2.048; e ainda assim, como podemos ver, acredita-se geralmente que a tendência de reversão seja mantida mesmo com essa proporção muito pequena de sangue ancestral. Em uma linhagem que não recebeu cruzamentos, mas em que *ambos* os pais perderam algumas características de seus progenitores, a tendência, seja forte ou fraca, para reproduzir a característica perdida pode ser, como foi observado anteriormente e por tudo que podemos assinalar ao contrário, transmitida para quase qualquer número de gerações. Quando uma característica é perdida em uma linhagem e reaparece após um grande número de gerações, a hipótese mais provável não é que a prole passe a assemelhar-se repentinamente a um antepassado distante cerca de cem gerações, mas que em cada geração sucessiva sempre tenha existido a tendência para reproduzir a característica em questão, que, em condições favoráveis e desconhecidas, finalmente ganha alguma força.[60] Por exemplo, é provável que em todas as gerações do pombo *barb*, o qual produz com certa raridade uma ave com faixas azuis e pretas, tenha existido uma tendência para que a plumagem assumisse essa cor. Esse ponto de vista é hipotético, mas poderia ser apoiado por alguns fatos; e não vejo que a improbabilidade de que a tendência de produzir quaisquer características por um número infinito de gerações seja maior que a de transmitir órgãos rudimentares ou inúteis

60. Vemos aqui como Darwin tem um modelo diverso daquele que seria desenvolvido por Mendel. (N.R.T.)

– e sabemos que eles o são – por meio da hereditariedade.[61] Com efeito, às vezes observamos uma mera tendência para produzir um rudimento hereditário: por exemplo, na planta boca-de-leão comum (*Antirrhinum*) aparece tantas vezes o rudimento de um quinto estame que essa planta deve ter uma tendência hereditária para produzi-lo.[62]

Como todas as espécies do mesmo gênero devem, em minha teoria, ter descendido de um ancestral comum, podemos presumir que elas, de forma análoga, variem ocasionalmente; dessa forma, a variedade de uma espécie se assemelharia em algumas de suas características a outra espécie; essa outra espécie seria, em minha opinião, apenas uma variedade bem marcada e permanente. A natureza das características assim obtidas seria provavelmente de pouca importância, pois a presença de todas as características importantes será regida pela seleção natural junto com os diversos hábitos da espécie e não serão deixadas à atuação mútua das condições de vida e de uma similar constituição herdada. Podemos também esperar que, ocasionalmente, as espécies do mesmo gênero apresentem reversões a características ancestrais já perdidas. Porém, como não conhecemos as características exatas do antepassado comum de um grupo, não podemos separar esses dois casos: se, por exemplo, não soubéssemos que o pombo-das-rochas não possui plumas nos pés nem penas invertidas na cabeça, não poderíamos dizer se essas características existentes em nossas raças domésticas são reversões ou apenas variações análogas; mas por meio do número de marcas – que estão correlacionadas com o tom de azul e que provavelmente não poderiam surgir apenas de uma variação simples – poderíamos ter inferido que a cor azul é um caso de reversão. De maneira mais específica, isso poderia ter sido inferido pela cor azul e pelas marcas que aparecem com tanta frequência quando linhagens distintas de diversas cores são cruzadas. Portanto, embora na Natureza não saibamos muito bem quais casos se tratam de reversões a uma característica antiga e quais são variações novas, mas análogas; ocorre

---

61. Darwin se refere recorrentemente à presença de "órgãos inúteis" de base hereditária, algo inexplicável para os criacionistas. (N.R.T.)

62. Estudos moleculares confirmaram a existência de material genético que pode determinar o desenvolvimento do quinto estame nessa espécie. Darwin realizou cruzamentos com essa espécie, obtendo resultados semelhantes aos de Mendel, publicados em seu livro *Variations...* (N.R.T.)

que, às vezes e de acordo com minha teoria, encontraremos na prole de uma espécie em vias de modificação as características (por meio da reversão ou da variação análoga) que já ocorrem em alguns membros do mesmo grupo. E não há dúvidas de que, na Natureza, esse é o caso.

Boa parte da dificuldade em reconhecer uma espécie variante em nossa sistemática deve-se ao fato de as variedades imitarem, por assim dizer, outras espécies do mesmo gênero. Ademais, uma lista considerável de formas intermediárias poderia ser fornecida, as quais podem ser classificadas de maneira duvidosa como espécies ou variedades; e isso mostra, a menos que se considere que todas as espécies tenham sido criadas de maneira independente, que, ao variar, a espécie tenha assumido algumas das características da outra, de maneira a produzir a forma intermediária. Porém a melhor evidência é proporcionada pelas partes ou pelos órgãos de natureza importante e uniforme que variam acidentalmente a fim de adquirir, em algum grau, a característica da mesma parte ou do mesmo órgão de uma espécie próxima.[63] Colecionei uma longa lista de tais casos; mas, como tenho dito, estou em grande desvantagem no presente texto por não poder publicá-la. Só posso repetir que esses casos certamente ocorrem e me parecem muito notáveis.[64]

Oferecerei no entanto um exemplo curioso e complexo, não como fato que afeta alguma característica importante, mas que ocorre em várias espécies do mesmo gênero, em parte naquelas sob domesticação e, em parte, nas espécies que vivem na Natureza. Trata-se aparentemente de um caso de reversão. O asno costuma ter faixas transversais muito distintas em suas pernas, como as de uma zebra: foi dito que são mais simples nos potros, e, por pesquisas feitas por mim, acredito que isso seja verdade. Também se afirmou que a listra em cada ombro pode às vezes ser dupla. A listra dos ombros é certamente muito variável em tamanho e forma. Descreveu-se um asno branco, mas *não* um albino, sem listras espinhais ou nos ombros; e essas listras ficam às vezes muito obscurecidas ou, na

63. De um lado, Darwin encontra um bom argumento contra o criacionismo, mas utiliza uma linguagem teleológica, como se a variação acidental tivesse uma finalidade, o raciocínio típico dos criacionistas. (N.R.T.)

64. No manuscrito original, Darwin tinha descrito diversos casos, como galináceos, raposas e ursos americanos e europeus ao lado de vegetais como as formas americanas e europeias do gênero *Hieracium*, mencionado no capítulo 2. (N.R.T.)

verdade, praticamente não existem nos asnos mais escuros. É dito que já foi avistado um asno selvagem mongol, ou hemíono,[65] com listras duplas nos ombros; mas vestígios disso, como afirmado pelo senhor Blyth e outros, surgem ocasionalmente. Fui informado pelo Coronel Poole[66] que os potros dessa espécie costumam ser listrados nas pernas e fracamente nos ombros. O quaga,[67] embora tenha faixas tão claras como as das zebras sobre o corpo, não tem faixas nas pernas; mas o doutor Gray[68] reproduziu um espécime com faixas bastante distintas, como as das zebras, na parte posterior dos joelhos.

No que diz respeito ao cavalo, eu colecionei casos de listras espinhais de *todas* as cores em equinos de várias linhagens na Inglaterra; faixas transversais nas pernas não são raras nos cavalos de pelagem com coloração baia (amarelo pardo), acinzentada, e as vi também uma vez em um alazão: uma fraca listra nos ombros pode às vezes ser vista nos baios; cheguei a ver traços em um baio comum. Após um exame cuidadoso, meu filho fez para mim um croqui de um baio belga com listras duplas em cada ombro e listras nas pernas; e um homem em quem posso confiar completamente analisou para mim um pequeno pônei baio galês com *três* listras paralelas e curtas em cada ombro.

No noroeste da Índia, a linhagem de cavalos *kathiawari* é geralmente tão listrada que – conforme ouvi do coronel Poole, o qual examinou a linhagem para o governo indiano – um cavalo sem listras não é considerado como linhagem pura. O dorso é sempre listrado; as pernas costumam ter faixas; e as listras no ombro, que às vezes são duplas e às vezes triplas, são comuns; o lado da face, além disso, às vezes também é listrado. As listras são mais simples nos potros; e às vezes ficam bastante sumidas nos cavalos velhos. O coronel Poole viu *kathiawaris* cinza e baios, listrados desde o nascimento. Eu tenho, também, razão para suspeitar, com base

65. Subespécie: *Equus hemionus hemionus*. (N.T.)
66. Tenente-coronel Skeffington Poole (1803-1876), oficial do primeiro regimento de cavalaria ligeira que servia em Bombaim, na Índia; trocou diversas cartas com Darwin em 1858. (N.R.T.)
67. Subespécie: *Equus quagga quagga*, animal atualmente extinto. (N.T.)
68. John Edward Gray (1800-1875), zoólogo inglês do Museu Britânico que publicou um tratado ilustrado sobre mamíferos em 1850. O manuscrito original desse trecho contém rasgados elogios a ele. (N.R.T.)

nas informações dadas a mim pelo senhor W. W. Edwards,[69] que a listra dorsal no cavalo de corrida inglês é muito mais comum nos potros do que nos animais adultos. Sem aqui entrar em mais detalhes, afirmo que coletei exemplos de listras nas pernas e nos ombros em cavalos de linhagens muito diferentes e em vários países, desde a Grã-Bretanha até a China oriental; e desde a Noruega, no norte, até o arquipélago malaio, no sul. Em todas as partes do mundo, essas listras ocorrem com muito mais frequência nos cavalos com pelagem de coloração baia ou cinzento; o termo baio compreende uma grande gama de cores, desde o negro amarronzado até um tom próximo do creme.

Estou ciente de que o coronel Hamilton Smith,[70] que escreveu sobre esse assunto, acredita que as diversas linhagens de cavalo descendem de várias espécies aborígenes, sendo que uma delas, o baio, era listrada; e que as aparências acima descritas se devem todas a antigos cruzamentos com a linhagem de cavalos baios. Mas, para mim, essa teoria não é satisfatória e deve ser aplicada com muita relutância às diversas linhagens – como o pesado cavalo belga, o pônei galês, o *cob*, o esguio *kathiawari* etc. – que habitam as partes mais distantes do mundo.

Agora vamos dar atenção para os efeitos do cruzamento de várias espécies do gênero do cavalo. Rollin[71] afirma que a mula comum, originada do asno e do cavalo, possui uma aptidão particular para ter faixas nas pernas. Vi certa vez uma mula com pernas tão listradas que qualquer um, à primeira vista, imaginaria ser procedente de uma zebra; e o senhor W. C. Martin[72] nos oferece em seu excelente tratado sobre cavalos a figura de uma mula semelhante. Vi quatro desenhos coloridos de híbridos entre a zebra e o asno em que as pernas tinham faixas muito mais evidentes

---

69. W. W. Edwards tem identidade desconhecida. É referido em diversos trabalhos por Darwin, provável criador de cavalos de corrida. (N.R.T.)
70. Tenente-coronel Charles Hamilton Smith (1776-1859), autor do livro *Horses* (1841), que Darwin tinha em sua biblioteca. (N.R.T.)
71. Darwin acrescentou uma letra ao escrever de memória no manuscrito o sobrenome, deixando um espaço em branco ao lado que não teve tempo de preencher. Trata-se do médico e naturalista francês François Désirés Roulin (1796-1874), que publicou um artigo sobre o cruzamento citado em 1835. (N.R.T.)
72. William C. Martin (1798-1864), diretor do Museu da National Zoological Society na década de 1830. (N.T.)

do que as presentes no resto do corpo; em um deles havia uma listra dupla nos ombros. No exemplo do famoso híbrido do Lorde Moreton[73] entre uma égua alazã e um quaga macho, o híbrido – e até mesmo a prole pura produzida posteriormente entre essa égua e um cavalo árabe negro – tinha listras em todas as pernas muito mais evidentes do que as do próprio quaga puro. Por fim, há outro caso bastante notável; um híbrido retratado pelo doutor Gray (ele me informa que conhece um segundo exemplo) do cruzamento entre um asno e um hemíono; embora o asno raramente tenha listras em suas pernas e o hemíono não as tenha, nem mesmo uma listra nos ombros, esse híbrido possuía no entanto faixas nas quatro patas e tinha três listras curtas nos ombros – semelhantes àquelas existentes no pônei baio galês – e tinha até algumas listras de zebra nas laterais de seu rosto. Em relação a este último fato, eu estava tão convencido de que nem sequer uma faixa de cor deveria aparecer por meio daquilo que comumente chamamos de acidente, que fui levado – somente pela ocorrência de listras no rosto deste híbrido de asno com um hemíono – a perguntar ao coronel Poole se essas listras no rosto ocorrem na linhagem *kathiawari* de cavalos, que é eminentemente listrada, e ele respondeu, como já vimos, que sim.

O que devemos dizer sobre esses vários fatos? Vemos várias espécies muito distintas de cavalos que ganham, pela simples variação, listras nas pernas como as das zebras ou listras nos ombros como as dos asnos. No cavalo, essa tendência é forte sempre que surge um cavalo com tons baios, um tom que se aproxima da coloração geral das outras espécies do gênero. O surgimento das listras não é acompanhado por mudanças na forma ou por outras características novas. A tendência para ganhar listras pode ser vista mais fortemente nos híbridos de várias espécies mais diferenciadas. Agora, observe o caso das diversas linhagens de pombos: elas são descendentes de um pombo (incluindo duas ou três subespécies ou raças geográficas) de cor

73. Com uma letra a mais no original, trata-se de Lorde Morton, George Douglas (1761-1827), o 16º Conde de Morton, que relatou o cruzamento de um macho da zebra quaga com uma égua castanha, por volta de 1815, e, em data muito posterior, cruzou a égua com um garanhão branco (e não negro, como relatado por Darwin). O filhote deste cruzamento teria nascido com listras nas pernas "muito mais evidentes" do parceiro do cruzamento anterior, supostamente "resíduos" de sua herança. A comunicação à Royal Society ocorreu em 1821 e causou grande impacto, pois o fenômeno, chamado telegonia, se confirmado, poderia ter impacto não apenas entre criadores, mas até na partição de heranças! (N.R.T.)

azulada, com algumas faixas e outras marcas; e quando qualquer linhagem assume pela simples variação uma tonalidade azulada, essas faixas e outras marcas invariavelmente reaparecem; mas sem qualquer outra mudança na forma ou em outras características. Quando as linhagens mais antigas e mais puras de várias cores são cruzadas, vemos uma forte tendência para o reaparecimento da tonalidade azul nas faixas e marcas dos mestiços. Afirmei que a hipótese mais provável para explicar o reaparecimento de características muito antigas é a *tendência* dos jovens de cada geração sucessiva para produzir as características perdidas; essa tendência, por causas desconhecidas, às vezes prevalece. E vimos neste capítulo que em várias espécies do gênero do cavalo as listras são mais simples, ou aparecem mais nos jovens do que nos velhos. Consideremos as linhagens de pombos como espécies – algumas das quais têm se mantido puras por séculos; que correspondência exata cria-se assim com o caso das espécies do gênero do cavalo! Por mim, atrevo-me com confiança a voltar-me para milhares de milhares de gerações passadas e lá encontrar um animal listrado como uma zebra, mas talvez construído de forma muito diferente, o ancestral comum (seja ele descendente ou não de uma ou mais linhagens selvagens) de nosso cavalo doméstico, do asno, do hemíono, do quaga e da zebra.[74]

As pessoas que acreditam que cada espécie de equino tenha sido criada de forma independente afirmarão, eu presumo, que cada uma delas tenha sido criada com uma tendência a variar dessa maneira particular, tanto na natureza quanto sob domesticação, com o objetivo de, por vezes, propiciar o surgimento de listras, como ocorre nas outras espécies do gênero; e que cada espécie tenha sido criada com uma forte tendência, quando cruzadas com espécies que habitam as regiões distantes do mundo, a produzir híbridos que se assemelham em suas listras não a seus próprios pais, mas a outras espécies do gênero. Aceitar esse ponto de vista é rejeitar uma causa real, substituindo-a por uma causa irreal ou, no mínimo, desconhecida. É transformar as obras de Deus em mero arremedo e trapaça; eu quase preferiria acreditar, assim como os velhos e ignorantes cosmogonistas, que os

74. Darwin está aplicando a teoria hereditária denominada pangênese, que irá explicitar apenas em seu livro de 1868 (*Variations*...). Ela de certa forma explicava a telegonia, mas esta acabou por ser totalmente abandonada diante da genética mendeliana, na virada do século XX. (N.R.T.)

fósseis dos moluscos nunca estiveram vivos, mas foram criados em pedra a fim de nos enganar, passando-se por conchas, como as que hoje existem nas praias dos mares.[75]

Resumo

Nossa ignorância sobre as leis da variação é profunda. Não há um só caso entre cem em que seja possível oferecermos o motivo por que esta ou aquela parte difere, mais ou menos, da mesma parte nos pais. Mas, sempre que temos meios para realizar uma comparação, as mesmas leis parecem ter atuado para produzir as menores diferenças entre as variedades da mesma espécie e as maiores diferenças entre as espécies do mesmo gênero. As condições externas de vida, como o clima, a alimentação etc. parecem induzir algumas pequenas modificações. O hábito (que produz diferenças constitucionais), o uso (que reforça os órgãos) e o desuso (que os enfraquece e diminui) parecem produzir resultados mais poderosos. As partes homólogas tendem a variar da mesma maneira e a associar-se. As modificações das partes rígidas e das partes externas costumam afetar as partes internas e mais delicadas.[76] Quando uma parte se torna muito desenvolvida, ela pode tender a retirar alimento das partes adjacentes; e todas as partes da estrutura que podem ser economizadas sem prejuízo para o indivíduo serão economizadas. As mudanças de estrutura em idade precoce geralmente afetarão as partes desenvolvidas posteriormente; e há muitas outras correlações de crescimento cuja natureza desconhecemos totalmente. Várias partes são variáveis em número e em estrutura, talvez porque tais partes não se tornaram estritamente especializadas para alguma função específica e, dessa forma, suas modificações não tenham sido controladas de perto pela seleção natural. Provavelmente por essa mesma razão, os seres orgânicos inferiores na escala da natureza variem mais do que os organismos superiores e com maiores especializações.[77] Os órgãos rudimentares, por serem inúteis, serão

75. Os fósseis de animais extintos eram um problema para os criacionistas, que os chamavam de *scherzi di natura* ("trotes da natureza") em italiano, *sports of nature* em inglês. (N.R.T.)
76. Darwin repete as afirmações que não são mais aceitas pela ciência. (N.R.T.)
77. Darwin reitera sua ideia de seres "mais evoluídos", que ele chama de "superiores", como os mamíferos, e "inferiores", como invertebrados, já criticada em seu tempo e rejeitada totalmente hoje em dia. (N.R.T.)

desconsiderados pela seleção natural e, portanto, são provavelmente variáveis.[78] As características específicas, ou seja, as características que passaram a se diferenciar desde que as várias espécies do mesmo gênero se ramificaram de um ancestral comum, são mais variáveis do que as características genéricas, ou aquelas que há muito têm sido herdadas e ainda não sofreram diferenciação durante esse mesmo período. Nestas observações, nos referimos a partes ou órgãos especiais que ainda são variáveis, pois passaram por variações recentes e tornaram-se assim diferentes; mas também vimos no segundo capítulo que o mesmo princípio se aplica a todos os indivíduos; pois, na média, a maioria das variedades ou espécies incipientes encontra-se atualmente em regiões onde existem muitas espécies de quaisquer gêneros, isto é, onde houve muita variação e diferenciação, ou onde o desenvolvimento de novas formas específicas está em plena atividade. As características sexuais secundárias são altamente variáveis, e tais características diferem muito nas espécies do mesmo grupo. A variabilidade das mesmas partes dos organismos tem geralmente sido aproveitada para criar diferenças sexuais secundárias entre machos e fêmeas da mesma espécie; e as diferenças específicas, às diversas espécies do mesmo gênero. Qualquer parte ou órgão desenvolvido a um tamanho extraordinário, ou de forma extraordinária, em comparação com a mesma parte ou órgão nas espécies próximas, deve ter passado por uma quantidade extraordinária de modificações desde o surgimento do gênero; e podemos assim entender por que muitas vezes continua a ser variável em um grau muito maior do que as outras partes; a variação é um processo lento, longo e contínuo; e, nesses casos, não houve tempo suficiente para que a seleção natural supere a tendência à maior variabilidade e reverta para um estado menos modificado. Mas quando uma espécie com qualquer órgão extraordinariamente desenvolvido se torna a ancestral de muitos descendentes modificados – o que, a meu ver, deve ser um processo muito lento, que exige um longo lapso de tempo –, neste caso a seleção natural pode facilmente ter conseguido dar uma característica fixa ao órgão, independentemente do tamanho extraordinário a que possa ter-se desenvolvido. As espécies que herdaram

78. Neste caso há relaxamento da seleção natural, o que permite maior variabilidade na estrutura, explicação considerada válida ainda hoje. (N.R.T.)

quase a mesma constituição de um ancestral comum e que estão expostas a influências semelhantes tendem naturalmente a apresentar variações análogas; essas mesmas espécies podem ocasionalmente reverter para algumas das características de seus antigos progenitores. Apesar de novas e importantes modificações não poderem surgir por meio da reversão e da variação análoga, tais modificações serão acrescentadas à bela e harmoniosa diversidade da natureza.

Quaisquer que sejam as causas de cada pequena diferença da prole em relação a seus pais (uma causa deve existir para cada diferença), é o acúmulo constante de tais diferenças, através da seleção natural, quando benéficas ao indivíduo, que dá origem a todas as mais importantes modificações da estrutura, por meio das quais os inumeráveis seres sobre a terra conseguem lutar uns contra os outros e por meio das quais o mais bem-adaptado consegue sobreviver.

CAPÍTULO 6

CONTROVÉRSIAS ENVOLVENDO A TEORIA

CONTROVÉRSIAS ENVOLVENDO A TEORIA DA DESCENDÊNCIA COM MODIFICAÇÃO – TRANSIÇÕES – AUSÊNCIA OU RARIDADE DE VARIEDADES TRANSITÓRIAS – TRANSIÇÕES NOS HÁBITOS DE VIDA – HÁBITOS DIVERSIFICADOS NA MESMA ESPÉCIE – ESPÉCIES COM HÁBITOS MUITO DIFERENTES DE SUAS ESPÉCIES MAIS PRÓXIMAS – ÓRGÃOS DE EXTREMA PERFEIÇÃO – MEIOS DE TRANSIÇÃO – CASOS DIFÍCEIS – *NATURA NON FACIT SALTUM* – ÓRGÃOS DE PEQUENA IMPORTÂNCIA – ÓRGÃOS QUE NÃO SÃO ABSOLUTAMENTE PERFEITOS – A LEI DA UNIDADE DE TIPO E A LEI DAS CONDIÇÕES DE EXISTÊNCIA ESTÃO COMPREENDIDAS NA TEORIA DA SELEÇÃO NATURAL

Muito antes de ter chegado a esta parte do meu trabalho, uma multidão de questionamentos terá ocorrido ao leitor. Alguns são tão graves que até o momento não consegui refletir sobre eles sem ficar perplexo; mas acredito que o grande número é apenas aparente e, ao que me parece, as verdadeiras objeções não são fatais à minha teoria.

Podemos classificar as dificuldades e objeções por meio das seguintes questões: em primeiro lugar, tendo em vista que as espécies descendem de outras espécies por pequenas gradações imperceptíveis, por que as inúmeras formas de transição não são encontradas em todos os lugares? Por que, em vez de nos apresentar espécies bem definidas, a natureza não é uma grande confusão?

Em segundo lugar, um animal que tenha, por exemplo, a estrutura e os hábitos de um morcego, poderia ter sido formado pela modificação de algum animal com hábitos totalmente diferentes? É possível acreditar que a seleção natural conseguiria produzir por um lado órgãos de pouca importância, tal como a cauda de uma girafa que serve apenas para afastar as moscas e, por outro lado, órgãos com estruturas maravilhosas (como os olhos, por exemplo) cuja perfeição inimitável ainda mal compreendemos totalmente?

Em terceiro lugar, os instintos podem ser adquiridos e modificados através da seleção natural? O que poderíamos dizer sobre um instinto tão espetacular quanto o que leva as abelhas a construir células que praticamente anteciparam as descobertas dos mais brilhantes matemáticos?

Em quarto lugar, como poderíamos explicar a esterilidade ou a produção de filhos estéreis das espécies que cruzam entre si, ao passo que a fertilidade das variedades, ao se cruzarem, é mantida ilesa?

Enquanto as duas primeiras questões serão discutidas neste momento, instinto e hibridismo estarão em capítulos separados.

Ausência ou raridade de variedades de transição

Como a seleção natural age unicamente pela preservação de modificações vantajosas, num território em que os nichos estão totalmente preenchidos, cada nova forma tenderá a tomar o lugar e, por fim, exterminar seus próprios pais que englobam menos melhorias, ou outras formas menos favorecidas com as quais entram em concorrência. Assim, extinção e seleção natural, como já vimos, caminham lado a lado. Portanto, quando olhamos para as espécies como descendentes de alguma outra forma desconhecida, tanto a espécie-mãe como todas as variedades de transição terão, normalmente, sido exterminadas pelo próprio processo de formação e aperfeiçoamento da nova forma.

Todavia, uma vez que a teoria prevê a existência de inúmeras formas de transição, por que, então, não as encontramos incorporadas à superfície terrestre em números incontáveis? Será muito mais conveniente discutirmos essa questão no capítulo sobre a imperfeição do registro geológico; neste ponto, afirmo apenas que isso ocorre porque, acredito, o registro geológico é incomparavelmente menos perfeito do que geralmente se supõe; a imperfeição do registro se dá principalmente porque os organismos não habitam as profundezas dos mares e seus restos não são incorporados e preservados em massas de sedimentos suficientemente espessas e extensas a fim de suportar as imensas degradações futuras; e tais massas fossilíferas somente podem ser acumuladas onde há muito depósito de sedimento no leito raso do mar, enquanto ele lentamente retrocede. Nem sempre haverá acordo entre todas essas contingências depois de intervalos enormemente longos. Haverá espaços em branco em nossa história geológica quando o leito do mar estiver estacionário, em elevação, ou quando pouquíssimo sedimento estiver sendo depositado. A crosta da Terra é um vasto museu; mas as coleções naturais foram formadas somente em intervalos de tempo extremamente remotos.

Entretanto devemos afirmar que quando várias espécies estreitamente próximas habitam o mesmo território, certamente encontramos muitas formas de transição no presente. Tomemos um exemplo simples: ao viajarmos do norte para sul ao longo de um continente, geralmente percebemos em intervalos sucessivos que as espécies muito próximas ou semelhantes preenchem quase os mesmos espaços da economia natural daquele território. Estas espécies semelhantes frequentemente se encontram e se misturam; e conforme uma delas se torna cada vez mais rara, a outra se torna cada vez mais frequente, até que uma substitui a outra. Mas se compararmos essas espécies no ponto onde se misturam, elas costumam ser absolutamente distintas entre si em cada detalhe de suas estruturas da mesma maneira que são os espécimes extraídos de áreas habitadas exclusivamente por uma delas. De acordo com minha teoria, estas espécies próximas descendem de um ancestral comum; e durante o processo de modificação, cada uma se adaptou às condições de vida de sua própria região, suplantou e exterminou sua espécie-mãe e todas as variedades de transição existentes entre sua forma atual e a passada. Portanto, não é possível encontrarmos atualmente inúmeras variedades de transição em cada região, embora elas devam lá ter existido e possam ali estar em forma de fósseis. Mas por que não encontramos atualmente variedades intermediárias com vínculos estreitos na região intermediária e com condições intermediárias de vida? Essa dificuldade confundiu-me bastante por muito tempo. Porém acredito que grande parte disso possa ser explicada.

Em primeiro lugar devemos ser extremamente cautelosos e não devemos inferir que uma mesma área tenha sido sempre contínua só porque ela o é hoje. A geologia nos leva a acreditar que, mesmo durante o final do período Terciário, quase todos os continentes estavam divididos em ilhas; e nessas ilhas podem ter-se formado espécies distintas separadamente, sem a possibilidade de existirem variedades intermediárias nas zonas intermédias. Por causa das alterações na forma da Terra e no clima, as áreas marinhas que hoje são contínuas podem, em tempos recentes, ter muitas vezes existido em um estado muito menos contínuo e uniforme do que no presente.[1] Mas eu vou deixar de lado essa forma de fuga da dificuldade; pois acredito que muitas espécies perfeitamente definidas foram formadas em áreas estritamente contínuas; apesar disso, eu não duvido que essa antiga condição descontínua das áreas que hoje são contínuas tenha desempenhado um papel importante na formação de novas espécies, mais especialmente em relação aos animais errantes e que cruzam livremente.

Ao observarmos espécies distribuídas atualmente em uma área ampla, geralmente as vemos em números toleravelmente grandes em um vasto território e, logo depois, notamos que vão se tornando repentinamente mais e mais raras nos confins de suas regiões até que, finalmente, desaparecem. Daí o território neutro entre duas espécies similares costuma ser estreito em comparação ao território próprio de cada uma delas. Vemos o mesmo fato ao subirmos uma montanha, e, às vezes, conforme observado por Alphonse de Candolle, é incrível como uma espécie alpina pode desaparecer repentinamente. O mesmo fato foi notado por Forbes ao sondar as profundezas do mar com uma draga. Esses fatos deveriam causar surpresa para aqueles que consideram o clima e as condições físicas de vida como os elementos mais importantes para a distribuição, pois clima e altitude ou profundidade mudam de forma imperceptível. Mas quando levamos em conta que não fosse pela competição com outras espécies, quase todas elas, mesmo nas áreas em que são dominantes, cresceriam imensamente em números; quando notamos que quase todas são predadoras ou servem de presas para as outras – em suma, que cada ser orgânico está direta ou indiretamente relacionado de maneira crucial a outros seres orgânicos –, então temos de ver que a distribuição dos habitantes em qualquer região de forma nenhuma depende exclusivamente de mudanças imperceptíveis das condições físicas, mas sim – e em grande parte – da presença de outras espécies, das quais dependem, ou pelas quais são destruídas, ou com as quais passam a competir; e, posto que essas espécies já são objetos bem definidos (indepen-

1. Darwin argumenta apenas em termos de variações do nível do mar, que de fato ocorreram, mas os deslocamentos de massas continentais eram totalmente desconhecidos. (N.R.T.)

dentemente da forma como tenham conseguido isso), e não se misturam umas às outras em gradações imperceptíveis, então a distribuição de uma espécie, a qual depende da distribuição das outras, tende a ser nitidamente definida. Além disso, as espécies que estão nos limites de sua distribuição (isto é, onde elas existem em menor número) estarão – durante as flutuações dos números de seus inimigos, ou de suas presas, ou durante as estações do ano – extremamente inclinadas ao extermínio completo; e assim sua distribuição geográfica ficará definida de forma ainda mais clara.

Se estou certo em acreditar que essas espécies próximas ou semelhantes, quando habitam uma área contínua, costumam estar distribuídas de forma a ocupar uma área bastante ampla, mantendo um território neutro relativamente estreito entre elas, no qual tornam-se repentinamente cada vez mais raras; então, posto que as variedades não diferem em sua essência da espécie, a mesma regra será aplicada provavelmente para ambas; e se adaptarmos, em um exercício imaginativo, uma espécie em variação a uma área muito grande, precisaremos adaptar duas variedades a duas grandes áreas e uma terceira variedade a uma zona intermediária estreita. Consequentemente, a variedade intermediária estará em menor número, pois habita uma área menor e mais estreita; e, de forma prática, essa regra parece valer para as variedades em estado natural. Deparei-me com exemplos marcantes dessa regra no caso de variedades intermediárias que vivem entre variedades bem marcadas do gênero *Balanus*.[2] A partir das informações que recebi do senhor Watson, do doutor Asa Gray e do senhor Wollaston, me parece que, quando ocorrem variedades intermediárias entre duas outras formas, estas geralmente são muito mais raras numericamente do que as formas que elas conectam. Agora, se pudermos confiar nesses fatos e inferências e concluirmos portanto que as variedades que conectam duas outras variedades geralmente têm existido em menor número do que as formas que elas conectam, então, eu acredito que podemos entender por que as variedades intermediárias não perduram por longos períodos e por que, como regra geral, elas são exterminadas e desaparecem mais cedo do que as formas que elas originalmente conectavam.

---

2. Também conhecido como bolota-do-mar, é um crustáceo da família Balanidae. (N.T.)

Como já observado, qualquer forma que exista em menor número teria maior chance de ser exterminada do que outra que exista em grande quantidade; e, neste caso em particular, a forma intermediária estaria eminentemente suscetível às incursões das formas mais próximas que vivem nas duas áreas adjacentes à sua. Mas acredito existir uma consideração muito mais importante, isto é, que durante os processos de modificações adicionais pelos quais as duas variedades devem passar de acordo com minha teoria para transformarem-se e aperfeiçoarem-se em duas espécies distintas, as duas espécies que existem em maior número por habitarem áreas maiores terão uma grande vantagem em relação à variedade intermediária, que vive em menor número em uma zona intermediária e estreita. Pois, em qualquer período, as formas existentes em maior número sempre terão uma chance maior de apresentar variações mais favoráveis para proveito da seleção natural do que as formas mais raras que existem em menor número. Daí a tendência, na competição pela vida, de as formas mais comuns vencerem e suplantarem as formas menos comuns, pois as melhorias e modificações destas últimas serão mais lentas. Acredito que este é o mesmo princípio que, como mostrado no segundo capítulo, esclarece por que as espécies comuns de cada região – e não as mais raras – apresentam em média maior número de variedades bem marcadas. Posso exemplificar o caso. Se tomarmos três variedades de ovelhas, uma adaptada a uma extensa região montanhosa, uma segunda adaptada a uma área relativamente estreita e montanhosa e uma terceira, adaptada às largas planícies do pé da montanha; suponhamos ainda que os habitantes locais estejam tentando melhorar suas linhagens por meio da seleção com igual firmeza e habilidade; nesse caso, as probabilidades estarão fortemente a favor de que os grandes fazendeiros das ovelhas das montanhas ou das planícies consigam aprimorar suas raças mais rapidamente do que os pequenos fazendeiros da estreita área intermediária e montanhosa; e, consequentemente, as linhagens montanhesas ou das planícies logo tomarão o lugar das linhagens da colina com menores aprimoramentos; e, assim, as duas raças que originalmente existiam em maior número entrarão em contato sem a interposição da variedade intermediária da colina, a qual terá sido substituída.

Para resumir, eu acredito que as espécies acabam se tornando objetos toleravelmente bem definidos e não apresentam, em nenhum período, o caos inextricável de muitos elos intermediários: em primeiro lugar, porque as novas variedades formam-se muito lentamente, pois a variação é um processo muito lento e, além disso, não há nada que a seleção natural possa fazer até que surjam variações favoráveis e até que algum nicho natural da região possa ser ocupado pela modificação de um ou mais de seus habitantes. Os novos nichos dependerão das lentas mudanças climáticas, ou da imigração ocasional de novos habitantes e, provavelmente, em grau ainda maior, da lenta modificação de alguns dos antigos habitantes; as novas formas assim produzidas e as antigas, agindo e reagindo umas sobre as outras. Assim, se escolhermos uma região e um período qualquer, veremos apenas algumas espécies com pequenas modificações estruturais em algum grau permanente; e é isso o que com certeza vemos.

Em segundo lugar, as áreas atualmente contínuas devem, em períodos recentes, ter existido em porções isoladas, nas quais muitas formas – especialmente os seres que se unem para procriar e que vagam muito – pudessem separadamente se tornar suficientemente distintas para podermos classificá-las como espécies representativas. Neste caso, é preciso que as variedades intermediárias das diversas espécies representativas e seus ancestrais comuns tenham ocorrido anteriormente em cada porção isolada da região, mas estes elos terão sido suplantados e exterminados durante o processo de seleção natural, deixando de existir.

Em terceiro lugar, quando duas ou mais variedades se formam em diferentes partes de uma área estritamente contínua, é possível que as variedades intermediárias tenham sido inicialmente formadas nas zonas intermédias, mas que tenham durado pouco tempo. Isso porque essas variedades intermediárias existirão, pelas razões já assinaladas (ou seja, pelo que sabemos sobre a verdadeira distribuição das espécies aparentadas, ou espécies representativas, e das variedades reconhecidas), nas zonas intermédias em menor número do que as variedades que elas costumam conectar. As variedades intermediárias poderão sofrer um extermínio acidental apenas por meio dessa causa isolada; e durante o processo de outras modificações por meio da seleção natural, elas quase certamente serão suplantadas pelas formas que conectam; pois estas, por existirem em maior número, apresentarão, em conjunto, mais variações e receberão por isso mais aperfeiçoamentos através da seleção natural, obtendo vantagens adicionais.

Por fim, deixando de observar apenas um momento específico, mas olhando para o tempo como um todo, se minha teoria estiver correta, devem certamente ter existido incontáveis variedades intermediárias, funcionando como elos para todas as espécies de um mesmo grupo; no entanto, o próprio processo de seleção natural tende, como já foi tantas vezes comentado, a exterminar as formas ancestrais e seus elos intermediários. Consequentemente, as evidências da existência dessas formas podem ser encontradas apenas entre os fósseis que, conforme tentaremos mostrar em um capítulo mais adiante, são preservados em um registro extremamente imperfeito e intermitente.

Sobre a origem e as transições de organismos com estrutura e hábitos peculiares

Os oponentes da hipótese por mim defendida perguntam como, por exemplo, um animal carnívoro terrestre poderia transformar-se em outro com hábitos aquáticos; pois, como o animal poderia ter sobrevivido em seu estado de transição? Seria fácil demonstrar que existem em um mesmo grupo animais carnívoros em todo o espectro intermediário cujos hábitos variam entre os estritamente terrestres e os verdadeiramente aquáticos; e como cada um existe por meio da luta pela sobrevivência, é claro que cada um tem hábitos bem-adaptados para o seu nicho na natureza. Observe o *Mustela vison* da América do Norte:[3] seus pés são palmados e ele assemelha-se à lontra em sua pelagem, nas pernas curtas e na forma da cauda; durante o verão este animal mergulha na água em busca de peixes mas deixa durante o longo inverno as águas congeladas e, como outros mustelídeos, alimenta-se de ratos e outros animais terrestres. Por outro lado, caso fosse perguntado como um quadrúpede insetívoro poderia ter se transformado em um morcego, a questão teria sido muito mais difícil, e eu não teria uma resposta para ela. No entanto, acredito que essas dificuldades têm um peso pouco significativo.

Fico aqui, como em outras ocasiões, em forte desvantagem, pois, dentre os muitos casos impressionantes colecionados por mim, posso citar apenas um ou dois exemplos relacionados aos hábitos e às estruturas de transição em espécies aparentadas e do mesmo gênero; bem como exemplos de hábitos diversificados, constantes ou ocasionais, na mesma espécie. E parece-me

3. Subespécie do vison-americano da família Mustelidae (lontras, texugos etc.). (N.T.)

que somente uma longa lista de tais casos poderia ser suficiente para diminuir as dificuldades dos exemplos específicos, como no caso do morcego.

Observemos a família dos esquilos; aqui temos a melhor gradação entre animais com caudas apenas ligeiramente achatadas e outros, como Sir J. Richardson[4] observou, com a parte posterior de seus corpos bastante ampla e com a pele de seus flancos bastante encorpada, até os esquilos chamados de voadores; esses esquilos voadores têm seus membros e até mesmo a base da cauda unidos por uma ampla extensão de pele, que serve como um paraquedas e que lhes permite planar pelo ar de árvore em árvore em distâncias incríveis. Não duvidamos que cada uma dessas estruturas seja útil para cada tipo de esquilo em sua própria região, permitindo-os escapar das aves ou animais de rapina, coletar comida mais rapidamente, ou, por motivos críveis, diminuir o perigo das quedas ocasionais. Mas esse fato não prova que a estrutura de cada esquilo é a melhor que poderia ser concebida para cada uma das condições naturais. Caso o clima e a vegetação mudassem, caso outros roedores concorrentes ou novos predadores imigrassem ou os antigos fossem modificados, então toda a analogia nos levaria a acreditar que a população de pelo menos alguns esquilos iria diminuir ou ser exterminada, exceto se a estrutura desta também fosse modificada e aperfeiçoada de forma correspondente. Dessa forma, não vejo nenhum problema – especialmente sob condições de vida em mutação – com a preservação contínua dos indivíduos com membranas laterais cada vez maiores, sendo úteis cada uma das modificações e propagadas até que, pelos efeitos acumulados deste processo de seleção natural, fosse produzido um esquilo-voador perfeito.

Observemos agora o *Galeopithecus* ou lêmure-voador,[5] que anteriormente foi erroneamente classificado entre os morcegos.[6] Ele tem membranas

---

4. Sir John Richardson (1787-1865), naturalista, médico escocês da marinha britânica e explorador das zonas polares. (N.T.)

5. *Flying lemure*. Na verdade, não são lêmures (família Lemuridae), mas mamíferos da ordem Dermoptera, família Cynocephalidae, que vivem em árvores no sudoeste asiático. O gênero *Cynocephalus* contém a espécie conhecida por lêmure-voador das Filipinas (*Cynocephalus volans*). Já o gênero *Galeopterus* é a espécie conhecida como lêmure-voador da Malásia (*Galeopterus variegatus*). (N.T.)

6. O argumento de Darwin ganhou força com descobertas recentes, que revelaram parentesco muito estreito entre esses animais (chamados "colugos") e os morcegos. Outra confirmação deu-se com a descoberta recente de fósseis de morcegos que apresentam formas intermediárias, como previsto por Darwin. (N.R.T.)

laterais extremamente amplas, estendendo-se desde os cantos da mandíbula até a cauda, incluindo os membros e os dedos alongados: a membrana lateral também possui um músculo extensor. Embora não existam atualmente animais (que funcionem como elos estruturais graduais preparados para deslizar pelo ar) que liguem o *Galeopithecus* a outros Lemuridae, ainda assim não vejo nenhuma dificuldade em supor que tais elos tenham existido no passado, e que, além disso, cada um tenha sido formado pelas mesmas etapas por que passaram os esquilos que planam de forma menos perfeita, sendo que cada uma das gradações estruturais foi útil ao seu possuidor. Também não vejo dificuldades insuperáveis em acreditar que é possível que os dedos e antebraços do *Galeopithecus* conectados por uma membrana possam se tornar ainda mais alongados pela seleção natural; e isso, em relação aos órgãos de voo, o converteria em um morcego. Nos morcegos cuja membrana da asa se estende desde a parte superior do ombro até a cauda, incluindo os membros inferiores, talvez estejamos diante de traços de um aparelho construído originalmente para planar, não para voar.

Caso uma dúzia de gêneros de aves se tornasse extinta ou fosse desconhecida, quem ousaria conjecturar que existiram aves que usavam suas asas unicamente para batê-las, como o pato das Malvinas – ou *Micropterus* de Eyton[7] – ou que as usavam como barbatanas na água e patas dianteiras na terra, como os pinguins; ou como velas (o avestruz); ou até mesmo aves com asas sem qualquer objetivo funcional, como no *Apteryx*.[8] Ainda assim, a estrutura de cada uma destas aves é boa para elas e para as condições de vida a que estão expostas, pois todas estão vivas por terem lutado; mas não é necessariamente a melhor estrutura possível para todas as condições imagináveis. Não devemos inferir a partir dessas observações que os graus estruturais das asas aqui aludidos – os quais podem ser o resultado da falta de uso – indiquem as etapas naturais por meio das quais as aves tenham adquirido um poder de voo perfeito; mas elas pelo menos servem para mostrar os possíveis meios de transição.

---

7. O "pato das Malvinas" (*Tachyeres brachypterus*) usa suas asas como remos para correr sobre a água, mas é incapaz de voar. Outra espécie muito parecida, de ampla distribuição geográfica (*T. patachonicus*), também chamada "pato a vapor" (como se fosse motorizado e produzisse fumaça ao se deslocar, por espirrar muita água), é apta para o voo. (N.R.T.)
8. Ave da Nova Zelândia, pertencente à família Apterygidae. (N.T.)

Já que alguns membros das classes que respiram na água – como os crustáceos e os moluscos – estão adaptados para viver na terra e já que existem aves, mamíferos e diversos tipos de insetos que voam e, além disso, já que antigamente existiram répteis com a capacidade de voar, então é concebível que os atuais peixes-voadores que conseguem planar por bastante tempo no ar – elevando-se ligeiramente e girando com a ajuda do bater de suas barbatanas – possam ser modificados até se tornarem animais alados perfeitos. Se isso tivesse ocorrido, quem poderia imaginar que em um estado primário de transição eles haviam habitado regiões de mar aberto e tivessem usado seus órgãos incipientes de voo exclusivamente, tanto quanto sabemos, para não serem devorados por outros peixes?

Quando vemos uma estrutura qualquer altamente aperfeiçoada para um hábito particular qualquer, como as asas de uma ave que tenha a capacidade de voar, devemos ter em mente que os animais que apresentaram os primeiros graus de transição dificilmente terão existido até os dias atuais, pois terão sido suplantados pelo próprio processo de aperfeiçoamento através da seleção natural. Além disso, podemos concluir que, em um período inicial, os graus de transição entre estruturas adaptadas para diferentes hábitos de vida raramente terão sido desenvolvidos por muitas criaturas e nem terão muitas formas colaterais. Assim, voltando ao nosso exemplo hipotético dos peixes-voadores, até que seus órgãos de voo chegassem a um estágio elevado de aperfeiçoamento para que pudessem obter uma vantagem decisiva sobre os outros animais na batalha pela vida, não parece provável que peixes capazes de voar de verdade pudessem desenvolver-se em muitas formas colaterais e pudessem, de várias maneiras, capturar muitas espécies na terra e na água. Portanto, por terem existido em menor número do que no caso das espécies com estruturas totalmente desenvolvidas, as chances de encontrarmos fósseis de espécies com estruturas de transição serão sempre menores.

Oferecerei agora dois ou três exemplos de hábitos diversificados e alterados em indivíduos da mesma espécie. Quando ocorre qualquer um dos casos, a seleção natural é capaz de facilmente causar adaptações ao animal por meio de alguma modificação estrutural para a alteração de seus hábitos ou exclusivamente para apenas um de seus diferentes hábitos. Mas é difícil dizer (e irrelevante para nós) se os hábitos são geralmente os primeiros a mudar e depois muda a estrutura, ou se são as pequenas modificações estruturais que modificam os hábitos; provavelmente hábito e estrutura são modificados de forma quase simultânea. Sobre as alterações de hábitos será suficiente aludirmos como exemplo apenas ao caso dos insetos britânicos que hoje se alimentam de plantas exóticas ou exclusivamente de substâncias artificiais. Em relação aos hábitos diversificados, poderíamos dar inúmeros exemplos: muitas vezes pude observar bem-te-vis (*Saurophagus sulphuratus*)[9] da América do Sul pairando sobre um lugar e depois prosseguindo para outro, como se fossem falcões; e outras vezes os vi parados em pé na margem da água para, em seguida, lançarem-se como um martim-pescador sobre suas presas. Em nosso país o chapim-real (*Parus major*) pode ser visto escalando as árvores, quase como uma trepadeira;[10] muitas vezes age como um picanço[11] que mata pássaros pequenos com golpes na cabeça; e muitas outras vezes os vi e ouvi martelar as sementes do teixo em um galho, quebrando-as assim como as aves do gênero *Sitta*. Hearne[12] viu na América do Norte o urso-negro nadando por horas com a boca amplamente aberta, pegando insetos na água assim como uma baleia. Mesmo em um caso tão extremo como este, se a oferta de insetos fosse constante e se não houvesse concorrentes mais bem-adaptados na região, eu não vejo nenhuma dificuldade em uma linhagem de ursos tornar-se, por meio da seleção natural, mais aquática em sua estrutura e seus hábitos, com bocas cada vez maiores, até que fosse produzida uma criatura tão monstruosa como uma baleia.[13]

Tendo em vista a existência de indivíduos de uma espécie com hábitos extremamente diferentes dos de sua própria espécie e dos hábitos de outras

9. Trata-se de nosso conhecido bem-te-vi verdadeiro, descrito por Lineu como *Pitangus sulphuratus*, de hábitos alimentares muito diversificados, que incluem insetos, peixes, ovos e até pequenas aves. Darwin usa o nome científico conferido por William John Swainson (1789-1855), atualmente em desuso. (N.R.T.)

10. Aves passeriformes da família Certhiiae. (N.T.)

11. Aves passeriformes da família Laniidae. (N.T.)

12. Samuel Hearne (1745-1792), explorador inglês. (N.T.)

13. Samuel Hearne havia publicado o livro *A journey From Prince of Wales's Fort in Hudson's Bay to the Northern Ocean* (Londres: Strahan and Cadell, 1795), no qual atesta que todos os ursos abatidos naquele dia, em junho, quando ainda não havia frutos maduros, tinham os estômagos cheios de insetos (p. 370). A menção de Darwin ensejou críticas que tentavam ridicularizar o exemplo, e ele o retirou logo na edição seguinte, para restaurá-lo parcialmente em edições posteriores. (N.R.T.)

espécies do mesmo gênero, então, por minha teoria, é possível esperar que esses indivíduos ocasionalmente deem origem a novas espécies de hábitos anômalos e estruturas ligeira ou consideravelmente modificadas em relação àquelas apresentadas por seu próprio tipo. E tais casos ocorrem na Natureza. Há exemplo mais marcante que a adaptação de um pica-pau que escala árvores e aproveita os insetos encontrados nas fendas de seus troncos? Na América do Norte, há pica-paus que se alimentam principalmente de frutas e ainda outros com asas alongadas que perseguem insetos em pleno voo; nas planícies do rio da Prata, onde as árvores não crescem, há um pica-pau cuja coloração, cujo canto rouco, voo ondulatório, isto é, todas as suas partes essenciais remetem ao seu parentesco óbvio com nossa espécie comum; trata-se no entanto de um pica-pau que nunca subiu em uma árvore!

Os petréis[14] são as aves mais aéreas e oceânicas que conhecemos; no entanto, nos canais tranquilos da Terra do Fogo, o *Puffinuria berardi* seria confundido por qualquer um, por seus hábitos gerais, como seu modo de nadar e de voar rápido na flor-d'água, sem ganhar altura, com uma torda-anã[15] ou, por seu surpreendente poder de mergulho, com um mergulhão; entretanto, esta ave é essencialmente um petrel, mas com muitas partes de seu organismo profundamente modificadas. Por outro lado, ao examinar o corpo de um melro-d'água da América,[16] o observador perspicaz nunca suspeitaria de seus hábitos subaquáticos; ainda assim, esse membro anômalo de uma família de tordos estritamente terrestres busca seu alimento

---

14. Os petréis formam um grande grupo de aves marinhas, como pelicanos e albatrozes. Neste caso, trata-se de referência ao petrel-mergulhador, adiante referido como *Puffinuria berardi*, mas hoje conhecido como *Pelecanoides magellani*, da família Procellariidae, ave comum no canal de Beagle, de coloração branca e preta, que mergulha para buscar peixes e invertebrados. O nome atual do gênero (que significa "semelhante ao pelicano") se refere aos hábitos alimentares e não à forma do bico, que é espesso e curto. (N.R.T.)
15. Trata-se da espécie *Alle alle* que ocorre em altas latitudes da América do Norte, inclusive na costa leste da Escócia. Pertence à família Alcidae, da qual fazia parte o arau-gigante (*great auk*), uma grande ave com uma mancha branca na cabeça, recentemente extinto (o último foi avistado em 1852). Era conhecido no País de Gales como *pen gwyn* (cabeça-branca), batizado por Lineu em 1758 como *Pinguinus impennis*. Quando os britânicos chegaram aos mares do sul, chamaram as grandes aves que lá encontraram pelo nome popular "pinguins", por sua semelhança. A torda-anã (*little auk*), como diz o nome, é a menor espécie do grupo, pesando menos de duzentos gramas, de plumagem preta e branca, com bico espesso e curto. Muito parecida com o petrel-mergulhador do extremo sul americano, na forma, no tamanho, na coloração e na maneira de voar rápido rente à superfície do mar, mas é incapaz de mergulhar. (N.R.T.)
16. *Cinclus mexicanus*, habita a América Central e o oeste da América do Norte. (N.T.)

ao mergulhar, segurando nas pedras com seus pés e usando suas asas debaixo da água.[17]

As pessoas que acreditam que cada ser foi criado como os vemos hoje devem ficar ocasionalmente surpresas quando encontram um animal cujos hábitos e estrutura são discordantes. O que pode ser mais óbvio do que patos e gansos terem pés palmados para possibilitar o nado? Existem no entanto gansos de pés palmados que raramente (ou nunca) chegam perto da água; e ninguém, exceto Audubon,[18] viu uma fragata,[19] a qual tem todos os seus quatro dedos palmados, pousar na superfície do mar. Por outro lado, mergulhões[20] e carquejas[21] são eminentemente aquáticas, embora seus dedos sejam apenas bordeados por membranas. Obviamente os longos dedos dos pés dos grallatores[22] são feitos para caminhar sobre os pântanos e plantas flutuantes, a galinha-d'água no entanto é quase tão aquática quanto as carquejas; e o codornizão[23] quase tão terrestre como a codorna ou a perdiz.[24] Nestes exemplos (e muitos outros poderiam ser dados), os hábitos mudaram sem uma correspondente mudança da estrutura. Podemos dizer que os pés palmados do ganso-de-magalhães[25] tornaram-se rudimentares em sua função, embora não na estrutura. A membrana profundamente escavada entre os dedos das fragatas mostra que a estrutura começou a mudar.

---

17. Trata-se de outro exemplo muito feliz, que aponta para hábitos de transição, com uma ave caçando debaixo d'água, com a ajuda de suas asas, que não são usadas apenas para voar, e isso é ressaltado logo na frase seguinte. (N.R.T.)
18. John James Audubon (1785-1851), ornitologista e artista norte-americano, autor de desenhos aviários belíssimos. Entre 1831 e 1849, publicou a obra *Ornithological Biography, Or an Account of the Habits of the Birds of the United States of America, and Interspersed with Delineations of American Scenery and Manners* (5 v., Edimburgo). (N.T.)
19. *Fregata magnificien*, ave pelicaniforme. (N.T.)
20. Ave podicipediforme da família Podicipedidae. (N.T.)
21. Ave gruiforme da família Rallidae. (N.T.)
22. Grallator é um termo antigo, mas as aves exemplificadas nesta sentença (galinha-d'água, carqueja e codornizão) pertencem à ordem Gruiforme. (N.T.)
23. *Crex crex*, ave gruiforme da família Rallidae. (N.T.)
24. A codorna e a perdiz são aves galiformes e possuem pés mais adaptados para a caminhada. (N.T.)
25. *Chloephaga picta*. Ave anseriforme da família Anatidae. Trata-se de um parente do ganso e do pato, endêmico do sul da América do Sul, que ocorre desde a faixa litorânea até cerca de 1.500 metros acima do mar. Alimenta-se principalmente de gramíneas e raramente entra na água, mas tem pés palmados. (N.R.T.)

As pessoas que acreditam em atos de criação separados e infindáveis dirão que, nestes casos, agradou ao Criador que um tipo de organismo tomasse o lugar de outro tipo; mas parece-me que estão apenas reafirmando o mesmo fato com uma linguagem mais nobre. Já a pessoa que acredita na luta pela existência e no princípio da seleção natural irá reconhecer que todos os seres orgânicos estão em um esforço constante para aumentar o número de seus indivíduos; e que, caso algum deles varie (mesmo que minimamente) em relação aos hábitos ou à estrutura e assim obtenha uma vantagem sobre alguns outros habitantes da região, este tomará o lugar desses habitantes, mesmo que o local seja diferente de seu próprio nicho. Então, esta mesma pessoa não ficará surpresa ao descobrir que há gansos e fragatas com pés palmados vivendo na terra seca ou raramente pousando na água; que existem codornizões de dedos longos que podem viver nos prados e não nos pântanos; que existem pica-paus em regiões onde não há nem mesmo uma só árvore; que existem tordos mergulhadores e petréis com os hábitos das tordas-anãs.

Órgãos de extrema perfeição e complicação

Confesso que parece ser um absurdo no mais alto grau supor que o olho – com todos os seus artifícios inimitáveis para ajustar o foco para diferentes distâncias, para aceitar a entrada de quantidades diferentes de luz e para a correção de aberrações esféricas e cromáticas – possa ter sido formado pela seleção natural. No entanto, a razão me diz que, tomando as várias gradações existentes entre um olho perfeito e complexo até um muito imperfeito e simples, se conseguirmos demonstrar que cada uma das gradações é útil ao seu possuidor; se, além disso, o olho contiver apenas variações tênues e as variações forem herdadas (que é certamente o caso); e se qualquer alteração ou modificação no órgão sempre for útil para um animal cujas condições de vida estão em contínua modificação, então não podemos considerar que haja qualquer dificuldade em acreditar que um olho perfeito e complexo possa ser formado pela seleção natural, embora pareça impossível à nossa imaginação. Sabermos como um nervo passa a ser sensível à luz é algo que nos desafia tanto quanto não o faz sabermos como a própria vida originou-se; mas reparem que diversos fatos me fazem suspeitar que qualquer nervo sensível pode tornar-se sensível à luz e, da mesma forma, às vibrações mais grosseiras do ar que produzem o som.

Para pesquisar as gradações pelas quais um órgão de qualquer espécie passa para aperfeiçoar-se, devemos analisar exclusivamente os seus ancestrais em linha reta; mas isso quase nunca é possível, e somos então obrigados a verificar as espécies do mesmo grupo, isto é, os descendentes colaterais da mesma forma-mãe original, a fim de ver quais gradações seriam possíveis e quais gradações poderiam ter a chance de ter sido transmitidas desde as primeiras fases da descendência de maneira inalterada ou pouco alterada. Entre os vertebrados atuais, encontramos poucas gradações na estrutura dos olhos; os fósseis não têm muito a nos oferecer em relação a este tópico. Nesta grande classe teríamos provavelmente que escavar até a mais profunda camada fossilífera conhecida para que pudéssemos encontrar as primeiras fases de aperfeiçoamento dos olhos.

Nos Articulata,[26] podemos iniciar uma série que vai desde um mero nervo óptico revestido com pigmento e sem qualquer outro mecanismo; e já nesta fase inicial, é possível observarmos várias gradações estruturais, ramificando-se em duas linhas fundamentalmente diferentes, até chegarmos a uma fase moderadamente elevada de perfeição. Certos crustáceos, por exemplo, têm uma córnea dupla, sendo que a interna está dividida em facetas, dentro das quais cada uma contém uma lente em forma de saliência. Em outros crustáceos, os cones transparentes revestidos por um pigmento, que atuam de forma apropriada apenas pela exclusão dos feixes laterais de luz, são convexos em suas extremidades superiores e devem atuar por convergência; em suas extremidades inferiores parece haver uma substância vítrea imperfeita. Considerando estes fatos, oferecidos aqui de forma brevíssima e incompleta, que mostram a existência de uma diversidade muito graduada em relação aos olhos dos crustáceos vivos, e tendo em mente quão pequena é a proporção do número de animais vivos em comparação aos que estão extintos, não vejo nenhuma grande dificuldade (não mais do que no caso de muitas outras estruturas) em acreditar que a seleção natural tenha transformado o simples aparato de um nervo óptico revestido apenas por um pigmento e uma membrana transparente em um instrumento óptico

---

26. Artrópodes, na nomenclatura utilizada por Darwin. (N.T.)

tão perfeito quanto aquele que existe em qualquer membro da grande classe dos animais articulados.[27]

Quem chegou até aqui e deseja terminar este tratado sobre os muitos fatos que são inexplicáveis por outros meios, mas que podem ser explicados pela teoria da descendência, não deve hesitar em ir adiante e admitir que qualquer estrutura – mesmo uma tão perfeita como o olho da águia – pode ser formada pela seleção natural, mesmo que não se conheça neste caso as formas intermediárias da transição. É preciso que a razão conquiste a imaginação; e, já que eu mesmo senti a profundidade dessa dificuldade, não me surpreende que as pessoas hesitem em conceder tamanha amplitude ao princípio da seleção natural.

É praticamente impossível evitar a comparação entre o olho e um telescópio. Sabemos que este instrumento foi aperfeiçoado pelos esforços contínuos dos maiores intelectos humanos; e, naturalmente, inferimos que o olho tenha sido formado por meio de um processo análogo. Será que essa inferência não é presunçosa? Temos o direito de supor que as obras do Criador assemelhem-se a poderes intelectuais semelhantes aos dos humanos?[28] Se fôssemos comparar o olho a um instrumento óptico, deveríamos imaginar uma espessa camada de tecido transparente com um nervo sensível à luz por baixo e, em seguida, supor que cada parte desta camada mudasse sua densidade de maneira contínua e lenta para que pudesse separar-se em camadas de diferentes densidades e espessuras, colocadas a distâncias diferentes umas das outras e com superfícies que mudassem lentamente suas formas. Além disso, deveríamos supor a existência de um poder que estivesse sempre atento a cada pequena alteração acidental das camadas transparentes a fim de selecionar cuidadosamente cada alteração que, em circunstâncias variadas, poderiam, de alguma forma ou em qualquer grau, produzir uma imagem com melhor definição. Devemos imaginar que cada novo estado do instrumento precisará multiplicar-se aos milhões; e que

---

27. Darwin ficaria surpreso em saber como sua explicação para as similaridades entre os olhos de artrópodes e vertebrados encontrou elementos de confirmação em recentes pesquisas de Biologia Molecular. (N.R.T.)

28. É interessante observar como Darwin faz certas concessões aos religiosos, como se vê aqui e ao final do parágrafo, o que lhe rendeu a simpatia de alguns teólogos anglicanos, como Baden-Powell (ver adiante). Darwin não alterou esse trecho nas diversas edições seguintes do livro. (N.R.T.)

cada um deles deverá ser preservado até que um melhor seja produzido e os antigos sejam destruídos. Nos organismos vivos, a variação causará as ligeiras alterações, as novas gerações as irão multiplicar quase infinitamente e a seleção natural irá escolher com infalível habilidade cada aprimoramento. Deixemos que este processo continue por milhões e milhões de anos; e que assim ocorra a cada ano em milhões de indivíduos de muitos tipos; como não acreditar que seja possível criar dessa forma um instrumento óptico vivo tão superior a uma lente de vidro, como o são as obras do Criador em relação às dos seres humanos?

Se pudéssemos demonstrar a existência de um órgão complexo, que não pudesse ter sido formado por numerosas modificações sucessivas e pequenas, minha teoria cairia totalmente por terra. Mas não encontrei nenhum exemplo desse tipo. Existem, sem dúvida, muitos órgãos cujas formas de transição não conhecemos; especialmente das espécies muito isoladas, em torno das quais ocorreram, de acordo com minha teoria, muitas extinções. O mesmo vale para um órgão comum a todos os membros de uma grande classe, pois neste caso o órgão deve primeiro ter sido formado em um período extremamente remoto a partir do qual todos os outros muitos membros da classe se desenvolveram; e para descobrir as séries transitórias iniciais pelas quais o órgão passou, devemos buscar formas ancestrais muito antigas, já extintas há muito tempo.

Devemos ser extremamente cautelosos ao concluir que um órgão não poderia ter sido formado por transições graduais de algum tipo. Entre os animais inferiores, inúmeros exemplos poderiam ser dados em relação a um mesmo órgão que executa ao mesmo tempo funções totalmente distintas; assim, na larva da libélula e no peixe *Cobites*, o canal alimentar serve para respirar, digerir e excretar.[29] A *Hydra*[30] pode ser virada do avesso, e sua superfície exterior passará então a ser responsável pela digestão, e o estômago,

---

29. Darwin se refere ao fato de as ninfas da libélula (que não passa por estágio larval) e o *Cobites taenia*, pequeno peixe de água doce da Europa e da Ásia, utilizarem o intestino para digestão e obtenção de oxigênio. As ninfas fazem entrar e sair água pelo ânus; no caso do peixe, quando em água com pouco oxigênio, ele engole ar, que fornece oxigênio quando de sua passagem pelo intestino. Uma descrição minuciosa da respiração desse peixe fora publicada em 1853. (N.R.T.)
30. Trata-se de um animal cnidário, do mesmo grupo das anêmonas e águas-vivas, mas que raramente atinge mais de 1 centímetro e vive em água doce, muito estudado à época em experimentos de regeneração. (N.R.T.)

pela respiração. Em tais situações, caso qualquer vantagem seja adquirida dessa forma, a seleção natural conseguirá facilmente que uma parte ou um órgão que realizava duas funções se especialize e passe a executar uma única função; e, assim, mudar totalmente a natureza daquela parte por etapas imperceptíveis. Dois órgãos distintos às vezes executam simultaneamente a mesma função no mesmo indivíduo; há, por exemplo, peixes que utilizam guelras ou brânquias para respirar o ar dissolvido na água e que, ao mesmo tempo, respiram o ar livre por suas bexigas natatórias; este último órgão tem um duto pneumático para seu abastecimento e está dividido em partições altamente vascularizadas. Nestes casos, um dos dois órgãos poderia com facilidade ser modificado e aperfeiçoado a fim de realizar todo o trabalho por si só, sendo auxiliado durante o processo de modificação por outro órgão; e, então, este outro órgão poderia ser modificado para alguma outra finalidade bastante distinta, ou ficar bastante reduzido.

A ilustração pelo exemplo das bexigas natatórias dos peixes é boa, pois nos mostra com clareza o fato deveras importante de que um órgão originalmente construído para uma finalidade, ou seja, a flutuação, pode ser convertido para um propósito totalmente diferente, ou seja, a respiração. A bexiga natatória serve também como acessório para os órgãos auditivos de certos peixes, ou (pois não sei qual hipótese é mais aceita hoje) uma parte do aparelho auditivo tornou-se complemento da bexiga natatória. Todos os fisiologistas admitem que a bexiga natatória é homóloga ou "idealmente similar"[31] em posição e estrutura aos pulmões dos animais vertebrados superiores.[32] Portanto, parece-me não haver grande dificuldade em acreditar que a seleção natural de fato tenha convertido uma bexiga natatória em um pulmão, ou seja, um órgão utilizado exclusivamente para a respiração.

---

31. As "homologias" designam um termo utilizado tanto por evolucionistas como por seus opositores, e a expressão "idealmente similar" parece ser uma referência aos "arquétipos ideais" de Richard Owen, citados logo a seguir. Ao final do livro, Darwin retoma o argumento, tomando os "arquétipos ideais" como "protótipos" ancestrais. (N.R.T.)

32. Darwin compartilha a crença dos cientistas de seu tempo, mas diversas evidências recentes demonstram que os pulmões dos vertebrados não se originaram de bexigas natatórias, e sim talvez tenha sido o contrário: a bexiga natatória parece ter se originado de alguma forma de pulmão primitivo. Mesmo assim, o argumento de Darwin permanece válido, no sentido de que um órgão pode se transformar em outro. (N.R.T.)

De fato, acho difícil duvidar que todos os animais vertebrados, os quais possuem pulmões verdadeiros, sejam descendentes por geração ordinária de um antigo protótipo, do qual nada sabemos e que tinha um aparelho para flutuação ou bexiga natatória.[33] Podemos, então, conforme eu deduzi pela descrição interessante do professor Owen sobre essas partes, entender o estranho fato de que todas as partículas de comidas e bebidas que ingerimos tenham que passar por cima do orifício da traqueia, com algum perigo de cair nos pulmões, não obstante o belo artifício pelo qual a glote é fechada. Nos vertebrados superiores, as brânquias desapareceram totalmente, mas nos embriões, tanto as fendas nas laterais do pescoço quanto o percurso anelado das artérias ainda marcam sua posição primitiva.[34] Porém é concebível que as brânquias, agora já perdidas, pudessem ter sido gradualmente modificadas pela seleção natural para alguma finalidade bastante distinta: assim, se tomarmos o ponto de vista defendido por alguns naturalistas de que as brânquias e as escamas dorsais dos anelídeos são homólogas às asas e às carapaças das asas dos insetos, é provável que os órgãos que serviram para a respiração em um período muito antigo possam ter realmente se transformado em órgãos de voo.

Ao considerarmos as transições dos órgãos, a probabilidade de conversão de uma função em outra é tão importante que darei mais um exemplo. Os cirripédios[35] pedunculados contêm duas pequenas lamelas em sua pele, chamadas por mim de freios ovígeros, que servem, por meio de uma secreção pegajosa, para segurar as ovas até que elas eclodam dentro da bolsa. Esses cirripédios não têm brânquias; toda a superfície do corpo e da bolsa, incluindo o pequeno freio, é utilizada para a respiração. Os balanídeos ou cirripédios sésseis, por outro lado, não possuem os freios ovígeros; os ovos ficam soltos no fundo da bolsa, dentro da concha bem fechada; mas eles têm grandes brânquias lameladas. Agora, eu acredito não haver dúvida sobre o fato de os freios ovígeros de uma família serem estritamente homólogos às brânquias da outra família; com efeito, uma é gradação da outra. Portanto,

---

33. O professor Owen, apesar de discordar de Darwin, afirmou certa vez que o ser humano tinha a "vestimenta dos peixes" (ver adiante). (N.R.T.)

34. Todos os embriões de vertebrados, inclusive humanos, possuem fendas branquiais na faringe (faringotremia) em alguma fase da vida embrionária. (N.R.T.)

35. Infraclasse de crustáceos marinhos da classe Maxilopoda. (N.T.)

não duvido que aquelas lamelas da pele, que originalmente serviram como freios ovígeros mas que, da mesma forma, auxiliavam de forma ligeira o ato da respiração, foram gradualmente transformadas pela seleção natural em brânquias, pelo simples aumento de seu tamanho e pela atrofia de suas glândulas de adesão. Se todos os cirripédios pedunculados estivessem extintos (e eles já sofreram mais extinções que os cirripédios sésseis), quem poderia imaginar que as brânquias desta última família houvessem existido originalmente como órgãos que serviam para impedir que as ovas fossem arrastadas pela água para fora da bolsa?[36]

Embora devamos ser extremamente cautelosos antes de concluirmos que um órgão não pode ter sido produzido senão por sucessivas gradações de transição, no entanto, ocorrem sem dúvida casos graves de dificuldades; alguns dos quais serão discutidos em um trabalho futuro.

Uma das mais graves dificuldades pode ser encontrada nos insetos sociais, que normalmente englobam conformações muito diferentes das encontradas em machos ou fêmeas férteis; mas esse caso será tratado no próximo capítulo. Os órgãos elétricos dos peixes oferecem mais um caso de especial dificuldade; é impossível conceber as etapas de produção desses órgãos maravilhosos; mas, como já observou Owen e outros, sua estrutura íntima assemelha-se muito à de um músculo comum; e tendo em vista ter sido demonstrado recentemente que as raias têm um órgão muito semelhante ao instrumento elétrico, mas que, segundo afirma Matteucci,[37] não produz eletricidade, devemos concluir que somos demasiado ignorantes para argumentar sobre a inexistência de qualquer tipo possível de transição.

Os órgãos elétricos oferecem outra dificuldade ainda mais grave; pois eles ocorrem em apenas cerca de uma dúzia de peixes e vários deles fazem parte de linhagens muito distantes umas das outras. Quando o mesmo órgão aparece em vários indivíduos da mesma classe, especialmente em indivíduos com hábitos de vida muito diferentes, geralmente podemos atribuir sua presença à herança de um ancestral comum; e sua ausência

36. Darwin conhecia bem esse grupo de cracas, e seu argumento permanece válido. (N.R.T.)
37. Carlo Matteucci (1811-1868), fisiologista italiano. Escreveu uma obra em dez volumes sobre o assunto: *Electro-Physiological Researches* (Londres, 1845-1846). (N.T.)

em alguns indivíduos, à perda pelo desuso ou pela seleção natural. Mas se os órgãos elétricos tivessem sido herdados de um progenitor antigo, então deveríamos esperar que todos os peixes elétricos estivessem especialmente relacionados entre si. Nem mesmo a geologia nos leva a crer que a maioria dos peixes possuísse órgãos elétricos anteriormente e que estes foram perdidos pela maior parte de seus descendentes modificados. A presença de órgãos luminosos em alguns insetos, pertencentes a diferentes famílias e ordens, oferece um exemplo paralelo dessas dificuldades. Há outros casos; por exemplo, nas plantas, o artifício muito curioso de um pedúnculo com uma glândula pegajosa em sua ponta que carrega os grãos de pólen é o mesmo nas *Orchis*[38] e *Asclepias*,[39] gêneros de plantas extremamente distantes entre si. Em todos estes casos em que há duas espécies muito distintas equipadas com aparentemente o mesmo órgão anômalo, devemos observar que, embora a aparência geral e a função do órgão possam ser as mesmas, é possível, no entanto, detectar em geral alguma diferença fundamental. Estou inclinado a acreditar que, quase da mesma forma como duas pessoas às vezes acabam fazendo uma mesma invenção de forma independente, a seleção natural também, trabalhando para o bem de cada ser e aproveitando variações análogas, acaba, às vezes, fazendo modificações muito semelhantes de duas partes de dois seres orgânicos que devem pouco de suas estruturas comuns à herança advinda de um mesmo ancestral.[40]

Embora em muitos casos seja mais difícil conjecturar as transições por meio das quais os órgãos poderiam ter chegado a seu estado atual, ainda assim, considerando que a proporção entre as formas vivas conhecidas e as extintas desconhecidas é muito pequena, me espanta saber como é raro nomearmos algum órgão cuja forma de transição seja desconhecida. A verdade dessa observação está, de fato, contida naquela velha máxima da história

38. Trata-se de uma orquídea cujo pólen não é carregado pelo vento, mas forma massas polínicas transportadas por insetos. As orquídeas são plantas monocotiledôneas. (N.R.T.)
39. Planta da família Apocynaceae, uma dicotiledônea (portanto, com parentesco distante das orquídeas). (N.R.T.)
40. Darwin aplica uma regra que é hoje valorizada pelos taxonomistas, baseada na parcimônia. É mais parcimonioso admitir que essas massas polínicas em plantas pouco aparentadas sejam estruturas semelhantes por variações análogas (e não homólogas), um fenômeno hoje chamado de "convergência evolutiva". (N.R.T.)

natural, isto é, *Natura non facit saltum*.[41] O fato é encontrado nos escritos de quase todos os naturalistas experientes; ou, como bem expressou Milne--Edwards, a natureza é pródiga em variedades, mas miserável em inovações. Em relação à teoria criacionista ficam as questões: por que isso deveria ser assim? Por que todas as partes e os órgãos de muitos seres independentes estão tão invariavelmente ligados entre si por etapas graduais se cada um deles foi criado separadamente para ocupar seu devido lugar na Natureza? Por que a Natureza não dá saltos de uma estrutura para outra? Já pela teoria da seleção natural, podemos claramente entender por que não poderia ser assim; pois a seleção natural consegue atuar apenas quando tira proveito de pequenas variações sucessivas; ela nunca dará um salto, mas avançará pelos passos mais curtos e mais lentos.

Órgãos de pouca importância aparente

Como a seleção natural atua por meio da vida e da morte, por meio da preservação dos indivíduos com alguma variação favorável e por meio da destruição dos indivíduos com quaisquer desvios estruturais desfavoráveis, senti, por vezes, muita dificuldade em compreender a origem das partes simples, cuja importância não parece suficiente para causar a preservação de sucessivas variedades desses indivíduos. Sobre esse assunto, tive por vezes muitas dificuldades, embora de natureza muito diferente, como no caso de um órgão tão perfeito e complexo como o olho.

Em primeiro lugar, nós somos extremamente ignorantes em relação ao funcionamento completo de qualquer ser orgânico para podermos afirmar quais pequenas modificações são importantes ou não. Em um capítulo anterior, dei exemplos de características bastante insignificantes (como a pelagem do fruto e a cor de sua carne) que – seja para determinar os ataques de insetos, ou seja pela correlação com as diferenças constitutivas – poderiam certamente ter sido causadas pela seleção natural. A cauda da girafa parece um mata-moscas construído de forma artificial; e a princípio parece incrível que ela possa ter sido adaptada para sua finalidade atual por meio de pequenas modificações sucessivas, cada uma sempre melhor que a outra, para uma tarefa tão insignificante: afastar moscas.

41. Do latim: a Natureza não dá saltos. (N.T.)

No entanto, mesmo neste caso devemos fazer uma pausa antes de termos tanta certeza, pois sabemos que a distribuição e a ocorrência de gado e outros animais na América do Sul dependem absolutamente de seu poder de resistir aos ataques de insetos; os indivíduos que conseguem defender-se desses pequenos inimigos podem se expandir para novos pastos e obter, assim, uma grande vantagem. Não que os maiores quadrúpedes sejam realmente destruídos (exceto em alguns casos raros) pelas moscas, mas eles são incessantemente assediados, e sua força fica reduzida, tornando-os mais sujeitos a doenças ou menos capacitados para, em uma próxima escassez, procurar alimentos ou escapar de predadores.

Órgãos que agora têm pouca importância em alguns casos foram de grande importância para um antigo progenitor e, após terem sido lentamente aperfeiçoados em um período anterior, foram transmitidos quase no mesmo estado, mesmo tendo pouca utilidade atualmente; além disso, quaisquer desvios realmente prejudiciais de suas estruturas sempre serão rejeitados pela seleção natural. Assim, ao notarmos que a cauda é um órgão de locomoção muito importante para a maioria dos animais aquáticos, seria possível explicarmos dessa forma sua presença e o uso geral para várias finalidades em muitos animais terrestres que, com seus pulmões ou bexigas natatórias modificadas, traem suas origens aquáticas. A cauda bem desenvolvida, após ter sido formada em um animal aquático, pode posteriormente ser modificada para todos os tipos de usos, isto é, um mata-moscas, um órgão de preensão ou um auxílio para girar (como acontece com o cão – mas esse auxílio talvez seja muito pequeno, pois a lebre, que quase não tem cauda, consegue girar com mais velocidade).

Em segundo lugar, às vezes damos importância a características que são na verdade pouco importantes, originadas de causas secundárias e independentes da seleção natural. Devemos lembrar que o clima, a alimentação etc. provavelmente têm alguma influência direta nos organismos; que algumas características reaparecem pela lei da reversão; que a correlação de crescimento tem uma influência bastante importante na modificação de várias estruturas; e, finalmente, que a seleção sexual tem modificado bastante as características externas dos animais capazes de fazer escolhas, oferecendo vantagens para que um macho lute melhor que outro ou atraia mais fêmeas. Além disso, quando as modificações estruturais surgem principalmente por esses meios ou outras causas desconhecidas, elas podem não oferecer inicialmente nenhuma vantagem para a espécie, mas podem ser, posteriormente em novas condições de vida e hábitos recém-adquiridos, aproveitadas pelos descendentes das espécies.

Darei alguns exemplos para ilustrar estes últimos comentários. Se houvesse apenas pica-paus verdes e não soubéssemos da existência de muitos tipos pretos e arlequins, ouso dizer que veríamos a cor verde como uma bela adaptação para que essas aves se escondessem de seus inimigos em meio às árvores; e, consequentemente, que essa seria uma característica muito importante e que esta poderia ter sido adquirida por meio da seleção natural; não tenho dúvidas, no entanto, de que as cores atuais dessas aves se devem a uma causa bastante distinta, provavelmente à seleção sexual. No arquipélago malaio, uma espécie de bambu escala as árvores mais altas por meio de ganchos primorosamente construídos e agrupados em torno das extremidades de seus ramos; esse artifício é, sem dúvida, extremamente útil para a planta; mas como vemos ganchos muito semelhantes em várias plantas que não são trepadeiras, os ganchos podem ter surgido de leis desconhecidas do crescimento e talvez tenham sido posteriormente aproveitados pela planta – que passava por outras modificações – até que esta se tornasse uma trepadeira.[42] A pele nua da cabeça de um abutre é geralmente vista como uma adaptação direta por chafurdar na podridão; e por isso pode ocorrer, ou pode ser devido à ação direta da matéria pútrida; mas devemos ser muito cautelosos ao fazermos esses tipos de inferências, pois a pele da cabeça do peru macho (que faz uma alimentação limpa) também é nua. As suturas dos crânios dos jovens mamíferos têm sido declaradas como uma bela adaptação para auxiliar o parto e, sem dúvida, elas facilitam, ou podem ser indispensáveis para esse ato; mas, tendo em vista que as suturas também existem nos crânios de aves e répteis jovens (que somente precisam sair de um ovo quebrado), podemos inferir que essa estrutura surgiu das leis de crescimento e foi aproveitada para o parto de animais superiores.[43]

---

42. Em edições posteriores Darwin corrigiu a informação, pois se tratava de uma palmeira, e não de um bambu, embora isso não afete a correção do raciocínio. (N.R.T.)
43. Darwin sabiamente faz uma crítica àqueles que querem atribuir a ação direta da seleção natural em cada caractere biológico, chamando atenção para possíveis aspectos circunstanciais do desenvolvimento. (N.R.T.)

Somos profundamente ignorantes em relação às causas que produzem variações pequenas e de pouca importância; e ficamos imediatamente conscientes disso quando pensamos sobre as diferenças das linhagens de nossos animais domesticados nas diversas partes do mundo, sobretudo nos países menos civilizados, onde a seleção artificial foi menos utilizada.[44] Os observadores rigorosos estão convencidos de que um clima úmido afeta o crescimento da pelagem e que os chifres estão correlacionados à pelagem. As linhagens montanhesas sempre diferem das linhagens das planícies; e uma região montanhosa provavelmente afetaria os membros traseiros, pois eles são mais exercitados, e afetaria, possivelmente, até mesmo a forma da pelve; e, em seguida, pela lei da variação homóloga, causaria mudanças nos membros da frente, e até mesmo a cabeça seria provavelmente afetada. Além disso, a forma da pelve poderia afetar pela pressão a forma da cabeça dos fetos no útero. Temos razão para acreditar que a respiração laboriosa necessária em regiões altas aumentaria o tamanho do tórax; e a correlação entraria mais uma vez em jogo neste ponto. Os animais criados por povos primitivos de diferentes países muitas vezes precisam lutar por sua própria subsistência e ficam, assim, expostos em certa medida à seleção natural; por esse motivo os indivíduos com constituições ligeiramente diferentes cresceriam melhor sob diferentes climas; e há razões para acreditarmos que a constituição e a cor estão correlacionadas. Um bom observador, além disso, afirma que a suscetibilidade do gado aos ataques de moscas bem como a de ser envenenado por certas plantas está correlacionada com a sua cor; então a cor estaria assim submetida à ação da seleção natural. Mas sabemos muito pouco para podermos especular sobre a importância relativa das várias leis conhecidas e desconhecidas da variação; aqui faço alusão a elas apenas para mostrar que, já que somos incapazes de explicar as diferenças das características de nossas linhagens domésticas (que, no entanto, costumamos afirmar terem surgido pela geração ordinária), não devemos colocar muita ênfase em nossa ignorância sobre a causa exata das pequenas diferenças entre as espécies análogas. Eu poderia ter invocado para este mesmo fim

---

44. Novamente a visão eurocêntrica de Darwin demonstra que não deve ter ocorrido seleção artificial e domesticação de plantas e animais em locais como as Américas e a Ásia, locais supostamente "menos civilizados". Sabe-se que essa seleção foi realizada há milênios pelos mais diversos povos. (N.R.T.)

as diferenças tão fortemente marcadas nas raças humanas; posso acrescentar que é possível lançar um pouco de luz sobre a origem dessas diferenças principalmente através de um tipo específico de seleção sexual, mas, sem entrar em muitos detalhes, meu raciocínio pareceria superficial.[45]

As observações anteriores me levam a dizer algumas palavras sobre os recentes protestos feitos por alguns naturalistas contra a doutrina do utilitarismo, isto é, a hipótese de que cada detalhe da estrutura foi produzido para o bem de seu possuidor. Eles acreditam que muitas estruturas foram criadas por sua beleza aos olhos do homem, ou apenas para ser uma variação. Essa doutrina, se verdadeira, seria absolutamente fatal para minha teoria. Ainda assim, admito que muitas estruturas não têm qualquer utilidade direta para seus possuidores. As condições físicas causaram alguns pequenos efeitos na estrutura de forma completamente independente de qualquer ganho assim adquirido. A correlação de crescimento tem, sem dúvida, desempenhado um papel mais importante; e sabemos que uma modificação útil de uma parte muitas vezes implicará outras alterações de partes diversificadas que não têm utilidade direta. Mais uma vez as características que antes eram úteis, ou que anteriormente tinham surgido a partir da correlação de crescimento, ou de outra causa desconhecida, podem reaparecer pela lei da reversão,[46] embora agora sem nenhum uso direto. Podemos apenas chamar de úteis os efeitos da seleção sexual – quando exibem alguma beleza para atrair as fêmeas – em um sentido bastante forçado. Porém a consideração mais importante é de longe que a parte principal da organização de cada ser deve-se simplesmente à hereditariedade; e embora cada ser esteja seguramente bem equipado para o seu lugar na natureza, muitas estruturas atuais não têm nenhuma relação direta com os hábitos de vida de cada espécie. Assim, mal podemos acreditar que os pés palmados do ganso-de-magalhães ou da fragata tenham alguma utilidade especial para

---

45. Nesta frase Darwin deixa claro como seu raciocínio se aplicava à evolução humana, em especial por meio da seleção sexual. Este trecho no qual ele faz menção à evolução das "raças humanas" foi inteiramente retirado da sexta e última edição (1872), o que levou alguns estudiosos a pensar que ele estivesse mudando de opinião, o que não era o caso (ver prefácio e nota 2, página 98). (N.R.T.)

46. A "lei da reversão ao estado selvagem" era admitida pelos criadores e explicaria a razão de aparecerem formas selvagens entre descendentes de cruzamentos de variedades domesticadas. (N.R.T.)

essas aves; não podemos acreditar que os mesmos ossos existentes no braço do macaco, na perna dianteira do cavalo, na asa do morcego, na nadadeira da foca sejam de uso especial para estes animais. Seguramente, podemos atribuir essas estruturas à hereditariedade. Entretanto, para o progenitor do ganso-de-magalhães e da fragata, os pés palmados sem dúvida eram tão úteis como os são atualmente para as aves mais aquáticas existentes. Então podemos acreditar que o progenitor da foca não possuía uma nadadeira, mas sim um pé com cinco dedos para caminhar ou agarrar coisas; além disso, podemos nos arriscar e acreditar que os vários ossos dos membros do macaco, do cavalo e do morcego, que foram herdados de um progenitor comum, tinham anteriormente um uso mais especial para esse progenitor (ou esses progenitores) do que têm atualmente para animais de hábitos amplamente diversificados.[47] Portanto, é possível inferir que esses vários ossos tenham sido adquiridos através da seleção natural, submetidos tanto anteriormente quanto hoje às várias leis da hereditariedade, da reversão, da correlação de crescimento etc. Consequentemente, cada um dos detalhes da estrutura de todas as criaturas vivas (sem deixar de atribuir certa importância para a ação direta das condições físicas) pode ser visto como algo que teve utilidade especial a alguma forma ancestral, ou como algo que tenha atualmente utilidade especial para alguns descendentes daquela forma, seja de maneira direta ou indireta, através das complexas leis de crescimento.

A seleção natural não pode produzir modificações em uma espécie exclusivamente para o bem de outra espécie; embora em toda a natureza uma espécie incessantemente se aproveite e se beneficie da estrutura da outra. Mas a seleção natural pode produzir – e muitas vezes o faz – estruturas que causam prejuízos diretos a outras espécies, como vemos nas presas da víbora e no ovopositor da vespa icnêumone,[48] por meio do qual seus ovos são depositados nos corpos de outros insetos vivos. Se pudesse ser provado que qualquer parte da estrutura de qualquer espécie tenha sido formada para o

---

47. Trata-se de uma inferência baseada nos estudos anatômicos da época (por exemplo, de Richard Owen) que provou estar rigorosamente correta, explicando a radiação adaptativa dos mamíferos ocorrida entre 70 milhões e 50 milhões de anos. (N.R.T.)

48. Referência às vespas parasitoides do gênero *Ichneumon*, que tinham despertado a atenção da comunidade científica britânica daquela época por sua possível utilização como controle biológico, a ponto de se tornar o animal do brasão da Sociedade Entomológica de Londres em 1833. No próximo capítulo há extensa discussão sobre esse inseto e seu ciclo de vida. (N.R.T.)

bem exclusivo de outra espécie, minha teoria seria aniquilada, porque isso não poderia ter sido produzido pela seleção natural. Embora muitas afirmações possam ser encontradas nos livros de história natural para este efeito, não fui capaz de encontrar nenhuma obra de peso. Admite-se que a cascavel possui dentes inoculadores de veneno para sua própria defesa e para que possa aniquilar suas presas; mas alguns autores supõem que essa cobra ao mesmo tempo possui um chocalho para seu próprio prejuízo, ou seja, para que suas presas possam fugir. Se assim fosse, seria mais fácil acreditar que o gato ondula a extremidade de sua cauda quando se prepara para saltar somente para alertar o pobre rato condenado. Mas não tenho espaço aqui para detalhar este e outros casos.

A seleção natural nunca produzirá em um ser algo prejudicial para ele mesmo, pois a seleção natural atua somente para e pelo bem de cada um. Nenhum órgão será formado, conforme observado por Paley,[49] com a finalidade de causar dor ou machucar seu possuidor. Se fizermos um balanço entre o bem e o mal causado por cada parte, perceberemos que cada uma delas é vantajosa para o todo. Após o lapso de tempo, sob condições mutáveis de vida, se qualquer parte vier a ser prejudicial, ela será modificada; caso isso não aconteça, o ser será extinto, assim se passou com inúmeros organismos.

A seleção natural tende somente a fazer com que cada ser orgânico seja tão perfeito quanto (ou ligeiramente mais perfeito que) os outros habitantes de uma mesma região com os quais precisa lutar pela existência. E vemos que este é o grau de perfeição alcançado na natureza. As produções endêmicas da Nova Zelândia, por exemplo, são perfeitas quando comparadas entre si; mas elas estão atualmente rendendo-se rapidamente às legiões de plantas e animais introduzidos, originários da Europa.[50] A seleção natural não produzirá perfeição absoluta; tanto quanto podemos julgar, raramente nos encontraremos com esse alto padrão na natureza. A correção para a aberração da luz, dizem os especialistas, não é perfeita nem mesmo no órgão mais

49. Referência ao teólogo anglicano William Paley (1743-1805), que seguia os ensinamentos tomistas, defendendo a harmonia e perfeição da natureza como provas da existência de um Criador. (N.R.T.)

50. A complexidade das relações ecológicas em ambientes naturais estava longe de ser conhecida à época de Darwin, o que o leva a confundir os desequilíbrios ecológicos com suposta superioridade competitiva em favor das espécies europeias. (N.R.T.)

perfeito: o olho. Se nossa razão nos leva a admirar com entusiasmo uma infinidade de artifícios inimitáveis na natureza, esta mesma razão nos diz, apesar de podermos facilmente errar em ambos os lados, que alguns outros artifícios são menos perfeitos. Poderíamos considerar o ferrão da vespa ou da abelha como perfeito? O ferrão, quando usado contra muitos ataques de animais, não pode ser retirado por causa de suas serras invertidas, e então provoca, inevitavelmente, a morte do inseto arrancando suas vísceras.

Se imaginarmos que o ferrão da abelha tenha originalmente existido em um progenitor remoto como um instrumento de perfuração ou para serrar,[51] assim como ocorre em muitos membros da mesma ordem de insetos, e que tenha sido modificado, mas não aperfeiçoado, para sua finalidade atual por um veneno que (originalmente adaptado para produzir irritações) fosse intensificado, talvez pudéssemos entender o motivo pelo qual o uso do ferrão costuma causar a morte do inseto, pois, se o ferrão for útil para a comunidade como um todo, ele terá cumprido todos os requisitos da seleção natural, ainda que cause a morte de alguns poucos membros.[52] Se admiramos o poder verdadeiramente maravilhoso do odor, por meio do qual os machos de muitos insetos encontram suas fêmeas, será que podemos também admirar os milhares de zangões que são criados apenas para esta função, sendo totalmente inúteis à comunidade para qualquer outro fim e que, em última análise, são abatidos por suas diligentes irmãs estéreis? Pode ser difícil, mas temos que admirar o selvagem ódio instintivo da abelha rainha, o qual a obriga a destruir instantaneamente as jovens filhas rainhas assim que nascem; caso contrário, ela mesma poderá morrer no combate que se seguirá;[53] pois, sem dúvida, isso ocorre para o bem da comunidade; o amor ou ódio materno, embora o último seja felizmente mais raro, são indiferentes para o inexorável princípio da seleção natural. Se admiramos os vários artifícios engenhosos pelos quais as flores das orquídeas e de muitas outras plantas são fertilizadas através da

---

51. O ferrão origina-se do ovopositor, razão pela qual está presente apenas nas fêmeas. (N.R.T.)
52. Darwin introduz um importante conceito, qual seja o da seleção grupal: o caractere pode causar até a morte de seu possuidor, mas aumenta a sobrevivência do grupo aparentado. (N.R.T.)
53. As rainhas são fêmeas férteis que produzem milhares de ovos; da grande maioria nascem fêmeas estéreis (operárias), e as poucas fêmeas férteis (rainhas) geradas são normalmente mortas pela mãe assim que assumem a forma adulta (imagos). (N.R.T.)

ação de insetos,[54] podemos considerar como igualmente perfeita a produção de densas nuvens de pólen por nossos ciprestes,[55] a fim de que apenas alguns grânulos possam ser levados até os óvulos por puro acaso por meio de uma brisa fortuita?

Resumo do capítulo

Neste capítulo discutimos algumas das dificuldades e objeções que podem ser instadas contra minha teoria. Muitas delas são extremamente graves; mas, durante a discussão, acredito termos conseguido iluminar vários fatos que, pela teoria dos atos independentes de criação, permanecem completamente obscuros. Vimos que, em qualquer dado período, as espécies não são nem indefinidamente variáveis nem estão conectadas entre si por uma infinidade de gradações intermediárias, em parte porque o processo de seleção natural será sempre muito lento e irá atuar a qualquer momento apenas em algumas poucas formas; e em parte porque o próprio processo de seleção natural quase implica a contínua substituição e extinção das gradações intermediárias anteriores. As espécies muito afins que agora vivem em um território contínuo devem ter sido muitas vezes formadas quando a área não era contínua e quando não havia gradações imperceptíveis de uma área para outra. Quando duas variedades surgem em duas áreas de um território contínuo, ocorre com frequência uma variedade intermediária que se estabelece em uma zona intermédia; mas, por motivos já relatados, a variedade intermediária ocorrerá normalmente em menor número do que as duas formas que ela conecta; consequentemente as duas outras, no decurso de novas modificações, existentes em maior número, terão uma grande vantagem sobre a variedade intermediária menos numerosa e, assim, geralmente conseguirão substituí-la e exterminá-la.

Vimos neste capítulo que devemos ser cautelosos para chegarmos à conclusão de que não poderia existir uma mudança gradual entre os mais diferentes hábitos de vida; por exemplo, que um morcego não poderia ter

54. Darwin tinha estudado a polinização e a estreita relação entre as dimensões de insetos e das estruturas das flores que polinizam, alvo de publicação posterior específica e muito interessante. (N.R.T.)

55. Os ciprestes, assim como os pinheiros, são gimnospermas cujos cones masculinos produzem grande quantidade de pólen, e dependem apenas do acaso para que ocorra a polinização. (N.R.T.)

sido formado pela seleção natural a partir de um animal que inicialmente apenas fosse capaz de planar pelo ar.

Vimos que uma espécie pode, sob novas condições de vida, mudar seus hábitos, ou ter hábitos diversificados, alguns deles muito diferentes dos seus congêneres mais próximos. Daí, tendo em conta que cada ser orgânico está tentando viver onde quer que ele consiga, podemos entender por que existem gansos com pés palmados (ganso-de-magalhães) que se deslocam apenas em terra firme, pica-paus que não vivem em árvores, tordos que mergulham e petréis-mergulhadores com os hábitos de tordas-anãs.[56]

Embora a crença de que um órgão tão perfeito quanto o olho possa ter sido formado pela seleção natural seja mais do que suficiente para desconcertar qualquer pessoa, ocorre que, quando conhecemos as etapas graduais do aumento de complexidade de qualquer órgão (cada uma delas boa para seu possuidor), então, quando há mudanças nas condições de vida, não há impossibilidade lógica para a aquisição de qualquer grau concebível de aperfeiçoamento por meio da seleção natural. Nos casos em que desconhecemos os estados intermediários ou transitórios, devemos ser muito cautelosos ao concluirmos pela inexistência desses estados, pois as homologias de vários órgãos e de seus estados intermediários mostram que mudanças incríveis de função são pelo menos possíveis. Por exemplo, uma bexiga natatória foi aparentemente convertida em um pulmão que respira ar.[57] As transições devem ter sido muito facilitadas quando um mesmo órgão exercia simultaneamente funções muito diferentes antes de especializar-se em apenas uma delas; ou quando dois órgãos distintos executavam a mesma função ao mesmo tempo, antes de um deles ter sido aperfeiçoado enquanto era auxiliado pelo outro.

Sabemos muito pouco, em quase todos os casos, para podermos afirmar que qualquer parte ou órgão seja tão sem importância para o bem-estar de uma espécie que as modificações de sua estrutura não poderiam ter sido acumuladas lentamente por meio da seleção natural. Mas podemos

---

56. O voo rente à superfície das tordas-anãs do Ártico lhes permite "riscar a água", dela retirando pequenos crustáceos (copépodos), ao passo que os petréis-mergulhadores antárticos pescam em longos mergulhos. (N.R.T.)

57. Vimos que Darwin estava baseado em consenso equivocado. (N.R.T.)

acreditar com confiança que muitas modificações – inteiramente devidas às leis de crescimento e que inicialmente não são de nenhuma maneira vantajosas para uma espécie – foram posteriormente aproveitadas pelos descendentes mais modificados desta espécie. Também podemos acreditar que uma parte extremamente importante para os progenitores costume ser mantida (como a cauda de um animal aquático que é mantida por seus descendentes terrestres) mesmo que sua importância fique tão diminuída a ponto de, em seu presente estado, não poder ter sido adquirida por seleção natural, pois esta última é uma força que atua unicamente em favor da preservação de variações vantajosas na luta pela vida.

A seleção natural não produzirá nada em uma espécie qualquer que sirva exclusivamente para o benefício ou malefício de outra espécie; mesmo assim, ela é capaz de produzir partes, órgãos e secreções altamente úteis ou mesmo indispensáveis ou altamente prejudiciais para outra espécie, mas, em todos esses casos, algo que seja concomitantemente útil para o possuidor da modificação. Nas regiões com nichos bem povoados, a seleção natural age principalmente através da competição entre seus habitantes e produz consequentemente perfeições ou força para a luta pela vida de acordo unicamente com os padrões dessas regiões. Portanto, os habitantes de uma região, geralmente a menor, frequentemente sucumbem, como notamos que costumam sucumbir, diante dos habitantes de uma região geralmente maior. Isso ocorre porque na região maior existem mais indivíduos e formas mais diversificadas; a competição se torna então mais forte e, assim, o padrão de perfeição será maior. A seleção natural não irá necessariamente produzir perfeição absoluta; nem é possível dizermos – tanto quanto podemos julgar por nossas faculdades limitadas – que conseguiremos encontrar a perfeição absoluta em algum lugar.[58]

Por meio da teoria da seleção natural podemos entender claramente o significado completo do antigo bordão da história natural *Natura non facit saltum*. Se verificarmos apenas os atuais habitantes do mundo, o bordão não estará rigorosamente correto, mas se incluirmos os habitantes das eras passadas, ele, pela minha teoria, passará a ser rigorosamente verdadeiro.

---

58. Note-se a referência frontalmente oposta à teologia natural, que via perfeição e harmonia na Natureza como prova da existência do Criador. (N.R.T.)

É geralmente reconhecido que todos os seres orgânicos foram formados de acordo com duas grandes leis, a saber, unidade de tipo e condições de existência. Por unidade de tipo entende-se a concordância fundamental existente na estrutura que vemos nos seres orgânicos da mesma classe, e que é completamente independente de seus hábitos de vida. Em minha teoria, a unidade de tipo é explicada pela unidade da ascendência. A expressão "condições de existência", afirmada tantas vezes pelo ilustre Cuvier,[59] é totalmente abraçada pelo princípio da seleção natural. Pois a seleção natural atua ou pela adaptação atual das diferentes partes de cada ser para suas condições orgânicas e inorgânicas de vida;[60] ou por ter adaptado essas partes no passado durante longos períodos, sendo as adaptações auxiliadas em alguns casos pelo uso e desuso, sendo levemente afetadas pela ação direta das condições de vida e estando, em todos os casos, submetidas às várias leis do crescimento. Portanto, na verdade, a lei das condições de existência é a lei maior, pois nela está incluída a lei da unidade de tipo por meio da hereditariedade das antigas adaptações.

---

59. Cuvier polemizou com Saint-Hilaire, defensor da lei da "unidade de tipo", que se referia a homologias, na transformação dos seres vivos, na tradição de Lamarck. Curiosamente, os dois se diziam seguidores de Aristóteles. (N.R.T.)

60. Portanto as pequenas variações dos seres vivos, admitidas por Cuvier, poderiam ser explicadas pela seleção natural, mas também as grandes variações no decurso de "longos períodos", argumento de seu oponente francês St. Hilaire. Com a frase final, Darwin procura mostrar que a seleção natural pode conciliar as duas correntes aparentemente opostas, dado que as formas herdadas de gerações anteriores (unidade de tipo) são moldadas pelas necessidades de cada geração (condições de existência). (N.R.T.)

CAPÍTULO 7
INSTINTO

INSTINTOS SÃO COMPARÁVEIS AOS HÁBITOS, MAS DIFEREM EM SUA ORIGEM – GRADAÇÃO DOS INSTINTOS – PULGÕES E FORMIGAS – VARIABILIDADE DOS INSTINTOS – INSTINTOS DOMÉSTICOS: SUA ORIGEM – INSTINTOS NATURAIS DO CUCO, DAS EMAS E ABELHAS PARASITAS – FORMIGAS ESCRAVISTAS – ABELHA COMUM, INSTINTO PARA A CONSTRUÇÃO DE ALVÉOLOS – INSETOS ASSEXUADOS OU ESTÉREIS – RESUMO

Poderíamos ter tratado dos instintos nos capítulos anteriores; mas acredito que será mais conveniente tratar do assunto de forma isolada, especialmente porque talvez tenha ocorrido a muitos leitores que os instintos – como, por exemplo, o espantoso instinto da abelha comum[1] para construir alvéolos – possam ser uma dificuldade suficientemente grande a ponto de derrubar toda a minha teoria. Devo advertir que não lido aqui com a origem das faculdades mentais primárias e, muito menos, com o estudo da origem da própria vida. Estamos preocupados apenas com as diversidades dos instintos e das outras qualidades mentais dos animais de uma mesma classe.

Não tentarei dar qualquer definição de instinto. Seria fácil demonstrar que várias ações mentais distintas são normalmente compreendidas por este termo; mas todos entendem o que se quer dizer quando falamos que o instinto impele o cuco a migrar e pôr seus ovos nos ninhos de outras aves.[2] Em

---

1. Darwin refere-se à *Apis mellifera*, entre nós conhecida como abelha-europeia. (N.R.T.)
2. O cuco europeu (*Cuculus canorus*) é uma ave de hábito reprodutivo parasitário que deposita seus ovos em ninhos de outras aves, em geral muito menores. Com desenvolvimento rápido, assim que sai do ovo acaba por derrubar os outros ovos ou mesmo filhotes, monopolizando o

geral dizemos que uma ação – a qual para nós mesmos exigiria experiência para podermos realizá-la – é instintiva quando efetuada por um animal, especialmente por um muito jovem e sem qualquer experiência ou quando realizada por muitos indivíduos da mesma forma, sem que saibam a finalidade por que a realizam.[3] Mas eu também poderia mostrar que nenhuma dessas características do instinto é universal. Uma pequena dose de juízo ou razão, como afirma Pierre Huber,[4] muitas vezes entra em jogo, mesmo em animais que estão na base da escala da Natureza.[5]

Frederick Cuvier[6] e alguns metafísicos mais velhos têm comparado o instinto com o hábito. Essa comparação oferece, penso eu, uma noção exata do estado mental em que uma ação instintiva é executada, mas não sua origem. Quão inconscientemente muitas ações habituais são executadas, com efeito, não raro em oposição direta à nossa vontade consciente! Ainda assim, elas podem ser modificadas pela vontade ou pela razão. Os hábitos passam facilmente a estar relacionados com outros hábitos, com certos períodos de tempo e com estados do corpo. Uma vez adquiridos, muitas vezes se tornam constantes ao longo da vida. Vários outros pontos de semelhança entre os instintos e os hábitos podem ser salientados. Da mesma forma que repetimos uma canção conhecida, também nos instintos, uma ação segue outra por meio de uma espécie de ritmo; quando alguém é interrompido em uma canção, ou quando está repetindo algo decorado, geralmente é forçado a começar de novo para recuperar sua linha habitual de raciocínio: Pierre Huber observou que uma lagarta[7] faz

---

cuidado parental dos genitores adotivos. A espécie se reproduz na Europa e migra para a África no inverno. (N.R.T.)

3. Apesar de ter negado ao início do parágrafo, esta é a (boa) definição de instinto com a qual ele trabalha ao longo do capítulo, ainda que não se aplique a todos os casos. (N.R.T.)

4. Jean-Pierre Huber (1777-1840), entomólogo suíço, autor de diversos estudos sobre comportamento de insetos, seguiu a carreira do pai. Há outras citações adiante no capítulo. (N.R.T.)

5. Darwin aceita a afirmação de Jean Pierre Huber, entomologista suíço que, em uma publicação de 1836 (*A L'Histoire de la Chenille du Hamac*), escreveu em seu último parágrafo que a Natureza deu a todos os insetos, além de seus instintos, *une petite dose de jugement* (uma pequena dose de juízo). (N.T.)

6. Frederick Cuvier (1773-1838), zoologista e paleontólogo francês. (N.T.)

7. Trata-se da *Lyonetia clerkella*, identificada erroneamente por Huber (erro aceito por Darwin) como *Tinea harisella* em seu artigo *A L'Histoire de la Chenille du Hamac*, publicado em 1836 na revista *Mémoires de la Socié de Physique et d'Histoire Naturelle de Genève*. (N.T.)

exatamente isso quando constrói um casulo muito complicado;[8] pois, sempre que pegava uma lagarta que havia completado seu casulo até, digamos, a sexta etapa de construção e a colocava em um casulo construído apenas até a terceira etapa, a lagarta simplesmente reexecutava as etapas quatro, cinco e seis da construção. Quando, no entanto, uma lagarta era retirada de um casulo construído, por exemplo, até a terceira etapa e era colocada em um construído até a sexta etapa – de forma que grande parte do trabalho já estava realizado –, longe de perceber a vantagem disso, ela parecia desconcertada e, para completar seu casulo, sentia-se forçada a reiniciar a partir da terceira fase, ponto em que havia parado e, dessa forma, tentava completar o trabalho já finalizado.

Se imaginarmos que uma ação habitual qualquer se torna hereditária – e acho que podemos demonstrar que isso às vezes acontece[9] –, a semelhança entre o instinto e o que originalmente era um hábito se torna tão próxima que um e outro se tornam indistinguíveis. Se Mozart, em vez de tocar piano aos três anos de idade admiravelmente apesar da pouca destreza, já tivesse produzido música sem nenhuma instrução anterior, poderíamos então dizer com convicção que ele o teria feito de forma instintiva. Porém seria um erro gravíssimo supor que a maior parte dos instintos tenha sido adquirida pelo hábito em uma geração e, então, transmitida pela hereditariedade para as gerações seguintes. Pode ser claramente demonstrado que os instintos mais espantosos com os quais estamos familiarizados, ou seja, o das abelhas comuns e o de muitas formigas, não podem ter sido adquiridos dessa forma.

É universalmente admitido que, para o bem-estar de cada espécie em suas condições atuais de vida, os instintos são tão importantes quanto a estrutura física. Quando há mudanças nas condições de vida, é no mínimo possível que pequenas modificações dos instintos possam ser vantajosas

8. É uma larva muito pequena, que faz túneis nas folhas da macieira, serpenteando por seu interior, por isso considerada uma praga agrícola. Para a metamorfose, ela deixa o interior da folha e aproveita pequenas dobras do bordo inferior, onde tece fios de seda, ancorando seu casulo de maneira semelhante a uma rede de dormir dos indígenas de Iucatã. (N.R.T.)

9. Darwin admite que "ações habituais" possam se tornar hereditárias, o que foi considerado por muito tempo uma crença lamarquista sem fundamento. Essa situação se modificou profundamente no meio científico, confirmando a especulação inicial de Darwin, inclusive com a advertência expressa logo a seguir. (N.R.T.)

para uma espécie; e se puder ser demonstrado que os instintos variam muito pouco, então não vejo qualquer dificuldade em aceitar que a seleção natural preserve e acumule continuamente as variações de instintos que possam ser, de algum modo, vantajosas. Acredito que os instintos mais complexos e espantosos tenham surgido desse modo. Assim como as modificações da estrutura física surgem e aumentam por meio do uso ou do hábito e são diminuídas ou perdidas pelo desuso, então não tenho dúvidas de que o mesmo aconteça com os instintos. No entanto eu acredito que a importância dos efeitos (consequências) do hábito está bastante subordinada aos efeitos da seleção natural de algo que podemos chamar de variações acidentais dos instintos,[10] isto é, de variações produzidas pelas mesmas causas desconhecidas que produzem pequenos desvios na estrutura física.

Não há outra possibilidade de um instinto complexo ser produzido pela seleção natural exceto pela acumulação lenta e gradual de numerosas e pequenas – mas vantajosas – variações. Daí, como no caso das estruturas físicas, não devemos procurar na Natureza as verdadeiras gradações transitórias por meio das quais cada instinto complexo foi adquirido, pois estas somente serão encontradas nos ancestrais lineares de cada espécie, mas devemos buscar as evidências de tais gradações nas linhas colaterais de ascendência; ou devemos, no mínimo, conseguir demonstrar que alguns tipos de gradações são possíveis; e isso é algo que certamente podemos fazer. Levando em conta a pouca observação realizada, exceto na Europa e na América do Norte, em relação aos instintos dos animais e por não conhecermos os instintos das espécies extintas, fiquei surpreso ao perceber como é geralmente fácil descobrir quais gradações levaram aos instintos mais complexos. O bordão *Natura non facit saltum* aplica-se aos instintos quase com a mesma força que aos órgãos físicos.[11] As alterações nos instintos podem ser, às vezes, facilitadas quando a mesma espécie possui instintos diferentes em diferentes períodos da vida, ou em diferentes épocas do ano, ou quando inserida em circunstâncias diferentes etc.; nesses casos, um ou o outro instinto pode ser preservado pela seleção natural. Podemos

---

10. Darwin passou a utilizar o termo "variações espontâneas" a partir da 4ª edição, publicada em 1869. (N.T.)
11. Esta frase foi utilizada somente na 1ª edição. (N.T.)

demonstrar que tais exemplos de diversidade de instintos na mesma espécie ocorrem na Natureza.

Além disso, como no caso da estrutura física – e em conformidade com a minha teoria –, o instinto de cada espécie é bom para ela mesma, mas nunca, até onde podemos julgar, foi produzido para o exclusivo bem dos outros. Pelo que sei, um dos exemplos mais fortes de um animal que aparentemente realiza uma ação somente para o bem do outro é o caso dos pulgões[12] que cedem voluntariamente suas excreções doces para as formigas: o fazer voluntariamente é demonstrado pelos fatos a seguir. Eu separei todas as formigas de um grupo de mais ou menos uma dúzia de pulgões que estavam em uma tiririca[13] e, durante várias horas, impedi que elas voltassem para o local. Após este intervalo, eu tinha certeza que os pulgões estariam a ponto de produzir sua excreção. Utilizando uma lente, eu os observei por um tempo, mas nenhum deles havia produzido a tal excreção; eu, então, toquei-os com um fio de cabelo da mesma maneira tentando imitar da melhor forma possível o movimento que as formigas fazem com suas antenas; mas nenhum deles produziu sequer uma gota de líquido. Depois, deixei que uma formiga os visitasse; por sua maneira ansiosa de correr, ela parecia estar bem ciente de ter descoberto aquele grupo precioso; em seguida, a formiga começou a brincar com suas antenas, primeiro no abdômen de um pulgão, depois no de outro; e, assim que cada um dos pulgões sentia as antenas, eles imediatamente levantavam seu abdômen e produziam uma límpida gota do doce suco, o qual era avidamente devorado pela formiga. Até mesmo os pulgões extremamente jovens comportavam-se dessa maneira, mostrando que a ação era instintiva, e não resultado da experiência. Contudo, já que a excreção é extremamente viscosa, sua remoção é provavelmente muito conveniente para os pulgões; e, portanto, os pulgões provavelmente não a excretam instintivamente somente para o bem das formigas.[14] Embora eu não acredite que

---

12. Afídios ou pulgões; pequenos insetos da ordem Hemiptera. (N.T.)

13. Darwin utiliza o termo popular *dock plants*, que são ervas daninhas (*weed*), dicotiledôneas perenes de porte herbáceo, de folhas largas, da família Polygonaceae, comuns na Europa. (N.R.T.)

14. Os pulgões sugam seiva com açúcar, retendo a maior parte e literalmente excretando o filtrado, o qual, contudo, ainda continua doce. A suposição de Darwin está correta: os pulgões não excretam o excedente "para o bem das formigas", mas estas se aproveitam da fisiologia e dos atos reflexos da outra espécie. (N.R.T.)

algum animal do mundo execute uma ação para o bem exclusivo de outro animal de uma espécie distinta, ocorre que cada espécie tenta aproveitar os instintos das outras espécies, da mesma forma que todos tiram proveito da estrutura física mais fraca dos outros. Então, mais uma vez, certos instintos, em alguns poucos casos, não podem ser considerados como absolutamente perfeitos; mas como os detalhes sobre este e outros pontos semelhantes não são indispensáveis, eles podem ser aqui deixados de lado.

Posto que algum grau de variação dos instintos e a hereditariedade de tais variações são indispensáveis para a ação da seleção natural em estado natural, deveríamos oferecer aqui o maior número possível de exemplos, mas a falta de espaço me impede de fazê-lo. Posso apenas afirmar que os instintos certamente variam - por exemplo, o instinto migratório - tanto em extensão quanto em direção e podem ser totalmente perdidos. Assim ocorre com os ninhos das aves, os quais, em parte, variam em dependência das situações escolhidas, da natureza e da temperatura da região habitada, mas muitas vezes por causas totalmente desconhecidas para nós: Audubon ofereceu vários exemplos notáveis das diferenças de ninhos da mesma espécie no norte e no sul dos Estados Unidos. O medo de algum inimigo específico é certamente uma qualidade instintiva, como pode ser visto nos filhotes de aves, mas ele é reforçado pela experiência e pelo medo do mesmo inimigo existente em outros animais. Porém, conforme já demonstrei em outro ponto, o medo do homem é algo adquirido lentamente por vários animais que habitam ilhas desertas; e um exemplo disso pode ser observado - mesmo na Inglaterra - na maior ferocidade de todas as nossas aves grandes em comparação com nossas aves pequenas, pois as aves grandes foram mais perseguidas pelo homem.[15] Podemos atribuir com segurança a esta causa essa maior ferocidade de nossas aves grandes pois, nas ilhas desabitadas, essas aves não são mais medrosas do que as pequenas; e o corvo, tão cauteloso na Inglaterra, é muito dócil na Noruega, tal como a gralha-cinzenta[16] o é no Egito.

---

15. Darwin tinha grande experiência, inclusive com aves e lagartos das ilhas Galápagos e até mesmo com as raposas das Malvinas, que eram abatidas por marinheiros a golpes de martelo. Eram tão mansas que Darwin previu sua extinção, o que infelizmente de fato ocorreu. As mesmas aves, dóceis nessas ilhas, fugiam do homem na Terra do Fogo, não tão longe dali, onde eram caçadas pelos nativos. Na Inglaterra, as aves de rapina eram perseguidas impiedosamente desde o *Vermin Act* (ver capítulo 3). (N.R.T.).
16. *Corvus cornix*. (N.T.)

Um número enorme de fatos prova a extrema diversificação da índole dos indivíduos da mesma espécie nascidos na Natureza. Também é possível oferecer vários exemplos de certas espécies com hábitos estranhos e ocasionais que poderiam, sempre que for vantajoso para a espécie, dar origem a novos instintos através da seleção natural. Eu sei que todas essas afirmações gerais, desprovidas de fatos detalhados, produzem apenas um efeito fraco na mente do leitor. Posso apenas repetir minha certeza de que não falo sem ter boas evidências.[17]

A possibilidade, ou mesmo a probabilidade, de variações hereditárias do instinto em estado natural será reforçada depois de considerarmos brevemente alguns exemplos dentre os animais domésticos. Assim, poderemos também observar os respectivos papéis representados pelo hábito e pela seleção das chamadas variações acidentais em relação à modificação das qualidades mentais de nossos animais domésticos. Muitos casos curiosos e autênticos poderiam ser apresentados sobre a hereditariedade de todas as gradações de índole e predileções e da mesma forma das artimanhas mais associadas a determinadas inclinações mentais ou períodos de tempo. Mas observemos o caso familiar das várias raças de cães: não há como duvidar que os jovens *pointers* (eu mesmo vi um exemplo impressionante) irão às vezes apontar e até mesmo dar apoio aos outros cachorros quando eles saem para caçar pela primeira vez; a recuperação da caça é, certamente, em algum grau, herdada pelos *retrievers*;[18] já os cães pastores têm a tendência de caminhar em volta de rebanhos de ovelhas, em vez de persegui-los e assustá-los. Estas ações são executadas pelos jovens sem qualquer experiência anterior e quase da mesma maneira por todos os indivíduos, são executadas com prazer ansioso por cada raça sem que os cães entendam sua finalidade, pois da mesma forma que a borboleta branca não sabe por que põe seus ovos na folha do repolho, o jovem *pointer* também não sabe que ele aponta para auxiliar seu dono; assim, não consigo ver como essas ações poderiam ser essencialmente diferentes de instintos verdadeiros. Se observarmos um tipo de lobo jovem e sem qualquer treinamento que, logo depois de sentir o

17. Darwin, de fato, faz um resumo curto de uma grande quantidade de fatos presentes em seu manuscrito original. (N.R.T.)
18. Conhecidos como "perdigueiros", pois buscam as perdizes abatidas em voo. (N.R.T.)

cheiro de sua presa, fica imóvel como uma estátua e então lentamente rasteja para a frente com uma marcha peculiar ou então, se observarmos outro tipo de lobo que corre em volta do rebanho de veados (e não investindo contra ele), conduzindo-o a um ponto distante, nós certamente chamaremos essas ações de instintivas. Os instintos domésticos, como podem ser chamados, são comprovadamente muito menos fixos ou invariáveis que os instintos naturais; mas a ação da seleção sobre eles é muito menos rigorosa, e eles têm sido transmitidos por um período incomparavelmente menor e sob condições de vida menos fixas.

A força da hereditariedade desses instintos domésticos, hábitos e disposições – e, curiosamente, a forma como se misturam – torna-se bem clara quando diferentes raças de cães são cruzadas. Assim, é sabido que o cruzamento com um buldogue tem afetado por muitas gerações a coragem e a obstinação dos galgos; e que o cruzamento com um galgo tem dado a toda uma família de cães pastores uma tendência para caçar lebres. Esses instintos domésticos, quando assim testados por cruzamento, lembram instintos naturais que, de forma similar, ficam curiosamente misturados e apresentam durante um longo período vestígios dos instintos de qualquer um dos pais: por exemplo, Le Roy[19] descreve um cão cujo bisavô era um lobo; este cão mostrou um traço de sua ascendência selvagem somente de uma maneira: ele não ia em linha reta até seu dono quando era chamado.

Às vezes, os instintos domésticos são vistos como ações que se tornaram hereditárias unicamente por meio de hábitos contínuos de longo prazo e obrigatórios, mas acredito que não é bem assim. Ninguém imaginaria ensinar, nem provavelmente poderia ter ensinado, o pombo *tumbler* a dar cambalhotas em voo, uma ação que, como já testemunhei, é realizada por aves jovens, que nunca viram outro pombo realizar essa ação.[20] Podemos acreditar que algum pombo tenha mostrado uma ligeira tendência para esse estranho hábito, e que a longa seleção dos melhores indivíduos tenha continuado por

---

19. Charles Georges Le Roy (1723-1789), mestre de caça do Palácio de Versalhes. Autor de *Lettres sur les animaux* e de *Lettres philosophiques sur l'inteligence et la perfectibilité des animaux* (1764). (N.T.)

20. Trata-se de uma variedade domesticada que realiza involuntariamente cambalhotas em voo. De fato, trata-se de um comportamento inato, e a hipótese de Darwin se viu confirmada em estudos realizados na década de 1970, que revelaram a base genética dessa ação. (N.R.T.)

muito tempo em gerações sucessivas, e tenha transformado os *tumblers* no que são hoje; além disso, ouvi dizer do senhor Brent[21] que perto de Glasgow há pombos domésticos que não conseguem voar a uma altura de dezoito polegadas (aproximadamente 0,46 metro) sem dar uma cambalhota. Podemos duvidar que alguém teria pensado em treinar um cão para apontar se nem um único cão houvesse naturalmente mostrado uma tendência nessa direção; é sabido que a tendência ocorre ocasionalmente: vi, certa vez, um *terrier* puro fazendo isso. Quando a primeira tendência foi exibida, a seleção metódica e os efeitos hereditários do treinamento compulsório em cada geração sucessiva completaram, em breve, o trabalho; e a seleção inconsciente continua a funcionar nesse ponto, pois cada homem tenta adquirir, sem a intenção de melhorar a raça, cães cuja postura e forma de caça sejam melhores. Por outro lado, em alguns casos, o hábito sozinho tem sido suficiente; nenhum animal é mais difícil de amansar do que os filhotes do coelho selvagem, mas quase nenhum outro animal é tão dócil quanto os filhotes do coelho domesticado; no entanto, não acredito que a mansidão dos coelhos domésticos tenha sido selecionada; presumo que devemos atribuir toda a mudança hereditária que vai da extrema ferocidade à extrema mansidão simplesmente ao hábito e ao longo confinamento em pequenas gaiolas.

Na domesticação, os instintos naturais são perdidos: um exemplo notável disso pode ser visto nas linhagens de galinhas que muito raramente ou nunca se tornam "chocadeiras", ou seja, que perdem o desejo de sentar sobre seus ovos para chocá-los. Somente a familiaridade nos impede de enxergar de que maneira universal e ampla as mentes dos nossos animais domésticos foram modificadas pela domesticação. É praticamente impossível duvidar que o amor pelas pessoas se tornou algo instintivo nos cães. Todos os lobos, raposas, chacais e espécies do gênero *Felis* (gatos), quando mantidos mansos, ficam mais propensos a atacar aves, ovelhas e porcos; e descobrimos que essa tendência é algo incurável nos cães que foram trazidos ainda jovens para casa [Inglaterra] de regiões como a Terra do Fogo e a Austrália, onde os selvagens não os criavam como animais domésticos. Por outro lado, nossos cães domésticos raramente precisam, mesmo quando

---

21. Bernard Pierce Brent (1822-1867), criador de pombos de Londres, descrito como "pequeno e esquisito" por Darwin, parente de Isaac Newton (1642-1727). (N.R.T.)

muito jovens, ser ensinados a não atacar aves, ovelhas e porcos! Sem dúvida, eles ocasionalmente os atacam e, então, são repreendidos por isso; e se não mudarem seus hábitos, eles acabam sacrificados; dessa forma, o hábito e algum grau de seleção provavelmente tenham concorrido para modificar os hábitos de nossos cães, com efeitos hereditários. Por outro lado, as galinhas jovens perderam, inteiramente pelo hábito, o medo do cão e do gato – que sem dúvida era instintivo em sua origem, da mesma forma como é tão claramente instintivo em faisões jovens, ainda que criados por uma galinha comum. Não que as galinhas tenham perdido todos os medos, mas apenas o medo de cães e gatos, pois quando é soado o cacarejo de perigo, todos os filhotes saem (mais especialmente os jovens perus) de debaixo de sua mãe e escondem-se na relva circundante ou nos arvoredos; e isso evidentemente é feito com o objetivo instintivo de permitir, como vemos nas aves terrestres selvagens, que sua mãe possa voar. Porém esse instinto, retido por nossas galinhas, tornou-se inútil para os animais domesticados, pois, pelo desuso, a galinha já quase perdeu a capacidade de voar.

Portanto, podemos concluir que foram adquiridos instintos domésticos e foram perdidos instintos naturais em parte pelo hábito e em parte pela seleção e acumulação – realizadas por processos humanos durante gerações sucessivas – de hábitos mentais e ações peculiares que surgiram pela primeira vez por algum motivo que, por nossa ignorância, chamamos de acidente. Em alguns casos, apenas os hábitos obrigatórios foram suficientes para produzir tais mudanças mentais hereditárias; em outros casos, os hábitos obrigatórios nada produziram, sendo que todos foram obtidos pela seleção, tanto de forma metódica quanto inconsciente; mas, na maioria dos casos, hábito e seleção provavelmente atuaram juntos.

Devemos talvez compreender melhor como os instintos em estado natural são modificados pela seleção por meio de alguns exemplos. Dentre os vários exemplos que precisarei discutir em meus trabalhos futuros, apresentarei aqui apenas três, a saber, o instinto que leva o cuco a botar seus ovos em ninhos de outras aves; o instinto escravista de certas formigas; e a capacidade das abelhas comuns de construir colmeias: estes dois últimos instintos têm sido geralmente (e de forma bastante justa) vistos pelos naturalistas como os mais espantosos entre todos os instintos conhecidos.

Hoje é geralmente aceito que a causa final[22] mais imediata do instinto dos cucos é o fato de seus ovos não serem postos diariamente, mas sim em intervalos de dois ou três dias; assim, se ele fosse fazer seu próprio ninho e sentar-se sobre os próprios ovos, os primeiros ovos precisariam ser abandonados por algum tempo sem que fossem incubados; caso contrário, o mesmo ninho teria filhotes de idades diferentes. Se este fosse o caso, o processo de postura e eclosão poderia ser inconvenientemente longo, em especial porque o cuco precisa migrar quando ainda é muito jovem; e o primeiro filhote a sair do ovo provavelmente precisaria ser alimentado somente pelo macho. Mas o cuco-americano vive essa mesma situação difícil; pois o ninho construído pela própria fêmea contém, ao mesmo tempo, ovos e filhotes nascidos sucessivamente. Afirmou-se que o cuco-americano põe seus ovos em ninhos de outras aves apenas ocasionalmente; mas eu ouvi do doutor Brewer,[23] uma autoridade no assunto, que isso se trata de um erro.[24] No entanto, eu poderia oferecer vários exemplos de diferentes aves que ocasionalmente colocam seus ovos em ninhos de outros pássaros. Agora, vamos supor que o antigo progenitor do nosso cuco-europeu tivesse os hábitos do cuco-americano; mas que ocasionalmente a fêmea botasse um ovo no ninho de outra ave. Caso essa antiga ave tivesse se beneficiado por este hábito ocasional, ou se os filhotes se tornassem mais vigorosos por terem sido criados pelo instinto maternal equivocado de outra ave, em vez de terem sido criados por sua própria mãe – tão atarefada em cuidar ao mesmo tempo de seus ovos e filhotes de idades diferentes –, então as antigas aves ou jovens adotivos teriam obtido uma vantagem. Desse modo, a analogia me leva a crer que os jovens assim criados estariam aptos a seguir, por hereditariedade, o hábito ocasional e aberrante de sua mãe e, por sua vez, estariam aptos a colocar seus ovos em ninhos de outras aves e, portanto,

---

22. Darwin utiliza a expressão "causa final" (*more immediate and final cause*), de inspiração aristotélica, como se o instinto tivesse uma finalidade precípua, o que ele irá negar logo em seguida, mesmo baseado em informações pouco precisas. (N.R.T.)

23. Thomas Mayo Brewer (1814-1880), naturalista norte-americano, coautor dos três volumes de *A History of North American Birds* (1874). (N.T.)

24. A afirmação estava correta. Há duas espécies muito aparentadas de cucos na América do Norte e uma delas não tem o mesmo hábito reprodutivo parasita (*Coccyzus americanus*) e a outra o apresenta ocasionalmente (*C. erythropthalmus*). A informação do doutor Brewer foi imprecisa, mas o raciocínio de Darwin permanece plenamente válido. (N.R.T.)

ter mais êxito em criar seus filhotes. Por um processo contínuo dessa natureza, acredito que o estranho instinto do nosso cuco poderia ter sido, e foi, assim gerado.[25] Posso acrescentar que, de acordo com o doutor Gray para alguns outros observadores, o cuco-europeu não perdeu totalmente o amor e os cuidados maternos por sua própria prole.

O hábito ocasional de aves colocarem seus ovos em ninhos de outras aves, da mesma espécie ou de outra, não é muito incomum entre os galináceos; e isso talvez explique a origem de um instinto singular de um grupo próximo: o das emas.[26] Isso porque várias emas, pelo menos no caso das espécies americanas, unem-se e primeiro colocam alguns ovos em um ninho e depois em outro; e estes são chocados pelos machos. Este instinto ocorre provavelmente pelo fato de as fêmeas botarem um grande número de ovos; mas, como no caso do cuco, em intervalos de dois ou três dias. Esse instinto da ema americana, no entanto, ainda não foi aprimorado, pois um número surpreendente de ovos fica perdido no meio do campo; dessa forma, em apenas um dia de buscas, eu recolhi nada menos que vinte ovos perdidos e desperdiçados.

Muitas abelhas são parasitas e sempre põem seus ovos em ninhos de abelhas de outros tipos. Esse caso é mais notável do que o do cuco; pois não apenas os instintos dessas abelhas foram modificados de acordo com seus hábitos parasitários, mas também suas estruturas; isso porque elas não possuem o aparato de coleta de pólen que seria necessário para armazenar alimentos para sua própria prole. Algumas espécies, da mesma forma, da família Sphecidae (insetos semelhantes a vespas),[27] são parasitas de outras espécies. M. Fabre mostrou recentemente boas razões para se acreditar que, embora a *Tachytes nigra*[28] geralmente faça seu próprio ninho e o armazene com presas paralisadas para que suas próprias larvas possam se alimentar, quando este

---

25. Ao mostrar duas espécies com a mesma fisiologia e instintos diferentes, Darwin critica a ideia de que o comportamento reprodutivo tenha uma finalidade única e mostra como a transformação do hábito poderia ter sido guiada pela seleção natural. (N.R.T.)
26. Estudos recentes de biologia molecular revelaram ser muito comum esse tipo de parasitismo de uma ave depositar seu ovo em ninho de outra ave, seja da mesma espécie ou de outra. Entre nós é muito conhecido o hábito do chupim (*Molothrus bonariensis*), que frequentemente parasita ninhos de tico-tico (*Zonotrichia capensis*), mesmo nas cidades. (N.R.T.)
27. Darwin grafa "Sphegidae". (N.T.)
28. Vespa da família Crabroniae. (N.T.)

inseto encontra um ninho já construído e aprovisionado por outro *Sphex*,[29] aproveita-se do achado e torna-se ocasionalmente parasitário naquele momento. Neste caso, tal como acontece com o suposto caso do cuco, não vejo nenhuma dificuldade para a seleção natural tornar permanente um hábito ocasional, sempre que for vantajoso para a espécie e quando o inseto que tiver sido desapropriado de seu ninho e alimento não for por isso exterminado.

Instinto de escravização

Este instinto notável foi descoberto na formiga da espécie *Formica (Polyergus) rufescens* por Pierre Huber,[30] um observador melhor até mesmo que seu célebre pai.[31] Essa formiga depende de seus escravos de forma absoluta; sem essa ajuda, a espécie certamente se tornaria extinta em um único ano. Machos e fêmeas férteis não trabalham. As operárias, ou fêmeas estéreis, embora mais enérgicas e corajosas na captura de escravos, não realizam nenhum outro trabalho. Elas são incapazes de fazer seus próprios ninhos ou de alimentar suas próprias larvas. Quando o velho formigueiro se torna inconveniente e elas precisam migrar, são as escravas que determinam a migração e carregam suas mestras em suas mandíbulas. As formigas são

---

29. Gênero de vespa da família Sphecidae. (N.T.)

30. Jean-Pierre Huber observou o comportamento em junho de 1804 em Genebra e o relatou no livro *Recherces sur les Moeurs des Formis Indigenes* (Paris, 1810), traduzido para o inglês em 1820 com o título *Natural History of Ants* (Londres: Longman and Co.). No entanto, ele não utiliza os termos correspondentes a "escravização" ou "escravas" para as formigas cinza-escuro (*noir cendré*), referindo-se a elas como "associadas" e "auxiliares". Tampouco utiliza os termos correspondentes a "senhoras" ou "mestras" para *F. rufescens* (que significa "avermelhada" em latim), já reconhecidas como "guerreiras", e chamadas de "amazonas" e "legionárias". O tradutor do livro para o inglês, J. R. Johnson, tomou a decisão de substituir a expressão "formigas cinza-escuro" por "negro" e "formigas negras" (*negro* e *negro ant*), por causa da "coloração" e "situação mantida na colônia" (de subserviência), uma clara referência à condição de escravizada. O tradutor registrou a "liberdade" da tradução em nota, à página 252. No entanto, nem mesmo na versão inglesa aparecem os termos relativos à escravidão, como "escravo", "senhor" ou "mestre". Darwin tinha um exemplar do original em francês, mas utilizou alguns dos termos de comentadores desde que a primeira resenha do livro foi publicada em inglês, em 1812. No entanto, ele não utiliza a expressão *negro ant* (ver adiante). Huber foi muito criticado por "naturalizar" a escravidão, como se sua descrição fosse apenas obra de sua imaginação, mas provou ter sido um observador muito rigoroso. A discussão sobre a imoralidade da escravidão e do tráfico de escravos era tema de grande polêmica na Inglaterra da época. (N.R.T.)

31. François Huber (1750-1830), autor do livro *Nouvelles observations sur les abeilles* (1814). (N.T.)

tão absolutamente desamparadas que, quando Huber isolou trinta delas sem nenhuma escrava, mas com os alimentos que mais gostam e com suas larvas e pupas para estimulá-las a trabalhar, elas não fizeram nada; não conseguiram nem se alimentar, e muitas morreram de fome. Huber, em seguida, introduziu uma única escrava (*F. fusca*), e ela imediatamente começou a trabalhar, alimentando e salvando os sobreviventes; construiu alguns alvéolos, cuidou das larvas e colocou a casa em ordem. O que pode ser mais extraordinário do que esses fatos bem determinados? Se não conhecêssemos nenhuma outra formiga escravista, seria inútil tentar especular sobre como um instinto tão espantoso pode ter sido aperfeiçoado.

P. Huber também descobriu que a *Formica sanguinea* é igualmente escravista. Essa espécie é encontrada no sul da Inglaterra, e seus hábitos têm sido estudados pelo senhor F. Smith,[32] do Museu Britânico, a quem sou muito grato pelas informações sobre este e outros assuntos. Embora eu confie totalmente nas afirmações de Huber e do senhor Smith, eu tentei abordar o assunto em um estado de espírito cético, pois todos nós podemos ser perdoados por termos dúvidas em relação à verdade de um instinto tão extraordinário e odioso como o de fazer escravos.[33] Portanto, eu oferecerei com alguns detalhes as observações que fiz sobre o caso. Eu abri catorze formigueiros de *F. sanguinea* e encontrei algumas poucas escravas em todos eles. Machos e fêmeas férteis da espécie escrava são encontrados somente em suas próprias comunidades e nunca são vistos nos formigueiros da *F. sanguinea*. As formigas escravas são pretas[34] e têm quase a metade do tamanho de suas mestras vermelhas; assim, a aparência entre estas e aquelas é bastante contrastante. Quando o formigueiro sofre perturbações ligeiras, as escravas saem ocasionalmente e, assim como suas mestras, ficam muito agitadas e defendem

---

32. Frederick Smith (1806-1879) trabalhava no Museu Britânico, tendo descrito a espécie *Polyergus testaceae* em 1858, que provou ser a mesma espécie descrita por Latreille em 1798 como *Formica rufescens*. Darwin registra a dúvida sobre a classificação, e até mesmo introduz um erro ortográfico no gênero criado por Smith, que não foi corrigido nas edições seguintes de *Origin*. Posteriormente a espécie foi rebatizada como *Polyergus rufescens*, seu nome atual. (N.R.T.)

33. Darwin e sua família eram ativistas contra a escravidão, e ele indignou-se com os hábitos dessas formigas. (N.R.T.)

34. A frase original *the slaves are black* evita a expressão pejorativa da tradução inglesa ("negro") e se refere à coloração, uma maneira objetiva de verificar a presença da espécie *F. fusca* em colônias de *F. sanguínea* e *F. rufescens*, que são avermelhadas. (N.R.T.)

o formigueiro; quando o formigueiro sofre fortes perturbações e as larvas e pupas ficam expostas, as escravas passam a trabalhar energicamente junto com suas mestras para levá-las a um lugar seguro. Assim, notamos que as escravas se sentem em casa. Por três anos sucessivos, durante os meses de junho e julho, observei, por muitas horas, vários formigueiros em Surrey e Sussex e nunca vi uma escrava sair ou entrar nos formigueiros. Já que nesses meses há um menor número de escravas, eu imaginei que elas talvez se comportassem de forma diferente quando estivessem em maior número; mas o senhor Smith me informou que ele já observou formigueiros por várias horas durante maio, junho e agosto, em Surrey e Hampshire, e, embora houvesse um grande número delas em agosto, nunca viu as escravas saírem ou entrarem nos formigueiros. Dessa forma, ele passou a considerá-las como escravas estritamente domésticas. As mestras, por outro lado, podem ser constantemente vistas trazendo materiais e alimentos de todos os tipos para os formigueiros. Durante o ano atual, no entanto, no mês de julho, me deparei com uma comunidade cujo formigueiro possuía uma quantidade invulgarmente grande de escravas, e observei que algumas delas se misturavam com suas mestras, saindo do formigueiro e marchando ao longo da mesma trilha até um pinheiro silvestre que estava a 25 jardas (quase 23 metros) de distância no qual todas subiam juntas, provavelmente em busca de pulgões ou insetos do gênero *Coccus*. De acordo com Huber – que sempre teve muitas oportunidades para suas observações –, na Suíça, as escravas costumam trabalhar com suas mestras para construir o formigueiro, e elas são as únicas que abrem e fecham as portas pela manhã e à noite; e, conforme afirmado expressamente por Huber, a principal função delas é buscar pulgões. Esta diferença nos costumes habituais entre mestras e escravas nos dois países está ligada, provavelmente, ao fato de as escravas serem capturadas em maior número na Suíça em comparação com a Inglaterra.

Certo dia, eu por acaso tive a sorte de ser testemunha de uma migração de um formigueiro para outro, e foi um espetáculo muito interessante observar as mestras carregando cuidadosamente, conforme descrito por Huber, suas escravas em suas mandíbulas.[35] Outro dia, minha atenção foi

35. Na segunda e terceira edições de *Origin*, essa frase ganhou um complemento, a fim de esclarecer melhor: "em vez de serem carregadas por elas, como no caso de *F. rufescens*". (N.R.T.)

tomada por cerca de vinte formigas escravistas que rondavam o mesmo local; evidentemente elas não estavam em busca de alimento. Elas se aproximaram e foram vigorosamente repelidas por uma comunidade independente da espécie escrava (*F. fusca*); cheguei até a ver três dessas formigas agarrando as pernas de uma *F. sanguinea* escravista. Estas últimas mataram impiedosamente suas pequenas oponentes e levaram seus corpos mortos como alimento para o seu formigueiro, que estava a 29 jardas (26,5 metros) dali; mas não conseguiram capturar nem mesmo uma pupa para ser escravizada. Em seguida, desenterrei um pequeno número de pupas da *F. fusca* de outro formigueiro e coloquei em um lugar aberto próximo ao local do combate; elas foram ansiosamente capturadas e levadas pelas tiranas, que talvez tenham imaginado que tinham enfim sido vitoriosas em seu combate final.

Logo depois, eu coloquei no mesmo lugar algumas pupas de outra espécie, a *F. flava*, com algumas destas pequenas formigas amarelas ainda agarradas aos fragmentos de seu formigueiro. Conforme foi descrito pelo senhor Smith, esta espécie é, por vezes, escravizada, embora isso seja raro. Ainda que seja uma espécie muito pequena, ela é muito corajosa, e eu as vi atacar ferozmente outras formigas. Outra vez, encontrei para minha surpresa uma comunidade independente de *F. flava* debaixo de uma pedra e por baixo de um formigueiro de *F. sanguinea* escravistas; e quando eu acidentalmente perturbei ambos os formigueiros, as formiguinhas atacaram suas vizinhas maiores com coragem surpreendente. Isso me deixou curioso para saber se a *F. sanguinea* era capaz de distinguir as pupas da *F. fusca*, que habitualmente são escravizadas, da pequena e furiosa *F. flava*, que é raramente capturada; ficou claro que elas conseguiam diferenciá-las de imediato, pois notei que, de forma ansiosa e com rapidez, elas capturavam as pupas de *F. fusca*, mas ficavam muito aterrorizadas quando se deparavam com as pupas, ou até mesmo com a terra do formigueiro da *F. flava*, e rapidamente fugiam; mas após cerca de um quarto de hora, logo depois de todas as pequenas formigas amarelas terem ido embora, elas criavam coragem e carregavam as pupas para casa.[36]

---

36. O relato de Darwin incorpora a prosopopeia (figura de linguagem, também chamada personificação) tão frequente na descrição de insetos sociais, embora ele evite termos pejorativos utilizados em seu tempo, como *negro ant*. (N.R.T.)

Uma tarde visitei outra comunidade de *F. sanguinea* e encontrei várias formigas entrando em seu formigueiro carregando os corpos mortos de várias *F. fusca* (mostrando que aquilo não era uma migração) e numerosas pupas. Segui a fila de formigas que retornavam com seu saque por cerca de quarenta jardas (aproximadamente 36,5 metros) até chegar a um espesso arbusto de urze (planta do gênero *Erica*). Ali eu vi o último indivíduo de *F. sanguinea* sair, carregando uma pupa; mas não fui capaz de encontrar o formigueiro destruído no espesso arbusto. O formigueiro devia, no entanto, estar próximo, pois dois ou três indivíduos de *F. fusca* estavam se movimentando com muita agitação, e um deles estava com sua própria pupa na boca, imóvel no topo de um dos ramos soltos de arbusto que estava sobre sua casa devastada.

Tais são os fatos, embora eles não precisassem de minha confirmação no que se refere ao assombroso instinto de fazer escravos. Observemos o contraste entre os hábitos instintivos da *F. sanguinea* e os da *F. rufescens*. Esta última não constrói seu formigueiro, não determina suas próprias migrações, não recolhe comida para si mesma ou para suas crias e, por fim, não é capaz de alimentar-se sozinha; ela é absolutamente dependente de suas numerosas escravas.[37] A *Formica sanguinea*, por outro lado, possui muito menos escravas; pouquíssimas no início do verão. As mestras determinam quando e onde formar um novo formigueiro, e quando elas migram, as mestras carregam as escravas. Tanto na Suíça quanto na Inglaterra, as larvas parecem ser exclusivamente cuidadas pelas escravas. Somente as mestras fazem expedições em busca de escravas. Na Suíça, escravas e mestras trabalham juntas, construindo e trazendo materiais para o formigueiro: ambas, mas principalmente as escravas, cuidam de seus pulgões e os "aleitam", como é dito; e assim, ambas coletam alimentos para a comunidade. Na Inglaterra, as mestras geralmente saem sozinhas do formigueiro para coletar materiais de construção e comida para si

37. Sabe-se hoje que a *F. sanguinea* nem sempre captura outras formigas, pois pode se autossustentar. Já as formigas descritas no início da seção como *F. rufescens* têm hábitos bem distintos e são incapazes de sobreviver sem a ajuda de formigas de outras espécies. Essa relação ecológica é denominada "esclavagismo", e em outras línguas se utiliza o termo *dulosis*, derivado do vocábulo grego δοῦλος (*doúlos* / escravos). (N.R.T.)

mesmas, suas escravas e suas larvas. Dessa forma, as mestras de nosso país recebem muito menos serviço de suas escravas do que as da Suíça.

Não fingirei saber quais conjecturas eu deveria fazer para entender a origem do instinto da *F. sanguinea*. Mas, assim como já observei que as formigas não escravistas também pegam as pupas de outras espécies se estiverem espalhadas perto de seus formigueiros, então é possível que as pupas originalmente armazenadas como alimento se desenvolvam e que as formigas assim criadas involuntariamente continuem a seguir seus instintos normais e realizem seus trabalhos da maneira que conseguem. Se a presença delas se mostra útil para as espécies que as capturarem, se for mais vantajoso para esta espécie capturar operárias do que procriar formigas, então o hábito de coletar pupas originalmente como alimento talvez seja reforçado e tornado permanente pela seleção natural para o objetivo bastante diferente de criar escravos. Assim que o instinto foi adquirido, se utilizado com menor frequência do que em nossa *F. sanguinea* britânica – que, como já vimos, é menos auxiliada por suas escravas do que a mesma espécie na Suíça –, não vejo nenhuma dificuldade para que a seleção natural aumente e modifique o instinto (sempre supondo que cada modificação seja útil para a espécie) até que se forme uma formiga abjetamente dependente de suas escravas, como é o caso da *F. rufescens*.[38]

O instinto de fabricação de alvéolos da abelha comum

Não entrarei aqui em detalhes minuciosos sobre este assunto, mas apenas darei um resumo das conclusões a que cheguei. Qualquer um que examine sem admiração entusiástica a estrutura requintada de uma colmeia, tão bem adaptada para seus objetivos, deve ser alguém muito insensível. Os matemáticos dizem que as abelhas praticamente resolveram um problema dificílimo e que elas constroem os alvéolos dos favos com uma forma adequada para que possam guardar a maior quantidade possível de mel

38. Darwin demonstra o poder de sua lógica ao explicar como a seleção natural pode partir de um fato casual (encontrar uma pupa de outra espécie) para se tornar facultativo, com variações (como no caso das formigas inglesas e suíças), e depois tornar-se obrigatório, como no caso da *F. rufescens*. (N.R.T.)

com o menor consumo possível da preciosa cera.[39] Observou-se que um trabalhador hábil que utilizasse boas ferramentas e réguas acharia muito difícil construir o formato correto dos alvéolos de cera, mas isso é realizado perfeitamente por uma multidão de abelhas que trabalham em uma colmeia escura. Imagine qualquer instinto e logo lhe parecerá completamente inconcebível que elas consigam construir todos os ângulos e planos necessários ou até mesmo perceber quando foram feitos corretamente. Mas a dificuldade não é tão grande como pode parecer a princípio: e me parece ser possível demonstrar que todo este belo trabalho é o resultado de alguns instintos na verdade muito simples.

Fui levado a investigar este assunto pelo senhor Waterhouse, que demonstrou que a forma das células em um favo encontra-se em estreita relação com a presença de células adjacentes; e a hipótese exposta a seguir pode ser considerada como uma modificação desta teoria. Observemos o grande princípio da gradação para vermos se a Natureza nos revela seu método de trabalho. Em uma das extremidades de uma sequência curta de alvéolos (células) encontramos os abelhões, que usam seus antigos casulos para guardar mel; às vezes, adicionam curtos tubos de cera a eles e, da mesma maneira, constroem alvéolos arredondados e bastante irregulares de cera. Na outra extremidade da sequência temos os alvéolos da abelha comum, construídos em uma camada dupla: cada alvéolo, como se sabe, é um prisma hexagonal; as arestas da base de seus seis lados são chanfradas, possibilitando juntar-se a uma pirâmide formada por três losangos (ápice triédrico). Esses losangos têm determinados ângulos, e os três que se unem para formar a base da pirâmide do alvéolo de um dos lados do favo fazem parte da composição das bases de três outros alvéolos adjacentes no lado oposto do favo.[40] No meio da sequência de alvéolos – entre a extrema perfeição dos alvéolos da abelha comum e a simplicidade do abelhão – temos os alvéolos da mexicana *Melipona domestica*,[41]

---

39. O matemático húngaro László Tóth (1915-2005) demonstrou, em 1965, que a afirmação não é rigorosamente correta para as três dimensões. (N.R.T.)

40. Ao unir três losangos (com quatro lados cada), formam-se três arestas, que juntam seis lados, deixando os outros seis livres, que formam a base hexagonal do alvéolo. Ao juntar três dessas pirâmides, forma-se uma quarta pirâmide no anverso da estrutura, o que explica a camada dupla de alvéolos hexagonais do favo de mel. (N.R.T.)

41. O nome científico é impreciso, e provavelmente se refere à *Melipona beechei*. As melíponas são abelhas americanas sem ferrão, que ocorrem do México até a Argentina, sendo conhecidas

a qual foi cuidadosamente descrita e desenhada por Pierre Huber. A própria melípona tem uma estrutura intermediária entre a abelha comum e o abelhão, aproximando-se mais do último; ela constrói um favo quase regular de alvéolos cilíndricos, onde as abelhas jovens são eclodidas, e, além disso, alguns alvéolos grandes de cera para guardar mel. Estas células são quase esféricas, de tamanhos quase iguais, e estão reunidas em um grupo irregular. Entretanto o ponto importante a notar é que esses alvéolos estão sempre construídos tão próximos entre si que se quebrariam ou entrariam uns nos outros se as abelhas tivessem completado as esferas; mas isso nunca acontece, pois as abelhas constroem paredes de cera perfeitamente planas entre as esferas que poderiam se cruzar. Desse modo, cada alvéolo consiste em uma parte externa esférica e duas, três ou mais superfícies perfeitamente planas, dependendo da contiguidade do alvéolo com outros dois, três ou mais alvéolos. Quando um alvéolo entra em contato com três outros – algo que acontece com frequência e necessariamente, já que as esferas são quase do mesmo tamanho –, as três superfícies planas unem-se em uma pirâmide; e esta pirâmide, como observou Huber,[42] é claramente uma imitação grosseira da base piramidal trígona do alvéolo construído pela abelha comum. Assim como nos alvéolos da abelha comum, neste caso as superfícies dos três planos de qualquer um dos alvéolos também faz parte da construção de três alvéolos adjacentes. É óbvio que a melípona economiza cera com esse tipo de construção, pois as paredes planas entre as células adjacentes não são duplas, mas têm a mesma espessura das porções esféricas exteriores, e, ainda assim, cada porção plana faz parte de dois alvéolos.

---

entre nós com os nomes mandaçaia, urucu etc. A mandaçaia (*M. quadrifasciata anthidioides*) constrói alvéolos onde as larvas se desenvolvem com cerume, e estes são redondos, com cerca de 5 milímetros de diâmetro. Com o mesmo cerume constroem potes ovais maiores, de 3 centímetros a 5 centímetros de altura, por 2,5 centímetros de largura, interligados, onde armazenam pólen e mel, este menos viscoso do que o mel comum. (N.R.T.)

42. No manuscrito essa parte é muito mais longa, com transcrições em francês do trabalho de François Huber, no qual ele fala orgulhosamente da superioridade da geometria dos favos de mel europeus, e que os da abelha-americana não são outra coisa senão *une forme grossière* ("uma forma grosseira") da construção da abelha-europeia. François Huber segue a tradição de sua época, utilizada por Buffon, de ver no Novo Mundo formas degeneradas dos seres do Velho Mundo, desde favos de mel até moradias humanas (v. Stauffer, R. *Charles Darwin's Natural Selection*. Londres: Cambridge University Press, 1975, p. 515). (N.R.T.)

Refletindo sobre este caso, ocorreu-me que se a melípona construísse esferas de tamanhos iguais a uma determinada distância umas das outras e as dispusesse simetricamente nos dois lados do favo, a estrutura resultante seria tão perfeita como o favo da abelha comum. Nesse sentido, escrevi ao professor Miller,[43] de Cambridge, e esse geômetra,[44] após gentilmente ler a seguinte afirmação (elaborada a partir de suas informações), me disse que ela está rigorosamente correta:

Tomemos um número de esferas iguais, com seus centros colocados em duas camadas paralelas; com o centro de cada esfera a uma distância igual ao raio × √2, isto é, raio × 1,41421 (ou a alguma distância menor) dos centros de seis esferas circundantes na mesma camada; e à mesma distância entre os centros das esferas adjacentes na outra camada paralela; então, se fossem formados planos de interseção entre as diversas esferas em ambas as camadas, isso iria resultar em uma dupla camada de prismas hexagonais unidos por bases piramidais formadas por três losangos; e os losangos e os lados dos prismas hexagonais teriam, de acordo com as melhores medidas, ângulos idênticos aos feitos nos alvéolos da abelha comum.

Daí, podemos seguramente concluir que, caso pudéssemos modificar ligeiramente os instintos da melípona, que por si só não são tão assombrosos, esta abelha poderia construir uma estrutura tão maravilhosamente perfeita como a da abelha comum. Teríamos que supor que a melípona faz seus alvéolos de forma realmente esférica e de tamanhos iguais; e isso não seria surpreendente, se notarmos que, em certa medida, ela já os faz e se notarmos, também, os furos perfeitamente cilíndricos feitos na madeira por muitos insetos que, aparentemente, giram em torno de um ponto fixo. Teríamos que supor que a melípona organiza seus alvéolos em camadas planas, como já o faz com suas células cilíndricas; e teríamos que supor ainda mais, e esta é a maior dificuldade, que ela de alguma forma pode julgar com precisão a que distância manter-se de suas companheiras operárias, que também estão construindo suas esferas; mas ela já está tão hábil

---

43. William Hallowes Miller (1801-1880), professor de mineralogia em Cambridge. (N.T.)

44. Na verdade o professor Miller estudava cristalografia, e atendeu um pedido de Darwin em abril de 1858 para discutir a geometria dos alvéolos, provavelmente procurando alguma conexão entre as formas geométricas dos cristais e dos alvéolos feitos pelas abelhas. (N.R.T.)

em calcular as distâncias que sempre projeta suas esferas para que estas se cruzem em grande parte; e, então, ela une os pontos das interseções por superfícies perfeitamente planas. Teríamos ainda que supor – mas isso não constitui uma dificuldade – que, depois da formação dos prismas hexagonais pela interseção de esferas na mesma camada, ela possa prolongar o hexágono em qualquer comprimento necessário para guardar o estoque de mel; da mesma maneira como o rude abelhão adiciona cilindros de cera nas aberturas circulares de seus antigos casulos. Por tais modificações dos instintos que não são em si muito assombrosos, dificilmente mais assombrosos do que aqueles que guiam um pássaro para fazer seu ninho, eu acredito que a abelha comum tenha adquirido, por meio da seleção natural, seus poderes arquitetônicos inimitáveis.[45]

Contudo esta teoria pode ser testada pela experiência. Seguindo o exemplo do senhor Tegetmeier,[46] separei dois favos e coloquei entre eles uma tira longa, grossa e quadrada de cera; as abelhas instantaneamente começaram a escavar pequenos buracos circulares; e conforme elas aprofundavam esses pequenos poços, elas os deixavam mais largos até se tornarem depressões rasas, parecendo bastante perfeitos aos olhos, ou elementos de uma esfera, e com o diâmetro aproximado de um alvéolo. Achei bastante interessante observar que onde quer que as várias abelhas começassem a escavar essas depressões próximas umas das outras, elas iniciavam seu trabalho a uma certa distância umas das outras e, no momento em que as depressões tinham adquirido a largura acima apontada (*ou seja,* aproximadamente a largura de um alvéolo normal) e tinham a profundidade de cerca de um sexto do diâmetro da esfera das quais faziam parte, os aros das depressões se cruzavam, ou invadiam o espaço uns dos outros. Tão logo isso ocorria, as abelhas paravam de escavar e começavam a construir paredes lisas de cera sobre as linhas de interseção entre as bacias, para que

---

45. Aqui Darwin se equivoca ao atribuir à abelha-europeia "poderes arquitetônicos inimitáveis", como se ela fosse o ápice de uma sucessão de estágios evolutivos presentes na fauna atual, com as melíponas a meio caminho e as mangangabas na base da "escala da natureza". Darwin teve o mérito de enfrentar o desafio de mostrar como o instinto de construção geométrica do favo de mel pode ser resultado da seleção natural, a partir de formas esféricas, e que estas não eram resultado da degeneração das formas europeias. (N.R.T.)

46. William Bernhardt Tegetmeier (1816-1912), apicultor e criador de pombos inglês, ajudou Darwin em seus estudos com as raças domésticas de pombos e experimentos com abelhas. (N.R.T.)

cada prisma hexagonal fosse construído sobre o canto curvado de uma depressão lisa, em vez de nas bordas retas de uma pirâmide de três faces, como no caso de alvéolos normais.

Então, em vez de um pedaço grosso e quadrado de cera, coloquei no favo uma lâmina de cera delgada e estreita colorida com vermelhão.[47] As abelhas começaram instantaneamente a escavar em ambos os lados pequenas depressões próximas umas das outras, da mesma forma como antes; mas a lâmina de cera era tão fina que as partes inferiores das depressões dos dois lados, caso fossem escavadas à mesma profundidade como na experiência anterior, teriam se encontrado. As abelhas, no entanto, não deixaram isso acontecer, e elas pararam suas escavações no devido tempo em que as depressões, assim que tivessem sido aprofundadas ligeiramente, pudessem ter fundos planos; e estes fundos planos, formados por pequenas placas finas da cera escarlate que não foram roídas, ficaram no local onde estavam, tanto quanto o olho pode julgar, exatamente ao longo dos planos de interseção imaginário entre as depressões em ambos os lados da lâmina de cera. Em partes, apenas pequenos pedaços, em outras partes, grandes porções de uma placa rômbica tinham sido deixadas entre as depressões opostas, mas o trabalho, por causa das condições fora do comum, não foi realizado de forma ordenada. Para conseguir deixar placas planas entre as depressões, as abelhas devem ter trabalhado com quase a mesma velocidade no lado oposto da lâmina de cera vermelha, conforme elas mastigavam de forma circular e aprofundavam as depressões de ambos os lados, parando o trabalho ao longo dos planos intermediários ou interseções.

Considerando a flexibilidade da cera fina, não vejo qualquer tipo de dificuldade para que as abelhas, enquanto estejam trabalhando dos dois lados de uma tira de cera, percebam o momento em que já roeram a cera até a espessura adequada e em seguida parem seu trabalho. Parece-me que as abelhas nem sempre trabalham nos favos comuns com exatamente a mesma velocidade dos dois lados do favo; pois tenho notado losangos semiconcluídos na base de um alvéolo de construção recente, que eram ligeiramente côncavos de um lado, onde eu suponho que as abelhas tenham escavado

47. Trata-se de um corante à base de sulfeto de mercúrio. Com ele, Darwin pôde observar a transferência de cera de um local a outro. (N.R.T.)

muito rapidamente, e convexos no lado contrário, onde as abelhas trabalharam com menos rapidez. Em um exemplo bem evidente, eu coloquei o favo de volta na colmeia, permiti que as abelhas continuassem trabalhando por um período curto de tempo e examinei novamente os alvéolos. Descobri que a placa rômbica havia sido concluída e se tornado perfeitamente plana; era absolutamente impossível, tendo em vista a finura extrema da pequena placa rômbica, que elas tivessem roído o lado convexo; assim, suspeito que as abelhas em tais casos fiquem no alvéolo oposto, empurrando e dobrando a cera quente e dúctil (que, conforme experimentado por mim, é muito fácil de fazer) em seu plano intermediário e, dessa forma, aplainando este.

Podemos ver claramente no experimento da lâmina de cera vermelha que, se as abelhas precisassem construir para si uma parede fina de cera, elas poderiam fazer seus alvéolos de forma adequada, na distância apropriada uns dos outros, por meio de escavação na mesma velocidade e tentando criar formas ocas esféricas e semelhantes, mas nunca permitindo que as esferas invadissem umas às outras. Agora as abelhas, como pode ser visto claramente examinando a borda de um favo em crescimento, constroem uma parede áspera, circunferencial, ou uma borda em torno do favo inteiro; e elas roem a partir de lados opostos, sempre trabalhando circularmente conforme aprofundam cada um dos alvéolos. Elas não constroem todos os três lados da base piramidal dos alvéolos de uma só vez, mas apenas uma placa rômbica, que fica na margem extrema do crescimento, ou as duas placas, conforme o caso; e elas nunca completam as bordas superiores das placas rômbicas até as paredes hexagonais serem iniciadas. Algumas destas afirmações diferem daquelas feitas pelo célebre Huber Sênior, mas estou convencido de sua exatidão; e, se eu tivesse espaço, poderia mostrar que elas estão em conformidade com a minha teoria.

Huber afirma que o primeiro alvéolo é escavado a partir de uma pequena parede de cera com faces paralelas, mas isso não está, pelo que notei, estritamente correto; o primeiro passo é sempre uma pequena cobertura de cera; porém não vou aqui entrar em detalhes. Vemos como a escavação é uma parte importante da construção dos alvéolos; entretanto seria um grande erro supor que as abelhas não são capazes de construir uma parede áspera de cera na posição apropriada ao longo do plano de interseção entre duas esferas vizinhas. Eu tenho vários espécimes que provam claramente que elas são capazes de fazer isso. Mesmo no tosco aro circunferencial ou na parede de cera que fica em torno de uma colmeia em crescimento, às vezes é possível observar as curvaturas que se situam nas posições correspondentes aos planos das bases das placas rômbicas dos futuros alvéolos. Porém, de qualquer forma, a parede grosseira de cera deve ser concluída, isto é, deve ser amplamente roída de ambos os lados. A maneira como as abelhas constroem é curiosa; elas sempre fazem uma parede grosseira que é de dez a vinte vezes mais espessa que a parede excessivamente fina do alvéolo pronto, a qual, em última análise, será deixada assim. Nós podemos entender como elas trabalham ao imaginarmos pedreiros que primeiro juntam cimento em uma parede grossa e logo em seguida começam a aplainá-la igualmente em ambos os lados próximos ao solo até que, por fim, obtenham no centro uma parede lisa e muito fina; no processo, os pedreiros empilham o cimento retirado ao topo da parede e ao mesmo tempo adicionam cimento fresco. Obtemos, dessa forma, uma parede fina que cresce continuamente para cima, sempre coroada por uma borda gigantesca. Assim, já que todas as células, tanto aquelas apenas iniciadas quanto as já prontas, são, portanto, coroadas por uma forte cobertura de cera, as abelhas podem, então, se reunir e mudar de lugar no favo sem ferir as delicadas paredes hexagonais, cuja espessura é de quatro centésimos de polegada (aproximadamente um milímetro); já as placas da base piramidal são aproximadamente duas vezes mais grossas. Por este modo singular de construção, o favo ganha força contínua, com a máxima economia final de cera.[48]

À primeira vista, parece que aumenta a dificuldade de compreender como se constroem os alvéolos quando há uma multidão de abelhas trabalhando ao mesmo tempo, pois uma abelha, após trabalhar por pouco tempo em um alvéolo, logo passa para outro, de maneira que, como Huber observou, até mesmo no início do primeiro alvéolo há uns vinte indivíduos trabalhando. Eu pude demonstrar esse feito de forma prática, ao cobrir as bordas das paredes hexagonais de um único alvéolo, ou a margem extrema

48. Darwin parte da conjectura de que o favo de mel da abelha-europeia é a forma mais econômica de obter máximo poder de estocagem com mínimo consumo de cera. Trata-se de um problema matemático estudado desde a Grécia Antiga, relacionando menor perímetro com máxima área, visto como uma solução divina. Darwin procura mostrar como o mesmo problema pode ter sido solucionado pela ação da seleção natural, sem intervenção divina, o que provocou grande ira nos círculos religiosos. (N.R.T.)

do aro circunferencial de um favo em crescimento, com uma camada extremamente fina de cera derretida vermelha; e invariavelmente notei que a cor era delicadamente espalhada pelas abelhas – tão delicadamente quanto um pintor faria com seu pincel –, retirando as partículas de cera colorida do local em que haviam sido colocadas e trabalhando com elas nas bordas crescentes de todos os alvéolos existentes ao redor. O trabalho de construção parece ser uma espécie de equilíbrio acordado entre muitas abelhas, todas conservando-se instintivamente a uma mesma distância relativa umas das outras, todas tentando fazer esferas iguais e então construindo ou deixando sem roer os planos de interseção entre essas esferas. Foi realmente curioso notar que nos casos difíceis, como, por exemplo, quando dois pedaços do favo se juntavam em ângulo, as abelhas costumavam destruir todo o alvéolo e, de diferentes maneiras, reconstruir o mesmo alvéolo, às vezes voltando a uma forma que havia sido anteriormente rejeitada.

Quando as abelhas estão em um lugar em que elas podem manter-se em posições adequadas para trabalhar, como, por exemplo, em um pedaço de madeira colocado diretamente embaixo de um favo que cresce para baixo, de modo que o favo tenha de ser construído sobre um lado da faixa, nesse caso as abelhas podem lançar os alicerces de uma parede de um novo hexágono em seu lugar estritamente correto, projetando para além dos outros alvéolos já prontos. Basta que as abelhas consigam manter suas distâncias relativas adequadas umas das outras e das últimas paredes dos alvéolos prontos e, em seguida, ao trabalhar em esferas imaginárias, possam construir uma parede intermediária entre duas esferas adjacentes; mas, tanto quanto eu vi, elas nunca roem e terminam os ângulos de um alvéolo até que uma grande parte do alvéolo e dos alvéolos adjacentes esteja pronta. A capacidade que as abelhas têm de construir em certas circunstâncias uma parede rudimentar em seu devido lugar entre dois alvéolos que ainda estão nos primeiros estágios de construção é importante, pois se relaciona com um fato que, à primeira vista, parece contrariar a teoria acima mencionada: a saber, que os alvéolos nas margens extremas dos favos de vespas sejam por vezes estritamente hexagonais; mas não tenho espaço aqui para entrar nesse assunto. Além disso, não vejo qualquer grande dificuldade para que um único inseto (como no caso de uma vespa rainha) construa células hexagonais caso ele trabalhe alternadamente do lado de dentro e do lado de fora de dois ou três alvéolos iniciados ao mesmo tempo, estando sempre a uma distância relativa e adequada das partes das células que acabaram de ser iniciadas, escavando as esferas ou os cilindros e construindo planos intermediários. É até mesmo possível que um inseto possa, fixando-se em um ponto onde começará a fazer um alvéolo, mover-se para fora, primeiro até um ponto e depois para outros cinco, nas distâncias relativas apropriadas do ponto central, e, entre um ponto e outro, escavar os planos de interseção e então criar um hexágono isolado; mas não sei se alguém já observou algum exemplo assim; por outro lado, não haveria nenhum benefício na construção de um único hexágono, pois para sua construção seria necessário mais material do que para um cilindro.

Como a seleção natural atua apenas pela acumulação de pequenas modificações da estrutura ou do instinto, cada uma delas benéfica para o indivíduo para suas condições de vida, então poder-se-ia perguntar com razoabilidade como uma longa e graduada sucessão de instintos arquitetônicos modificados, todos tendendo para o presente e perfeito plano de construção, poderia ter beneficiado os progenitores da abelha comum? A resposta não me parece ser difícil: sabe-se que as abelhas costumam ser fortemente pressionadas para obter uma quantidade suficiente de néctar; e fui informado pelo senhor Tegetmeier que foi experimentalmente descoberto que nada menos do que entre doze a quinze libras (aproximadamente 5,44 e 6,8 quilos) de açúcar seco são consumidas por uma colmeia de abelhas para a produção de uma libra (aproximadamente 453 gramas) de cera; assim, em uma colmeia, as abelhas precisam recolher e consumir uma prodigiosa quantidade de néctar fluido para obter a secreção de cera necessária para a construção de seus favos. Além disso, muitas abelhas devem permanecer ociosas por muitos dias, durante o processo de secreção. O grande estoque de mel é indispensável para oferecer apoio à uma grande colmeia de abelhas durante o inverno; além disso, sabe-se que a segurança da colmeia depende principalmente do grande número de abelhas que ela pode sustentar. Dessa forma, a economia de cera – que, em sua maior parte, ocorre pela economia de mel – é um elemento importantíssimo para o sucesso de qualquer família de abelhas. O sucesso de qualquer espécie de abelha pode obviamente depender do número de seus parasitas ou outros inimigos, ou de causas completamente distintas, e ser dessa forma completamente independente da quantidade de mel que as abelhas conseguem coletar. Mas vamos supor que esta última circunstância determine, como muitas vezes determina, o número de abelhões que poderiam existir em uma região; e ainda mais, suponhamos que a comunidade tenha passado pelo inverno e que, consequentemente, precise de um novo estoque de mel: neste caso, não temos nenhuma dúvida de que seria vantajoso para esse abelhão se uma ligeira modificação do seu instinto o levasse a fazer seus alvéolos de cera próximos uns dos outros para que houvesse certa intercepação destes; pois uma parede em comum a duas células adjacentes economizaria um pouco de cera. Assim, seria cada vez mais vantajoso para nosso abelhão se ele construísse alvéolos cada vez mais regulares, mais próximos e agregados em uma massa, semelhantes aos alvéolos da melípona; pois, neste caso, uma grande parte da superfície delimitadora de cada célula serviria para ligar outros alvéolos e seria possível economizar bastante cera. Além disso, pela mesma causa, seria vantajoso para a melípona se ela construísse células mais próximas umas das outras e, em todos os sentidos, mais regulares do que a forma atual; pois, como já vimos, as superfícies esféricas desapareceriam totalmente e todas seriam substituídas por superfícies planas; a melípona construiria então um favo tão perfeito como aquele feito pela abelha comum. A seleção natural não conseguiria ir além desse estágio de perfeição arquitetônica; pois o favo da abelha comum, tanto quanto podemos ver, é absolutamente perfeito para economizar cera.[49]

Assim, acredito que, de todos os instintos conhecidos, o mais assombroso, o da abelha comum, pode explicar por que a seleção natural aproveitou-se das inúmeras e pequenas modificações sucessivas de instintos mais simples; por que a seleção natural, de forma gradual e cada vez mais perfeita, levou as abelhas a fazer esferas iguais a uma certa distância umas das outras em uma camada dupla e a construir e escavar a cera ao longo dos

49. Darwin inadvertidamente se contradiz ao estabelecer uma linha evolutiva entre três espécies da fauna atual, como se uma conduzisse à outra, até atingir o ápice "absolutamente perfeito". Mas os abelhões (gênero *Bombus*) e as melíponas teriam permanecido em seu estágio primitivo, como "fósseis vivos", sem sofrer qualquer evolução. As abelhas *Bombus*, que ocorrem também em regiões temperadas com invernos severos, mantiveram seu hábito, o que é um problema para a explicação apresentada. Ademais, embora altamente eficiente, o favo de mel não possui geometria "absolutamente perfeita" (sobre László Tóth, ver nota 39, página 235). Ademais, na conclusão do capítulo anterior está escrito: "A seleção natural não produzirá perfeição absoluta", justamente ao falar dos problemas do ferrão das abelhas operárias. (N.R.T.)

planos de interseção. As abelhas, é claro, pouco sabem que fizeram suas esferas em uma determinada distância umas das outras, nem se dão conta dos vários ângulos dos prismas hexagonais e das placas rômbicas da base. A força motriz do processo da seleção natural foi a economia de cera; uma colmeia específica que tenha desperdiçado menos mel para secretar cera será o grupo com maior sucesso e transmitirá por hereditariedade esse instinto econômico recém-adquirido para novas colmeias que, por sua vez, terão mais chances de obter sucesso na luta pela sobrevivência.[50]

Muitos instintos de difícil explicação poderiam sem dúvida ser opostos à teoria da seleção natural, casos em que não podemos ver como um instinto poderia ter-se originado; casos em que acreditamos não haver gradações intermediárias; casos de instintos aparentemente tão insignificantes que mal poderiam ter sido originados pela seleção natural; casos de instintos quase idênticos em animais tão remotos na escala da natureza que não posso responder por sua similaridade por hereditariedade de um ancestral comum e que devemos portanto acreditar que tenham sido adquiridos por atos independentes da seleção natural. Não detalharei aqui esses vários exemplos, mas me limitarei a uma dificuldade especial, a qual, no início, pareceu-me insuperável e, na verdade, fatal para toda a minha teoria. Refiro-me às fêmeas assexuadas ou estéreis das comunidades de insetos; pois estes insetos estéreis costumam ter instintos e estruturas extremamente diferentes tanto daqueles dos machos quanto das fêmeas férteis, e assim, por serem estéreis, não podem propagar sua espécie.

O assunto merece ser discutido longamente, mas oferecerei aqui apenas um único exemplo: as formigas operárias ou estéreis. Sabermos como as operárias se tornaram estéreis é uma dificuldade, mas não é uma dificuldade muito maior do que a apresentada por quaisquer outras modificações marcantes na estrutura; por isso pode ser demonstrado que alguns insetos e outros artrópodes em estado natural tornam-se ocasionalmente estéreis; e, caso sejam insetos sociais e tal modificação tenha sido vantajosa para uma

50. O fóssil mais antigo de abelhas foi datado recentemente ao redor de 100 milhões de anos, e tem características semelhantes às das vespas, embora tenha adaptações para transporte de pólen. Esse fato indica que a evolução das abelhas certamente ocorreu em período muito anterior ao imaginado por Darwin, incluindo diversas glaciações, nas quais as condições ambientais se tornaram extremamente severas, tornando plausíveis as conjecturas de Darwin. (N.R.T.)

comunidade que necessite de um número anual de insetos operários mas que sejam incapazes de procriar, então eu não vejo nenhuma grande dificuldade de isso ter sido efetuado pela seleção natural.[51] Sim, mas devo deixar de lado essa dificuldade preliminar. A grande dificuldade é a seguinte: as formigas operárias possuem estruturas extremamente diferentes daquelas presentes nos machos e nas fêmeas férteis, bem como na forma do tórax, na falta das asas e, por vezes, nos olhos e nos instintos. A abelha comum, em relação apenas aos instintos, poderia representar um exemplo melhor da prodigiosa diferença entre as trabalhadoras e as fêmeas férteis. Se a formiga operária ou outro inseto assexuado fosse um animal em estado normal, eu sem hesitação teria presumido que todas as suas características haviam sido adquiridas lentamente por meio da seleção natural; ou seja, um indivíduo nasceria com uma estrutura ligeiramente vantajosa, esta seria passada por hereditariedade a seus descendentes; e estes últimos também sofreriam variações, seriam selecionados e assim por diante. Contudo as formigas operárias são insetos bastante diferentes de seus pais e, além disso, são estéreis; por isso elas nunca poderiam ter transmitido para seus filhos modificações adquiridas sucessivamente em suas estruturas ou em seus instintos. É possível então questionarmos como é possível conciliar este exemplo com a teoria da seleção natural.

Primeiro, devemos lembrar que temos inúmeros exemplos, tanto em nossas produções domésticas quanto em estado natural, de todos os tipos de diferenças estruturais que estão correlacionadas com determinadas idades e com o sexo. Temos diferenças que estão correlacionadas não apenas a um dos sexos mas também apenas com o curto período durante o qual o sistema reprodutivo está ativo; como, por exemplo, a plumagem nupcial de muitas aves e a mandíbula inferior em forma de gancho do salmão macho. Temos até mesmo pequenas diferenças nos chifres de diferentes linhagens de bovinos em relação a um estado artificialmente imperfeito do sexo masculino; pois os bovinos de determinadas linhagens têm chifres mais

---

51. Darwin antecipa a explicação cuja demonstração matemática foi oferecida na década de 1960, depois de conhecidos a determinação do sexo nas abelhas e os detalhes da transmissão das características genéticas. De fato, abelhas operárias, sendo estéreis, contribuem mais para perpetuar sua constituição genética do que por meio de seleção sexual. Darwin faz adiante uma notável analogia com hortaliças e gado. (N.R.T.)

longos do que os de outras quando comparados com os chifres de touros ou vacas das mesmas linhagens. Daí, não vejo nenhuma dificuldade real em que algumas características estejam correlacionadas à esterilidade de alguns indivíduos das comunidades de insetos; a dificuldade reside em compreender como tais modificações correlacionadas da estrutura poderiam ter sido lentamente acumuladas pela seleção natural.

Embora essa dificuldade pareça insuperável, ela fica mais leve, ou, como acredito, desaparece, quando lembramos que a seleção pode ser aplicada tanto ao indivíduo quanto à família[52] e que pode, assim, atingir o fim desejado. Desta forma, quando um vegetal bem aromatizado é cozido, o indivíduo é destruído, mas o horticultor planta sementes da mesma linhagem e tem certeza de obter variedades quase idênticas; os criadores de gado desejam que a carne e a gordura estejam bem integradas, por isso que, mesmo que um animal com essas características seja abatido, o criador certamente utilizará animais da mesma família como reprodutores. Eu tenho tanta confiança nos poderes da seleção que não duvido que seja possível formar lentamente uma linhagem de gado que sempre produza animais com chifres extraordinariamente longos ao se observar cuidadosamente quais touros e vacas individuais, quando combinados, produzem indivíduos com chifres mais longos; e, ainda assim, nem um boi ou uma vaca individual teria propagado seu próprio tipo. Acredito que o mesmo acontece com os insetos sociais: uma ligeira modificação da estrutura, ou do instinto, correlacionada com a condição de esterilidade de alguns membros da comunidade, mostrou-se vantajosa para a comunidade; consequentemente, machos e fêmeas férteis da mesma comunidade floresceram e transmitiram aos descendentes férteis essa tendência a produzir membros estéreis com a mesma modificação. Acredito que esse processo foi repetido até chegar a produzir todas as prodigiosas diferenças existentes hoje entre as fêmeas férteis e estéreis da mesma espécie de insetos sociais.

Porém ainda não tocamos o ápice da dificuldade; ou seja, o fato de que os indivíduos assexuados de várias formigas sejam diferentes não apenas dos machos e fêmeas férteis, mas também uns dos outros, às vezes num

52. No sentido de grupo familiar aparentado, e não na acepção de gêneros semelhantes. (N.R.T.)

grau quase inacreditável, a ponto de, em tais casos, podermos dividi-los em duas ou até mesmo três castas. As castas, além disso, não se dividem em gradações entre si mas são perfeitamente bem definidas; são tão distintas umas das outras como o são duas espécies quaisquer do mesmo gênero, ou melhor, como o são dois gêneros quaisquer de uma mesma família. Assim, há, dentre as formigas do gênero *Eciton*,[53] indivíduos assexuados operários e soldados; suas mandíbulas e seus instintos são extraordinariamente diferentes. No gênero *Cryptocerus*, as operárias de uma única casta carregam um tipo maravilhoso de escudo na cabeça, cuja função é bastante desconhecida; na *Myrmecocystus* mexicana, as operárias de uma casta nunca saem do formigueiro; são alimentadas pelas operárias de outra casta; além disso, têm um abdômen exageradamente desenvolvido que secreta uma espécie de mel, substituindo a excreção dos pulgões, que podem ser chamados de "vacas-das-formigas", insetos que são guardados ou aprisionados por nossas formigas europeias.

Poder-se-ia mesmo concluir que eu confio exageradamente no princípio da seleção natural ao não admitir que esses fatos assombrosos e bem estabelecidos aniquilem de uma vez por todas minha teoria. No caso mais simples, aquele dos insetos assexuados que fazem parte de uma única casta ou um tipo que, pela seleção natural, tenham se tornado, como eu acredito ser bem possível, diferentes dos machos e fêmeas férteis, podemos seguramente concluir a partir da analogia das variações comuns que cada uma das pequenas modificações sucessivas e vantajosas provavelmente não tenha surgido em todos os indivíduos operários do mesmo formigueiro, mas apenas em alguns deles; e que, por meio da longa e contínua seleção dos pais férteis que produziram a maioria dos indivíduos assexuados com a modificação vantajosa, todos os assexuados, finalmente, passaram a ter a característica desejada. Por este ponto de vista devemos encontrar ocasionalmente insetos assexuados da mesma espécie, no mesmo ninho, apresentando diferentes níveis de estrutura – e isso é algo que encontramos muitas vezes, mesmo levando em conta que poucos insetos assexua-

---

53. Um dos numerosos gêneros das formigas-de-correição sul-americanas, aparentadas das formigas africanas de mesmo hábito, de formar "exércitos" que percorrem o chão da floresta predando todo tipo de insetos e pequenos animais. Não constroem formigueiros. (N.R.T.)

dos foram cuidadosamente examinados fora da Europa. O senhor F. Smith mostrou quão surpreendentemente as várias formigas operárias britânicas são diferentes entre si, no tamanho e, por vezes, nas cores; e que as formas extremas podem às vezes estar perfeitamente ligadas entre si por indivíduos do mesmo formigueiro; eu mesmo consegui comparar gradações perfeitas desse tipo. Normalmente acontece que as operárias de tamanho maior ou de tamanho menor são as mais numerosas; ou que as maiores e menores sejam numerosas e as de tamanho intermediário existam em quantidades bem menores. A *Formica flava*[54] tem operárias grandes, pequenas e algumas de tamanho intermediário; e, nesta espécie, como o senhor F. Smith observou, as maiores operárias têm olhos simples (ocelos) que, embora pequenos, são claramente distinguíveis; já as operárias menores possuem ocelos rudimentares. Tendo cuidadosamente dissecado vários espécimes destas operárias, posso afirmar que os olhos são muito mais rudimentares nas menores operárias do que poderia ser contabilizado apenas pelo seu tamanho proporcionalmente menor; e eu acredito plenamente, embora não ouse estar tão positivamente seguro, que as operárias de tamanho intermediário possuem ocelos em condição exatamente intermediária. Temos então duas formas de operárias estéreis no mesmo formigueiro, diferindo não só no tamanho mas também em seus órgãos de visão, mas ainda assim ligadas por alguns poucos indivíduos intermediários. Eu poderia divagar, acrescentando que se as operárias menores fossem mais úteis para a comunidade e caso tivessem sido continuamente selecionados aqueles machos e fêmeas que produzissem cada vez mais formigas operárias pequenas até que todas as operárias fossem pequenas, então teríamos uma espécie de formiga com operárias muito próximas das existentes no gênero *Myrmica*. Isso porque as operárias da *Myrmica* mal possuem os rudimentos de ocelos, apesar de as formigas machos e fêmeas deste gênero terem ocelos bem desenvolvidos.

Posso oferecer mais um exemplo: tão confiantemente eu esperava encontrar gradações em pontos importantes da estrutura entre as diferentes

---

54. Trata-se da formiga-amarela-do-prado (*Lasius flavus*), comum na Europa, mas também presente na Ásia e na parte oriental da América do Norte, em regiões de inverno rigoroso. É comum que mantenham pulgões em seus formigueiros, que se alimentam de raízes de ervas, daí resultando a expressão "vacas-das-formigas", utilizada por Darwin. (N.R.T.)

castas de indivíduos assexuados da mesma espécie que com prazer faço proveito da oferta do senhor F. Smith, a saber, numerosos espécimes do mesmo formigueiro das formigas-de-correição (*Anomma*)[55] da África Ocidental. O leitor talvez entenda melhor o grau das diferenças entre estas operárias se, em vez de oferecer os valores reais, eu dê um exemplo extremamente exato: a diferença seria a mesma observada em um grupo de operários construindo uma casa, dentre os quais muitos tivessem cinco pés e quatro polegadas (aproximadamente 1,66 metro) de altura e outros tivessem dezesseis pés (aproximadamente 4,87 metros); mas deveríamos supor que os trabalhadores maiores tivessem cabeças quatro vezes maiores, e não três, que a dos homens menores e mandíbulas quase cinco vezes maiores. Além disso, as mandíbulas de todas as formigas operárias dos diversos tamanhos possuíam formas espantosamente diferentes, assim como diferiam na forma e no número de dentes. Mas o importante para nós é que, embora as operárias possam ser agrupadas em castas de tamanhos diferentes, ainda assim elas se englobam em gradações imperceptíveis entre si, e as estruturas das suas mandíbulas também são extremamente diversas. Falo com confiança sobre este último ponto pois o senhor Lubbock, utilizando a *camera lucida*,[56] fez para mim desenhos dos maxilares de vários tamanhos que eu havia dissecado das operárias.

Tendo esses fatos diante de mim, acredito que a seleção natural, atuando sobre pais férteis, é capaz de formar uma espécie que regularmente produza indivíduos assexuados de grande porte e com um só tipo de mandíbula, ou todos de pequeno porte com mandíbulas bastante diferentes; ou, por fim, e este é o cume das dificuldades, um grupo de operários com certo tamanho e estrutura e, simultaneamente, outro grupo de operários de tamanho e estrutura diferentes; formando-se primeiro uma série graduada, como ocorre com as formigas-de-correição, e depois as formas extremas, as quais, por

---

55. Formigas-de-correição africanas (alguns zoólogos reuniram diferentes espécies, como *Anomma nigricans*, no gênero *Dorylus*). Darwin jamais poderia imaginar que se trata de um grupo-irmão das formigas-de-correição americanas, com um ancestral comum, que viveu, segundo estudos moleculares recentes, quando as placas continentais estavam ainda unidas (fenômeno desconhecido à época), há pouco mais de 100 milhões de anos. Trata-se do mais antigo componente evolutivo conservado de maneira inalterada que se conhece. (N.R.T.)
56. Do latim, câmera iluminada, ferramenta de desenho patenteada em 1807 por William Hyde Wollaston. (N.T.)

serem as mais úteis para a comunidade, são produzidas em números cada vez maiores através da seleção natural dos pais que as geraram; até que a formigas com estrutura intermediária deixem de ser produzidas.

Assim, acredito, originou-se esse fato assombroso, isto é, a ocorrência de duas castas bem definidas e distintas de operárias estéreis no mesmo formigueiro, ambas extremamente diferentes umas das outras e de seus pais. A utilidade de sua produção para a comunidade social de insetos é similar à do princípio da divisão do trabalho para o homem civilizado. No entanto, tendo em vista que o trabalho das formigas é realizado por instinto e com ferramentas ou armas hereditárias – e não pela aquisição de conhecimentos e com a fabricação de instrumentos –, uma perfeita divisão do trabalho somente pode ser realizada por meio de operárias estéreis, pois, caso fossem férteis, elas conseguiriam cruzar e seus instintos e estruturas ficariam misturados. Então acredito que a natureza tenha dado forma a essa admirável divisão do trabalho nas comunidades das formigas por meio da seleção natural. Porém sou obrigado a confessar que, se não fosse pelo exemplo desses insetos assexuados, mesmo com toda a minha fé nesse princípio, eu jamais acreditaria que a seleção natural pudesse ser tão sumamente eficiente. Portanto, discuti esse exemplo de forma mais extensa (mas mesmo assim totalmente insuficiente) para mostrar o poder da seleção natural e também porque esta é, de longe, a dificuldade especial mais grave encontrada por minha teoria. O exemplo é também muito interessante, pois prova ser possível, tanto em animais quanto em plantas, efetuar quaisquer graus de modificações na estrutura por meio do acúmulo de muitas variações pequenas e, conforme devemos chamá-las, acidentais, que, de alguma maneira, sejam vantajosas sem que o treino ou hábito precisem entrar em jogo. Isso porque nenhum exercício, hábito ou desejo dos membros de uma comunidade totalmente estéril poderia afetar a estrutura ou os instintos dos membros férteis, os únicos que produzem descendentes. Estou surpreso que ninguém tenha produzido este exemplo demonstrativo dos insetos assexuados contra a conhecida teoria de Lamarck.[57]

---

57. Jean Baptiste Lamarck (1744-1829), naturalista francês. Acreditava que os seres se modificavam de acordo com as condições de existência e não poderia explicar a existência de insetos sociais, com castas estéreis; personificou as ideias pré-darwinistas sobre a evolução. (N.R.T.)

Resumo

Esforcei-me brevemente neste capítulo para mostrar que as qualidades mentais de nossos animais domésticos variam e que essas variações são hereditárias. De forma ainda mais resumida, tentei mostrar que os instintos variam ligeiramente no estado de natureza. Ninguém dirá que os instintos não são extremamente importantes para cada animal. Dessa forma, não vejo qualquer dificuldade, sob condições de vida em mutação, de a seleção natural acumular pequenas modificações de instintos em qualquer medida (e em qualquer direção que seja útil). Em alguns casos, o hábito ou o uso e o desuso também têm provavelmente papéis a cumprir. Eu não digo que os fatos constantes do presente capítulo ofereçam grande reforço para minha teoria; mas nenhum desses casos difíceis, até onde sei, a aniquilam. Por outro lado, os vários fatos a seguir tendem a confirmar a teoria da seleção natural, a saber, o fato de que os instintos nunca são absolutamente perfeitos[58] e que são passíveis de erros; de que nenhum instinto foi produzido para o bem exclusivo de outros animais, mas que cada animal aproveita os instintos dos outros; de que o axioma da história natural, *Natura non facit saltum*, é aplicável tanto aos instintos quanto à estrutura corpórea e que ele é claramente explicável pelas opiniões anteriores, tornando-se, caso contrário, ininteligível.

A teoria é também reforçada por alguns poucos outros fatos em relação aos instintos, isto é, pelo exemplo de espécies muito próximas mas certamente distintas que habitam partes distantes do mundo e vivem em condições consideravelmente diferentes, mas que, muitas vezes, mantêm quase os mesmos instintos. Por exemplo, podemos entender – por meio do princípio da hereditariedade – como o tordo da América do Sul[59] forra seu ninho com barro, da mesma forma peculiar que fazem nossos tordos britâ-

58. Note-se a contradição em relação ao que foi dito sobre o instinto de construção de alvéolos da abelha comum. (N.R.T.)

59. Os tordos são nossos conhecidos sabiás (família Turdidae), que têm hábitos muito semelhantes em todo o mundo. Seu ninho tem forma de tigela funda, de paredes grossas compostas de fragmentos de raízes, gravetos e musgos; muitas espécies (mas não todas) o reforçam com barro em quantidades variáveis, embora nunca na concavidade ou nas bordas. Na última edição, Darwin afirma que se trata dos "tordos da América do Sul tropical", mas mesmo assim nem todas as espécies tropicais têm esse hábito. (N.R.T.)

nicos; como o macho da corruíra (*Troglodytes*) da América do Norte[60] constrói ninhos individuais de pernoite, exatamente como o macho da única corruíra britânica,[61] um hábito totalmente diferente dos hábitos de qualquer outra ave conhecida.[62] Por fim, talvez não seja uma dedução lógica, mas é muito mais satisfatório para minha imaginação considerar esses instintos – como o do jovem cuco que aniquila seus irmãos adotivos, das formigas que fazem escravos, das larvas de *Icneumonidae* que devoram por dentro os corpos de lagartas ainda vivas – não como comportamentos conferidos por uma criação especial, mas como pequenas consequências de uma lei geral que leva ao aprimoramento de todos os seres orgânicos, ou seja, multiplicar, variar, deixar o mais forte viver e o mais fraco morrer.[63]

---

60. As conhecidas corruíras (*Troglodytes aedon*) têm ampla distribuição geográfica nas Américas, do Canadá à Terra do Fogo. Fora da época de reprodução, tanto machos como fêmeas nidificam em qualquer pequeno espaço oco, construindo pequenos abrigos individuais forrados para pernoite. A construção é muito rápida, havendo relatos deles em gavetas semiabertas e até em um bolso de uma calça velha esquecida em um galpão. O nome do gênero é a palavra grega *troglodýtes* (τρωγλοδύτης), que significa "aquele que habita buracos ou cavernas". (N.R.T.)

61. São pássaros conhecidos como *kitty-wrens* (*Troglodytes troglodytes*), que constroem ninhos individuais, chamados *cock-nests* ("ninhos-de-galo") justamente por serem individuais e sem finalidade reprodutiva. (N.R.T.)

62. Na Europa há apenas uma espécie da família Troglodytidae, uma exceção nesta família que reúne pássaros americanos. Por esta razão Darwin não sabia que o hábito é único na Europa, mas não nas corruíras (ou cambaxirras) americanas, por exemplo, *Thryothorus* (sudeste dos Estados Unidos) e *Campylorhynchus* (México). (N.R.T.)

63. Esta nota final pungente mostra a indignação de Darwin com a crença de que os instintos tenham sido especialmente projetados por um criador divino, pois uma criatura benevolente jamais poderia ter criado atavismos tão repugnantes quanto os dos genocidas, escravocratas e torturadores. A indignação moral de Darwin justifica esse exagero e permite entender a referência à sobrevivência do "mais forte" e à impiedosa "morte" do "mais fraco", expressões que não devem ser interpretadas em sentido literal para designar a ação da seleção natural. (N.R.T.)

CAPÍTULO 8
HIBRIDISMO

DISTINÇÃO ENTRE A ESTERILIDADE DOS PRIMEIROS CRUZAMENTOS E A DOS HÍBRIDOS – A ESTERILIDADE TEM VÁRIOS GRAUS, NÃO É UNIVERSAL, É AFETADA PELO CRUZAMENTO ENTRE PARENTES PRÓXIMOS, SUPRIMIDA PELA DOMESTICAÇÃO – LEIS QUE REGEM A ESTERILIDADE DOS HÍBRIDOS – ESTERILIDADE NÃO É UMA DOTAÇÃO ESPECIAL, MAS CONSEQUÊNCIA INCIDENTAL DE OUTRAS DIFERENÇAS – CAUSAS DA ESTERILIDADE DOS PRIMEIROS CRUZAMENTOS E DOS HÍBRIDOS – PARALELISMO ENTRE OS EFEITOS DAS MUDANÇAS DE VIDA E DO CRUZAMENTO – FERTILIDADE DAS VARIEDADES QUANDO CRUZADAS E DE SUA PROLE MESTIÇA NÃO É UNIVERSAL – COMPARAÇÃO ENTRE HÍBRIDOS E MESTIÇOS INDEPENDENTEMENTE DE SUA FERTILIDADE – RESUMO

A opinião geral mantida pelos naturalistas é a de que as espécies, ao cruzarem entre si, foram especialmente dotadas com a qualidade da esterilidade a fim de evitar a confusão de todas as formas orgânicas. Essa opinião certamente parece provável à primeira vista, pois as espécies de um mesmo território dificilmente conseguiriam se manter distintas se pudessem cruzar de forma livre. Acredito que a importância do fato de que os híbridos costumam ser estéreis tem sido muito subestimada por alguns autores modernos. Pela teoria da seleção natural, o caso é especialmente importante na medida em que a esterilidade dos híbridos não oferece qualquer vantagem a estes seres e, portanto, não poderia ter sido adquirida pela preservação contínua de sucessivos graus úteis de esterilidade. Espero, no entanto, ser capaz de mostrar que a esterilidade não é uma qualidade especialmente adquirida ou conferida, mas sim uma consequência acidental ligada a outras diferenças acumuladas.[1]

Ao tratar desse assunto, duas classes de fatos, em grande medida fundamentalmente diferentes, têm geralmente sido confundidas; ou seja, a esterilidade de duas espécies quando cruzam pela primeira vez e a esterilidade dos híbridos produzidos por elas.

As espécies puras evidentemente possuem órgãos reprodutores em condição perfeita; quando elas cruzam entre si, no entanto, produzem poucos (ou nenhum) descendentes. Os híbridos, por outro lado, têm órgãos reprodutores funcionalmente impotentes, como pode ser visto claramente, tanto quanto é possível ser observado por um microscópio, na condição do elemento masculino de plantas e animais, mesmo quando esses órgãos têm uma estrutura perfeita. No primeiro caso, os dois elementos sexuais que vão formar o embrião são perfeitos; no segundo caso, eles ou não estão desenvolvidos ou estão desenvolvidos de forma imperfeita. Essa distinção é importante para podermos investigar a causa da esterilidade, que é comum nos dois casos. A distinção foi provavelmente evitada, pois em ambos os casos a esterilidade foi vista como um legado especial que estaria além dos limites de nossa capacidade de compreensão.

A fertilidade das variedades, ou seja, das formas que sabida ou presumivelmente descendem dos mesmos progenitores, quando intercruzadas, e similarmente à fertilidade de seus descendentes mestiços, é, para a minha teoria, tão importante quanto a esterilidade das espécies, pois parece estabelecer uma óbvia e clara distinção entre variedades e espécies.

Tratemos em primeiro lugar da esterilidade das espécies quando cruzam entre si e da sua descendência híbrida. É impossível estudar as várias memórias e obras de dois observadores meticulosos e admiráveis, Kölreuter[2] e Gärtner,[3]

---

1. Note-se a defesa de Darwin da ação de causas acidentais determinando a esterilidade, contra a opinião dominante de que ela teria sido especialmente projetada com a finalidade de manter as espécies separadas. (N.R.T.)

2. Kölreuter iniciou seus experimentos para refutar a especulação proposta por Lineu (1707-1778) de que a hibridização poderia gerar novas espécies (ver o segundo parágrafo da parte 4 de Müller-Wille, Staffan, and Vitezslav Orel, 2007. *From Linnaean Species to Mendelian Factors: Elements of Hybridism*, 1751-1870, *Annals of Science*, 64: 171-215). (N.T.)

3. Em 1849, Gärtner publicou *Versuche und Beobachtungen über die Bastarderzeugung im Pflanzenreiche* (Experimentos e observações sobre a produção de híbridos no reino vegetal),

que dedicaram suas vidas a este assunto, sem ficarmos profundamente impressionados com a alta generalidade de certo grau de esterilidade. Kölreuter diz que a regra é universal; mas logo resolve o problema, pois em dez casos em que encontrou duas formas bastante férteis e consideradas pela maioria dos autores como espécies distintas e férteis, ele, sem hesitação, as classificou como variedades. Gärtner também afirma que a regra é igualmente universal; e contesta a fertilidade de todos os dez exemplos de Kölreuter. Entretanto, nestes exemplos, e em muitos outros, Gärtner é obrigado a contar cuidadosamente as sementes para poder demonstrar que não há algum grau de esterilidade. Ele sempre toma o número máximo de sementes produzidas por duas espécies quando se cruzam e o número máximo produzido por seus descendentes híbridos e os compara com o número médio produzido por ambas as espécies progenitoras puras em estado natural. Mas parece-me que aqui é introduzida uma séria causa de erro: para que uma planta seja hibridizada, ela deve ser castrada, e, o que é muitas vezes mais importante, ela deve ser isolada para evitar que o pólen de outras plantas seja trazido por insetos. Quase todas as plantas analisadas por Gärtner foram plantadas em vasos e, aparentemente, postas em um quarto de sua casa. Não devemos duvidar que esses processos sejam muitas vezes prejudiciais para a fertilidade da planta; pois Gärtner nos mostra em sua tabela uma vintena de casos de plantas que ele castrou e fertilizou artificialmente com o pólen delas mesmas; e (excluindo todos os casos, tais como as Leguminosae, cuja manipulação é reconhecidamente difícil) a fertilidade de metade dessas vinte plantas ficou diminuída em algum grau. Além disso, tendo em vista que Gärtner cruzou repetidamente, durante vários anos, dois tipos de prímulas, a *Primula vulgaris* e a *Primula veris*[4] – as quais temos boas razões para acreditar serem variedades – e apenas uma ou duas vezes conseguiu obter sementes férteis; e tendo em vista que ele descobriu que as *Anagallis* comuns vermelhas e azuis (*A. arvensis* e *coerulea*) – classificadas pelos melhores bo-

---

resultado de 25 anos de experiências com setecentas espécies. Adotou um ponto de vista que chamou de "biológico" para distinguir as espécies das variedades; a diferença deveria ser encontrada na "reflexão", isto é, pela observação de como as espécies estão relacionadas entre si (Müller-Wille, Staffan, and Vitezslav Orel, 2007. *From Linnaean Species to Mendelian Factors: Elements of Hybridism*, 1751-1870, parte 5, *Annals of Science*, 64: 171-215). (N.T.)

4. Darwin utiliza o nome comum em inglês dessas espécies, a saber, *primrose* e *cowslip.* (N.T.)

tânicos como variedades – são absolutamente estéreis; e, por fim, tendo em vista que chegou à mesma conclusão em vários outros exemplos análogos, então parece-me que podemos pôr em dúvida se as muitas outras espécies, quando cruzadas, são realmente tão estéreis como Gärtner acreditava.

É certo, por um lado, que os graus de esterilidade de diversas espécies, ao se cruzarem, são muito diferentes e que passam de um grau a outro de forma bastante imperceptível, e, por outro lado, que a fertilidade das espécies puras é facilmente afetada por várias circunstâncias, que, para todos os efeitos práticos, é mais difícil saber em que ponto a perfeita fertilidade termina e em qual começa a esterilidade. Acredito não haver melhor prova disso do que o fato de os dois observadores mais experientes que já viveram, ou seja, Kölreuter e Gärtner, terem chegado a conclusões diametralmente opostas em relação a exatamente a mesma espécie. Também seria muito instrutivo – mas não tenho espaço aqui para entrar em detalhes – tomarmos as provas oferecidas por nossos melhores botânicos sobre a questão de saber se certas formas duvidosas devem ser classificadas como espécies ou variedades e as compararmos com as evidências de fertilidade obtidas por diferentes hibridizadores, ou pelo mesmo autor, em experimentos realizados durante diferentes anos. Assim, é possível demonstrar que nem a esterilidade nem a fertilidade oferecem quaisquer distinções claras entre as espécies e as variedades; mas que as evidências dessa fonte se tornam imperceptíveis e são tão duvidosas quanto as evidências derivadas de outras diferenças constitucionais e estruturais.

No que se refere à esterilidade dos híbridos em gerações sucessivas; embora Gärtner tenha conseguido produzir alguns híbridos, ao mantê-los cuidadosamente afastados de um cruzamento com qualquer progenitor puro, por seis ou sete gerações – e, em um dos casos, por dez gerações –, ele no entanto afirma positivamente que nunca houve aumento da fertilidade, mas que esta foi de modo geral drasticamente reduzida. Não duvido que este seja de maneira genérica o caso e que a fertilidade diminua, muitas vezes, de forma repentina, nas primeiras poucas gerações. Acredito, no entanto, que em todas estas experiências a fertilidade foi reduzida por uma causa independente, ou seja, por causa do cruzamento entre parentes próximos. Eu coletei um número tão grande de fatos mostrando que o cruzamento entre parentes próximos diminui a fertilidade e que, por outro lado, o cruzamento ocasional com um indivíduo distinto ou variante aumenta a fertilidade, que não tenho como duvidar da certeza quase universal dessa crença comum entre os criadores. Raramente os híbridos são criados em grandes quantidades pelos experimentalistas; e como a espécie-mãe ou outros híbridos próximos geralmente crescem no mesmo jardim, as visitas dos insetos devem ser cuidadosamente evitadas durante a época de floração; daí os híbridos geralmente seriam fertilizados em cada geração pelo seu próprio pólen individual; e estou convencido de que isso seria prejudicial à sua fertilidade, já diminuída por sua origem híbrida. Essa convicção é reforçada por uma notável afirmação feita repetidamente por Gärtner, a saber, que mesmo se os híbridos menos férteis forem artificialmente fertilizados com pólen híbrido do mesmo tipo, sua fertilidade, não obstante os frequentes efeitos nocivos da manipulação, às vezes decididamente aumenta, e continua aumentando. Agora, nas fertilizações artificiais, o pólen pode ser retirado ao acaso (sei disso por experiência própria) tanto das anteras de outra flor quanto das anteras da própria flor que será fertilizada, proporcionando, assim, o cruzamento entre duas flores, embora provavelmente da mesma planta. Além disso, sempre que experimentos complicados estivessem em andamento, um observador tão meticuloso quanto Gärtner teria castrado seus híbridos para garantir que, em cada geração, o cruzamento ocorresse com o pólen de uma flor distinta – da mesma planta ou, ainda, de outra planta com a mesma natureza híbrida. Assim, o estranho aumento da fertilidade nas sucessivas gerações de híbridos *artificialmente fertilizados* pode, creio eu, ser explicado pela proibição do cruzamento entre parentes próximos.

Vejamos agora os resultados obtidos pelo terceiro hibridizador mais experiente: o honorável reverendo W. Herbert. Ele é tão enfático ao afirmar que alguns híbridos são perfeitamente férteis – tão férteis quanto a espécie-mãe pura – quanto o são Kölreuter e Gärtner a respeito de certo grau de esterilidade entre espécies diferentes constituir uma lei universal da Natureza. Ele realizou experimentos com algumas das mesmas espécies observadas por Gärtner. Acredito que a diferença em seus resultados pode ser devida, em parte, à grande competência de Herbert como horticultor e pelo fato de este possuir estufas ao seu dispor. De suas muitas declarações importantes, aqui vou oferecer apenas um exemplo, ou seja, que "todos os óvulos da *Crinum capense* fertilizados pela *C. revolutum* produziram uma planta, algo que [diz ele] nunca vi ocorrer em uma fecundação natural". Dessa forma, temos aqui uma fertilização perfeita, ou até mais do que comumente perfeita, em um primeiro cruzamento efetuado entre duas espécies distintas.

Este caso do *Crinum* leva-me a comentar um fato ainda mais singular, ou seja, que existem plantas individuais, tal como acontece com certas espécies de *Lobelia* e com todas as espécies do gênero *Hippeastrum*, que podem ser muito mais facilmente fertilizadas pelo pólen de espécies distintas do que pelo seu próprio pólen. Pois notou-se que essas plantas, embora sejam bastante estéreis em relação ao seu próprio pólen, produzem sementes com o pólen de uma espécie distinta; e, ao mesmo tempo, notou-se que o próprio pólen dessas plantas é perfeitamente saudável, pois fertilizou espécies distintas. Então, certas plantas individuais e todos os indivíduos de certas espécies podem, na verdade, ser mais facilmente hibridizados do que autofecundados! Por exemplo, um bulbo de *Hippeastrum aulicum* produziu quatro flores; três foram fertilizadas por Herbert com o pólen da própria planta, e a quarta foi fertilizada pelo pólen de um híbrido composto, descendente de três espécies diferentes: o resultado foi que "os ovários das três primeiras flores logo pararam de crescer e, depois de alguns dias, morreram, enquanto o bulbo impregnado pelo pólen híbrido cresceu de forma vigorosa e progrediu com rapidez até sua maturidade, produzindo boa semente que germinou livre". Em uma carta de 1839 endereçada a mim, o senhor Herbert disse que ele, então, trabalhou no experimento por cinco anos e que continuou a observá-lo durante vários anos subsequentes, sempre com o mesmo resultado. Esse resultado também foi confirmado por outros observadores nos subgêneros do *Hippeastrum* e em alguns outros gêneros, como as *Lobelias*, as *Passifloras* e *Verbascuns*. Embora as plantas desses experimentos parecessem perfeitamente saudáveis, e embora os óvulos e o pólen da mesma flor fossem perfeitamente bons em relação a outras espécies, ainda assim, por serem funcionalmente imperfeitas em sua autofecundação, nós devemos inferir que as plantas não estavam em estado natural. Todavia, estes fatos mostram as pequenas e misteriosas causas das quais depende às vezes a menor ou maior fertilidade de uma espécie quando cruzada em comparação com a mesma espécie quando é autofecundada.

As experiências práticas dos horticultores, embora realizadas com pouca precisão científica, merecem nosso relato. É notória a maneira complicada pela qual as espécies dos gêneros *Pelargonium*, *Fuchsia*, *Calceolaria*, *Petunia*, *Rhododendron* etc. foram cruzadas, e, contudo, muitos destes híbridos produzem sementes de forma livre. Por exemplo, Herbert afirma que um híbrido entre a *Calceolaria integrifolia* e a *plantaginea* – espécies extremamente diferentes em seus hábitos – "se reproduz de forma tão perfeita como se fosse uma espécie natural das montanhas do Chile". Após verificar o grau de fertilidade de alguns cruzamentos complexos de rododendros, eu tenho certeza que muitos deles são perfeitamente férteis. O senhor C. Noble,[5] por exemplo, informa-me que, para a enxertia, ele cultiva híbridos entre *Rododendro ponticum* e *Rododendro catawbiense* e que este híbrido "produz sementes da forma mais livre possível". Caso os híbridos, quando razoavelmente tratados, diminuíssem sua fertilidade em cada geração sucessiva, como Gärtner acredita ser o caso, o fato teria sido percebido pelos horticultores. Eles separam grandes partes de seus viveiros para os mesmos híbridos; somente desse modo são tratados corretamente, pois, pela ação dos insetos, os diversos indivíduos da mesma variedade híbrida conseguem cruzar livremente uns com os outros e impedir a influência prejudicial dos cruzamentos entre parentes próximos. Todos podem convencer-se facilmente da eficiência da ação dos insetos ao examinar as flores dos tipos mais estéreis de rododendros híbridos que não produzem pólen, pois encontraremos em seus estigmas pólens de outras flores em abundância.[6]

Em relação aos animais, foram realizados muito menos experimentos rigorosos do que no caso das plantas. Se pudermos confiar em nossos arranjos sistemáticos, isto é, se os gêneros dos animais são tão diferentes quanto os gêneros das plantas, então é possível inferir que os animais mais distantes entre si na escala da natureza podem cruzar mais facilmente que no caso das plantas; mas os próprios híbridos são, penso eu, mais estéreis. Não acredito ser viável dar autenticidade a nenhum exemplo de algum animal híbrido que seja perfeitamente fértil.[7] Devemos, no entanto, ter em mente

5. Charles Noble (1817-1898), horticultor inglês. Desenvolveu, a partir de 1853, um viveiro especializado em rododendros asiáticos, próximo à residência de Joseph Dalton Hooker (1817-1911), botânico muito amigo de Darwin. (N.R.T.)

6. Trata-se de observação rigorosa; as flores dos rododendros, muito numerosas, são visitadas por abelhas. (N.R.T.)

7. Esta frase está presente nas cinco primeiras edições de *A origem das espécies* (1859, 1860, 1861, 1866 e 1869), mas foi retirada de sua última edição (1872). (N.T.)

que não foram realizados muitos experimentos, pois poucos animais conseguem reproduzir-se livremente sob confinamento; por exemplo, o canário foi cruzado com nove outros fringilídeos, mas, tendo em vista que nenhuma dessas nove espécies se reproduz livremente em confinamento, não há como esperar que o primeiro cruzamento entre eles e o canário – ou seus híbridos – produza crias perfeitamente férteis. Além disso, no que diz respeito à fertilidade das gerações sucessivas dos animais híbridos mais férteis, não conheço nenhum exemplo em que duas famílias do mesmo híbrido tenham sido produzidas ao mesmo tempo por pais diferentes, a fim de evitar os efeitos nocivos do cruzamento entre parentes próximos. Ao contrário, irmãos e irmãs geralmente têm sido cruzados em cada uma das gerações sucessivas, em oposição ao aviso constantemente repetido por todo criador. E, neste caso, não é surpreendente que a inerente esterilidade dos híbridos tenha aumentando. Se agíssemos assim, unindo irmãos e irmãs de quaisquer animais puros, e se eles, por algum motivo, tivessem então uma tendência mínima para a esterilidade, a linhagem seria certamente perdida em pouquíssimas gerações.[8]

Embora eu não conheça casos autênticos e bem documentados de animais híbridos que sejam perfeitamente férteis, tenho alguma razão para acreditar que os híbridos das espécies *Cervulus vaginalis* e *reversii*[9] bem como da espécie *Phasianus colchicus* com a *P. torquatus* e com a *P. versicolor*[10] são perfeitamente férteis. Os híbridos dos gansos comuns e chineses (*A. cygnoides*) – espécies que, por serem muito diferentes, costumam ser classificadas em gêneros distintos – muitas vezes procriaram neste país [Inglaterra], tendo um dos pais puros; e conheço um único exemplo em que cruzaram entre si. Isso foi realizado pelo senhor Eyton, que criou dois híbridos dos mesmos pais, mas de ninhadas diferentes; e que, a partir destas duas aves, criou nada menos que oito híbridos (netos dos gansos puros) em um único ninho. Na Índia, no entanto, esses gansos obtidos pelo cruzamento de linhagens diferentes devem ser muito mais férteis; pois fui assegurado por dois especialistas extremamente compe-

8. Esta frase não consta na 6ª edição, de 1872. (N.T.)
9. Espécies da família Cervidae (cervo). (N.T.)
10. Espécies da família Phasianidae (faisão). (N.T.)

tentes, a saber, o senhor Blyth e o capitão Hutton,[11] que bandos inteiros destes cruzamentos são criados em várias partes do país; e como são criados para o lucro em um local onde não existe nenhuma espécie-mãe pura, certamente devem ser altamente férteis.

Uma hipótese que se originou com Pallas[12] tem sido amplamente aceita pelos naturalistas modernos; ou seja, que a maioria dos nossos animais domésticos é descendente de duas ou mais espécies nativas que se misturaram por meio de cruzamentos. Por este ponto de vista, ou as espécies nativas deveriam ter produzido híbridos bastante férteis ou os híbridos deveriam tornar-se muito férteis nas gerações posteriores sob domesticação. Esta última alternativa parece ser a mais provável e, apesar de não ser fundamentada em nenhuma evidência direta, estou inclinado a acreditar em sua veracidade. Eu acredito, por exemplo, que nossos cães são descendentes de várias linhagens selvagens e, no entanto, talvez à exceção de certos cães domésticos nativos da América do Sul,[13] todos eles, quando tomados em conjunto, são bastante férteis; e a analogia me faz duvidar muito de que, inicialmente, as várias espécies nativas teriam procriado livremente e produzido híbridos bastante férteis. Além disso, há razões para crer que o gado europeu e o gado indiano com corcova são bastante férteis em conjunto; mas, pelos fatos a mim relatados pelo senhor Blyth, acho que eles podem ser considerados como espécies distintas. Assim, por esse ponto de vista da origem de muitos dos nossos animais domésticos, ou deveríamos abandonar a crença da esterilidade quase universal das espécies distintas dos animais quando se cruzam, ou deveríamos ver a esterilidade não como uma característica inalterável, mas como algo capaz de ser removido pela domesticação.[14]

---

11. Thomas Hutton (1807-1874), oficial do exército; serviu na Índia; era naturalista. Foi contatado por Darwin por sugestão de E. Blyth. (N.R.T.)

12. Peter Simon Pallas (1741-1811), zoólogo alemão. (N.T.)

13. Darwin parece acreditar que os canídeos sul-americanos sejam variedades domesticadas, o que não é o caso. Adiante, o assunto é tratado com mais detalhe (ver nota 25, página 275). (N.R.T.)

14. Estudos de biologia molecular indicam que a domesticação de cães pode ter ocorrido a partir de uma única espécie (lobo, *Canis lupus*), de maneira distinta da domesticação de bovinos. O gado indiano zebuíno (*Bos indicus*) não se originou da mesma espécie do gado europeu, asiático e africano (*Bos taurus*). No entanto, o argumento de que a barreira da esterilidade pode ser removida pela domesticação é fundamentalmente correto, apesar de produzido sem o menor conhecimento das leis da genética moderna. (N.R.T.)

Finalmente, ao observarmos todos os fatos afirmados sobre o cruzamento de plantas e animais, podemos concluir que certo grau de esterilidade, tanto no resultado dos primeiros cruzamentos quanto nos híbridos, é um resultado extremamente geral; mas que, de acordo com nossos conhecimentos atuais, isso não pode ser considerado como algo absolutamente universal.

Leis que regem a esterilidade dos primeiros cruzamentos e dos híbridos

Iremos agora considerar um pouco mais detalhadamente as circunstâncias e regras que regem a esterilidade dos primeiros cruzamentos e dos cruzamentos dos híbridos. Nosso principal objetivo será ver se as regras indicam (ou não) que as espécies foram especialmente dotadas com esta qualidade a fim de impedir o cruzamento e a mistura destas em uma confusão total. As seguintes regras e conclusões foram estabelecidas principalmente a partir do trabalho admirável de Gärtner sobre a hibridização de plantas. Dediquei bastante esforço para verificar até que ponto as regras se aplicam aos animais e, considerando nosso conhecimento escasso em relação aos animais híbridos, fiquei surpreso ao descobrir como as mesmas regras se aplicam geralmente a ambos os reinos.

Já foi comentado que o grau de fertilidade, tanto dos primeiros cruzamentos quanto dos híbridos, vai de zero até a fertilidade máxima. É surpreendente o curioso número de maneiras pelas quais podemos demonstrar a existência dessa gradação, mas apenas o contorno mais simples dos fatos poderá ser dado aqui. Quando o pólen de uma planta de certa família é colocado sobre o estigma de uma planta de outra família, ele não causa mais influência do que poderia ser causada por qualquer pó inorgânico. Partindo desse zero absoluto de fertilidade, quando aplicamos o pólen das diferentes espécies do mesmo gênero ao estigma de alguma espécie, ele produz uma gradação perfeita em relação ao número de sementes produzidas, até chegar à completa – ou quase completa – fertilidade; e, como já vimos, em certos casos anormais, até mesmo um excesso de fertilidade, que vai além do que o pólen da própria planta poderia produzir. Então, dentre os próprios híbridos, há alguns que nunca produziram e provavelmente nunca irão produzir – mesmo com o pólen de qualquer dos progenitores puros – uma única semente fértil; mas em alguns desses casos é possível detectar um primeiro traço de fertilidade causado pelo pólen de uma espécie-mãe pura, fazendo que a flor do híbrido definhe mais cedo do que ocorreria em outro caso; o definhamento precoce da flor é bem conhecido por ser um sinal de fertilização incipiente. Partindo desse grau extremo de esterilidade, temos diferentes híbridos que, autofecundados, produzem um número cada vez maior de sementes até o grau máximo de fertilidade.

Os híbridos de duas espécies que são muito difíceis de serem cruzadas e que raramente produzem descendentes são geralmente muito estéreis; mas o paralelismo entre a dificuldade de produzir o primeiro cruzamento e a esterilidade dos híbridos assim produzidos – duas classes de fatos que geralmente se confundem – não é de modo algum rigoroso. Há muitos casos em que duas espécies puras podem ser unidas com facilidade incomum e são capazes de produzir muitos descendentes, contudo esses híbridos são notavelmente estéreis. Por outro lado, existem espécies que somente podem ser cruzadas muito raramente e com extrema dificuldade, mas cujos híbridos, quando finalmente produzidos, são muito férteis. Mesmo dentro dos limites do mesmo gênero, como, por exemplo, no gênero *Dianthus,* ocorrem esses dois casos opostos.

A fertilidade, tanto dos primeiros cruzamentos quanto de híbridos, é mais facilmente afetada por condições desfavoráveis do que o é a fertilidade das espécies puras. No entanto o grau de fertilidade é, do mesmo modo, variável de forma inata; pois o grau nem sempre é o mesmo quando as mesmas duas espécies são cruzadas nas mesmas circunstâncias, mas dependem em parte da constituição dos indivíduos que por acaso tenham sido escolhidos para o experimento. O mesmo vale para os híbridos, pois observamos que o grau de fertilidade destes últimos costuma ser extremamente diferente nos vários indivíduos criados da semente de um mesmo fruto capsular e expostos exatamente[15] às mesmas condições.

Pelo termo afinidade sistemática, entendo a semelhança da estrutura e da constituição entre espécies, mais especialmente da estrutura das partes que são de alta importância fisiológica e que pouco diferem nas espécies mais próximas. Agora, a fertilidade dos primeiros cruzamentos entre espécies e dos híbridos produzidos a partir deles é em grande parte regida pela

---

15. A palavra "exatamente" foi retirada a partir da 3ª edição. (N.T.)

afinidade sistemática existente. Isso pode ser claramente demonstrado pelo fato de nunca terem sido criados híbridos a partir de espécies que foram classificadas em famílias distintas pelos sistematas; e, por outro lado, pelo fato de as espécies muito afins conseguirem, em geral, unir-se com facilidade. Mas a correspondência entre a afinidade sistemática e a facilidade do cruzamento não é, de forma alguma, rígida. Há uma infinidade de exemplos de espécies muito afins que não se unem, ou que o fazem com extrema dificuldade; e, por outro lado, exemplos de espécies muito distintas que se unem com uma enorme facilidade. Em uma mesma família pode haver um gênero (o *Dianthus*, por exemplo) no qual muitas espécies podem ser cruzadas com grande facilidade; e um outro gênero (o *Silene*, por exemplo)[16] no qual nem os esforços mais férreos conseguiram produzir um único híbrido entre espécies extremamente afins. Mesmo dentro dos limites de um mesmo gênero, nos deparamos com essa mesma diferença; por exemplo, as muitas espécies de *Nicotiana* foram cruzadas mais vezes do que as espécies de quase qualquer outro gênero; mas Gärtner descobriu que a *N. acuminata*, que não é uma espécie particularmente distinta, fracassou obstinadamente em fertilizar, ou ser fertilizada, por nada menos que oito espécies diferentes de *Nicotiana*. Muitos fatos semelhantes poderiam ser apresentados.

Ninguém foi capaz de apontar quais tipos ou qual montante de diferenças em quaisquer características reconhecíveis são suficientes para impedir o cruzamento de duas espécies. É possível demonstrar que plantas com hábitos e aparência extremamente diferentes, tendo diferenças fortemente marcadas em todas as partes de suas flores, até mesmo no pólen, no fruto e nos cotilédones, podem ser cruzadas. Plantas anuais e perenes, árvores caducifólias e perenifólias, plantas que vivem em locais e climas extremamente diferentes, podem muitas vezes ser cruzadas com facilidade.

Por cruzamento recíproco entre duas espécies entendo, por exemplo, o caso de um cavalo garanhão cruzado primeiro com uma jumenta, e depois um jumento com uma égua; podemos dizer, assim, que ocorreu um cruzamento recíproco entre essas duas espécies. Muitas vezes, há uma diferença enorme em relação à facilidade de realizar cruzamentos recíprocos. Esses

---

16. Os gêneros *Dianthus* e *Silene* pertencem à família Caryophyllaceae (família dos cravos). (N.T.)

casos são extremamente importantes, pois eles provam que a capacidade de quaisquer duas espécies cruzarem costuma ser completamente independente de sua afinidade sistemática ou de qualquer diferença reconhecível em todos os organismos dessas espécies. Por outro lado, esses casos mostram claramente que a capacidade de cruzamento está ligada a diferenças constitutivas imperceptíveis para nós e confinada ao sistema reprodutivo. Essa diferença no resultado dos cruzamentos recíprocos entre as mesmas duas espécies foi, há muito tempo, observada por Kölreuter. Temos por exemplo a *Mirabilis jalappa*, que pode facilmente ser fertilizada pelo pólen da *M. longiflora*; e os híbridos assim produzidos são suficientemente férteis; mas, durante oito anos seguidos, Kölreuter tentou fecundar reciprocamente a *M. longiflora* com o pólen da *M. jalappa* por mais de duzentas vezes, fracassando completamente. Vários outros casos igualmente impressionantes poderiam ser oferecidos. Thuret[17] observou o mesmo fato com certas algas marinhas do gênero *Fuci*. Gärtner, além disso, descobriu que, num grau menor, a diferença da facilidade em realizar cruzamentos recíprocos é extremamente comum. Ele observou isso mesmo entre formas tão intimamente relacionadas (por exemplo, a *Matthiola annua* e *M. glabra*)[18] que muitos botânicos as classificariam apenas como variedades. Outro fato notável é que os híbridos gerados de cruzamentos recíprocos – ainda que compostos, claro, pelas mesmas duas espécies, sendo que uma espécie foi primeiro usada como o pai e depois como a mãe – geralmente diferem pouco em fertilidade, mas ocasionalmente diferem muito.

Poderíamos citar várias outras regras particulares de Gärtner: por exemplo, algumas espécies apresentam um poder notável de cruzamento com outras espécies; outras espécies do mesmo gênero têm um notável poder de legar sua semelhança à sua descendência híbrida; mas estes dois poderes não caminham necessariamente juntos. Há certos híbridos que, em vez de terem, como é habitual, características intermediárias entre seus dois pais, sempre assemelham-se a um deles; e tais híbridos, embora sejam externamente semelhantes a um de seus progenitores puros, são, com raras

---

17. Gustave Adolphe Thuret (1817-1875), botânico francês que publicou dois trabalhos (em 1853 e 1855) sobre as algas da família Fucaceae, chamada de *Fuci* por Darwin. (N.T.)
18. Espécies da família Brassicaceae. (N.T.)

exceções, extremamente estéreis. Também entre os híbridos que têm uma estrutura geralmente intermediária em relação aos seus progenitores, às vezes nascem indivíduos excepcionais e anormais que se assemelham a um dos progenitores puros; e estes híbridos são quase sempre totalmente estéreis, mesmo quando os outros híbridos gerados a partir de sementes do mesmo fruto capsular têm um considerável grau de fertilidade. Esses fatos demonstram que a fertilidade dos híbridos é completamente independente de sua semelhança externa a qualquer um de seus progenitores puros.

Considerando as diversas regras dadas a seguir, que regulam a fertilidade dos híbridos e dos primeiros cruzamentos, vemos que, quando as formas consideradas como espécies distintas e boas são unidas, a fertilidade delas é graduada de zero a perfeita ou, em determinadas condições, até mesmo em um grau de fertilidade excessivo. A fertilidade, além de ser eminentemente suscetível a condições favoráveis e desfavoráveis, é por natureza variável. Ela não tem, de forma alguma, sempre o mesmo grau nos primeiros cruzamentos e nos híbridos produzidos a partir deste cruzamento. A fertilidade dos híbridos não está relacionada com o grau de semelhança da aparência externa destes com qualquer um de seus pais. E, por último, a facilidade para produzir um primeiro cruzamento entre duas espécies quaisquer não é sempre regida pela afinidade sistemática e pelo grau de semelhança entre elas. Essa última declaração é claramente provada pelos cruzamentos recíprocos entre as mesmas duas espécies, pois, dependendo de qual espécie foi usada como pai ou mãe, há geralmente uma diferença – e ocasionalmente a maior diferença possível – na facilidade de efetuar uma união. Além disso, os híbridos produzidos a partir de cruzamentos recíprocos diferem frequentemente em fertilidade.

Agora, será que estas regras complexas e singulares indicam que as espécies foram dotadas de esterilidade simplesmente para impedir que, na natureza, fossem confundidas? Acredito que não. Pois, se devemos supor que evitar a mistura é igualmente importante quando várias espécies são cruzadas, por que a graduação da esterilidade deveria ser tão grande? Por que o grau de esterilidade é variável de maneira inata em indivíduos da mesma espécie? Por que algumas espécies cruzam com facilidade e ainda assim produzem híbridos muito estéreis e outras espécies cruzam com extrema dificuldade e produzem híbridos bastante férteis? Por que, frequentemente, há uma diferença tão grande no resultado de um cruzamento recíproco entre as mesmas duas espécies? Por que, poderíamos até mesmo perguntar, os híbridos podem reproduzir-se? Parece ser uma disposição estranha conceder às espécies o poder especial de produzir híbridos para depois impedir que possam se propagar por meio de diferentes graus de esterilidade, não estritamente relacionados com a facilidade da primeira união entre os pais.

As regras e os fatos dados parecem por outro lado indicar claramente que a esterilidade dos primeiros cruzamentos e a esterilidade dos híbridos é simples consequência acidental ou dependente de diferenças desconhecidas, principalmente no sistema reprodutivo das espécies cruzadas. As diferenças têm um caráter tão peculiar e limitado que, em cruzamentos recíprocos entre duas espécies, o elemento sexual masculino de uma irá, muitas vezes, agir livremente sobre o elemento sexual feminino da outra, mas o mesmo não ocorrerá no sentido inverso. Será aconselhável explicar um pouco mais por meio de um exemplo o que quero dizer quando falo que a esterilidade é algo incidental originado de outras diferenças, e não uma dotação especial. Já que a capacidade de uma planta para ser enxertada ou brotar em outra planta não faz a mínima diferença para o seu bem-estar em estado natural, eu acredito que ninguém irá supor que essa capacidade seja uma qualidade *especialmente* atribuída, mas admitirá que é uma consequência acidental, originada das diferenças das leis do crescimento das duas plantas. Às vezes podemos entender a razão por que uma árvore não se enxerta a outra, a saber, pelas diferenças na velocidade de crescimento das duas, pela rigidez de suas madeiras, pelo período do fluxo ou pela natureza de suas seivas etc.; mas há uma infinidade de casos nos quais não temos como atribuir uma razão qualquer. A grande diversidade de tamanho de duas plantas, uma sendo lenhosa e outra herbácea, uma perenifólia e outra caducifólia e adaptadas a climas extremamente diversos, nem sempre impedem que as duas sejam enxertadas. Assim como na hibridização, nos enxertos a capacidade também é limitada pela afinidade sistemática, pois ninguém foi capaz de enxertar árvores de famílias muito diferentes; e, por outro lado, as espécies mais próximas e as variedades das mesmas espécies podem normalmente, mas não invariavelmente, ser enxertadas com facilidade. No entanto essa capacidade, assim como na hibridização, não é de forma alguma governada pela afinidade sistemática.

Embora muitos gêneros diferentes tenham sido enxertados uns nos outros dentro de uma mesma família, em outros casos as espécies de um mesmo gênero não aceitam o enxerto. A pereira pode ser enxertada muito mais facilmente no marmeleiro (que é classificado como um gênero distinto) do que na macieira (que é um membro do mesmo gênero). Até as diferentes variedades de pereiras aceitam o marmeleiro com diferentes graus de facilidade; o mesmo vale para diferentes variedades do damasqueiro e do pessegueiro em relação a certas variedades de ameixeiras.

Assim como Gärtner constatou que às vezes havia uma diferença inata em diferentes *indivíduos* das mesmas duas espécies no cruzamento, Sagaret[19] também acredita que este é o caso com diferentes indivíduos das mesmas duas espécies quando são enxertadas uma na outra. A facilidade para efetuar-se uma união costuma estar muito longe de ser igual tanto nos cruzamentos recíprocos como nas enxertias; por exemplo, a groselheira comum não pode ser enxertada na groselheira vermelha,[20] mas esta aceitará o enxerto daquela, embora com dificuldade.

Vimos que a esterilidade dos híbridos, que têm seus órgãos reprodutivos em uma condição imperfeita, é um caso muito diferente da dificuldade de se unir duas espécies puras cujos órgãos reprodutivos são perfeitos; mesmo assim, esses dois casos distintos caminham até certo ponto de modo paralelo. Algo semelhante ocorre na enxertia, pois Thouin,[21] ao tomar três espécies de *Robinia* que produziam sementes livremente quando alimentadas por suas próprias raízes e que podiam sem nenhuma grande dificuldade ser enxertadas na outra espécie, descobriu que elas se tornavam estéreis quando eram assim enxertadas. Por outro lado, certas espécies de *Sorbus*, quando enxertadas em outras espécies, produzem duas vezes mais frutos do que quando deixadas sozinhas. Este último fato nos faz lembrar do extraordinário caso das plantas dos gêneros *Hippeastrum*, *Lobelia* etc., as quais produzem

---

19. Augustin Sageret (1763-1851) – grafado "Sagaret" por Darwin. Botânico francês que publicou, em 1830, *Pomologie physiologique*. Ele rejeitava a hipótese de que a semelhança dos híbridos a seus ascendentes tivesse como causa a fusão das diversas características de cada um destes últimos (v. Müller-Wille, Staffan, and Vitezslav Orel, 2007. *From Linnaean Species to Mendelian Factors: Elements of Hybridism*, 1751-1870, *Annals of Science*, 64: 171-215). (N.T.)
20. *Ribes grossularia* e *Ribes rubrum*. (N.T.)
21. André Thouin (1747-1824), botânico francês que estudou técnicas de enxertia. (N.T.)

sementes de forma muito mais livre quando são fertilizadas com o pólen de espécies distintas do que quando são fertilizadas com o próprio pólen.

Assim, embora haja uma diferença clara e fundamental entre a mera adesão das plantas enxertadas e a união dos elementos masculino e feminino no ato de reprodução, notamos a existência de um grau rude aproximado de paralelismo entre os resultados dos enxertos e do cruzamento de espécies distintas. E já que devemos observar as curiosas e complexas leis que governam a facilidade com que as árvores podem ser enxertadas umas nas outras como fatos acidentais das diferenças desconhecidas de seus sistemas vegetativos, então eu acredito que as leis ainda mais complexas que regem a facilidade dos primeiros cruzamentos são fatos acidentais de diferenças desconhecidas, principalmente aquelas de seus sistemas reprodutivos. Estas diferenças, em ambos os casos, seguem até certo ponto, como poderia ter sido esperado, a afinidade sistemática por meio da qual todo tipo de semelhança e diferença entre os seres orgânicos tenta se expressar. Os fatos não me parecem indicar de forma alguma que a maior ou menor dificuldade da enxertia ou do cruzamento de várias espécies seja uma característica especial; ainda que, no caso dos cruzamentos, a dificuldade seja tão importante para a resistência e estabilidade de formas específicas, como é irrelevante para o seu bem-estar no caso da enxertia.

Causas da esterilidade dos primeiros cruzamentos e dos híbridos

Agora podemos observar um pouco mais de perto as prováveis causas da esterilidade dos primeiros cruzamentos e dos híbridos. Estes dois casos são fundamentalmente diferentes, pois, conforme já notado, ao unirmos duas espécies puras, os elementos sexuais masculino e feminino são perfeitos, o que não ocorre nos híbridos, em que esses elementos são imperfeitos. Mesmo nos primeiros cruzamentos, a maior ou menor dificuldade em efetuar uma união parece depender de várias causas distintas. Às vezes haverá uma impossibilidade física de o elemento masculino alcançar o óvulo; como pode ocorrer, por exemplo, quando a planta possui um pistilo tão longo que os tubos de pólen não conseguem alcançar o ovário. Também foi observado que quando o pólen de uma espécie é colocado sobre o estigma de outra espécie aparentada, embora os tubos de pólen projetem-se, eles não penetram a superfície do estigma. Além disso, o elemento masculino pode alcançar o elemento feminino, mas é incapaz de causar o desenvolvimento de um embrião, como parece ter sido o caso de alguns experimentos efetuados por Thuret com as algas *Fuci*. Não há como explicarmos esses fatos da mesma forma como não sabemos dizer a razão por que certas árvores não podem ser enxertadas em outras. Por último, é possível que um embrião se desenvolva, mas que pereça ainda em seu período inicial. Essa última alternativa não recebeu atenção suficiente mas, a partir de observações que foram comunicadas a mim pelo senhor Hewitt[22] – o qual teve muita experiência com a hibridização de aves galináceas –, eu acredito que a morte precoce do embrião é uma causa muito frequente da esterilidade dos primeiros cruzamentos. A princípio, eu estava muito disposto a acreditar neste ponto de vista; pois os híbridos, uma vez nascidos, são geralmente saudáveis e têm uma vida longa (veja o caso da mula comum, por exemplo). Os híbridos, no entanto, passam por circunstâncias diferentes antes e depois do nascimento; quando nascem e vivem em uma região onde os dois pais podem viver, eles costumam crescer em condições adequadas de vida. Mas um híbrido participa de apenas metade da natureza e constituição de sua mãe, e, portanto, antes do nascimento, enquanto é nutrido dentro do útero de sua mãe ou dentro do ovo ou das sementes produzidas pela mãe, pode ficar exposto a condições que são, de certa forma, inadequadas e, consequentemente, podem perecer em um período inicial; especialmente porque todos os seres muito jovens parecem eminentemente sensíveis às condições prejudiciais ou não naturais de vida.

O caso é muito diferente no que se refere à esterilidade dos híbridos, em que os elementos sexuais são imperfeitamente desenvolvidos. Mais de uma vez fiz referência a muitos fatos coletados por mim, demonstrando que, quando os animais e as plantas são removidos de suas condições naturais, seus sistemas reprodutivos ficam extremamente suscetíveis a ser seriamente afetados. Esse, na verdade, é o grande obstáculo à domesticação de animais. Existem muitos pontos de semelhança entre a esterilidade assim introduzida e a esterilidade dos híbridos. Em ambos os casos, a esterilidade independe

---

22. Edward Hewitt foi árbitro das famosas exibições de galináceos de Birmingham e trocou cartas com Darwin, que o tinha em alta conta. (N.R.T.)

do estado geral de saúde e é muitas vezes acompanhada por excesso de tamanho ou grande vivacidade. Em ambos os casos, a esterilidade ocorre em vários graus; em ambos os casos, o elemento masculino é o mais suscetível de ser afetado; mas às vezes ocorre o inverso. Em ambos os casos, a tendência acompanha a afinidade sistemática até certo ponto, ou grupos inteiros de animais e plantas tornam-se impotentes nas mesmas condições não naturais; e grupos inteiros de espécies tendem a produzir híbridos estéreis. Por outro lado, uma espécie de um grupo poderá resistir, às vezes, a grandes mudanças das condições, mantendo sua fertilidade intacta; e certas espécies de um grupo poderão produzir híbridos singularmente férteis. Até tentar fazê-lo, não é possível dizer se um animal específico sob confinamento irá se reproduzir ou se uma planta cultivada produzirá sementes livremente; também não é possível dizer, até que tente fazê-lo, se duas espécies quaisquer de um gênero irão produzir híbridos mais ou menos estéreis. Por fim, quando seres orgânicos são colocados durante várias gerações em condições não naturais para eles, eles ficam extremamente suscetíveis a variar; acredito que isso ocorra porque seus sistemas reprodutivos são especialmente afetados, embora em menor grau do que quando ocorre a esterilidade. O mesmo se passa com os híbridos, pois, conforme observado por todos os experimentalistas, os híbridos, são muito suscetíveis a variar após diversas gerações.

Assim, vemos que o sistema reprodutivo, independentemente do estado geral de saúde, é afetado pela esterilidade de uma forma muito semelhante quando seres orgânicos são colocados em condições novas e não naturais e quando os híbridos são produzidos pelo cruzamento natural de duas espécies. Em um caso, as condições de vida foram perturbadas, embora muitas vezes de forma tão leve que a perturbação chega a ser imperceptível para nós; em outro caso, no dos híbridos, as condições externas permanecem as mesmas, mas o organismo foi perturbado porque duas estruturas e constituições diferentes foram misturadas para a formação de uma terceira. É praticamente impossível que dois organismos sejam combinados para formar um terceiro sem que ocorra algum distúrbio no desenvolvimento, na ação periódica na relação mútua entre as diferentes partes e os órgãos ou nas condições de vida. Quando os híbridos são capazes de se reproduzir *inter se*, eles transmitem a cada geração de seus descendentes a mesma organização composta e, portanto, não devemos nos surpreender com o fato de que a esterilidade deles, ainda que variável em certo grau, raramente diminua.

Devemos confessar, no entanto, que não entendemos, exceto em hipóteses vagas, vários fatos relacionados à esterilidade dos híbridos; por exemplo, a fertilidade desigual dos híbridos produzida a partir de cruzamento recíproco; ou a esterilidade aumentada de híbridos que, às vezes e excepcionalmente, assemelham-se muito a um de seus pais puros. Também não é minha intenção levar as observações precedentes até a raiz da questão; não é dada nenhuma explicação do motivo pelo qual um organismo se torna estéril quando colocado em condições não naturais. Tudo o que tentei mostrar é que em dois casos, similares em alguns aspectos, a esterilidade é o resultado comum da perturbação das condições de vida em um caso e, no outro caso, da perturbação causada a um organismo por ser composto de dois organismos diferentes.

Pode parecer fantasioso, mas eu suspeito que um paralelismo semelhante estende-se a uma classe de fatos conexa, mas muito diferente. Há uma crença antiga e quase universal – que me parece fundamentada em um conjunto considerável de evidências – segundo a qual pequenas mudanças nas condições de vida são benéficas para todos os seres vivos. Vemos que os agricultores e jardineiros agem de acordo com ela quando mudam frequentemente suas sementes, os tubérculos etc., de um solo ou clima a outro e, depois, de volta aos anteriores. Durante a convalescença de animais, vemos claramente que quase qualquer alteração de seus hábitos de vida traz grandes vantagens. Além disso, tanto em plantas como em animais, há evidência abundante de que um cruzamento entre indivíduos muito distintos da mesma espécie, ou seja, entre membros de diferentes linhagens ou sublinhagens, dá vigor e fertilidade à prole. Creio, com efeito, a partir dos fatos descritos em nosso quarto capítulo, na indispensabilidade de certa quantidade de cruzamentos, até mesmo entre os hermafroditas; e que os cruzamentos entre parentes próximos durante várias gerações, especialmente quando mantidos sob as mesmas condições de vida, sempre induz à fraqueza e à esterilidade dos descendentes.

Portanto, parece que, por um lado, pequenas alterações nas condições de vida beneficiam todos os seres orgânicos e que, por outro lado, os "cruzamentos menores", isto é, entre machos e fêmeas da mesma espécie que variaram e se tornaram um pouco diferentes dão vigor e fertilidade para a prole. Mas já vimos que os seres que sofrem alterações maiores, ou alterações de uma natureza específica, muitas vezes tornam-se estéreis em certo grau; e que os "cruzamentos maiores", isto é, o cruzamento entre machos e fêmeas que se tornaram muito ou especificamente diferentes, produzem híbridos que são geralmente estéreis em certo grau. Não consigo me convencer de que esse paralelismo seja um acidente ou uma ilusão. Ambas as séries de fatos parecem estar ligadas entre si por algum laço comum, mas desconhecido, que está essencialmente relacionado ao princípio da vida.

A fertilidade das variedades quando cruzadas e de sua descendência mestiça

Como um argumento bastante convincente, pode-se aceitar a possível existência de alguma distinção essencial entre as espécies e as variedades, bem como a existência de algum erro em todas as observações anteriores, na medida em que as variedades - mesmo que sejam muito diferentes umas das outras na aparência - cruzam com perfeita facilidade e produzem descendentes perfeitamente férteis. Admito que, quase invariavelmente, este é o caso. Mas quando observamos as variedades produzidas pela natureza ficamos imediatamente envolvidos em dificuldades insolúveis; pois assim que encontramos duas variedades até então bem conhecidas com qualquer grau de esterilidade entre si, ambas passam a ser imediatamente classificadas pela maioria dos naturalistas como espécies. Por exemplo, a pimpinela azul e a vermelha,[23] a prímula e a *Primula veris*,[24] que são consideradas por muitos de nossos melhores botânicos como variedades, não são muito férteis, segundo Gärtner, quando cruzadas, e ele consequentemente as classifica como espécies irrefutáveis. Se discutirmos dessa forma circular, teremos de aceitar, assim, a fertilidade de todas as variedades produzidas pela Natureza.

Ainda estaremos envoltos em dúvidas se nos voltarmos para variedades produzidas, ou supostamente produzidas, pela domesticação. Pois quando se afirma, por exemplo, que é mais fácil cruzar uma raposa com um *spitz* ale-

---

23. *Anagallis foemina* e *Anagallis arvensis*, primuláceas do gênero *Lysimachia*. (N.T.)
24. *P. vulgaris* e *Primula veris*, primuláceas do gênero *Primula*. (N.T.)

mão do que com qualquer outra raça de cão, ou que certos cães domésticos nativos da América do Sul não cruzam facilmente com cães europeus, a explicação que ocorrerá a todos, e que será provavelmente a correta, é que estes cães são descendentes de várias espécies aborígenes distintas.[25] No entanto, um fato notável é a perfeita fertilidade de muitas variedades domésticas que são extremamente diferentes umas das outras na aparência; veja, por exemplo, a fertilidade dos pombos ou das couves; mais especialmente quando pensamos no número de espécies existentes que, embora assemelhando-se muito umas às outras, são totalmente estéreis quando cruzadas. Contudo há várias considerações que tornam a fertilidade das variedades domésticas menos notáveis do que parece à primeira vista. Em primeiro lugar, pode-se observar claramente que as meras diferenças externas entre duas espécies não determinam seu maior ou menor grau de esterilidade quando cruzadas; e podemos aplicar a mesma regra às variedades domésticas. Em segundo lugar, alguns importantes naturalistas acreditam que a domesticação a longo prazo tende a eliminar a esterilidade das sucessivas gerações de híbridos que eram apenas ligeiramente estéreis desde o início; e, se este for o caso, certamente não devemos esperar que a esterilidade surja e desapareça concomitantemente em condições de vida quase iguais. Por último – e parece-me que esta seja, de longe, a mais importante consideração –, novas variedades de animais e plantas são produzidas sob domesticação pelo poder metódico e inconsciente da seleção humana, para uso e prazer próprios; as pessoas não desejam selecionar, e nem poderiam, as ligeiras diferenças dos sistemas reprodutivos ou outras diferenças constitutivas correlacionadas com o sistema reprodutivo. Elas oferecem o mesmo alimento às suas diversas variedades; tratam todas quase da mesma maneira, e não pretendem alterar seus hábitos gerais de vida. A Natureza age sobre todo o organismo de forma lenta e uniforme durante vastos períodos de qualquer maneira que possa ser vantajosa para cada uma das criaturas; e, assim, ela pode, diretamente, ou, o que é mais

---

25. Darwin conheceu uma espécie de raposa nas ilhas Malvinas, então descrita como *Canis antarcticus* (*Dusicyon australis*, hoje extinta), muito dócil e intimamente aparentada, mas distinta da encontrada no Chile, o culpeu, então chamado de *Canis magellanicus* (hoje, *Lycalopex culpeus*). Provavelmente ele se refere a essas espécies chamando-as de "domésticas", quando são na verdade selvagens. Se ele errou ao considerá-las domesticadas, acertou ao inferir que os cães e essas raposas teriam se originado de espécies diferentes. (N.R.T.)

provável, indiretamente, através da correlação, modificar o sistema reprodutivo dos vários descendentes de qualquer espécie. Tendo notado essa diferença no processo de seleção natural e humana, não há por que nos surpreendermos com algumas diferenças em seus resultados.

Tenho falado até este momento como se as variedades de uma mesma espécie fossem invariavelmente férteis ao se cruzarem. Mas parece-me impossível resistir às evidências da existência de certa quantidade de esterilidade nos poucos casos que passo a resumir em seguida. As evidências são, pelo menos, tão boas quanto aquelas que dão sustento a nossa crença em relação à esterilidade de uma infinidade de espécies. A evidência vem também de testemunhas hostis que, em todos os outros casos, consideram a fertilidade e a esterilidade como critérios seguros da distinção entre espécies. Durante vários anos, Gärtner plantou em seu jardim um tipo de milho anão com sementes amarelas e uma variedade comprida com sementes vermelhas, mantendo uma variedade próxima à outra; e embora estas plantas tenham sexos separados, elas não se cruzam de forma natural. Ele então fertilizou treze flores do primeiro com o pólen do segundo; mas apenas uma única cabeça produziu sementes, e esta cabeça produziu apenas cinco grãos. A manipulação neste caso não seria prejudicial, pois as plantas possuem sexos separados. Ninguém, eu acredito, suspeitou que essas variedades de milho eram espécies distintas; e é importante notar que cada uma das plantas híbridas assim criadas era *perfeitamente* fértil; dessa forma, nem mesmo Gärtner se aventurou a considerar as duas variedades como espécies diferentes.

Girou de Buzareingues[26] cruzou três variedades de abóboras que, assim como o milho, possuem sexos separados; e, segundo ele, quanto maiores suas diferenças, mais difícil é a sua fertilização mútua. Não sei até que ponto podemos confiar nessas experiências, mas as formas utilizadas nos experimentos foram classificadas como variedades por Sagaret, tendo ele utilizado o teste de fertilidade como base principal para sua classificação.

O caso seguinte é muito mais notável e parece a princípio bastante inacreditável, mas é o resultado de um surpreendente número de experiências realizadas por Gärtner – um observador tão bom e uma testemunha tão

---

26. Louis François Charles Girou de Buzareingues (1773-1856), agrônomo francês. (N.T.)

hostil – durante muitos anos em nove espécies de *Verbascum*.[27] Ele notou que as variedades amarelas e brancas da mesma espécie de *Verbascum*, quando cruzadas, produziam menos sementes do que quando as variedades coloridas eram fertilizadas com o pólen de suas próprias flores coloridas. Além disso, ele afirmou que, quando as variedades amarelas e brancas de uma espécie eram cruzadas com as variedades amarelas e brancas de uma espécie *distinta*, eram produzidas mais sementes pelos cruzamentos entre as mesmas flores coloridas do que entre as que tinham cores diferentes. Ainda assim, estas variedades de *Verbascum* não apresentam nenhuma outra diferença além da mera cor da flor; e uma variedade, às vezes, pode ser gerada da semente da outra.

Com base em observações que fiz de certas variedades de malva-rosa, estou inclinado a suspeitar que ambas apresentam fatos análogos.

Kölreuter, cuja exatidão nas análises foi confirmada por todos os observadores subsequentes, provou o fato notável de que uma variedade do tabaco comum, quando cruzada com uma espécie extremamente distinta, é mais fértil do que as outras variedades. Ele fez experimentos com cinco formas que são geralmente conhecidas como variedades e que ele testou pelos critérios mais severos, ou seja, por cruzamentos recíprocos, e notou que suas proles mestiças eram perfeitamente férteis. Mas uma dessas cinco variedades, quando usada como pai ou mãe e cruzada com a *Nicotiana glutinosa*, sempre produzia híbridos não tão estéreis como os que foram produzidos a partir das quatro outras variedades quando cruzadas com a *N. glutinosa*. Portanto, o sistema reprodutivo de uma variedade deve ter sido de alguma maneira e em algum grau modificado.

A partir desses fatos, isto é, da grande dificuldade em afirmar a infertilidade das variedades em estado natural, pois uma suposta variedade com qualquer grau de infertilidade pode geralmente ser classificada como espécie; do fato de o homem selecionar apenas características externas para a produção das mais distintas variedades domésticas e de não desejar ou ser capaz de produzir diferenças recônditas e funcionais no sistema reprodutivo; com base nessas diversas considerações e nesses fatos, não acre-

27. Gênero de angiospermas nativas da Europa e da Ásia muito utilizadas como plantas ornamentais, da família da boca-de-leão. (N.T.)

dito que a fertilidade bastante geral das variedades possa ser provada como uma ocorrência universal, ou algo que constitua uma distinção fundamental entre variedades e espécies.[28] A fertilidade geral das variedades não me parece suficiente para derrubar minha hipótese em relação à esterilidade muito geral, mas não invariável, dos primeiros cruzamentos e dos híbridos, ou seja, ela não é uma dotação especial, mas é uma consequência acidental de modificações lentamente incorporadas, especialmente no sistema reprodutivo das formas cruzadas.

Comparação entre híbridos e mestiços independentemente de sua fertilidade

Independentemente da questão da fertilidade, as descendências das espécies quando cruzadas e das variedades quando cruzadas podem ser comparadas em vários outros aspectos. Gärtner desejava traçar uma linha clara que distinguisse as espécies das variedades, mas encontrou pouquíssimas diferenças – e, acredito, sem muita importância – entre a chamada descendência híbrida das espécies e a chamada prole mestiça das variedades. E, por outro lado, elas estão muito próximas em diversos aspectos importantes.

Discutirei este assunto muito brevemente aqui. A distinção mais importante é que, na primeira geração, os mestiços são mais variáveis do que os híbridos; mas Gärtner admite que os híbridos das espécies que foram cultivadas por muito tempo são muitas vezes variáveis na primeira geração; e eu mesmo tenho visto exemplos marcantes deste fato. Além disso, Gärtner admite que os híbridos de espécies muito próximas são mais variáveis do que os de espécies muito distintas; e isso mostra que a diferença do grau de variabilidade desaparece aos poucos. Quando os mestiços e os híbridos mais férteis se propagam por várias gerações, é possível notar uma quantidade extrema de variabilidade em sua prole; mas também é possível citarmos alguns poucos casos de híbridos e mestiços que preservaram características uniformes por muito tempo. No entanto, a variabilidade das sucessivas gerações de mestiços é, talvez, maior do que nos híbridos.

---

28. Aqui Darwin traz apoio adicional para sua tese de que não há distinção essencial entre variedades e espécies. (N.R.T.)

Esta maior variabilidade observada nos mestiços em comparação com os híbridos não me parece nada surpreendente. Os pais dos mestiços são variedades e, em sua maioria, variedades domésticas (um número marcadamente pequeno de experimentos foi realizado com as variedades naturais); isso implica que, na maioria dos casos, ocorreram variações recentes; e, por conseguinte, podemos esperar que essas variações continuem a ocorrer e que sejam, muitas vezes, sobrepostas às variações originadas do mero ato de cruzamento. O pequeno grau de variabilidade dos híbridos do primeiro cruzamento ou da primeira geração, em contraste com a sua extrema variabilidade nas gerações seguintes, é um fato curioso e merece atenção. Pois se relaciona e corrobora minha hipótese sobre a causa da variabilidade comum; ou seja, que ela ocorre devido à eminente sensibilidade do sistema reprodutivo a qualquer alteração nas condições de vida, tornando-se, assim, muitas vezes impotente, ou pelo menos incapaz de exercer sua função adequada, isto é, de produzir descendentes idênticos à forma-mãe.[29] Agora, os híbridos da primeira geração são descendentes de espécies (excluindo aquelas já cultivadas por muito tempo) cujos sistemas reprodutivos não haviam sido de modo algum afetados e não são variáveis, mas os próprios híbridos possuem sistemas reprodutivos seriamente afetados, e seus descendentes são extremamente variáveis.

Todavia, voltemos à nossa comparação entre mestiços e híbridos: Gärtner afirma que os mestiços são mais suscetíveis do que os híbridos a reverter à forma de qualquer um de seus pais; mas, se isso for verdade, esta é certamente apenas uma diferença de grau. Gärtner insiste ainda que, quando duas espécies quaisquer são cruzadas com uma terceira espécie, embora as duas primeiras sejam mais próximas uma da outra, os híbridos são bastante diferentes uns dos outros; mas quando duas variedades muito distintas de uma espécie são cruzadas com outras espécies, os híbridos não são muito diferentes. Entretanto esta conclusão, tanto quanto eu posso entender, é fundada em uma única experiência; e parece-nos diretamente oposta aos resultados de vários experimentos feitos por Kölreuter.

Estas são as únicas e desimportantes diferenças entre plantas híbridas e mestiças que Gärtner conseguiu apontar. Por outro lado, de acordo com

29. Darwin expressa aqui sua teoria da herança, que seria formalmente apresentada apenas em outro livro, de 1868, a teoria dos pangenes, que não se sustentou no meio acadêmico. (N.R.T.)

Gärtner, as mesmas leis aplicam-se à semelhança de mestiços e híbridos com seus respectivos ascendentes, especialmente de híbridos produzidos a partir de espécies próximas. Quando duas espécies são cruzadas, uma delas às vezes manifesta prepotência,[30] imprimindo sua semelhança no híbrido; eu acredito que o mesmo acontece com as variedades de plantas. Dentre os animais, é certo que uma variedade tem frequentemente este maior poder sobre outra variedade. As plantas híbridas produzidas a partir de um cruzamento recíproco geralmente assemelham-se bastante umas às outras; o mesmo ocorre com os mestiços de um cruzamento recíproco. Tanto os híbridos quanto os mestiços podem ser reduzidos às formas de qualquer um dos ascendentes puros por meio de cruzamentos repetidos durante várias gerações com qualquer um dos pais.

Estas diferentes observações são aparentemente aplicáveis aos animais; mas o assunto é excessivamente complicado, em parte devido à existência de características sexuais secundárias; mas sobretudo devido à maior força de um dos sexos para transmitir suas características, tanto nos cruzamentos entre espécies quanto no cruzamento entre variedades.[31] Por exemplo, acredito estarem corretos os autores que afirmam que a preponderância do jumento é maior que a do cavalo e, dessa forma, tanto a mula quanto o bardoto[32] assemelham-se mais ao jumento que ao cavalo; mas a prepotência ocorre mais fortemente no jumento macho do que na fêmea e, assim, a mula, que é a prole do jumento e da égua, é mais semelhante ao jumento do que o bardoto, que é descendente da jumenta com o garanhão.

Alguns autores deram muita importância ao suposto fato de que somente os animais mestiços nascem com maior semelhança a um de seus pais; mas pode-se mostrar que isso ocorre às vezes com os híbridos; con-

---

30. O conceito de prepotência, no sentido de dominância, era fundamental na teoria hereditária de Darwin. (N.R.T.)

31. Darwin ressalta a assimetria da contribuição dos genitores na prole, quer em cruzamentos entre espécies diferentes (como jumento e cavalo), quer entre variedades da mesma espécie, com um dos genitores contribuindo mais do que o outro. Mendel, pouco depois, afirma o contrário. (N.R.T.)

32. A mula e o burro são frutos do cruzamento de um jumento (*Equus africanus asinus*) com uma égua (*Equus caballus*), têm cabeça grande e corpo reduzido, e grande rusticidade, ao passo que o cruzamento inverso tem como resultado um animal de corpo grande e cabeça pequena, o bardoto, que não desperta interesse econômico. (N.R.T.)

cordo, porém, que tal fato ocorre muito menos frequentemente entre os híbridos do que entre os mestiços. Ao considerarmos os casos que ofereci de animais cruzados que se assemelham muito a um dos pais, as semelhanças parecem estar principalmente confinadas a características quase monstruosas em sua natureza e que aparecem repentinamente, como o albinismo, o melanismo, a ausência de cauda ou chifres, ou dedos a mais; e não se relacionam com características que tenham sido incorporadas lentamente por meio da seleção. Consequentemente, as reversões repentinas às características perfeitas de qualquer um dos pais seriam mais prováveis de ocorrer com os mestiços (que são descendentes de variedades produzidas muitas vezes de forma repentina e com características semimonstruosas) do que com os híbridos (que são descendentes de espécies produzidas lenta e naturalmente). No geral, concordo plenamente com o doutor Prosper Lucas, que, depois de organizar uma enorme coleção de fatos em relação a animais, chegou à conclusão de que as leis de semelhança do filho com relação a seus pais são as mesmas, independentemente de os dois pais serem muito semelhantes ou diferentes entre si, ou seja, na união de indivíduos da mesma variedade, de diferentes variedades ou de espécies distintas.

Deixando de lado a questão da fertilidade e da esterilidade, parece haver, em todos os outros aspectos, uma similaridade geral e estreita na prole de cruzamentos entre espécies e entre variedades. Se víssemos as espécies como se fossem especialmente criadas e as variedades como se fossem produzidas por leis secundárias, essa semelhança seria um fato surpreendente. Mas o fato está em perfeita harmonia com a hipótese de que não há nenhuma distinção essencial entre espécies e variedades.

Resumo do capítulo

Os primeiros cruzamentos entre formas que, por serem suficientemente distintas, podem ser classificadas como espécies – e seus híbridos – são, em geral mas não universalmente, muito estéreis. A esterilidade ocorre em todos os graus e muitas vezes é tão pequena que os dois experimentalistas mais cuidadosos que já viveram chegaram a conclusões diametralmente opostas em relação à classificação das formas por este teste. A esterilidade é variável de modo inato em indivíduos da mesma espécie e é extremamente afetada por condições favoráveis e desfavoráveis. O grau de esterilidade não segue estritamente a afinidade sistemática, mas é regido por diversas leis curiosas e complexas. Ela é geralmente diferente, e às vezes extremamente diferente, nos cruzamentos recíprocos entre as mesmas duas espécies. Não abrange sempre o mesmo grau nos primeiros cruzamentos e nos híbridos produzidos a partir desses cruzamentos.

Da mesma forma como no enxerto de árvores, a capacidade de uma espécie ou variedade para aceitar a outra é consequência acidental de diferenças geralmente desconhecidas em seus sistemas vegetativos; o mesmo ocorre nos cruzamentos em que a facilidade maior ou menor de uma espécie para unir-se a outra é consequência acidental de diferenças desconhecidas de seus sistemas reprodutivos. Não há qualquer razão para acreditar que as espécies foram especialmente dotadas com vários graus de esterilidade para evitar seu cruzamento e mistura em condições naturais, tanto quanto não há razão para imaginar que as árvores foram especialmente dotadas com vários graus ligeiramente análogos de dificuldade de serem enxertadas umas nas outras para evitar que, em nossas florestas, elas se enxertassem por aproximação.

A esterilidade dos primeiros cruzamentos entre espécies puras, que têm seus sistemas reprodutivos perfeitos, parece depender de circunstâncias diversas; em alguns casos, em grande parte, da morte prematura do embrião. A esterilidade dos híbridos – que têm seus sistemas reprodutivos imperfeitos e que tiveram este sistema e todo o seu organismo perturbados por serem compostos de duas espécies distintas – parece estar intimamente ligada à esterilidade que afeta de forma tão frequente a espécie pura sempre que suas condições naturais de vida são perturbadas. Essa hipótese é apoiada por outro tipo de paralelismo, a saber, que o cruzamento de formas apenas ligeiramente diferentes é favorável para o vigor e a fertilidade da prole; e que pequenas mudanças nas condições de vida são aparentemente favoráveis para o vigor e a fertilidade de todos os seres orgânicos. Não é de estranhar que o grau de dificuldade da união de duas espécies e o grau de esterilidade de sua descendência híbrida sejam geralmente correspondentes, ainda que se devam a causas distintas; pois ambos dependem da quantidade de diferenças de algum tipo entre as espécies cruzadas. Também não é surpreendente que a facilidade em efetuar-se um primeiro cruzamento, que a fertilidade dos híbridos produzidos e a capacidade de enxertia – apesar de esta última capacidade depender evidentemente de circunstâncias muito diferentes – caminhem, em certa medida, de forma paralela com a afinidade sistemática das formas submetidas a experimentos; pois a afinidade sistemática tenta expressar todos os tipos de semelhanças entre todas as espécies.

Os primeiros cruzamentos entre formas conhecidas como variedades – ou que sejam suficientemente semelhantes para serem consideradas variedades – e sua prole mestiça são geralmente muito, mas não universalmente, férteis. Também não é surpreendente essa fertilidade quase geral e perfeita quando nos lembramos que podemos estar discutindo em círculos em relação às variedades em estado natural; e quando nos lembramos que foi produzido sob domesticação um grande número de variedades pela seleção de meras diferenças externas e não pelas diferenças do sistema reprodutor. Em todas as outras características, excluindo a fertilidade, há uma estreita semelhança geral entre híbridos e mestiços. Por fim, os fatos apresentados de forma resumida neste capítulo não me parecem opor – na verdade, parecem apoiar – a hipótese de que não há nenhuma distinção fundamental entre espécies e variedades.

CAPÍTULO 9

A imperfeição do registro geológico

A ausência de variedades intermediárias nos dias de hoje – A natureza das variedades intermediárias extintas; o número delas – O enorme lapso de tempo, conforme inferido pela velocidade de deposição e de erosão – A escassez de nossas coleções paleontológicas – A intermitência das formações geológicas – A ausência de variedades intermediárias em algumas formações – A aparição repentina de variedades intermediárias nas camadas fossilíferas menos conhecidas

No capítulo 6, eu enumerei as principais objeções que, justamente, podem ser oferecidas contra os pontos de vista mantidos neste livro. A maior parte delas já foi discutida até aqui. Uma delas consiste em uma dificuldade muito óbvia, a saber, a distinção clara das formas específicas e o fato de elas não estarem misturadas a inúmeros elos de transição. Eu mostrei as razões por que tais elos não costumam ocorrer nos dias de hoje, nem mesmo nas circunstâncias aparentemente mais favoráveis para a sua presença, ou seja, em uma área extensa e contínua com condições físicas graduadas. Esforcei-me para mostrar que a vida de cada espécie depende mais da presença de outras formas orgânicas já bem definidas do que do clima; e, portanto, que as verdadeiras condições de vida reinantes não desaparecem de forma gradual e imperceptível como o calor ou a umidade. Também me esforcei para mostrar que as variedades intermediárias, que existem em número menor do que as formas a que elas se conectam, geralmente serão derrotadas e exterminadas durante o curso da modificação e do aprimoramento. No entanto, atualmente, a principal causa para não haver inúmeros elos intermediários em todos os cantos da natureza depende do próprio processo de seleção natural, através do qual novas variedades estão continuamente ocupando os nichos de suas formas-mães e as exterminando. Porém, na mesma proporção que esse processo de extermínio atuou em uma escala enorme, então o número de variedades intermediárias que outrora existiram na Terra deve ter sido verdadeiramente enorme. Por que então as formações geológicas e os estratos não estão repletos desses elos intermediários? Seguramente, a geologia não revela tal série finamente graduada de seres orgânicos; e esta seja talvez a mais óbvia e mais grave objeção que pode ser interposta contra minha teoria. Eu acredito que a explicação reside na extrema imperfeição dos registros geológicos.

Em primeiro lugar, de acordo com minha teoria, devemos sempre ter em conta quais tipos de formas intermediárias podem ter existido no passado. Quando olho para duas espécies quaisquer, acho difícil evitar imaginar as formas *diretamente* intermediárias entre elas. Contudo esta é uma visão totalmente falsa; devemos sempre buscar as formas intermediárias entre as espécies e um progenitor comum, mas desconhecido; além disso, o progenitor será geralmente diferente em alguns aspectos de todos os seus descendentes modificados. Um exemplo simples: os pombos *fantail* e *pouter* descendem do pombo-das-rochas; se possuíssemos todas as variedades intermediárias que já existiram, deveríamos ter uma série extremamente pequena entre os dois primeiros e o pombo-das-rochas; mas não teríamos as variedades diretamente intermediárias entre o *fantail* e o *pouter*; nenhum pombo que, por exemplo, combinasse a cauda um pouco aumentada com o papo um pouco alargado, que são as características destas duas raças. Além disso, essas duas linhagens se tornaram tão modificadas que, se não tivéssemos nenhuma evidência histórica ou indireta sobre suas origens, não seria possível, a partir da mera comparação de suas estruturas com aquelas do pombo-das-rochas, determinar se eram descendentes desta espécie ou de alguma outra espécie próxima, tal como o *C. oenas*.[1]

O mesmo vale para as espécies naturais. Se observarmos algumas formas muito distintas, como, por exemplo, o cavalo e a anta, não temos motivo para

---

1. A espécie *Columba oenas* (pombo-bravo) é muito comum na Europa e em partes da Ásia, mas não ocorre nas Américas. Tem forma e tamanho semelhantes aos do pombo-das-rochas, mas a coloração é diferente, com tonalidade cinza por todo o corpo. (N.R.T.)

supor a existência de elos intermediários diretos entre eles, mas apenas entre cada uma dessas formas e um ascendente comum desconhecido. O organismo do ascendente comum seria muito semelhante ao da anta e do cavalo; mas, em alguns pontos da estrutura, poderia ser consideravelmente diferente dos dois, talvez até mesmo mais do que eles diferem entre si. Portanto, não conseguiríamos em todos esses casos reconhecer a forma-mãe de quaisquer duas ou mais espécies, mesmo se, meticulosamente, comparássemos a estrutura do ascendente com a de seus descendentes modificados, a não ser que tivéssemos ao mesmo tempo uma série quase perfeita dos elos intermediários.

De acordo com minha teoria, é possível que, entre as duas formas, uma delas possa ser descendente da outra; por exemplo, um cavalo ser descendente de uma anta; e neste caso deveriam existir elos intermediários *diretos* entre eles. Mas esse caso implica que uma forma teria permanecido por um longo período sem alterações, enquanto seus descendentes teriam passado por uma enorme quantidade de mudanças; além disso, esse evento seria muito raro por causa do princípio da competição entre os organismos e entre filhos e ascendentes; pois, em todos os casos, as formas de vida novas e aprimoradas tendem a suplantar as formas velhas e sem aprimoramentos.

Pela teoria da seleção natural, todas as espécies vivas estiveram conectadas à espécie-mãe de seu gênero por meio de diferenças não maiores do que as vistas atualmente entre as variedades da mesma espécie; e, por sua vez, essas espécies-mães, que hoje estão extintas em sua maioria, estiveram similarmente conectadas a espécies mais antigas; e assim por diante em direção ao passado, sempre convergindo para o ancestral comum de cada grande classe. Dessa forma, o número de elos intermediários e transitórios entre todas as espécies extintas deve ter sido inconcebivelmente grande. Mas certamente, se a teoria estiver correta, viveram sobre a Terra.

Sobre a duração do tempo geológico

Independentemente de encontrarmos ou não os fósseis infinitamente numerosos que conectam esses elos, alguém pode opor-se, dizendo que não houve tempo suficiente para o surgimento de uma quantidade tão grande de mudanças orgânicas, pois, pela seleção natural, todas as alterações ocorrem muito lentamente. Sou apenas levemente capaz de lembrar ao leitor, que talvez não seja familiarizado com a geologia, os fatos que dificultam a compreensão da dilatada extensão do tempo. Quem for capaz de ler o grande trabalho de Sir Charles Lyell sobre os princípios de geologia,[2] o qual será reconhecido pelos historiadores futuros como uma obra que produziu uma revolução nas ciências naturais, e, ainda assim, não admitir quão incompreensivelmente grandes foram os períodos de tempo do passado, deverá fechar imediatamente este meu livro. Não é suficiente estudar os *Princípios de geologia*, ou ler os tratados especiais sobre os diferentes tipos de formação escritos por diferentes observadores ou, ainda, notar como cada autor tenta dar uma ideia inadequada da duração de cada formação ou mesmo de cada estrato. Para que alguém compreenda a duração do tempo geológico – formador dos monumentos que vemos ao nosso redor –, deve, durante diversos anos, examinar por si mesmo as grandes pilhas de estratos sobrepostos e observar o trabalho do mar na erosão de antigas pedras e no depósito de novos sedimentos. É bom passear ao longo da costa do mar – quando formada por rochas moderadamente duras – e notar o processo de degradação. Na maioria dos casos, as marés chegam aos penhascos somente duas vezes por dia e por um curto período de tempo. E então as ondas os desgastam apenas quando estão carregadas de areia e seixos; pois há razão para acreditarmos que a água sozinha pouco ou nada faz para erodir a rocha.[3] A base do penhasco fica, por fim, prejudicada; enormes fragmentos se soltam e aqueles que permaneceram fixos precisam ser desgastados átomo por átomo, até que, reduzidos em tamanho, eles possam ser levados pelas ondas e, depois, possam ser mais rapidamente depositados em seixos, na areia ou na lama. No entanto é muito frequente vermos rochedos arredondados ao longo das bases dos penhascos em recuo, todos densamente revestidos por vida marinha, demonstrando quão pouco eles estão desgastados e quão raramente eles são levados! Além disso, se seguirmos por algumas milhas as linhas de qualquer penhasco rochoso que está em fase de degradação, descobriremos que o penhasco está atualmente sendo castigado apenas em alguns pontos aqui e ali, ao longo de um comprimento curto ou

---

2. Lyell defendia o uniformitarismo (formação geológica lenta da Terra em grandes períodos de tempo), proposto anteriormente por James Hulton (1726-1789), geólogo, químico e naturalista escocês. (N.T.)

3. Contrariamente ao que diz Darwin, apenas o efeito erosivo da água, em especial na forma de ondas, é importante, considerando longos períodos de tempo. (N.R.T.)

em torno de um promontório. Em outros pontos, a aparência da superfície e da vegetação mostra que muitos anos se passaram desde que as águas chegaram à sua base.

Ao estudarmos mais de perto a ação do mar em nossa costa, creio que ficaremos mais profundamente impressionados com a lentidão com que as costas rochosas são erodidas. As observações realizadas por Hugh Miller e pelo senhor Smith de Jordanhill[4] – um excelente observador – são muito impressionantes. Com a mente assim impressionada, examinemos as camadas de um conglomerado com muitos milhares de pés de espessura, que, embora provavelmente tenham sido formadas com maior velocidade que muitos outros depósitos, ainda assim, por terem sido formadas por pedras desgastadas e arredondadas, sendo que cada uma delas carrega o carimbo do tempo, são boas para mostrar quão lentamente a massa foi acumulada. Lembre-se, ainda, da profunda observação de Lyell, a saber, que a espessura e a extensão das formações sedimentares são o resultado e a medida da erosão sofrida pela crosta terrestre em outros pontos. E que a enorme quantidade de erosão é inferida pelos depósitos sedimentares de muitas regiões! O professor Ramsay[5] deu-me a espessura máxima – na maioria dos casos por medições reais e, em alguns poucos, a partir de estimativas – de cada formação nas diferentes partes da Grã-Bretanha. Eis os resultados (em pés):

Estratos paleozoicos (não incluindo as camadas ígneas) – 57.154 (aproximadamente 17,42 quilômetros)
Estratos secundários – 13.190 (aproximadamente 4,02 quilômetros)
Estratos terciários[6] – 2.240 (aproximadamente 0,68 quilômetros)

---

4. Hugh Miller (1802-1856), geólogo escocês. Combinava conhecimentos geológicos com ideias religiosas. James Smith de Jordanhill (1782-1867) foi um geólogo escocês que estudou a geologia glacial. (N.T.)
5. Andrew Ramsay (1814-1891), geólogo escocês. (N.T.)
6. Foi mantida a nomenclatura original referida por Darwin, mas é preciso ter cuidado. Os estratos terciários são basicamente os mesmos de hoje, e envolvem o que atualmente alguns denominam Terciário, ou Cenozoico. Já os estratos secundários incluíam os imediatamente abaixo, do Cretáceo até onde se podiam encontrar fósseis. Abaixo desse limite, se consideravam os terrenos "primários" ou "azoicos", nos quais muitos incluíam as rochas ígneas (como granito e basalto). Na época de Darwin esse limite estava em discussão, tendo sido encontrados fósseis no Devoniano e abaixo dele. Assim, os estratos secundários se referiam a estratos fossilíferos, do Cretáceo ou mais antigos. (N.R.T.)

O que soma 72.584 pés (aproximadamente 22,12 quilômetros); ou seja, quase treze e três quartos de milhas britânicas. Algumas dessas formações – representadas na Inglaterra por camadas finas – abrangem milhares de pés de espessura no continente. Além disso, entre as formações sucessivas, temos, na opinião da maioria dos geólogos, gigantescos períodos em branco. Dessa forma, o grande amontoado de rochas sedimentares da Grã-Bretanha dá-nos apenas uma ideia inadequada do tempo decorrido durante essa acumulação; no entanto, quão gigantesco deve ter sido esse tempo! Bons observadores estimaram que a velocidade dos sedimentos depositados pelo grande rio Mississippi é de apenas seiscentos pés (aproximadamente 182 metros) a cada 100 mil anos. Talvez esta estimativa esteja bastante errada; ainda assim, considerando o vasto espaço através do qual esses sedimentos muito finos são transportados pelas correntes do mar, o processo de acumulação em qualquer área deve ser extremamente lento.

Contudo a quantidade de erosão dos estratos, independentemente da velocidade de acumulação da matéria degradada, provavelmente oferece a melhor evidência do lapso de tempo. Lembro-me de ter ficado muito impressionado com as evidências de erosão quando vi ilhas vulcânicas que haviam sido desgastadas por ondas e recortadas em penhascos perpendiculares de um ou 2 mil pés (aproximadamente trezentos a seiscentos metros) de altura; pois o declive suave dos fluxos de lava – que estavam anteriormente em estado líquido – mostrava imediatamente até onde as camadas sólidas e rochosas tinham, em outro momento, se estendido em mar aberto. A mesma história é contada a nós – e de forma ainda mais clara – pelas falhas geológicas, aquelas grandes rachaduras ao longo das quais os estratos se elevaram de um lado ou foram afundados de outro até uma altura ou profundidade de milhares de pés; pois, desde que a crosta foi rachada, a superfície terrestre tem sido tão completamente aplainada pela ação do mar que nenhum vestígio destes enormes deslocamentos ficou externamente visível.

A falha de Craven, por exemplo, estende-se por mais de 30 milhas (aproximadamente 48 quilômetros) e, ao longo desta linha, o deslocamento vertical dos estratos tem variado entre seiscentos e 3 mil pés (aproximadamente 180 metros e novecentos metros). O professor Ramsay publicou um relato de uma depressão de 2.300 pés (aproximadamente setecentos metros) em

Anglesea;[7] e ele me informou que acredita plenamente na existência de outra depressão em Merionethshire[8] com 12 mil pés (aproximadamente 3.657 metros); ainda nestes casos não há nada na superfície que mostre tais movimentos prodigiosos; tendo as pilhas de pedras em um ou outro lado sido suavemente varridas para longe. A consideração destes fatos me impressiona quase tanto quanto o esforço fútil para lidar com a ideia de eternidade.

Estou tentado a oferecer outro caso, o exemplo bem conhecido da erosão do Weald.[9] Admitimos que a erosão do Weald é apenas uma mera ninharia em comparação com a que removeu as grandes massas de nossos estratos do Paleozoico, em partes com 10 mil pés (aproximadamente 3.048 metros) de espessura, conforme mostrado no magistral estudo do professor Ramsay sobre este assunto; no entanto, é uma lição admirável estar em *North Downs* (Colinas do Norte) e olhar para as distantes *South Downs* (Colinas do Sul); pois, lembrando que a uma distância não tão grande no oeste, as escarpas do norte e do sul se encontram e se fecham, é possível imaginar com segurança a grande cúpula de rochas que deve ter ocultado o Weald dentro de um período tão limitado desde a última etapa da formação do Cretáceo.[10] A distância entre as colinas do norte e as do sul é de cerca de 22 milhas (aproximadamente 35 quilômetros), e a espessura das diversas formações é, em média, de cerca de 1.100 pés (aproximadamente 335 metros), como fui informado pelo professor Ramsay. Mas se, conforme supõem alguns geólogos, um leque de rochas mais antigas subjaz o Weald, em cujos flancos das quais podem ter sido acumulados os depósitos sedimentares sobrejacentes em massas mais finas do que em outros lugares, a estimativa acima seria errônea; contudo esta fonte de dúvida provavelmente não afetaria muito a estimativa conforme aplicada à extremidade ocidental da região. Se, então, soubéssemos qual a velocidade com a qual o mar costuma desgastar uma linha de penhasco de qualquer dada altura, nós poderíamos medir o tempo necessário para erodir o Weald. Isso, claro, não pode ser

7. A ilha de Anglesey situa-se na extremidade noroeste do País de Gales. (N.T.)
8. Merionethshire é um dos treze condados históricos do País de Gales, no Reino Unido. (N.T.)
9. Região do sudeste da Inglaterra entre as colinas do período Cretáceo do norte e do sul (*North Downs* e *South Downs*). (N.T.)
10. Período da era Mesozoica. Em 1822, D'Omalius d'Halloy deu o nome de *Terrain Cretace* a rochas brancas encontradas na França, na Bélgica, na Holanda e na Inglaterra. *Creta* significa giz em latim, e *Cretaceus*, semelhante a giz. (N.T.)

feito; mas podemos, para construirmos alguma noção simplificada sobre o assunto, presumir que o mar desgasta penhascos de quinhentos pés (aproximadamente 150 metros) de altura a uma taxa de uma polegada (aproximadamente 2,54 centímetros) por século. À primeira vista, esse valor pode parecer demasiadamente subestimado; mas é o mesmo que dizer que um penhasco de uma jarda (aproximadamente um metro) de altura é desgastado ao longo de toda uma linha da costa ao ritmo de uma jarda em quase cada 22 anos.[11] Exceto nas costas mais expostas, duvido que alguma rocha – mesmo uma tão macia como a greda branca[12] – cederia a esta velocidade, mas sem dúvida a degradação de um penhasco elevado ocorreria de forma mais rápida por causa da ruptura dos fragmentos caídos. Por outro lado, não creio que qualquer linha de costa com dez ou vinte milhas (aproximadamente quinze quilômetros ou trinta quilômetros) de comprimento seja erodida na mesma velocidade ao longo de todo o seu comprimento recortado; e devemos lembrar que quase todos os estratos contêm camadas mais duras ou nódulos que, resistindo ao atrito por muito tempo, formaram um quebra-mar na base. Daí, em circunstâncias normais, eu concluo que para um penhasco de quinhentos pés (aproximadamente 152 metros) de altura, a erosão de uma polegada (aproximadamente 2,54 centímetros) por século de todo o comprimento seria uma estimativa bastante aceitável. Nesta velocidade, tomando os dados acima, a erosão do Weald exigiria 306.662.400 anos;[13] ou, digamos, 300 milhões de anos.

A ação da água doce, quando elevada, na área levemente inclinada do distrito de Wealden[14] dificilmente poderia ter sido grande, mas reduziria

11. Darwin toma como modelo a erosão por solapamento, típica do Canal Inglês (como em Dover); uma jarda equivale a três pés, e cada pé, a doze polegadas. Assim, se o recuo em uma polegada de um paredão de 6 mil polegadas (500 x 12 = 6.000) de altura demandaria cem anos (um século), uma parede 166,6 vezes (500/3 = 166,6) menor perderia uma polegada em 0,6 ano (100/166,6), e 36 polegadas (uma jarda) em 21,6 (0,6 x 36) anos. (N.R.T.)

12. Também chamado de giz, um tipo de calcário (rocha sedimentar) poroso formado por carbonato de cálcio e micro-organismos. (N.T.)

13. No sistema inglês, milha equivale a 1.760 jardas. Ainda tomando o mesmo modelo de erosão do Canal Inglês, como ocorre na região de Dover, ao ritmo de uma polegada a cada cem anos, os 1.100 pés (de espessura média) seriam erodidos em 2,2 vezes o tempo necessário para erodir o penhasco de quinhentos pés. Assim, ao longo de 22 milhas (1.393.920 polegadas) teríamos: 1.393.920 x 2,2 x 100 anos = 306.662.400 anos. (N.R.T.)

14. Região do sudeste da Inglaterra que compreende o Vale de Weald. (N.T.)

um pouco a estimativa acima.[15] Por outro lado, durante as oscilações do nível da água sofridas por essa região, a superfície pode ter existido por milhões de anos como terra, escapando, assim, da ação do mar; quando profundamente submersa por períodos igualmente longos, talvez tenha escapado, da mesma forma, da ação das ondas costeiras. Assim, é bastante provável que mais de 300 milhões de anos tenham decorrido desde a última parte do período secundário.[16]

Eu fiz estas poucas observações porque é extremamente importante obtermos alguma noção, mesmo que imperfeita, sobre o intervalo de tempo. Durante cada um desses anos, em todo o mundo, a terra e a água têm sido povoadas por uma miríade de formas de vida. Que número infinito de gerações, incompreensível para a mente, sucedeu uma a outra na longa passagem dos anos! Agora, dê uma olhada em nossos museus geológicos mais ricos e note a mísera coleção que temos em exposição!

Sobre a pobreza de nossas coleções paleontológicas

Todos nós admitimos que nossas coleções paleontológicas são muito imperfeitas. Não devemos nos esquecer do comentário de um admirável paleontólogo, o falecido Edward Forbes. Ele disse que os números de nossas espécies de fósseis são conhecidos e nomeados a partir de amostras simples e muitas vezes fragmentadas, ou de alguns espécimes coletados em um mesmo local. Conforme provam as importantes descobertas feitas todos os anos na Europa, apenas uma pequena porção da superfície da Terra foi geologicamente explorada e nenhuma dessas áreas com muito cuidado. Organismos totalmente moles não podem ser preservados. Quando deixados no fundo do mar, onde não ocorre a acumulação de sedimentos, conchas e ossos se decompõem e

15. O modelo de erosão adotado foi muito questionado, e Darwin de fato superestimou demais a idade do Vale de Weald. Hoje se consideram quatro modelos diferentes de erosão, e ocorreu, ademais, uma deposição de sedimentos em períodos mais recentes. Seja como for, a erosão de cerca de 1.476 jardas (aproximadamente 1.350 metros) de sedimentos do Weald ocorreu em 66 milhões de anos, ou seja, uma média de pouco menos do que uma polegada (2,54 centímetros) por século. (N.R.T.)

16. Darwin retirou a cifra logo na edição seguinte, diante de diversos questionamentos. Na terceira edição, todo o trecho foi suprimido, mas ele manteve seu entendimento moderno de tempo geológico, fundamentalmente correto. (N.R.T.)

desaparecem. Eu acredito que adotamos a hipótese errada quando admitimos tacitamente a nós mesmos que os sedimentos estão sendo depositados sobre quase todo o leito do mar a uma velocidade suficientemente rápida para incorporar e preservar os restos fósseis. Ao longo de uma porção muito grande do oceano, a tonalidade azul brilhante da água indica sua pureza. Os muitos casos registrados de uma formação consistentemente coberta após um enorme intervalo de tempo por outra formação mais jovem, sem que a camada subjacente tenha sofrido qualquer desgaste neste intervalo, parecem explicáveis apenas quando se aceita a hipótese de que o fundo do mar tenha se mantido costumeiramente inalterado durante eras. Quando as camadas se elevam, os restos que realmente foram incorporados, seja na areia ou no cascalho, são geralmente dissolvidos pela infiltração da água da chuva. Eu suspeito que são preservados apenas poucos dos muitos animais que vivem na praia no limite entre as marés alta e baixa. Por exemplo, as várias espécies da subfamília Chthamalinae (uma subfamília de cirripédios sésseis) cobrem rochas de todo o mundo em número infinito; todas elas são estritamente litorâneas, com exceção de uma única espécie mediterrânea que habita águas profundas e foi descoberta fossilizada na Sicília, enquanto até hoje nenhuma outra espécie foi encontrada em qualquer formação terciária – ainda que saibamos que o gênero *Chthamalus* existiu durante o período Cretáceo.[17] O gênero *Chiton* de moluscos oferece um caso parcialmente análogo.[18]

No que diz respeito às produções terrestres que viveram durante os períodos Secundário e Paleozoico, nem é preciso expor minuciosamente a extrema fragmentação de nossas evidências de restos fósseis. Por exemplo, exceto por uma descoberta feita por Sir C. Lyell no estrato carbonífero da América do Norte, não temos mais nenhum molusco terrestre de qualquer um destes

---

17. Um grupo de crustáceos (cracas) estudados por Darwin em grande detalhe, que batizou essa subfamília em sua monografia sobre o grupo, publicada em 1854, na qual ele não registra a ocorrência do grupo desde o Cretáceo; esta informação lhe foi fornecida por carta, em 1856, e levaria à descrição de uma espécie fóssil em sua homenagem no ano seguinte (ver nota 41, página 308). (N.R.T.)
18. O gênero *Chiton* compreende espécies marinhas, sendo conhecidos fósseis muito antigos, desde o Ordoviciano, com cerca de 400 milhões de anos, muito parecidos com as espécies da fauna atual. Darwin está realizando uma analogia, pois suspeitava que o espécime de craca "fóssil" do qual tivera notícia (ver nota 41, página 308) fosse semelhante a uma espécie da fauna atual. (N.R.T.)

enormes períodos.[19] Em relação aos restos de mamíferos, uma simples olhada na tabela histórica publicada no suplemento do Manual de Lyell nos convencerá (muito mais do que muitas páginas contendo detalhes) que sua preservação foi acidental e rara. Essa raridade também não deve nos surpreender se nos lembrarmos da grande quantidade de ossos de mamíferos do Terciário que foram descobertos em cavernas ou em depósitos lacustres; e se nos lembrarmos de que não se conhece nenhuma caverna ou leito lacustre pertencente às eras de nossas formações secundárias ou paleozoicas.

Contudo a imperfeição do registro geológico é principalmente resultado de outra causa, mais importante do que qualquer uma das anteriores; a saber, as diversas formações estão separadas umas das outras por enormes intervalos de tempo. Quando vemos as formações tabuladas em obras escritas, ou quando as seguimos na Natureza, é difícil não acreditar que sejam estritamente consecutivas. Mas sabemos, por exemplo, por meio do grande trabalho de Sir R. Murchison[20] sobre a Rússia, que naquele país existem grandes lacunas entre as formações sobrepostas; o mesmo vale para a América do Norte e para muitas outras partes do mundo. Se a atenção de um geólogo extremamente hábil estivesse voltada exclusivamente para esses grandes territórios, ele nunca suspeitaria que, durante os períodos vazios e estéreis de sua própria região, grandes massas de sedimento eram acumuladas em outros lugares, carregadas de novas e peculiares formas de vida. E já que, isoladamente em cada território, é quase impossível ter uma ideia do período de tempo transcorrido entre uma formação e outra, poderíamos inferir que sua apuração não pode ser realizada em nenhum lugar. As mudanças frequentes e grandes na composição mineralógica das formações consecutivas, que costumam implicar grandes mudanças na geografia das áreas circundantes de onde os sedimentos foram obtidos, está de acordo com a hipótese dos grandes intervalos de tempo transcorridos entre cada formação.

---

19. Na década de 1830 já estava bem aceito o fato de que cada camada geológica poderia ser caracterizada pelos restos fósseis, e que não havia moluscos abaixo das camadas do Permiano. Em 1852, a descoberta de fósseis de moluscos no carbonífero do Canadá demonstrou que, de fato, apenas um fragmento da biota de cada época está representado no registro fóssil. (N.R.T.)
20. Sir Roderick Murchison (1792-1871), geólogo escocês que descreveu o período Siluriano da era Paleozoica. (N.R.T.)

Entretanto acredito que podemos ver por que as formações geológicas de cada região são quase invariavelmente intermitentes; ou seja, não seguiram umas às outras em sequência sem interrupções. Quando eu examinava as muitas centenas de milhas da costa sul-americana que se elevaram várias centenas de pés no período recente, quase nenhum outro fato me impressionou tanto quanto a ausência de depósitos recentes que fossem suficientemente extensos para durar por até mesmo um curto período geológico. Ao longo de toda a costa oeste, que é habitada por uma fauna marinha peculiar, as camadas terciárias estão desenvolvidas de forma tão escassa que é provável que, num futuro distante, não restem registros das sucessivas e peculiares faunas marinhas. Um pouco de reflexão nos explicará por que, ao longo da costa em elevação do lado ocidental da América do Sul, não é possível encontrar em nenhum lugar extensas formações com restos recentes ou terciários, embora a quantidade de sedimentos das eras anteriores deva ter sido grande, conforme é possível deduzir pela enorme erosão das rochas costeiras e pelas correntes com muito barro que chegam ao mar. Isso, sem dúvida, pode ser explicado pelo desgaste contínuo dos depósitos litorâneos e sublitorâneos pela ação trituradora das ondas costeiras tão logo eles surgem pela elevação lenta e gradual da terra.

Parece-me que podemos concluir com segurança que os sedimentos devem ser acumulados em massas extremamente grossas, sólidas ou extensas para que possam suportar a ação incessante das ondas, tanto quando são elevados pela primeira vez quanto durante as subsequentes oscilações de nível. Essas acumulações espessas e extensas de sedimentos podem ser formadas de duas maneiras: ou nas grandes profundezas do mar, caso em que, tomando as pesquisas de E. Forbes, podemos concluir que o fundo será habitado por pouquíssimos animais e, quando essa massa for elevada, ela oferecerá um registro bastante imperfeito das formas de vida que ali existiram; ou o sedimento pode ser acumulado, em qualquer espessura e extensão, sobre um fundo raso que é lentamente assentado. Neste último caso, enquanto a velocidade de retirada e deposição de sedimento estiver quase equilibrada, o mar permanecerá raso e favorável para a vida, possibilitando o surgimento de uma formação fossilífera suficientemente espessa, quando emergir, para resistir a qualquer quantidade de erosão.

Estou convencido de que todas as nossas formações antigas que são ricas em fósseis foram assim constituídas durante o processo de afundamento. Desde a publicação de meus pontos de vista sobre este assunto, em 1845, tenho observado o progresso da geologia e tenho ficado surpreso ao notar que os autores, um após o outro, quando tratavam dessa ou daquela grande formação, chegavam à conclusão de que havia sido acumulada durante o afundamento. Posso acrescentar que a única formação terciária antiga na costa oeste da América do Sul que tem sido suficientemente volumosa para resistir à erosão que tem sofrido, mas que dificilmente durará até uma idade geológica avançada, foi certamente depositada durante um período de oscilação negativa do nível e, assim, ganhou considerável espessura.[21]

Todos os fatos geológicos nos dizem claramente que cada área sofreu numerosas e lentas oscilações de seu nível e que essas oscilações aparentemente afetaram amplos espaços. Consequentemente, as formações ricas em fósseis e suficientemente espessas e extensas para conseguir resistir à erosão posterior podem ter sido formadas em grandes áreas durante os períodos de afundamento, mas somente onde a oferta de sedimentos fosse suficientemente grande para manter o mar raso, bem como para incorporar e preservar os restos antes que fossem decompostos. Por outro lado, enquanto o leito do mar permanecesse estacionário, não haveria como acumular depósitos nas partes rasas, que são as mais favoráveis para a vida. Menos ainda poderia isso ter acontecido durante os períodos alternativos de elevação; ou, para falar com mais precisão, as camadas que haviam sido acumuladas seriam destruídas após serem elevadas e conduzidas aos limites da ação costeira.

Então, o registro geológico tornou-se, quase necessariamente, descontínuo. Confio bastante na veracidade dessas hipóteses, pois elas estão em estrita conformidade com os princípios gerais estabelecidos por Sir C. Lyell; de forma independente, E. Forbes chegou a uma conclusão semelhante.

Vale agora fazermos um rápido comentário. Durante os períodos de elevação, a área do terreno e das partes adjacentes mais rasas do mar irá

---

21. Darwin refere-se à segunda edição de seu *Voyage of the Beagle*, que foi ampliada. Ele tinha encontrado um bosque de araucárias fósseis, as quais só poderiam ter sido fossilizadas debaixo d'água (após afundamento). Acima desse bosque fóssil havia uma espessa camada de restos marinhos em calcário, mas todo o conjunto tinha sido elevado a cerca de 14 mil pés (aproximadamente 4.256 metros) acima do nível do mar e estava agora exposto à erosão. (N.R.T.)

aumentar e novas estações[22] serão frequentemente formadas. Estas são circunstâncias muito favoráveis, conforme anteriormente explicado, para a formação de novas variedades e espécies; mas durante esses períodos geralmente haverá uma lacuna no registro geológico. Por outro lado, durante o afundamento, a área habitada e o número de habitantes diminuirão (excetuando as produções das margens de um continente que esteja se dividindo pela primeira vez em um arquipélago) e, consequentemente, durante o afundamento, embora cause muitas extinções, menos variedades ou espécies novas serão formadas; os grandes depósitos mais ricos em fósseis são formados exatamente durante esses períodos de afundamento. É quase possível dizer que a Natureza se protegeu contra a frequente descoberta de suas formas de transição ou de seus elos.[23]

Com base nas considerações precedentes, não há como duvidar de que o registro geológico, visto como um todo, seja extremamente imperfeito; mas, quando limitamos nossa atenção a uma única formação qualquer, fica mais difícil entender por que nela não encontramos variedades de transição muito próximas das espécies afins que viveram no início e no final da formação. No registro, há alguns casos em que uma mesma espécie apresenta variedades distintas nas partes superiores e inferiores da mesma formação, porém, como eles são raros, podemos deixá-los de lado. Embora toda formação tenha indiscutivelmente necessitado de um enorme número de anos para sua deposição, vejo várias razões para que cada uma delas não contenha uma série gradativa de elos entre as espécies que ali viveram; mas não tenho como atribuir, de forma alguma, pesos proporcionais às considerações a seguir apresentadas.

Embora as formações indiquem um longo lapso de tempo em anos, esses períodos são curtos quando os comparamos ao tempo necessário para que uma espécie se transforme em outra. Estou ciente de que dois paleontólogos cujas opiniões são muito respeitadas, a saber, Bronn[24] e

---

22. Termo utilizado no século XIX para designar o que chamamos hoje hábitat. (N.T.)
23. Trata-se de uma explicação muito engenhosa para esclarecer o caráter fragmentário do registro fóssil, não devido apenas ao acaso, mas a um "mecanismo": a geração de novas espécies transicionais ocorreria em condições desfavoráveis para a fossilização. (N.R.T.)
24. Heinrich Bronn (1800-1862), paleontólogo alemão, professor de Ciências Naturais na Universidade de Heidelberg. Concordava com Cuvier em relação à importância do ambiente nas modificações dos seres vivos, mas discordava de seu catastrofismo. Traduziu esta primeira edição para o alemão, realizando cortes e supressões (ver prefácio).

Woodward,[25] concluíram que a duração média de cada formação é duas ou três vezes maior que a duração média das formas específicas. Mas algumas dificuldades que me parecem insuperáveis impedem-nos de chegar a qualquer conclusão correta sobre esse tema. Quando vemos o surgimento de uma espécie no meio de qualquer formação, é extremamente precipitado inferir que ela não tenha existido anteriormente em outro lugar qualquer. Além disso, quando notamos o desaparecimento de uma espécie antes que as camadas mais altas tenham sido depositadas, é igualmente precipitado supor que ela tenha sido completamente extinta. Costumamos nos esquecer de quão pequena é a área da Europa comparada com o resto do mundo; ademais, os vários estágios da mesma formação em toda a Europa ainda não foram correlacionados com precisão perfeita.

No caso dos animais marinhos de todos os tipos, é possível inferir com segurança a ocorrência de um grande número de migrações durante as mudanças climáticas e outras; e quando notamos o surgimento de uma espécie em qualquer formação, a probabilidade é que ela tenha realizado sua primeira migração para aquela área. Sabe-se, por exemplo, que várias espécies surgiram um pouco mais cedo nas camadas paleozoicas da América do Norte do que nas da Europa; o tempo parece ter sido necessário para a sua migração dos mares americanos para os europeus.[26] O exame dos depósitos mais recentes de várias partes do mundo nos trouxe a constatação de que, em todos os lugares, algumas poucas espécies ainda existentes são comuns no depósito, mas se tornaram extintas no mar imediatamente circundante; ou, inversamente, que algumas agora são abundantes no mar vizinho mas são raras ou ausentes naquele depósito específico. Refletir sobre o número certo de migrações dos habitantes da Europa durante o período glacial,[27] o qual constitui apenas uma parte de um período geológico inteiro, é uma excelente lição; e,

25. Samuel Pickworth Woodward (1821-1865), paleontólogo inglês, foi auxiliar de Darwin na Geological Society ainda muito jovem, tornando-se pesquisador do Departamento de Geologia e Mineralogia do Museu Britânico a partir de 1848 até sua morte precoce, aos 44 anos. Autor de uma obra de referência sobre moluscos fósseis e a fauna atual, publicada em 1853, com muitas reedições e traduzida em diversas línguas. (N.R.T.)

26. Hoje se sabe que essas massas continentais estavam unidas no Paleozoico, portanto não havia "mar americano" e "mar europeu". (N.R.T.)

27. Houve vários períodos glaciais, não apenas um em época recente, como se pensava à época. (N.R.T.)

da mesma forma, é uma excelente lição refletir sobre as grandes mudanças de nível, as mudanças climáticas incomuns, a enorme extensão do tempo geológico, tudo compreendido neste mesmo período glacial. Ainda assim, pode-se perguntar se os depósitos sedimentares de alguma parte do mundo, incluindo os restos fósseis, foram acumulados na mesma área durante todo este período. Não é provável, por exemplo, que, durante todo o período glacial, sedimentos tenham sido depositados perto da foz do rio Mississippi, naquele limite de profundidade em que animais marinhos podem florescer. Isso porque sabemos que ocorreram grandes mudanças geográficas em outras partes da América durante este espaço de tempo. Quando as camadas – que foram depositadas em águas rasas perto da foz do Mississippi durante uma parte do período glacial – se elevarem, é provável que os restos orgânicos inicialmente apareçam e desapareçam em diferentes níveis, devido à migração de espécies e mudanças geográficas. E num futuro distante, um geólogo que examine essas camadas poderá ficar tentado a concluir que a duração média da vida dos fósseis incorporados havia sido menor que a média do período glacial, ao invés de ter sido realmente muito maior, ou seja, em vez de estendê-la desde antes da época glacial até os dias atuais.

A fim de obtermos uma gradação perfeita entre duas formas nas partes superiores e inferiores da mesma formação, o depósito deve ter sido acumulado durante um período muito longo para que haja tempo suficiente para o lento processo de variação; portanto, o depósito geralmente precisará ser muito espesso; e as espécies em processo de alteração precisarão ter vivido na mesma área durante todo esse tempo. Mas vimos que uma formação fossilífera espessa só pode ser acumulada durante um período de afundamento e, para manter a profundidade aproximadamente igual – o que é necessário para permitir que as mesmas espécies vivam no mesmo espaço – a oferta de sedimentos deve estar quase equilibrada com a quantidade de afundamento. Contudo este mesmo movimento de afundamento tenderá muitas vezes a afundar a área de onde vem o sedimento e, assim, diminuir a sua oferta, enquanto continua o movimento descendente. De fato, esse equilíbrio quase exato entre a oferta de sedimentos e a quantidade de afundamento é provavelmente uma contingência rara; pois foi observado por mais de um paleontólogo que os depósitos muito espessos não costumam conter restos orgânicos, exceto perto de seus limites superior e inferior.

Parece que cada formação separada, assim como todo o conjunto de formações de qualquer região, tem em geral se acumulado de forma intermitente. Quando vemos, como ocorre tantas vezes, uma formação com camadas de composição mineralógica diferente, podemos arrazoadamente suspeitar que o processo de deposição teve muitas interrupções, pois uma alteração nas correntes do mar e a deposição de sedimentos de natureza diferente geralmente ocorrem por meio de alterações geográficas que exigem muito tempo. A inspeção mais minuciosa de uma formação também não poderá oferecer uma ideia do tempo consumido para a ocorrência dessa deposição. Poderíamos oferecer muitos exemplos de camadas com apenas alguns pés de espessura, as quais representam formações que em outra região teriam milhares de pés de espessura e que precisaram de um período gigantesco para ser acumuladas; ainda assim, ninguém que ignorasse esse fato teria suspeitado do vasto lapso de tempo representado pela formação mais fina. Poderíamos dar muitos exemplos de camadas inferiores de uma formação que foram elevadas, erodidas, submersas e recobertas pelas camadas superiores da mesma formação; esses fatos mostram os enormes intervalos de tempo – geralmente desconsiderados – transcorridos durante sua acumulação. Por outro lado, em grandes árvores fossilizadas – que ainda permanecem em pé como quando ainda estavam em crescimento –, temos as evidências mais simples dos intervalos de tempo extremamente longos, bem como das mudanças de nível que ocorreram durante o processo de sedimentação;[28] fatos de cuja existência nunca teríamos suspeitado se as árvores não tivessem sido preservadas por acaso; assim, os senhores Lyell e Dawson[29] encontraram camadas carboníferas com 1.400 pés (aproximadamente 432 metros) de espessura na Nova Escócia com estratos antigos, uns acima dos outros, com muitas raízes, em não menos de 68 níveis

---

28. Darwin havia descrito em seu livro *Voyage of the Beagle*, com detalhes, sua descoberta de um bosque petrificado nos Andes, em março de 1835, com troncos perfeitamente em pé, em meio a outros caídos, mantendo sua posição original quando eram araucárias verdejantes à beira-mar. (N.R.T.)

29. Sir John William Dawson (1820-1899), paleontólogo canadense, de origem escocesa, estudou na Universidade de Edimburgo e se destacou no estudo da paleobotânica. Descreveu fósseis de répteis dentro de troncos fossilizados e um polêmico micro-organismo fóssil (*Eozoön canadense*), que posteriormente se esclareceu ser apenas uma formação mineral. (N.R.T.)

diferentes.[30] Então, quando as mesmas espécies ocorrem na parte inferior, média e superior de uma formação, é provável que elas não tenham vivido no mesmo local durante todo o período de deposição, mas que tenham desaparecido e reaparecido, talvez muitas vezes, durante o mesmo período geológico. Dessa forma, se essas espécies passassem por muitas modificações durante qualquer período geológico, é provável que uma das seções não inclua todas as delicadas gradações das espécies intermediárias que, de acordo com minha teoria, deveriam ter existido entre elas, mas ocorreriam mudanças morfológicas repentinas, embora talvez muito pequenas.

É importante lembrar que os naturalistas não têm nenhuma regra de ouro para distinguir entre espécies e variedades; eles aceitam uma pequena variabilidade para cada espécie, mas quando se deparam com uma quantidade um pouco maior de diferenças entre duas formas quaisquer, classificam as duas como espécies, exceto se conseguirem conectá-las por gradações intermediárias muito próximas. E, pelos motivos que acabamos de indicar, raramente conseguimos encontrar isso em uma seção geológica. Supondo que B e C sejam duas espécies e A uma terceira que se encontra em uma camada subjacente; mesmo que A fosse uma intermediária exata entre B e C, ela seria simplesmente classificada como uma terceira espécie distinta, exceto se, ao mesmo tempo, pudesse ser muito bem vinculada a uma ou ambas as formas por meio de variedades intermediárias. Conforme já explicado, também não devemos esquecer que A poderia ser a verdadeira progenitora de B e C e, mesmo assim, não ser exata e necessariamente intermediária entre elas em todos os pontos de sua estrutura. Dessa forma, poderíamos obter as espécies progenitoras e seus vários descendentes modificados a partir das camadas superiores e inferiores de uma formação e, a menos que obtivéssemos várias gradações de transição, não reconheceríamos a relação entre elas e, consequentemente, nos sentiríamos obrigados a classificá-las como espécies distintas.[31]

---

30. Para entender esse trecho, é necessário considerar que, como os ambientes de sedimentação são sempre horizontais, um tronco (ou raízes) fossilizado na vertical deverá perpassar necessariamente diversas camadas (*polystrate fossil*), e pode contribuir para que um fóssil de uma camada geológica a ele associado dê a impressão de estar presente em diversas outras. (N.R.T.)

31. Aqui Darwin inicia um novo argumento, estendendo sua visão nominalista de espécie para o registro paleontológico. (N.R.T.)

É notório que muitos paleontólogos tenham se baseado em diferenças excessivamente pequenas para descrever novas espécies; e eles fazem isso mais facilmente quando os espécimes são provenientes de diferentes subestágios da mesma formação. Atualmente, alguns malacologistas[32] experientes estão reclassificando como variedades muitas das espécies distintas de D'Orbigny[33] e outros; e por meio deste ponto de vista podemos encontrar as provas das alterações que, segundo minha teoria, deveríamos encontrar. Além disso, se observarmos intervalos um pouco maiores, ou seja, estágios distintos mas consecutivos da mesma grande formação, perceberemos que os fósseis incrustados, embora sejam quase universalmente classificados como espécies diferentes, são espécies muito mais próximas umas das outras do que as espécies encontradas nas formações muito mais distantes; mas terei de retornar a este assunto no capítulo seguinte.

Há outra consideração que vale ser informada: no que se refere aos animais e plantas que podem propagar-se rapidamente e que não mudam muito de lugar, há razões para suspeitarmos, conforme vimos anteriormente, que suas variedades sejam, em geral, primariamente locais; e que essas variedades locais não se dispersem amplamente, nem substituam suas formas progenitoras até que tenham sido bastante modificadas e aprimoradas. De acordo com essa hipótese, é pequena a chance de descobrirmos em uma formação de uma mesma região todos os estágios iniciais de transição entre duas formas quaisquer, pois as alterações sucessivas são supostamente locais ou estão confinadas a algum ponto do território. A maior parte dos animais marinhos espalha-se bastante; e já vimos que as plantas com maior número de variedades são aquelas com distribuição geográfica mais ampla; assim, em relação aos moluscos e outros animais marinhos, é provável que aqueles que tiveram uma maior área de dispersão – indo além dos limites das formações geológicas conhecidas da Europa – tenham sido os que deram origem às variedades locais em primeiro lugar e, por fim, a novas espécies. Tal fato diminuiria muito a chance de conseguirmos traçar os estágios de transição de qualquer formação geológica.

---

32. Zoólogos que estudam as conchas dos moluscos. (N.R.T.)
33. Alcide D'Orbigny (1802-1857), paleontólogo francês. (N.R.T.)

Não devemos nos esquecer de que, nos dias de hoje, tendo espécimes perfeitos disponíveis para examinar, raramente podemos conectar duas espécies por meio de variedades intermediárias e, portanto, provarmos que são da mesma espécie até conseguirmos coletar muitos espécimes de muitos lugares; e no caso de espécies de fósseis, isso raramente pode ser efetuado pelos paleontólogos. Devemos talvez entender melhor a improbabilidade de conseguirmos conectar as espécies por um grande número de bons fósseis intermediários ao nos perguntarmos, por exemplo, se os geólogos em algum período futuro serão capazes de provar que nossas diferentes linhagens de gado, ovelhas, cavalos e cães descendem de um grupo único ou de várias unidades populacionais aborígenes; ou, além disso, se certos moluscos marinhos que habitam as margens da América do Norte e que são classificados por alguns malacologistas como espécies distintas de seus representantes europeus e por outros como variedades, são realmente variedades ou são espécies diferentes, isto é, especificamente distintas. Isso somente poderá ser realizado por um geólogo do futuro após ter descoberto várias gradações intermediárias em estado fóssil; além do mais, me parece extremamente improvável.

Embora a investigação geológica tenha acrescentado numerosas espécies aos gêneros existentes e extintos e tenha tornado os intervalos entre alguns poucos grupos menores do que de outra forma seriam, ainda assim, ela nada fez para esclarecer a distinção entre as espécies, conectando-as por uma multitude de sutis variedades intermediárias. E isso não ter sido feito talvez seja a mais grave e mais óbvia de todas as muitas objeções que podem ser levantadas contra minhas hipóteses. Assim, valerá a pena resumir as observações precedentes por meio de um exemplo imaginário. O arquipélago malaio tem aproximadamente o tamanho da Europa desde o cabo Norte até o Mediterrâneo e desde a Grã-Bretanha até a Rússia; equivale, portanto, a todas as formações geológicas que foram examinadas até hoje com precisão, com exceção das formações dos Estados Unidos da América. Concordo plenamente com o senhor Godwin-Austen,[34] que diz

---

34. Robert Godwin-Austen (1808-1884), geólogo inglês que estudou o Weald e o sul da Inglaterra. Foi coautor junto a Edward Forbes de um livro sobre os mares europeus. Publicou em 1882 seu livro *Land and Freshwater Mollusca of India* (Moluscos terrestres e de água doce da Índia). (N.T.)

que a condição atual do arquipélago malaio, com suas numerosas grandes ilhas separadas por mares amplos e rasos, provavelmente representa a antiga situação da Europa quando acumulou a maioria de suas formações. O arquipélago malaio é uma das regiões mais ricas do mundo em seres orgânicos; mas, mesmo assim, se todas as espécies que já viveram lá fossem coletadas, elas representariam a história natural do mundo de forma bastante imperfeita!

Todavia, temos toda razão para acreditar que as produções terrestres do arquipélago estariam preservadas de forma excessivamente imperfeita nas formações que estão supostamente sendo acumuladas na ilha. Eu suspeito que poucos animais estritamente litorâneos ou que viveram sobre as rochas submarinas nuas poderiam ter sido incorporados às formações; e aqueles incorporados em cascalhos ou areia não seriam mantidos até uma época distante. Os restos não podem ser preservados quando os sedimentos não se acumulam no leito do mar, ou quando não se acumulam a uma velocidade propícia para proteger os corpos orgânicos da decomposição.

Em nosso arquipélago, acredito que as formações fósseis com espessura suficiente para durar até uma era futura tão distante quanto as formações secundárias do passado poderiam ser constituídas apenas durante os períodos de afundamento. Esses períodos de afundamento estariam separados uns dos outros por intervalos enormes de tempo, durante os quais a área permaneceria estacionária ou em elevação; nos períodos de elevação, cada uma das formações fossilíferas seria destruída quase tão rapidamente quanto foi acumulada pela ação costeira incessante, assim como vemos atualmente na costa da América do Sul. Durante os períodos de afundamento, provavelmente ocorreriam muitas extinções; durante os períodos de elevação, ocorreriam muitas variações, mas o registro geológico seria então ainda mais imperfeito.

Pode-se duvidar que a duração de qualquer grande período de afundamento da totalidade ou de parte do arquipélago, juntamente com um acúmulo simultâneo de sedimentos, *exceda* as durações médias das mesmas formas específicas; e essas contingências são indispensáveis para a preservação de todas as gradações transitórias entre duas ou mais espécies quaisquer. Se essas gradações não estivessem totalmente preservadas, as variedades transitórias pareceriam ser apenas muitas espécies distintas. Também é provável que cada grande período de afundamento fosse interrompido por oscilações de nível e que pequenas mudanças climáticas interviessem durante esses longos períodos; nestes casos, os habitantes do arquipélago precisariam migrar e nenhum registro claramente consecutivo de suas modificações seria preservado em qualquer uma das formações.

Muitos dos habitantes marinhos do arquipélago estendem-se atualmente por milhares de milhas para além de seus limites; e a analogia me leva a crer que seriam principalmente estas espécies de distribuição geográfica ampla as que produziriam novas variedades com maior frequência; e, inicialmente, as variedades seriam geralmente locais ou estariam confinadas a uma área; mas se tivessem quaisquer vantagens decisivas, ou se recebessem novas modificações e fossem aperfeiçoadas, elas se espalhariam lentamente e substituiriam as formas que lhes deram origem. Quando essas variedades retornassem a seus antigos locais de origem, elas seriam classificadas – de acordo com os princípios seguidos por muitos paleontólogos – como espécies novas e distintas, pois estariam diferentes de sua antiga forma em um grau quase uniforme, embora, talvez, extremamente leve.

Se, então, houver algum grau de verdade nestas observações, não devemos esperar encontrar em nossas formações geológicas um número infinito de formas de transição que, segundo minha teoria, seguramente conectam todas as espécies do passado e do presente do mesmo grupo em uma longa e ramificada corrente da vida. Devemos somente buscar alguns elos, alguns relacionados de forma mais próxima e outros de forma mais distante uns dos outros; e quando esses elos estiverem muito próximos, mas se encontrarem em diferentes estágios da mesma formação, serão classificados pela maioria dos paleontólogos como espécies distintas. No entanto posso dizer que, não fosse a forte pressão exercida sobre minha teoria pela dificuldade de descobrirmos inúmeros elos de transição entre as espécies que apareceram no início e no final de cada formação, eu nunca teria suspeitado de quão pobre é a melhor seção geológica preservada em relação ao registro das mutações da vida.

A aparição repentina de grupos inteiros de espécies afins

O modo repentino pelo qual grupos inteiros de espécies aparecem em certas formações foi usado por vários paleontólogos – como, por exemplo, Agassiz,

Pictet[35] e, de forma mais vigorosa, o professor Sedgwick[36] – como uma objeção fatal à crença na transmutação das espécies. Se muitas espécies pertencentes aos mesmos gêneros ou às mesmas famílias tivessem iniciado sua vida em um único momento, esse fato seria fatal para a teoria da descendência com lentas modificações efetuadas por seleção natural. Pois o desenvolvimento de um conjunto de formas, todas descendendo de um progenitor, deve ter sido um processo extremamente lento; e os progenitores precisam ter vivido em eras anteriores às de seus descendentes modificados. Entretanto nós sempre superestimamos a perfeição do registro geológico e inferimos falsamente, já que certos gêneros ou famílias não foram encontrados abaixo de um determinado estágio, que eles não existiam antes desse estágio. Nós nos esquecemos de quão grande é o mundo comparado às áreas de formações geológicas que já foram cuidadosamente examinadas; nos esquecemos de que grupos de espécies podem, em outros lugares, ter existido há muito tempo e se multiplicado lentamente antes de invadir os antigos arquipélagos da Europa e dos Estados Unidos. Deixamos de lado os gigantescos intervalos de tempo que provavelmente decorreram entre nossas formações consecutivas, talvez mais longos em alguns casos do que o tempo necessário para a acumulação de cada formação. Esses intervalos teriam dado tempo para a multiplicação das espécies a partir de alguma forma ancestral (ou de algumas poucas); e, nas formações, essas espécies seriam vistas como se tivessem aparecido repentinamente.

Devo neste momento relembrar uma observação feita anteriormente, a saber, que seria necessária uma longa sucessão de eras para que um organismo pudesse se adaptar a um novo e peculiar modo de vida, como, por exemplo, voar; mas se isso ocorresse e algumas poucas espécies adquirissem portanto uma grande vantagem sobre os outros organismos, seria necessário comparativamente pouco tempo para produzir muitas formas divergentes, as quais seriam capazes de se espalhar rápida e amplamente por todo o mundo.

Darei agora alguns poucos exemplos para ilustrar essas observações; e para mostrar como estamos suscetíveis ao erro quando supomos que grupos

---

35. Assim como Agassiz, François Jean Pictet de la Rive (1809-1872), naturalista suíço, foi influenciado por Georges Cuvier e ferrenho opositor do evolucionismo. (N.R.T.)
36. Adam Sedgwick (1785-1873), geólogo inglês e opositor da teoria de Darwin. (N.T.)

inteiros de espécies tenham sido produzidos repentinamente. Recordemos o fato bem conhecido de que, nos tratados geológicos publicados há não muitos anos, sempre se falou da grande classe dos mamíferos como se esta tivesse surgido abruptamente nas séries do Terciário. E agora um dos jazigos conhecidos mais ricos em fósseis de mamíferos pertence à série média do Secundário; e um mamífero verdadeiro foi descoberto no arenito vermelho quase no início desse grande período.[37] Cuvier costumava afirmar que o macaco não aparece nos estratos do Terciário; mas uma espécie atualmente extinta do distante Eoceno foi descoberta na Índia, na América do Sul e na Europa.[38] O caso mais marcante, no entanto, é o da família das baleias; dado que esses animais têm ossos enormes, são marinhos e estão espalhados pelo mundo, o fato de nem mesmo um único osso de baleia ter sido descoberto em qualquer formação secundária [era Mesozoica] parecia justificar completamente a crença de que essa grande e distinta ordem tinha sido produzida repentinamente no intervalo entre as formações secundárias mais recentes e as terciárias [era Cenozoica] mais antigas. Porém hoje é possível encontrar no suplemento do Manual de Lyell, publicado em 1858, evidências claras da existência de baleias no arenito verde superior[39] algum tempo antes do fim da era Secundária.

Darei outro exemplo que me impressionou bastante por eu tê-lo visto. Em um documento sobre fósseis de cirripédios sésseis, afirmei que, pelo número de espécies existentes e extintas do Terciário, pela abundância extraordinária de indivíduos de muitas espécies em todo o mundo – desde as regiões do Ártico até o Equador – que habitam diferentes zonas de profundidades e vão desde os limites superiores das marés até cinquenta braças (aproximadamente 91 metros), pelo modo perfeito em que os espécimes estão preservados nas camadas terciárias mais antigas; pela facilidade com

37. Provavelmente Darwin se refere ao *Chirotherium* ("mão de animal"), um fóssil inicialmente descrito em 1834, em uma formação do baixo Triássico (hoje datado em 243 milhões de anos) a partir de uma pegada, com cinco dedos, com polegar oponível, muito semelhante a uma mão de primata. Contrariamente à opinião geral da época, não se tratava de um "mamífero verdadeiro", mas de um arcossauro, um ancestral dos crocodilos. (N.R.T.)

38. Fósseis de macacos são muito raros, pois são típicos de locais quentes e úmidos, desfavoráveis para a fossilização, bastante comuns no início do Eoceno (33,9 milhões-56 milhões de anos); muitos fósseis de primatas desse período continuam a ser encontrados. (N.R.T.)

39. Trata-se de um estrato geológico (*upper greensand*) do médio Cretáceo (cerca de 100 milhões de anos); as evidências de fósseis de baleias não foram comprovadas, e seus primeiros ancestrais diretos também datam do Eoceno, em época bem posterior. (N.R.T.)

que até mesmo um fragmento de uma valva [placa calcária] de cirripédio pode ser reconhecido; assim, por todas essas circunstâncias, eu inferi que se os cirripédios sésseis tivessem existido durante o período Secundário, eles teriam certamente sido preservados e descobertos; e como não há uma só espécie que tenha sido descoberta nas camadas desse período, cheguei à conclusão de que este grande grupo havia se desenvolvido repentinamente no início da série Terciária. Isso era muito problemático para mim, acrescentando, conforme eu imaginava, mais um exemplo do surgimento repentino de um grande grupo de espécies. Mas, assim que meu trabalho foi publicado, um competente paleontólogo, o senhor Bosquet,[40] enviou-me um desenho de um espécime inconfundível e perfeito de cirripédio séssil que ele havia extraído da falésia cretácea (ou de giz) da Bélgica. E, para tornar o caso mais impressionante ainda, este cirripédio séssil era um *Chthamalus*, um gênero muito comum, grande e onipresente, do qual ainda não encontramos até o momento nenhum espécime nos estratos terciários. Portanto, agora sabemos com certeza que os cirripédios sésseis existiram durante o período Secundário; e estes cirripédios podem ter sido os progenitores de nossas muitas espécies vivas e do período Terciário.[41]

O exemplo de um aparente surgimento repentino de um grupo inteiro de espécies mais utilizado pelos paleontólogos é o dos peixes teleósteos, do início do Cretáceo. Esse grupo inclui a grande maioria das espécies atualmente existentes. O professor Pictet levou recentemente sua existência a uma subfase mais baixa; e alguns paleontólogos acreditam que certos peixes muito antigos, dos quais as afinidades ainda são imperfeitamente conhecidas, são realmente teleósteos. Supondo, no entanto, que todos eles

---

40. Joseph Augustin Hubert de Bosquet (1814-1880), paleontólogo e farmacêutico belga, especialista em crustáceos fósseis. (N.R.T.)

41. Essa craca incrustante fora batizada como *Chthamalus darwini* por Bosquet em 1857 (Darwin não menciona a homenagem feita a ele); no entanto o próprio autor reconheceu posteriormente que a datação estava errada: tratava-se de uma espécie da fauna atual (*C. stellatus*), descartada em um antigo lixão na fronteira entre a Alemanha e a atual República Checa (em Schneeberg, em terrenos cretáceos), provavelmente aderida a uma concha de ostra, um resto de cozinha. Contudo, em 1865, Henry Woodward (1832-1921, irmão de Samuel P. Woodward) apresentou em um congresso científico, ainda abalado pela morte do irmão, a descrição de *Pyrgoma cretacea* em terrenos do Cretáceo da Inglaterra, registro inserido por Darwin ao final deste parágrafo na sexta edição do *On the Origin of Species* (1872). O registro foi confirmado posteriormente, mas o caso só foi totalmente esclarecido em 2008. (N.R.T.)

tenham surgido, conforme acredita Agassiz, no início do Cretáceo, o fato seria certamente bastante notável; mas não acredito que tal fato seria uma dificuldade insuperável para minha teoria, a menos que fosse possível demonstrar que as espécies desse grupo tivessem surgido de forma repentina e simultânea em todo o mundo e neste mesmo período. É meio supérfluo dizer que quase não há peixes fósseis conhecidos ao sul do Equador; e, ao ler a paleontologia de Pictet, é possível notar-se que, das várias formações da Europa, um número muito pequeno de espécies é conhecido. Algumas poucas famílias de peixes estão atualmente pouco distribuídas; é possível que os peixes teleósteos também tenham apresentado uma distribuição confinada no começo, tenham se desenvolvido bastante em algum mar e talvez se espalhado depois para todos os lugares. Também não devemos supor que os mares do mundo tenham sido sempre tão livremente abertos de sul a norte como o são hoje em dia. Até mesmo nos dias atuais, se o arquipélago malaio fosse transformado em terra, as partes tropicais do Oceano Índico formariam uma bacia grande e perfeitamente delimitada, onde qualquer grande grupo de animais marinhos poderia multiplicar-se; e aqui eles permaneceriam confinados até que algumas das espécies se tornassem adaptadas a um clima mais fresco e pudessem dobrar os cabos do sul da África ou da Austrália e alcançar, assim, outros mares distantes.[42]

Com base nessas considerações e em outras similares, mas principalmente por causa de nossa ignorância em relação à geologia de outros países além dos confins da Europa e dos Estados Unidos; e considerando a revolução sobre muitos pontos de nossas ideias paleontológicas produzidas pelas descobertas até mesmo da última dúzia de anos, parece-me ser tão temerário dogmatizar sobre a sucessão de seres orgânicos em todo o mundo como seria para um naturalista desembarcar por cinco minutos em algum ponto estéril da Austrália e em seguida passar a discutir sobre o número e a distribuição das produções daquele continente.

---

42. A principal crítica de Agassiz era a de que os peixes ósseos (como a sardinha e a tilápia) teriam aparecido repentinamente no Cretáceo, e isso, portanto, seria evidência de uma criação especial. O argumento de Darwin de que eles poderiam ter se originado em algum lugar confinado e tido uma expansão rápida é engenhoso. Confirmando a visão darwiniana, foram encontradas formas ancestrais em terrenos anteriores ao Cretáceo, no Triássico e no Jurássico. (N.R.T.)

Sobre o aparecimento repentino dos grupos de espécies próximas nos estratos fossilíferos mais bem conhecidos

Há outra dificuldade ligada ao caso que é muito mais grave. Eu me referi à maneira que um bom número de espécies do mesmo grupo surgiu de repente nas mais baixas rochas fossilíferas conhecidas. A maioria dos argumentos que me convenceram de que todas as espécies existentes do mesmo grupo descendem de um progenitor único aplica-se com força quase igual às primeiras espécies conhecidas. Por exemplo, não tenho como duvidar de que todos os trilobitas silurianos[43] descendem de um crustáceo que deve ter vivido muito tempo antes desse período e que provavelmente era muito diferente de qualquer animal conhecido. Alguns dos mais antigos animais silurianos, como o *Nautilus*, o *Lingula* etc., não diferem muito das espécies vivas; e, segundo minha teoria, não é possível supor que essas espécies antigas tenham sido as progenitoras de todas as espécies das ordens a que elas pertencem, pois não apresentam qualquer característica intermediária entre si. Se, além disso, fossem as progenitoras dessas ordens, teriam sido certamente substituídas e exterminadas há muito tempo por seus numerosos descendentes aprimorados.[44]

Consequentemente, se minha teoria estiver correta, é indiscutível que, antes do mais baixo estrato siluriano ter sido depositado, longos períodos decorreram, tão longos ou provavelmente muito mais longos que todo o intervalo ocorrido desde o Siluriano até os dias atuais; é também indiscutível que durante estes gigantescos – e ainda bastante desconhecidos – períodos de tempo, o mundo estava cheio de criaturas vivas.

À pergunta sobre o porquê de não encontrarmos registros destes vastos períodos primordiais, não posso dar nenhuma resposta satisfatória.

---

43. Siluriano, período geológico da era Paleozoica entre os períodos Ordoviciano e Devoniano. (N.T.)

44. Os trilobitas são artrópodes extintos que habitavam águas rasas de mares quentes. O *nautilus* é um molusco marinho com concha e o *lingula* é um braquiópodo, ambos da fauna atual. O fato de serem componentes de grupos já representados nos antigos terrenos do Paleozoico inferior não significa que sejam "fósseis vivos"; o fato de sua morfologia mais evidente ter mudado pouco em 500 milhões de anos não significa que sejam a mesma espécie nem tampouco "fósseis vivos". (N.R.T.)

Vários dos mais eminentes geólogos, Sir R. Murchison[45] à frente, estão convencidos de que vemos o alvorecer da vida neste planeta nos restos orgânicos do estrato mais baixo do Siluriano. Outras autoridades extremamente competentes, como Lyell e o falecido E. Forbes, questionam esta conclusão. Não devemos nos esquecer de que apenas uma pequena parcela do mundo é conhecida com precisão. Recentemente, o senhor Barrande[46] acrescentou um outro estágio mais inferior ao sistema Siluriano,[47] abundante em novas e peculiares espécies. Foram detectados vestígios de vida nas camadas de Longmynd, abaixo da área chamada de zona primordial de Barrande. A presença de nódulos fosfatados e matéria betuminosa em algumas rochas azoicas mais baixas indica provavelmente a existência anterior de vida nesses períodos. Porém é muito grande a dificuldade para entender a ausência de enormes pilhas de camadas fossilíferas que, segundo minha teoria, sem dúvida, foram acumuladas em algum ponto antes da época do Siluriano. Se estas camadas mais antigas tivessem sido totalmente desgastadas pela erosão, ou destruídas pela ação metamórfica, deveríamos encontrar apenas pequenos remanescentes das formações que as sucederam com o tempo, e estas deveriam ser geralmente encontradas em algum estado metamórfico.[48] No entanto as descrições atuais dos depósitos silurianos encontrados em imensos territórios na Rússia e na América do Norte não apoiam a hipótese de que quanto mais antiga for a formação mais extremada terá sido sua erosão e metamorfose.

---

45. Roderick Murchison acreditava ter encontrado o momento da criação divina no Siluriano. Posteriormente, fósseis muito mais antigos foram encontrados, e Darwin descreve alguns dos indícios de sua existência, então já conhecidos. Na quarta edição, Darwin inseriu um longo trecho tratando com entusiasmo da formação descrita no Canadá por Dawson, e na última edição apenas acrescentou (relutantemente) que o suposto ser descrito era "amplamente aceito" (*generally admitted*). No século XX foi esclarecido que não era um fóssil parecido com foraminíferos, mas uma formação mineral. (N.R.T.)

46. Joachim Barrande (1799-1883), paleontólogo francês, discípulo de Cuvier e de seu catastrofismo, tinha recebido uma importante comenda científica em 1857 (a Medalha Wollaston), e descrito formações fossilíferas próximas a Praga, em estratos inferiores ao Siluriano, que ele chamou de "zona primordial", onde teria ocorrido a criação da vida. (N.R.T.)

47. Estágio é o segmento de rochas de uma idade geológica. Série é o segmento de rochas de uma época; e sistema é o estrato de um período. (N.T.)

48. Esta explicação demonstrou ser rigorosamente verdadeira; ademais, hoje sabemos que falamos de uma extensão de tempo ainda maior do que a imaginada por Darwin. (N.R.T.)

O caso neste momento deve permanecer sem explicação e pode ser verdadeiramente tomado como um argumento válido contra as hipóteses aqui oferecidas. Para mostrar que doravante poderá receber alguma explicação, dou a seguinte hipótese: pela natureza dos restos orgânicos, que não parecem ter habitado em grandes profundidades as várias formações da Europa e dos Estados Unidos, e pela quantidade de sedimentos, de milhas de espessura, de que as formações são compostas, é possível inferir que, do início ao fim, existiram nas proximidades dos atuais continentes da Europa e América do Norte grandes ilhas ou extensões de terras de onde se originavam os sedimentos. Mas não sabemos qual era o estado das coisas nos intervalos entre as formações sucessivas; talvez a Europa e os Estados Unidos tenham existido durante esses intervalos como terra seca, ou como uma superfície submersa perto da terra sem depósito de sedimentos, ou então como o leito de um mar profundo e aberto.

Ao observarmos os oceanos atuais, que são três vezes mais extensos que as porções de terra, nós os vemos cravejados de muitas ilhas; mas não temos conhecimento de nem mesmo uma única ilha oceânica com qualquer resquício de formações do Paleozoico ou do período Secundário. Portanto, talvez possamos inferir que, durante os períodos Secundário e Paleozoico, nem os continentes nem as ilhas continentais existiam onde hoje estão nossos oceanos; pois se eles tivessem existido ali, as formações secundárias e do Paleozoico teriam, com toda a probabilidade, acumulado sedimentos derivados de seu uso e desgaste; e eles teriam sido, pelo menos parcialmente, elevados pelas oscilações de nível, as quais podemos razoavelmente concluir que devem ter intervindo nesses períodos extremamente longos. Desse modo, se podemos inferir algo desses fatos, devemos concluir que, onde hoje existem oceanos, existiram oceanos nos períodos mais remotos de que temos quaisquer registros; e, por outro lado, onde hoje existem continentes, existiram grandes extensões de terra que foram, sem dúvida, submetidas a grandes oscilações de nível desde o mais antigo período Siluriano. O mapa em cores anexado ao meu livro sobre os recifes de corais me levou a concluir que os grandes oceanos ainda são áreas principais de afundamento, os grandes arquipélagos ainda são áreas de oscilações de nível e que os continentes são áreas de elevação. Mas será que devemos assumir que as coisas sempre foram assim desde a eternidade? Parece que nossos continentes foram formados, durante muitas oscilações de nível, pela preponderância da força de elevação; mas não teriam as áreas de movimento preponderante também sido modificadas nesse longo tempo? Em um período imensamente anterior à época do Siluriano, os continentes podem ter existido nos locais onde hoje existem oceanos; e oceanos claros e abertos, onde hoje se encontram os continentes. Também não há justificativas para supormos que se, por exemplo, o leito do Oceano Pacífico estivesse hoje transformado em um continente, encontraríamos ali formações mais antigas que os estratos silurianos, supondo que tivessem sido depositados anteriormente; pois poderia acontecer que os estratos que haviam ficado algumas milhas mais próximos do centro da Terra, e que haviam sido pressionados pelo enorme peso da água acima deles, talvez recebessem uma ação metamórfica muito maior que a dos estratos que permaneceram mais próximos da superfície. As imensas áreas de rochas metamórficas nuas de algumas partes do mundo, como, por exemplo, as da América do Sul, que devem ter sido aquecidas pela grande pressão, sempre me pareceram exigir alguma explicação especial; acredita-se que vemos nestas grandes áreas as muitas formações muito anteriores à época do Siluriano em estado completo de metamorfose.[49]

As várias dificuldades aqui discutidas são todas, sem dúvida, de natureza grave; ou seja, não termos encontrado nas formações sucessivas elos de transição infinitamente numerosos entre as várias espécies que hoje existem ou que já existiram; a forma súbita com que grupos inteiros de espécies surgem em nossas formações europeias; a ausência quase completa, conforme nosso conhecimento atual, de formações fossilíferas debaixo dos estratos silúricos.[50] De maneira mais evidente, isso pode ser observado pelo fato de que todos os mais eminentes paleontólogos, nomeadamente, Cuvier, Owen, Agassiz, Barrande, Falconer, E. Forbes etc., bem como todos os nossos maiores geólogos, como Lyell, Murchison, Sedgwick etc., por unanimidade – e, muitas vezes, com veemência –, defenderam a imutabilidade das espécies. Mas tenho razões para acreditar que uma dessas grandes autoridades, Sir Charles Lyell, após refletir, passou a ter sérias dúvidas sobre este assunto.

---

49. Darwin apresenta novamente uma visão absolutamente moderna sobre os estratos geológicos antigos e o poder dos processos metamórficos, que destroem os fósseis. (N.R.T.)
50. Ao longo do século XX, muitas descobertas de fósseis de formações mais antigas do que o Siluriano foram feitas, deixando claro que as previsões de Darwin estavam corretas. (N.R.T.)

Sei o quão temerário é discordar dessas grandes autoridades, a quem, juntamente com outras, devemos todo o nosso conhecimento. Não há dúvida de que aqueles que veem qualquer grau de perfeição no registro geológico natural e que não dão muito peso para os fatos e tipos de argumentos aqui descritos imediatamente rejeitarão minha teoria. Eu, estendendo um pouco a metáfora de Lyell, vejo o registro geológico natural como uma história do mundo que foi guardada de forma imperfeita e escrita em um dialeto em constante mudança; dessa história, possuímos somente o último volume de apenas dois ou três países. Neste volume, foram preservados só os fragmentos de um capítulo curto; e, em cada página, apenas algumas poucas linhas. A história deve ser escrita nesse idioma que se modifica lentamente; as palavras, que se tornam mais ou menos diferentes na sucessão interrompida dos capítulos, podem representar as formas de vida que parecem ter sido repentinamente modificadas e sepultadas em nossas formações consecutivas, mas amplamente separadas. Deste ponto de vista, as dificuldades acima discutidas tornam-se extremamente pequenas, ou até mesmo desaparecem.

CAPÍTULO 10

A SUCESSÃO GEOLÓGICA DOS SERES ORGÂNICOS

O APARECIMENTO LENTO E SUCESSIVO DE NOVAS ESPÉCIES – SUAS DIFERENTES VELOCIDADES DE MUDANÇA – ESPÉCIES UMA VEZ PERDIDAS NÃO REAPARECEM – GRUPOS DE ESPÉCIES SEGUEM AS MESMAS REGRAS GERAIS DO SURGIMENTO E DESAPARECIMENTO DE UMA ÚNICA ESPÉCIE – A EXTINÇÃO – AS MUDANÇAS SIMULTÂNEAS DAS FORMAS DE VIDA EM TODO O MUNDO – AS AFINIDADES ENTRE AS ESPÉCIES EXTINTAS E ENTRE ESTAS E AS ESPÉCIES VIVAS – O ESTADO DE DESENVOLVIMENTO DAS FORMAS ANTIGAS – A SUCESSÃO DOS MESMOS TIPOS NAS MESMAS REGIÕES – RESUMO DESTE CAPÍTULO E DO CAPÍTULO ANTERIOR

Vejamos agora se as diversas regras e os vários fatos relativos à sucessão geológica dos seres orgânicos concordam mais com a hipótese da imutabilidade das espécies ou com sua modificação lenta e gradual por meio da descendência e da seleção natural.

As novas espécies surgiram muito lentamente, uma após a outra, tanto na terra como nas águas. No caso dos diversos estágios terciários, Lyell mostrou que é quase impossível afrontar as evidências em relação a este tópico; e a tendência é o preenchimento a cada ano dos espaços lacunares entre eles, tornando cada vez mais gradual a proporção entre formas perdidas e as vivas. Em algumas das camadas mais recentes, embora sejam sem dúvida muito antigas se as medirmos em anos, apenas uma ou duas espécies são formas perdidas, e apenas uma ou duas são formas novas, tendo aqui surgido pela primeira vez, seja em algumas regiões, ou, tanto quanto sabemos, em todo o mundo. Se pudermos confiar nas observações feitas na Sicília por Philippi,[1] as sucessivas mudanças dos habitantes marinhos da ilha foram muitas e extremamente graduais. As formações secundárias tiveram mais interrupções; mas, como observou Bronn, nem o surgimento nem o desaparecimento de suas muitas espécies extintas foram simultâneos em cada uma das formações.

As mudanças das espécies de diferentes gêneros e classes não ocorreram no mesmo ritmo nem no mesmo grau. Nas camadas terciárias mais antigas, em meio a uma infinidade de formas extintas, ainda é possível encontrar alguns moluscos que não foram extintos. Falconer[2] apresentou um exemplo impressionante de um fato similar: há um crocodilo ainda vivo que está associado a muitos mamíferos e répteis estranhos e já extintos dos depósitos da cadeia sub-himalaia. O braquiópode do gênero *Lingula* do período Siluriano difere muito pouco da espécie viva desse gênero; já a maioria dos outros moluscos do Siluriano e todos os crustáceos passaram por grandes mudanças. As produções terrestres parecem mudar em uma velocidade maior que as marítimas, das quais um exemplo marcante foi recentemente observado na Suíça. Há alguma razão para acreditar que os organismos considerados superiores na escala da Natureza mudam mais rapidamente do que os considerados inferiores: embora haja exceções a essa regra.[3] A quantidade de alterações orgânicas, conforme observado por Pictet,[4] não corresponde estritamente à sucessão de nossas formações geológicas; assim, entre cada duas formações consecutivas, as formas de vida raramente mudam exatamente no mesmo grau.[5] Ainda assim, se compararmos quaisquer formações, exceto as

---

1. Relato feito por Rudolph Amandus Philippi (1808-1904), naturalista chileno nascido na Alemanha, em sua obra *Enumeratio moluscorum Sicilia* (1844). (N.R.T.)
2. Hugh Falconer (1808-1865) publicara em 1859 o relato do encontro de ossos fossilizados de uma espécie de crocodilo supostamente da fauna atual, junto de outros fósseis de animais extintos, em um extraordinário jazigo fossilífero das montanhas de Sivalik, na Índia (de onde provêm também os fósseis do hominídeo *Sivapithecus*, já chamado *Ramapithecus*, de descoberta recente). (N.R.T.)
3. Trata-se de um argumento que não tem consistência com a teoria moderna da evolução. (N.R.T.)
4. Obra citada: *Traité élémentaire de paléontologie* (1844-1845). (N.T.)
5. Darwin tenta mostrar que as mudanças não são simultâneas e que as extinções são irreversíveis, o que não deveria ocorrer se as espécies fossem especialmente criadas ou se seguissem um plano arquetípico predefinido. (N.R.T.)

mais estreitamente relacionadas, veremos que todas as espécies passaram por algumas mudanças. Temos razões para acreditar que toda vez que uma espécie desaparece de vez da face da Terra, a mesma forma idêntica nunca mais reaparece. A mais forte exceção aparente a esta última regra são as chamadas "colônias" do senhor Barrande;[6] estas entram, por certo período, no meio de uma formação mais antiga e, então, permitem o reaparecimento da fauna preexistente; mas a explicação de Lyell me parece satisfatória, ou seja, este é um caso de migração temporária a partir de uma província geográfica distinta.[7]

Esses vários fatos concordam bem com a minha teoria. Não creio na existência de uma lei fixa do desenvolvimento que faça com que todos os habitantes de uma região sejam transformados abruptamente, simultaneamente ou em um mesmo grau. O processo de modificação deve ser extremamente lento. A variabilidade de cada espécie é completamente independente da variabilidade de todas as outras. Seja essa variabilidade aproveitada pela seleção natural ou sejam as variações acumuladas em maior ou menor quantidade, causando assim maior ou menor quantidade de modificações nas diferentes espécies, tais ocorrências dependem de muitas contingências complexas, a saber, de a variabilidade ser benéfica, da possibilidade dos cruzamentos, da velocidade de reprodução, das condições físicas em lenta mudança da região e, mais especialmente, da natureza dos outros habitantes com os quais as diferentes espécies competem. Portanto, não é surpreendente que uma das espécies mantenha a mesma forma idêntica por muito mais tempo do que outras; ou, quando sofre alterações, que as mudanças sejam menores. Vemos o mesmo fato na distribuição geográfica; por exemplo, os moluscos terrestres e os insetos coleópteros da ilha da Madeira são consideravelmente diferentes de seus parentes mais próximos do continente europeu, mas os moluscos marinhos e as aves permane-

---

6. Joachim Barrande defendeu a existência do reaparecimento de espécies em seu livro *System silurien du centre de la Bohême* (1852-1881). As "colônias" seriam rochas encontradas fora de sua ordem cronológica que permitiriam o reaparecimento de espécies de outras camadas geológicas. (N.T.)

7. Tanto a explicação de Barrande como a de Lyell não resistiram ao tempo. Trata-se de um complexo dobramento de estratos geológicos, dando a impressão de "aparecimento" e "desaparecimento" de faunas inteiras, mas também não houve migração. (N.R.T.)

ceram inalterados.[8] Podemos talvez entender a velocidade aparentemente mais rápida das mudanças que ocorrem nas produções terrestres e mais altamente organizadas, em comparação com as produções marinhas e inferiores, pelas relações mais complexas entre os seres superiores e as suas condições orgânicas e inorgânicas de vida, conforme explicado no capítulo anterior.[9] Quando muitos dos habitantes de uma região são modificados e melhorados,[10] podemos entender, pelos princípios da competição e pelas muitas relações extremamente importantes entre um organismo e outro, que qualquer forma que não tenha sido modificada e melhorada em algum grau correrá perigo de ser exterminada. Portanto, se, durante intervalos de tempo suficientemente longos, observarmos todas as espécies de uma mesma região, poderemos ver por que, enfim, elas foram modificadas; pois aquelas que não sofrerem modificações serão extintas.[11]

Em membros da mesma classe, a quantidade média de mudança, durante longos e iguais períodos de tempo, pode talvez ser quase a mesma; mas, já que o acúmulo de formações fossilíferas duradouras depende da deposição de grandes massas de sedimentos em áreas de afundamento, nossas formações foram quase necessariamente acumuladas em intervalos grandes e irregularmente intermitentes; consequentemente a quantidade de mudança orgânica exibida pelos fósseis incrustados em formações consecutivas não é igual. Por essa hipótese, cada formação não marca um novo e completo ato de criação, mas apenas uma cena ocasional, formada quase que por acaso, em um drama de mudanças lentas.

---

8. Darwin utilizou levantamentos de fauna bastante precisos, muitos válidos até hoje, o que demonstra que o isolamento geográfico está intimamente ligado à formação de novas espécies. (N.R.T.)
9. Como dito, esta conclusão não é mais considerada válida, pois as alterações de seres vivos grandes são apenas mais visíveis do que as dos pequenos, como fungos e bactérias. Quando uma bactéria desenvolve resistência a um antibiótico, essa mudança é apenas menos evidente do que uma coloração diferente em um pombo, mas as duas são similares do ponto de vista evolutivo. (N.R.T.)
10. O termo original (*improved*) deve ser entendido apenas como uma vantagem competitiva, que pode ser temporária, e não como um melhoramento ou aprimoramento absoluto. (N.R.T.)
11. Poderemos sempre constatar mudanças nas espécies, mas isso não nos "permite ver por que" (*we can see why*, no original) elas ocorreram. Não se pode atribuir aos mecanismos evolutivos a finalidade de evitar a extinção futura. Acredita-se que 99% das espécies que já surgiram em nosso planeta tenham se extinguido. (N.R.T.)

Podemos claramente compreender por que uma espécie, uma vez perdida, nunca mais reaparece, mesmo se condições de vida idênticas, orgânicas e inorgânicas, estiverem presentes. Embora os descendentes de uma espécie possam estar adaptados (e isso, sem dúvida, ocorreu em inúmeros casos) para preencher o nicho exato de outra espécie na economia da Natureza e, dessa forma, suplantá-la; ainda assim, as duas formas, a antiga e a nova, não seriam identicamente as mesmas; pois as duas quase certamente herdariam características diferentes de seus progenitores distintos. Por exemplo, é possível que, caso todos os pombos *fantail* fossem eliminados, os criadores – esforçando-se durante um longo período para chegar ao mesmo objetivo – conseguissem criar uma nova linhagem dificilmente distinguível dos atuais *fantail*; mas se os progenitores do pombo-das-rochas também fossem eliminados – e, na Natureza, temos razões para crer que a forma-mãe será geralmente suplantada e exterminada por sua prole aprimorada –, seria incrível que um *fantail*, idêntico à linhagem existente, pudesse ser gerado a partir de qualquer outra espécie de pombo, ou mesmo de outra linhagem do bem-estabelecido pombo doméstico, pois o *fantail* recém-formado iria, quase certamente, herdar de seu novo progenitor algumas diferenças sutis.[12]

Os grupos de espécies, ou seja, gêneros e famílias, seguem as mesmas regras gerais de surgimento e desaparecimento das espécies únicas, mudando mais ou menos rapidamente e em maior ou menor grau. Um grupo não reaparece após ter desaparecido; ou melhor, sua existência é contínua enquanto durar. Estou ciente de que existem algumas aparentes exceções a essa regra, mas as exceções são surpreendentemente poucas, tão poucas que E. Forbes, Pictet e Woodward (embora todos se oponham vigorosamente aos meus pontos de vista) admitem sua verdade; e a regra está estritamente de acordo com minha teoria, pois, tendo em vista que todas as espécies do mesmo grupo descendem de alguma espécie única, é claro que, contanto que todas as espécies do grupo tenham surgido durante a longa sucessão das eras, seus membros devem ter existido de forma ininterrupta para que possam ter gerado formas novas, modificadas ou as mesmas formas antigas

12. O argumento está basicamente correto, embora deva-se considerar que tanto as espécies quanto as variedades são únicas, e sua extinção é, sempre, irreparável. (N.R.T.)

e sem modificações. As espécies do gênero *Lingula*, por exemplo, devem ter existido de forma contínua por uma sucessão ininterrupta de gerações, desde o mais baixo estrato siluriano até os dias atuais.[13]

Vimos no último capítulo que as espécies de um mesmo grupo às vezes parecem (falsamente) ter surgido de súbito; e eu tentei explicar esse fato. O qual, caso fosse verdadeiro, seria fatal para minhas hipóteses. Mas esses exemplos são certamente excepcionais; e a regra geral é o aumento gradual dos números de um grupo até que este atinja um valor máximo e, depois, mais cedo ou mais tarde, sua diminuição gradual. Se o número de espécies de um gênero ou o número de gêneros de uma família for representado por uma linha vertical com espessuras variáveis que cruzam as sucessivas formações geológicas em que as espécies são encontradas, a linha parecerá às vezes falsamente começar em sua extremidade inferior – não em um ponto afilado, mas repentinamente; ela então se tornará de maneira gradual mais grossa para cima, às vezes mantendo uma mesma espessura em uma parte e, finalmente, afinando-se nas camadas superiores, marcando a diminuição e extinção final das espécies. Esse aumento gradual do número de espécies de um grupo está totalmente de acordo com a minha teoria; pois as espécies do mesmo gênero e os gêneros da mesma família só podem aumentar de forma lenta e progressiva; pois o processo de modificação e a produção de formas relacionadas devem ser lentos e graduais – no início, uma espécie dá origem a duas ou três variedades, estas são lentamente convertidas em espécies que, por sua vez, produzem – por passos igualmente lentos – outras espécies e assim por diante até que o grupo se torne grande, de forma semelhante à ramificação de uma grande árvore a partir de um único tronco.

A extinção

Até este momento falamos apenas de modo incidental sobre o desaparecimento de espécies e de grupos de espécies. Pela teoria da seleção natural, a

13. Embora o argumento da irreversibilidade da extinção seja considerado correto até hoje, a ideia de "fósseis vivos" que permanecem inalterados desde os "estratos do Siluriano" não é mais aceita. O gênero *Lingula* abriga diversas espécies de braquiópodes, animais assemelhados a bivalves, mas que não são moluscos. Embora os fósseis não documentem grandes modificações morfológicas, disso não decorre que tenham mantido exatamente a mesma constituição específica desde priscas eras. (N.R.T.)

extinção de formas antigas e a produção de formas novas e melhoradas estão intimamente ligadas. A velha ideia de que todos os habitantes da Terra foram destruídos por catástrofes que ocorreram em períodos sucessivos foi abandonada até mesmo por geólogos – como Elie de Beaumont,[14] Murchison, Barrande etc. – cujas hipóteses gerais os levariam naturalmente a essa conclusão. A partir do estudo das formações terciárias temos, pelo contrário, todas as razões para acreditar que – um a um – as espécies e os grupos de espécies desapareceram gradualmente, primeiro de um local, depois de outro e, por fim, de todo o mundo. Tanto as espécies únicas quanto grupos inteiros de espécies duram períodos muito desiguais; alguns grupos, como já vimos, existem desde a mais remota alvorada conhecida da vida até os dias de hoje; outros desapareceram antes do fim da era Paleozoica. Parece não existir nenhuma lei fixa que determine o tempo de duração de uma espécie ou de um gênero. Temos razões para acreditar que a completa extinção da espécie de um grupo costuma ser um processo mais lento do que a sua origem; se o surgimento e o desaparecimento de um grupo de espécies fossem representados, como antes, por uma linha vertical de espessura variável, veríamos que a linha afina de forma mais gradual em sua extremidade superior – marcando o progresso de sua extinção – que em sua extremidade inferior, a qual marca o surgimento e aumento do número de espécies. Em alguns casos, no entanto, a extinção de grupos inteiros de seres foi assombrosamente repentina, como, por exemplo, o caso dos amonites no final do período Secundário.[15]

O tema da extinção das espécies está envolto em um mistério sem sentido. Alguns autores supuseram até mesmo que, já que os indivíduos têm um tempo fixo de vida, as espécies também devem ter uma duração determinada. Acredito que ninguém tenha se assombrado mais com a extinção das espécies do que eu. Encheu-me de espanto quando, em La Plata, encontrei o dente de um cavalo incorporado aos restos de um mastodonte,

---

14. Jean Baptiste Elie de Beaumont (1798-1874), geólogo e engenheiro de minas francês; ele a princípio aceitara o catastrofismo, isto é, que as extinções foram causadas por catástrofes. (N.T.)
15. Os amonites surgiram no Devoniano e se extinguiram abruptamente ao final do Cretáceo, em um dos maiores eventos de extinção em massa. (N.R.T.)

de um megatério, de um toxodonte[16] e de outros monstros já extintos, mas que coexistiram num período geológico muito recente com moluscos que ainda vivem; pois, ao notar que, desde a sua introdução pelos espanhóis na América do Sul, o cavalo tem se espalhado livremente e aumentado o número de seus indivíduos em uma velocidade sem precedentes por toda a região, perguntei-me o que poderia ter exterminado a forma anterior do cavalo nestas condições de vida aparentemente tão favoráveis. Mas quão completamente infundado era o meu espanto! O professor Owen percebeu que o dente, embora muito semelhante aos dos cavalos existentes, pertencia a uma espécie extinta.[17] Se esse cavalo, mesmo que fosse raro, ainda estivesse vivo, nenhum naturalista ficaria minimamente surpreso com sua raridade; pois a raridade é a qualidade de um enorme número de espécies de todas as classes e de todas as regiões. Se nos perguntássemos por que essa ou aquela espécie é rara, responderíamos que há algo desfavorável em suas condições de vida; mas dificilmente saberíamos responder o quê. Supondo que o cavalo fóssil ainda vivesse como uma espécie rara, poderíamos dar como certo que, em condições favoráveis, esses animais cobririam todo o continente caso os comparássemos com o exemplo de todos os outros mamíferos (até mesmo o exemplo do elefante, que se reproduz muito lentamente) e caso tomássemos a história da introdução recente dos cavalos domésticos na América do Sul. No entanto não conseguiríamos dizer quais condições desfavoráveis impediram o aumento numérico dessa espécie, nem se foi causada por uma ou várias contingências e nem em que período da vida do cavalo e com que intensidade estas condições agiram individualmente. Se as condições se tornassem, mesmo que lentamente, cada vez menos favoráveis, nós provavelmente não teríamos percebido esse fato, mas esses cavalos fósseis com certeza se tornariam cada

---

16. Megatério, mamífero extinto da ordem dos Xenartros (mesma dos tatus e tamanduás), anteriormente conhecida como Edentata. O toxodonte foi um mamífero da ordem Notoungulata, uma ordem da antiga divisão de mamíferos conhecida como ungulados (isto é, animais de casco como cavalos, bois, elefantes, girafas etc.). Atualmente, o termo ungulado não faz mais parte da classificação. (N.T.)

17. Richard Owen havia reconhecido que se tratava de uma espécie extinta, da mesma época geológica recente dos outros fósseis, no livro *Zoology of the Voyage of the Beagle* (1840, p. 108), e posteriormente a descreveu como *Equus curvidens*. Owen concordou que o achado de Darwin fora verdadeiramente espantoso. (N.R.T.)

vez mais raros até serem, por fim, extintos; seu nicho seria tomado por um competidor mais bem-sucedido.

É sempre muito difícil nos lembrarmos de que o aumento do número de seres vivos sofre o controle constante de fatores prejudiciais e imperceptíveis; e que esses mesmos fatores imperceptíveis são suficientemente grandes para gerar raridade e, finalmente, extinção. Nas formações terciárias mais recentes notamos que, em muitos casos, a raridade precede a extinção; além disso, sabemos que isso é o que ocorre com os animais exterminados – de modo regional ou geral – por fatores humanos. Repito aquilo que publiquei em 1845, isto é, que aceitar que as espécies geralmente se tornam raras antes de serem extintas e, mesmo assim, não se sentir surpreso com a raridade de uma espécie e, ainda, ficar extremamente desconcertado quando ela deixa de existir seria o mesmo que admitir que a doença de um indivíduo é a precursora de sua morte e, mesmo assim, não ficar surpreso com a doença, mas, quando um homem doente morre, pensar e suspeitar que ele morreu por algum ato desconhecido de violência.[18]

A teoria da seleção natural baseia-se na crença de que cada nova variedade e, por fim, que cada nova espécie são produzidas e mantidas por ter alguma vantagem sobre aquelas com as quais entram em competição; e, assim, a consequente extinção das formas menos favorecidas segue-se de forma quase inevitável. O mesmo acontece com nossas produções domésticas: quando criamos uma nova variedade ligeiramente melhorada, ela suplanta inicialmente as variedades menos aprimoradas de sua vizinhança; quando ela se torna muito mais aprimorada, nós a transportamos para todos os lugares – nosso gado de chifre curto, por exemplo –, e ela substitui as outras linhagens das outras localidades. Assim, o surgimento de novas formas e o desaparecimento das formas antigas – seja pelo método natural ou artificial – estão conectados. Em certos grupos bem-sucedidos, o número de novas formas específicas que tenham sido produzidas dentro de um determinado tempo é provavelmente maior do que o número de formas antigas e atualmente extintas; mas nós sabemos que o número de espécies não aumentou indefinidamente, pelo

18. Darwin repete aqui, quase literalmente, a parte final do capítulo 8 da 2ª edição de seu *The Voyage of the Beagle* (1845). (N.R.T.)

menos não durante os períodos geológicos mais recentes. Assim, observando os tempos mais recentes, podemos acreditar que a produção de novas formas tem causado a extinção do mesmo número aproximado de formas antigas.

A competição será em geral mais intensa, conforme já explicamos e exemplificamos anteriormente, entre as formas que mais se assemelham entre si em todos os aspectos. Portanto, os descendentes aprimorados e modificados de uma espécie irão, geralmente, causar o extermínio de sua espécie-mãe; e, caso muitas novas formas tenham sido desenvolvidas a partir de uma espécie qualquer, as espécies relacionadas mais próximas dessa espécie, *ou seja,* as espécies do mesmo gênero, serão as mais suscetíveis de ser exterminadas. Assim, acredito que certo número de espécies novas que descendam de uma espécie, ou seja, um novo gênero, venha a suplantar um gênero antigo pertencente à mesma família. Porém é certo que muitas vezes uma nova espécie pertencente a algum grupo possa ter tomado o lugar ocupado por uma espécie pertencente a outro grupo e, assim, causado seu extermínio; e se muitas formas relacionadas se desenvolverem por intermédio de um intruso bem-sucedido, muitos terão de ceder seus lugares; e geralmente serão as formas relacionadas as que terão alguma inferioridade hereditária em comum. Contudo, quer sejam espécies pertencentes à mesma classe ou a uma classe distinta daqueles que cederam seus lugares para outras espécies que tenham sido modificadas e aprimoradas, alguns dos perdedores conseguem continuar vivos por bastante tempo, ou porque estão ligados a um estilo de vida peculiar ou por habitarem uma área distante e isolada, onde puderam se manter afastados da concorrência mais severa. Por exemplo, uma única espécie de *Trigonia*, um grande gênero de moluscos das formações secundárias, sobrevive nos mares australianos;[19] e alguns membros do grande e quase extinto grupo de peixes ganoides

---

19. Até o início do século XIX eram conhecidas muitas espécies extintas de bivalves do gênero *Trigonia*, mas em 1804 foi descrita uma espécie da fauna atual, originária da Tasmânia, descrita por Lamarck como *Trigonia margaritacea*. Darwin se refere a ela aqui como se fosse a "última" do grupo, com o mesmo argumento (equivocado) dos "fósseis vivos", como "perdedores" (*sufferers*), "afastados da competição mais severa" (na longínqua Tasmânia). Hoje são conhecidas oito espécies da fauna atual, mas pertencentes a um novo gênero, *Neotrigonia*, o que invalida o argumento de Darwin. (N.R.T.)

ainda habitam nossos rios de água doce.[20] Portanto, a extinção absoluta de um grupo é geralmente, como já vimos, um processo mais lento do que a sua produção.[21]

No que diz respeito à extinção aparentemente súbita de famílias ou ordens inteiras, como a dos trilobitas no final do Paleozoico e dos amonites no final do Secundário, é importante lembrarmos o que já dissemos sobre os prováveis grandes intervalos de tempo entre nossas formações consecutivas; e um grande número de lentas extinções deve ter ocorrido nesses intervalos. Além disso, quando muitas espécies de um novo grupo tomam posse de uma nova área – seja pela imigração súbita ou pelo desenvolvimento extraordinariamente rápido –, elas exterminam muitos dos antigos moradores de forma correspondentemente rápida; e as formas que perdem seus nichos dessa maneira costumam ser aparentadas, pois elas têm algum tipo de inferioridade em comum.

Assim, como me parece, a maneira pela qual uma espécie única e grupos inteiros de espécies são extintos está bastante de acordo com a teoria da seleção natural. Não precisamos nos surpreender com a extinção; se for preciso nos surpreendermos, que seja pela nossa presunção de imaginar por um momento que compreendemos as muitas e complexas contingências de que depende a existência de cada espécie. Quando esquecemos por um instante que cada espécie tende a aumentar de forma excessiva e que sempre há fatores de restrição em ação, mesmo que raramente percebidos por nós, toda a economia da Natureza se torna completamente obscura. Somente poderemos justificar algum tipo de surpresa por não entendermos a extinção de alguma espécie particular ou um grupo específico de espécies quando pudermos responder com precisão por que uma espécie engloba mais indivíduos que outra, ou por que uma espécie e não outra pode ser introduzida com sucesso em determinada região.

---

20. Georges Cuvier havia descrito a família Lepisosteidae em 1825, com poucas espécies que habitam rios e estuários da América do Norte e do Caribe, com escamas do tipo ganoide, conhecidas de fósseis do Cretáceo. (N.R.T.)

21. Evidências colhidas no século XX tornaram claro que houve vários fenômenos de extinção em massa relativamente rápidos e de efeito global, inclusive os citados, no caso dos trilobitas (fim do Permiano) e dos amonites (fim do Cretáceo). (N.R.T.)

As formas de vida que mudam quase simultaneamente em todo o mundo

Quase nenhuma descoberta paleontológica é mais impressionante do que o fato de que as formas de vida mudam de modo quase simultâneo em todo o mundo. Assim, nossa formação cretácea da Europa pode ser reconhecida em muitas partes distantes do mundo, sob os mais diferentes climas, mesmo onde não foi encontrado nem mesmo um único fragmento de giz (ou cré) mineral; ou seja, na América do Norte, na América do Sul equatorial, na Terra do Fogo, no Cabo da Boa Esperança e na península da Índia. Pois em todos estes pontos distantes, os restos orgânicos em determinadas camadas apresentam um inconfundível grau de semelhança com os restos existentes nas formações cretáceas. Não que sejam as mesmas espécies, pois em alguns casos nenhuma espécie é identicamente a mesma, mas pertencem às mesmas famílias, aos mesmos gêneros e subgêneros, e às vezes possuem semelhanças em pontos tão insignificantes como o mero molde superficial. Além disso, outras formas, que não são encontradas no Cretáceo europeu mas ocorrem em formações acima ou abaixo desse período, estão igualmente ausentes nessas regiões distantes do mundo. Nas diversas formações sucessivas do Paleozoico da Rússia, da Europa Ocidental e da América do Norte, vários autores têm observado um paralelismo semelhante nas formas de vida; o mesmo vale, de acordo com Lyell, para os vários depósitos terciários europeus e norte-americanos. Ainda que as poucas espécies fósseis – comuns no Velho e no Novo Mundo – fossem postas totalmente fora da vista, o paralelismo geral das sucessivas formas de vida entre os estágios bastante distantes do Paleozoico e do Terciário continuaria claro e as várias formações poderiam facilmente ser correlacionadas.[22]

Contudo essas observações estão ligadas aos habitantes marinhos das distantes regiões do mundo: não temos dados suficientes para saber se as produções terrestres e de água doce de regiões distantes também se modificam com esse mesmo paralelismo. Podemos até duvidar de que eles tenham sofrido mudanças; se o *Megatherium*, o *Mylodon*, a *Macrauchenia*

22. O paralelismo, na época de Darwin, era confundido com a deriva continental, decorrente da teoria da tectônica de placas, bem estabelecida apenas no século XX. (N.R.T.)

e o *Toxodon*[23] tivessem sido levados da região do Prata para a Europa sem qualquer informação a respeito de sua posição geológica, ninguém teria suspeitado que eles houvessem coexistido com moluscos marinhos que ainda vivem atualmente; mas como estes monstros anômalos coexistiram com os mastodontes e com os cavalos, poderíamos, pelo menos, inferir que eles haviam vivido durante um dos últimos estágios do Terciário.

Quando dizemos que as formas marinhas de vida foram modificadas simultaneamente em todo o mundo não devemos supor que tal expressão indique o mesmo milênio ou a mesma centena de milênios ou até mesmo que tenha um sentido geológico muito específico; pois se todos os animais marinhos que vivem nos dias de hoje na Europa e todos aqueles que viveram na Europa durante o Pleistoceno (um período extremamente remoto quando medido por anos e que inclui toda a época glacial) fossem comparados com aqueles que hoje vivem na América do Sul ou na Austrália, o naturalista mais competente dificilmente conseguiria dizer se são os habitantes europeus atuais ou os do Pleistoceno os mais semelhantes àqueles do hemisfério Sul. Do mesmo modo, vários observadores extremamente competentes acreditam que as produções vivas dos Estados Unidos estão mais intimamente relacionadas com aquelas que viveram na Europa durante certos estágios mais recentes do Terciário, que com os atuais habitantes da Europa; e, caso seja assim, é evidente que as camadas fossilíferas que estão sendo atualmente depositadas na costa da América do Norte sejam, daqui por diante, suscetíveis a ser classificadas ao lado das camadas europeias um pouco mais velhas. No entanto, olhando para uma época futura e remota, acredito haver pouca dúvida de que todas as formações *marinhas* mais modernas – ou seja, as camadas do Plioceno superior, do Pleistoceno e as camadas estritamente modernas da Europa, da América do Norte, da América do Sul e da Austrália – poderão ser corretamente classificadas como simultâneas no sentido geológico por conterem restos fósseis com certo grau de parentesco e por não incluírem formas que são encontradas somente nos antigos depósitos subjacentes.

---

23. Grandes mamíferos descobertos por Darwin na América do Sul. Os dois primeiros são preguiças gigantes. *Macrauchenia* era um camelídeo com uma pequena tromba e o *Toxodon* era um roedor enorme, parente distante da capivara (ver também nota 16, página 322). (N.R.T.)

O fato de as formas de vida modificarem-se simultaneamente, no sentido mais amplo acima explicado, em partes distantes do mundo, impressionou muito dois admiráveis observadores, os senhores De Verneuil e D'Archiac.[24] Depois de comentarem sobre o paralelismo das formas de vida paleozoicas de várias partes da Europa, acrescentaram o seguinte: "Se, após ficarmos impressionados por esta sequência estranha, voltarmos nossa atenção para a América do Norte e lá descobrirmos uma série de fenômenos análogos, parecerá certo que todas essas modificações de espécies, a sua extinção e a introdução de outras novas, não podem ter como causa as meras mudanças nas correntes marinhas ou outras mais ou menos locais e temporárias, mas sim as leis gerais que regem todo o reino animal".[25] O senhor Barrande fez observações assertivas exatamente no mesmo sentido. É, na verdade, bastante fútil ver as mudanças climáticas das correntes ou de outras condições físicas como as causas dessas grandes mutações nas formas de vida de todo o mundo e sob os mais diferentes climas. Devemos, conforme observou Barrande, buscar alguma lei especial. Veremos isso de forma mais clara quando tratarmos da atual distribuição dos seres orgânicos, e perceberemos como é fraca a relação entre as condições físicas das várias regiões e a natureza de seus habitantes.

Esse grande fato da sucessão paralela das formas de vida em todo o mundo pode ser explicado por meio da teoria da seleção natural. Novas espécies são formadas pelo surgimento de novas variedades que possuem alguma vantagem em relação às formas mais antigas; e essas formas que já são dominantes ou têm alguma vantagem sobre as outras formas de sua própria região naturalmente dão origem com mais frequência a novas variedades ou espécies incipientes, pois estas últimas devem ser vitoriosas em um grau ainda mais elevado a fim de ser preservadas e sobreviverem. Sobre este tema, evidências distintas são encontradas nas plantas dominantes – ou seja, aquelas que são mais comuns em suas próprias regiões de origem e estão mais amplamente distribuídas – que produziram o maior número de

---

24. Philippe Édouard Poulletier de Verneuil (1805-1873), paleontólogo francês; Étienne Jules Adolphe Desmier de Saint-Simon, Visconde d'Archiac (1802-1868), geólogo francês. (N.T.)

25. De Verneuil e D'Archiac, *Memoir on the Fossils of the Older Deposits in the Rhenish Provinces* ([1842], Sobre os fósseis dos mais antigos depósitos nas províncias do Reno). (N.T.)

novas variedades. Também é natural que as espécies dominantes, variadas e distribuídas por longas distâncias - que, em certa medida, já invadiram os territórios de outras espécies - devam ser aquelas com a melhor chance de se espalhar até pontos ainda mais distantes e ser capazes de originar novas variedades e espécies em novas regiões. O processo de difusão pode ser muito lento, pois depende de mudanças geográficas e climáticas ou de estranhos acidentes, mas, no longo prazo, as formas dominantes geralmente conseguirão se espalhar. A difusão dos habitantes terrestres dos distintos continentes seria provavelmente mais lenta que a dos habitantes marinhos de um mar contínuo. Portanto, esperamos encontrar, como aparentemente encontramos, um grau menos rigoroso de sucessão paralela nas produções terrestres do que nas marinhas.

Uma espécie dominante que se propaga a partir de qualquer região poderia encontrar uma espécie ainda mais dominante e então cessaria seu caminho triunfante, ou até mesmo sua existência. Não sabemos precisamente quais são todas as condições mais favoráveis para a multiplicação de novas espécies dominantes; mas podemos, me parece, ver claramente que um certo número de indivíduos - por oferecerem melhor chance ao aparecimento de variedades favoráveis - e a concorrência severa com muitas formas já existentes seriam altamente favoráveis, assim como o seria o poder de propagação para novos territórios. Conforme já explicado anteriormente, certo isolamento, recorrente em longos intervalos de tempo, provavelmente também seria favorável. Uma parte do mundo pode ter sido bastante favorável para a produção de espécies terrestres novas e dominantes; e outra parte, para as espécies marinhas. Se duas grandes regiões tivessem sido igualmente favoráveis por um longo período, sempre que seus habitantes se encontrassem a batalha seria prolongada e severa; por fim, os vitoriosos poderiam ser alguns habitantes de um território e alguns do outro. Contudo, no decorrer do tempo, as formas extremamente mais dominantes, independentemente de seu local de produção, tenderiam a prevalecer em todas as regiões. No decurso de sua prevalência, elas causariam a extinção de outras formas inferiores; e como estas formas inferiores estariam conectadas a seus grupos por hereditariedade, grupos inteiros tenderiam a desaparecer lentamente, mesmo que, aqui e ali, um indivíduo qualquer conseguisse sobreviver por um longo tempo.

Assim, me parece que a sucessão paralela e simultânea (em seu sentido mais amplo) das mesmas formas de vida em todo o mundo está de acordo com o princípio de novas espécies terem sido formadas por espécies dominantes que se propagaram de forma ampla e passaram por variações; sendo que as novas espécies produzidas também seriam dominantes devido à hereditariedade e por já terem alguma vantagem sobre seus pais ou sobre outras espécies; e, por sua vez, estas últimas também se propagariam, sofreriam variações e produziriam novas espécies. As formas vencidas que cedem seus nichos para as formas novas e vitoriosas geralmente são aparentadas por grupos, pois herdaram algumas inferioridades em comum; e, portanto, conforme os grupos novos e melhorados se propagam por todo o mundo, os grupos mais antigos desaparecem; das duas maneiras e em todos os lugares, as sucessões das formas tendem a ser correspondentes.[26]

Vale fazermos outra observação ligada a este assunto. Já ofereci minhas razões para acreditar que todas as nossas maiores formações fossilíferas foram depositadas durante períodos de afundamento; e que lacunas de grande duração ocorreram durante os períodos em que o leito do mar ou estava estacionário ou em elevação e, da mesma forma, quando os sedimentos não eram depositados com velocidade suficientemente rápida para conseguirem incorporar e preservar restos orgânicos. Suponho que, durante esses intervalos longos e lacunares, os habitantes de cada região tenham sofrido uma considerável quantidade de modificações e extinções, e que tenha ocorrido muita migração de outras partes do mundo. E, já que temos razões para acreditar que grandes territórios são afetados pelo mesmo processo, é provável que as formações rigorosamente contemporâneas tenham sido muitas vezes acumuladas em espaços bastante amplos da mesma região do mundo; mas estamos longe de poder concluir que isso tenha ocorrido invariavelmente dessa forma e que grandes áreas tenham passado invariavelmente pelos mesmos pro-

26. Esse paralelismo que Darwin tenta explicar decorre, na verdade, quase inteiramente da deriva continental, e não da suposta ação simultânea da seleção natural. Por exemplo, há fósseis muito semelhantes na América do Sul e na África, como no caso dos lagartos do gênero *Mesosaurus*, e eles são evidência de que os continentes estavam unidos no Permiano, em cujas rochas seus fósseis são achados. (N.R.T.)

cessos. Quando duas formações são depositadas em duas regiões durante quase, mas não exatamente, o mesmo período, devemos encontrar em ambas – pelas causas explicadas nos parágrafos precedentes – a mesma sucessão geral de formas de vida, ainda que as espécies não tenham uma correspondência exata, pois cada espécie terá passado um pouco mais de tempo em uma região do que em outra para os processos de modificação, extinção e imigração.

Eu suspeito que casos dessa natureza tenham ocorrido na Europa. O senhor Prestwich,[27] em seus admiráveis trabalhos sobre os depósitos do Eoceno da Inglaterra e da França, conseguiu estabelecer um estreito paralelismo geral entre as sucessivas fases dos dois países; mas quando ele compara os estágios específicos da Inglaterra com os da França e, embora encontre em ambos uma curiosa conformidade em relação ao número de espécies pertencentes aos mesmos gêneros, ainda assim, considerando a proximidade das duas áreas, percebe que as espécies diferem de uma forma muito difícil de ser explicada, a menos que, de fato, partamos do princípio de que um istmo separava dois mares habitados por faunas distintas, mas contemporâneas. Lyell fez observações semelhantes em algumas das formações terciárias mais recentes. Barrande também mostrou que há um paralelismo geral marcante nos sucessivos depósitos silurianos da Boêmia e da Escandinávia; no entanto, ele encontrou um surpreendente número de diferenças nas espécies. Se as diversas formações destas regiões não foram depositadas exatamente durante os mesmos períodos (uma formação de uma região frequentemente corresponde a um intervalo lacunar da outra) e se, em ambas as regiões, as espécies passaram por mudanças lentas durante a acumulação das várias formações e durante os longos intervalos de tempo entre elas; então, neste caso, as várias formações das duas regiões poderiam ser organizadas na mesma ordem em conformidade com a sucessão geral das formas de vida e, desse modo, a ordem daria a falsa impressão de ser rigorosamente paralela; no entanto, nem todas as espécies seriam as mesmas nas fases aparentemente correspondentes das duas regiões.

---

27. Joseph Prestwich (1812-1896), geólogo britânico. (N.T.)

As afinidades entre as espécies extintas e entre estas e as espécies vivas

Vejamos agora as afinidades mútuas entre espécies extintas e vivas. Todas elas fazem parte de um grande sistema natural; e este fato é logo explicado pelo princípio da descendência. Como regra geral, quanto mais antiga for uma forma, mais ela será diferente das formas vivas. Mas, conforme já observado há muito tempo por Buckland,[28] todos os fósseis podem ser classificados em grupos ainda existentes, ou entre eles. Não há como discordar de que as formas de vida extintas ajudam a preencher os grandes intervalos entre os gêneros, famílias e ordens existentes. Pois, quando confinamos nossa atenção somente nos seres vivos ou apenas nos extintos, a série se torna muito menos perfeita do que quando combinamos os dois tipos em um sistema geral. Em relação aos vertebrados, poderíamos encher várias páginas com exemplos incríveis retirados de Owen, nosso grande paleontólogo, para demonstrar que os animais extintos se interpõem entre os grupos ainda existentes. Cuvier classificou os ruminantes e paquidermes como as duas ordens mais distintas de mamíferos; mas Owen descobriu tantas conexões fósseis que ele precisou alterar toda a classificação dessas duas ordens; ele precisou classificar alguns paquidermes na mesma subordem dos ruminantes: ele, por exemplo, dissolve, por meio de gradações sutis, a grande diferença aparente entre porcos e camelos. Em relação aos invertebrados, Barrande – e não poderíamos citar uma autoridade melhor – afirma que todos os dias ele aprende que os animais paleozoicos, embora pertencessem às mesmas ordens, famílias ou aos mesmos gêneros dos animais que estão atualmente vivos, não faziam parte, naquela época distante, de grupos tão distintos como ocorre com os animais de hoje em dia.

Alguns autores rejeitam a ideia de que qualquer espécie ou grupo de espécies extinto possa ser considerado como intermediário entre espécies ou grupos vivos. A rejeição é provavelmente válida se com ela querem dizer que, em todas as suas características, uma forma extinta é intermediária direta entre duas formas vivas. Porém eu entendo que, em uma classificação perfeitamente natural, muitas espécies fósseis teriam de ser interpostas

---

28. William Buckland (1784-1856), teólogo, geólogo e paleontólogo inglês. (N.T.)

entre as espécies vivas e alguns gêneros extintos, entre gêneros vivos e até mesmo entre gêneros pertencentes a diferentes famílias. O caso mais comum, especialmente em relação a grupos muito distintos, como, por exemplo, peixes e répteis, parece ser o seguinte: supondo-os atualmente distintos por uma dúzia de características, os membros antigos dos mesmos dois grupos se distinguiriam por um número um tanto menor de características para que os dois grupos – embora bastante distintos – pudessem aproximar-se um do outro naquele período.

É comum acreditar-se que quanto mais antiga é uma forma mais ela tende a estar conectada por meio de algumas de suas características a grupos que hoje estão bastante separados uns dos outros. Sem dúvida, deve-se restringir essa observação aos grupos que tenham sofrido muitas mudanças durante as eras geológicas; e seria difícil provar a verdade da afirmação, pois vez ou outra descobre-se um animal vivo, como o *Lepidosiren*, que apresenta afinidades diretas com grupos muito distintos. Mas se compararmos os répteis, batráquios, peixes, cefalópodes e os mamíferos mais antigos do Eoceno com os mais recentes membros das mesmas classes, teremos de admitir que a observação carrega certa verdade.

Vejamos até que ponto esses vários fatos e inferências concordam com a teoria da descendência com modificação. Tendo em vista que o assunto é um pouco complexo, preciso pedir ao leitor que reveja o diagrama do quarto capítulo. Podemos imaginar que as letras numeradas representam gêneros e que as linhas pontilhadas divergindo delas representam as espécies de cada gênero. O diagrama é bastante simples e contém pouquíssimos gêneros e espécies, mas isso não é importante para nós. As linhas horizontais podem representar as sucessivas formações geológicas, e todas as formas abaixo da linha superior podem ser consideradas como extintas. Os três gêneros existentes, a^{14}, q^{14} e p^{14}, formarão uma pequena família; b^{14} e f^{14}, uma família com laços muito próximos ou uma subfamília; e o^{14}, e^{14} e m^{14}, uma terceira família. Essas três famílias, juntamente com os muitos gêneros extintos das várias linhas de descendência, divergem da forma-mãe A e formarão uma ordem, pois todos terão herdado algo em comum de seu progenitor comum e mais antigo. Pelo princípio da tendência contínua para a divergência das características, que foi anteriormente ilustrado por este diagrama, quanto mais recente for uma forma qualquer, mais ela normalmente irá diferir de seu progenitor mais antigo. Daí podemos entender a regra de que os fósseis mais antigos são os que mais diferem das formas atualmente vivas. Não devemos, no entanto, supor que a divergência das características seja uma contingência necessária; ela depende exclusivamente de os descendentes de uma espécie serem capazes de aproveitar os muitos e diferentes nichos da economia da natureza. Portanto, é bem possível, como já vimos no caso de algumas formas do Siluriano, que uma espécie consiga sobreviver ao ser levemente modificada em relação às suas condições ligeiramente alteradas de vida e mantenha ainda as suas mesmas características gerais ao longo de um vasto período. Isso está representado no diagrama pela letra f^{14}.

Conforme já observado anteriormente, todas as muitas formas – extintas e recentes – descendentes de A formam uma ordem; e esta ordem, a partir dos efeitos contínuos da extinção e da divergência das características, dividiu-se em várias subfamílias e famílias; sendo que algumas delas teriam supostamente sido extintas em diferentes períodos e outras teriam sido mantidas até os dias de hoje.

Observando o diagrama, vemos que, caso muitas das formas extintas que estão supostamente incorporadas nas formações sucessivas fossem descobertas em vários pontos da parte inferior da série, as três famílias existentes na linha superior poderiam ser vistas como menos distintas umas das outras. Se, por exemplo, os gêneros a^1, a^5, a^{10}, m^3, m^6 e m^9 fossem desenterrados, essas três famílias estariam tão estreitamente ligadas que provavelmente teriam de ser reunidas em uma grande família, quase da mesma forma como ocorreu com os ruminantes e os paquidermes. No entanto, há justificativas para dizermos que os gêneros extintos, que assim conectam os gêneros vivos das três famílias, não têm características intermediárias, uma vez que eles não são intermediários de forma direta mas apenas por um caminho longo e tortuoso, através de muitas formas extremamente diferentes. Se fossem descobertas muitas formas extintas acima de uma das linhas horizontais médias, ou das formações geológicas, por exemplo, acima de VI, mas nenhuma abaixo desta linha, então apenas as duas famílias do lado esquerdo (ou seja, a^{14} etc. e b^{14} etc.) deveriam estar unidas em uma única família; e as duas outras famílias (ou seja, de a^{14} até f^{14}, incluindo agora cinco gêneros, e de o^{14} até m^{14}) ainda permaneceriam distintas. Estas duas famílias, no entanto, seriam menos distintas umas das outras do que eram antes da descoberta dos fósseis. Se imaginarmos, por exemplo, que os gêneros existentes das duas famílias diferem entre si por uma dúzia de características, neste caso, os gêneros do início do período VI se distinguiriam por um menor número de características, pois, nesta fase inicial da descendência, suas características ainda não divergiram tanto das características do progenitor comum da ordem tanto quanto irão posteriormente divergir. Assim, ocorre que entre os antigos gêneros extintos e seus descendentes modificados, ou entre suas relações colaterais, frequentemente existem características levemente intermediárias.

Na Natureza, o procedimento será muito mais complicado do que sua representação diagramada, pois os grupos terão sido mais numerosos, eles terão perdurado por períodos extremamente desiguais e terão sido modificados em diferentes graus. Como possuímos apenas o último livro do registro geológico e, ainda assim, em condição bastante avariada, não há como esperarmos – exceto em casos muito raros – preencher os gigantescos intervalos do sistema natural e, dessa forma, unir as distintas famílias ou ordens. Tudo que podemos esperar é que esses grupos, que sofreram muitas modificações durante os períodos geológicos conhecidos, se aproximem de forma sutil uns dos outros nas formações mais antigas de modo que os membros mais remotos difiram menos uns dos outros em algumas de suas características do que os membros vivos dos mesmos grupos; e, de acordo com as evidências concordantes de nossos melhores paleontólogos, isso parece ser o que ocorre com frequência.

Assim, segundo a teoria da descendência com modificação, parecem-me explicados de forma satisfatória os principais fatos com relação às afinidades mútuas das formas de vida extintas, entre si e entre as formas vivas. Esses fatos são totalmente inexplicáveis por qualquer outra hipótese.

Segundo esta mesma teoria, é evidente que as características gerais da fauna de qualquer grande período da história da Terra serão intermediárias entre aquele que o precedeu e aquele que o sucedeu. Assim, as espécies que viveram na sexta grande fase de descendência do diagrama são as descendentes modificadas daquelas que viveram na quinta fase e são os pais daquelas que se tornaram ainda mais modificadas no sétimo estágio; desse modo, suas características mal podem deixar de ser quase intermediárias entre as formas de vida acima e abaixo. Devemos reconhecer no entanto que, durante os intervalos lacunares de tempo entre as formações sucessivas, pode ter ocorrido a extinção completa de algumas formas anteriores, a chegada de formas bastante novas por meio da imigração e um grande número de modificações das formas. Feitas essas ressalvas, não há dúvidas de que a fauna de cada período geológico tem características intermediárias entre as faunas precedentes e as posteriores. Preciso citar apenas um exemplo, ou seja, a maneira como os fósseis do sistema Devoniano, quando esse sistema foi descoberto, foram imediatamente reconhecidos pelos paleontólogos como de caráter intermediário entre os do sistema Carbonífero, que está acima dele, e os do Siluriano, que está abaixo. Porém cada fauna não é necessariamente uma intermediária exata, pois entre as formações consecutivas decorreram intervalos desiguais de tempo.

Dizer que determinados gêneros oferecem exceções à regra não constitui uma objeção real para a verdade da afirmação de que a fauna de cada período como um todo tem características quase intermediárias entre as faunas anteriores e as subsequentes. Por exemplo, mastodontes e elefantes – após serem ordenados pelo doutor Falconer em duas séries, a primeira de acordo com suas afinidades mútuas e a segunda de acordo com seus períodos de existência – não seguem uma disposição ordenada. As espécies com características mais extremas não são as mais antigas nem as mais recentes; as espécies com características intermediárias não são de períodos intermediários. No entanto, neste e em outros casos semelhantes, se supusermos que o registro do primeiro aparecimento e desaparecimento da espécie está completo, não teremos razão para acreditar que as formas produzidas sucessivamente devam necessariamente durar períodos de tempo correspondentes: uma forma muito antiga pode, por acaso, durar muito mais do que uma forma produzida mais tarde em outro lugar, especialmente no caso de produções terrestres que habitam áreas isoladas. Comparando coisas pequenas e grandes: se as principais raças extintas e vivas do pombo doméstico fossem organizadas em série por sua afinidade – pois assim poderiam estar organizadas –, essa ordem não concordaria muito bem com a ordem do momento de produção e menos ainda com a ordem de seu desaparecimento; pois o progenitor pombo-das-rochas ainda está vivo, enquanto muitas variedades entre o pombo-das-rochas e o pombo-correio estão atualmente extintas; e, além disso, o pombo-correio, que está num dos extremos da série por causa da importante caraterística do comprimento de seu bico, é anterior aos *tumblers* de bico curto que estão no extremo oposto dessa mesma série.

Bastante relacionado com a afirmação de que os restos orgânicos de uma formação intermediária também têm, em certa medida, características intermediárias é o fato afirmado por todos os paleontólogos de que os fósseis de duas formações consecutivas estão muito mais intimamente relacionados uns aos outros que os fósseis de duas formações remotas. Pictet dá um exemplo bem conhecido, a saber, o da semelhança geral entre os restos orgânicos de diversos estágios da formação cretácea ainda que as espécies sejam distintas em cada estágio. Tendo em vista sua generalidade, este fato por si só parece ter abalado a forte crença do professor Pictet na imutabilidade das espécies. Qualquer um que esteja familiarizado com a distribuição das espécies existentes no globo terrestre não usará o argumento de que as condições físicas das antigas áreas tenham sido mantidas quase as mesmas para tentar explicar a semelhança das distintas espécies encontradas nas formações consecutivas. Lembremos que as formas de vida, pelo menos aquelas que habitam o mar, sofreram mudanças quase simultâneas em todo o mundo e, portanto, sob os mais diferentes climas e condições. Considere as prodigiosas vicissitudes climáticas do Pleistoceno – que inclui todo o período glacial – e observe quão pouco as formas específicas dos habitantes do mar foram afetadas.

De acordo com a teoria da descendência, o fato de os restos fósseis de formações consecutivas – embora classificados como espécies distintas – estarem intimamente relacionados tem um significado muito claro. Tendo em vista que o acúmulo de cada formação foi muitas vezes interrompido e tendo em vista que as formações sucessivas foram intercaladas por longos períodos com lacunas, não devemos esperar encontrar em qualquer uma ou duas formações todas as variedades intermediárias entre as espécies que surgiram no começo e no final desses períodos, conforme tentei mostrar no último capítulo; mas devemos encontrar após esses períodos lacunares – muito longos quando medidos em anos mas apenas moderadamente longos quando geologicamente mensurados – as formas aparentadas ou, como foram chamadas por alguns autores, espécies representativas; e são estas certamente as formas que encontramos. Conforme esperado, encontramos, em suma, as evidências da lenta e quase imperceptível mutação das formas específicas.

O ESTADO DE DESENVOLVIMENTO DAS FORMAS ANTIGAS

Tem havido muito debate sobre a questão de as formas recentes serem ou não mais desenvolvidas do que as antigas. Não entrarei neste assunto, pois os naturalistas ainda não conseguiram definir satisfatoriamente o que devemos entender por formas superiores e inferiores. Mas, em um sentido específico, as formas mais recentes devem, de acordo com minha teoria, ser superiores às mais antigas; pois cada nova espécie é formada porque conseguiu obter alguma vantagem na luta pela sobrevivência sobre outras formas anteriores. Se, sob um clima quase semelhante, os habitantes do Eoceno de uma parte do mundo precisassem competir com os habitantes hoje vivos da mesma – ou de outra – parte do mundo, a fauna ou a flora do Eoceno certamente seria derrotada e exterminada; o mesmo ocorreria com a fauna do Secundário pela do Eoceno e com a fauna paleozoica pela fauna secundária. Quando comparado com as antigas formas vencidas, não duvido que esse processo de aprimoramento tenha afetado os organismos das formas mais recentes e vitoriosas da vida de maneira distinta e perceptível; mas não conheço nenhum método para testar esse tipo de progresso. Por exemplo, os crustáceos, que não são superiores em sua própria classe, podem ter vencido os moluscos superiores.[29] Pelo modo extraordinário como as produções europeias recentemente se espalharam sobre a Nova Zelândia e possivelmente tomaram os nichos que estavam anteriormente ocupados, podemos dessa forma acreditar que se todos os animais e plantas da Grã-Bretanha fossem transpostos para a Nova Zelândia, uma infinidade de formas britânicas iria tornar-se completamente aclimatada no decorrer do tempo e exterminaria lá muitas formas nativas.[30] Por outro lado, pelo que vemos ocorrer atualmente na Nova Zelân-

---

29. Trata-se de uma série de afirmações que contradizem muito as próprias formulações de Darwin. Não há formas "superiores" e "inferiores": uma lagosta (um crustáceo) é presa fácil para um polvo (um molusco), mas isso nada diz da superioridade ou da inferioridade evolutiva de um ou de outro. (N.R.T.)
30. Darwin se deixa influenciar por uma visão imperialista, transpondo involuntariamente a dominação colonial britânica para os seres vivos. (N.R.T.)

dia e pelo fato de quase nem mesmo um habitante do hemisfério Sul ter se tornado selvagem em qualquer parte da Europa,[31] nós podemos duvidar, caso todas as produções da Nova Zelândia fossem transpostas para a Grã-Bretanha, de que algum número considerável delas conseguiria tomar os nichos atualmente ocupados por nossas plantas e nossos animais nativos. Por este ponto de vista, poderíamos dizer que as produções da Grã-Bretanha são superiores às produções da Nova Zelândia. Nem mesmo o mais hábil naturalista poderia ter previsto este resultado com base em um exame das espécies dos dois países.

Agassiz insiste em afirmar que antigos animais se assemelham em certa medida aos embriões de animais recentes das mesmas classes; ou que a sucessão geológica de formas extintas é, em certa medida, paralela ao desenvolvimento embriológico das formas recentes. Devo aceitar a posição de Pictet e Huxley; ambos acreditam que a verdade desta ideia está muito longe de ser provada. Ainda assim eu realmente espero vê-la confirmada no futuro, pelo menos no que diz respeito a grupos subordinados que se separaram uns dos outros em períodos comparativamente recentes, pois a hipótese de Agassiz concorda bem com a teoria da seleção natural.[32] Em um capítulo futuro, tentarei mostrar que o adulto difere de seu embrião devido a variações que não ocorrem em uma idade precoce, sendo herdadas em uma idade correspondente. Enquanto esse processo deixa o embrião quase inalterado, ele acrescenta continuamente, ao longo de gerações sucessivas, cada vez mais diferenças ao adulto.

Assim, o embrião passa a ser uma espécie de retrato preservado pela Natureza da condição antiga e menos modificada de cada animal.[33] Essa

---

31. Hoje se conhecem muitas espécies do hemisfério Sul que se tornaram invasoras na Europa, inclusive Grã-Bretanha. O periquito-de-asa-rosa (*Psittacula krameri*), também conhecido como periquito-de-kingston, é, na verdade, uma ave nativa da Índia e da África subsaariana. Na época de Darwin esses exemplos não eram tão numerosos (ou conhecidos).

32. Agassiz não concordaria com essa afirmação. De fato, Agassiz publicou um feroz ataque em 1860, dizendo que este capítulo "em particular" era, "do começo ao fim", uma "série de deduções ilógicas e distorções dos modernos resultados da Geologia e Paleontologia". Concluía a resenha do livro denunciando supostas "inclinações maliciosas". A frase foi alterada em edições seguintes, mas manteve sua essência. (N.R.T.)

33. Embora isso venha a ser discutido com mais detalhe adiante, essa ideia, que ficou plasmada na célebre expressão "a ontogenia recapitula a filogenia", não é mais aceita hoje senão em linhas muito gerais. (N.R.T.)

hipótese pode ser verdadeira, mas nunca poderá ser comprovada. Vendo, por exemplo, que as formas mais antigas e conhecidas de mamíferos, répteis e peixes pertencem estritamente às suas próprias classes, ainda que algumas dessas formas antigas sejam um pouco menos distintas umas das outras do que são os membros típicos dos mesmos grupos nos dias de hoje, seria infrutífero procurar animais com as características embrionárias comuns aos vertebrados até que fossem descobertas camadas abaixo dos estratos silurianos mais profundos. Uma descoberta com pouquíssimas chances de ocorrer.[34]

A sucessão dos mesmos tipos nas mesmas regiões durante os períodos terciários mais recentes

Há muitos anos, o senhor Clift[35] demonstrou que os mamíferos fósseis das cavernas australianas eram parentes próximos dos marsupiais vivos daquele continente. Na América do Sul, um parentesco semelhante pode ser visto, mesmo por alguém sem o estudo necessário, nas gigantescas carapaças de animais como o tatu encontradas em várias partes da região de La Plata; além disso, o professor Owen demonstrou de maneira bastante impressionante que a maioria dos mamíferos fósseis lá enterrados em grande número é aparentada com os tipos vivos da América do Sul. Esta relação está ainda mais evidente na maravilhosa coleção de ossos fósseis das cavernas do Brasil obtida pelos senhores Lund e Clausen.[36] Fiquei tão impressionado com estes fatos que insisti energicamente, em 1839 e em 1845, sobre esta "lei da sucessão dos tipos", sobre "o assombroso relacionamento entre mortos e vivos de um mesmo continente". Posteriormente, o professor Owen estendeu essa mesma generalização para os mamíferos do Velho Mundo. Vemos

---

34. Foi encontrado um fóssil, em estrato ainda mais antigo do que o Siluriano, o Cambriano, que se acredita ser um ancestral comum a todos os vertebrados, *Pikaia gracilens*. Ao contrário do que pensava Darwin (e mais tarde Haeckel), ele não guarda muita semelhança com o embrião dos vertebrados atuais. (N.R.T.)

35. William Clift (1775-1849), naturalista britânico, anatomista e assistente do médico John Hunter (1728-1793) e, mais tarde, curador de seu museu e de sua coleção. Cunhado de Richard Owen. (N.T.)

36. Peter Clausen (1804-1855), colecionador dinamarquês de plantas e animais fósseis. Peter Wilhelm Lund (1801-1880), paleontólogo dinamarquês. Lund e Clausen se conheceram no Brasil em 1834. (N.T.)

a mesma lei nas reconstruções das gigantescas aves extintas da Nova Zelândia realizadas por esse autor. Vemos também nas aves das cavernas do Brasil. O senhor Woodward mostrou que a mesma lei vale para os moluscos marinhos, mas, dada a ampla distribuição da maioria dos gêneros de moluscos, isso não está muito evidente neste caso. Poderíamos acrescentar outros exemplos, como a relação entre os moluscos terrestres extintos e vivos da ilha da Madeira; e entre os moluscos de água salobra extintos e vivos do mar Cáspio e de Aral.

Agora, o que significa essa notável lei da sucessão dos mesmos tipos dentro das mesmas áreas? Seria muito ousado quem, depois de comparar o clima atual da Austrália e de partes da América do Sul sob a mesma latitude, tentasse explicar, por um lado, as dissimilaridades dos habitantes desses dois continentes por suas diferentes condições físicas e, por outro lado, a uniformidade dos mesmos tipos de cada continente durante os períodos tardios do Terciário pela similaridade de condições. Também não é possível acreditar, como se fosse uma lei imutável, que os marsupiais tenham sido, principal ou exclusivamente, produzidos na Austrália; ou que os edentados e outros tipos americanos tenham sido exclusivamente produzidos na América do Sul. Isso porque sabemos que a Europa nos tempos antigos foi povoada por inúmeros marsupiais;[37] e eu mostrei nas publicações acima aludidas que, na América, a lei de distribuição dos mamíferos terrestres foi anteriormente diferente do que é agora. A América do Norte compartilhava características muito semelhantes às da metade sul do continente da atualidade; e a metade sul compartilhava maior semelhança em relação à metade norte que atualmente. De maneira semelhante, as descobertas de Falconer e Cautley[38] nos informam que os mamíferos do norte da Índia e da África tinham anteriormente uma relação mais próxima que a atual. Seria possível relacionar fatos semelhantes em relação à distribuição dos animais marinhos.

---

37. Embora haja certo exagero na afirmação, ela tem sido confirmada, tendo sido descrito, em 2009, o *Arcantiodelphys marchandi*, o mais antigo marsupial conhecido, encontrado em terrenos da França de cerca de 99 milhões de anos (Cretáceo Médio). (N.R.T.)

38. Proby Thomas Cautley (1802-1871), engenheiro e paleontólogo inglês que projetou e construiu o canal do Ganges. Junto a Hugh Falconer (1808-1865), explorou as formações geológicas das cordilheiras de Sivalik. (N.T.)

A teoria da descendência com modificação explica imediatamente a grande lei da manutenção prolongada, mas não imutável, da sucessão dos mesmos tipos dentro das mesmas áreas; pois os habitantes de cada parte do mundo tenderam obviamente a deixar em sua região descendentes com parentesco próximo, embora modificados em certa medida, para o próximo período sucessivo. Se os habitantes de um continente tiverem sido anteriormente muito diferentes dos habitantes de outro continente, então seus descendentes modificados continuarão a ser diferentes quase da mesma maneira e no mesmo grau. Mas depois de longuíssimos intervalos de tempo e após grandes mudanças geográficas que permitam a realização de muitas intermigrações, os mais fracos darão lugar às formas mais dominantes, e nada nas leis da distribuição do passado e do presente será imutável.

Em tom cômico, alguém poderia me perguntar se eu suponho que o megatério e outros enormes monstros aparentados legaram, na América do Sul, a preguiça, o tatu e o tamanduá como seus descendentes degenerados. Isso não pode ser admitido nem por um instante. Esses enormes animais tornaram-se totalmente extintos e não deixaram descendentes. No entanto as cavernas do Brasil contêm muitas espécies extintas que têm tamanho e outras características muito próximas de espécies que ainda vivem na América do Sul; e alguns destes fósseis podem ser os reais ascendentes das espécies vivas. Não devemos nos esquecer de que, por minha teoria, todas as espécies do mesmo gênero são descendentes de alguma espécie única; assim, se seis gêneros, cada um com oito espécies, fossem encontrados em uma formação geológica e, na formação seguinte, fossem encontrados seis outros gêneros próximos ou representativos com o mesmo número de espécies, então poderíamos concluir que apenas uma espécie de cada um dos seis gêneros mais antigos deixou descendentes modificados, constituindo os seis novos gêneros. Todas as outras sete espécies dos gêneros antigos morreram e não deixaram descendentes. Ou então, o que provavelmente seria um exemplo muito mais comum, duas ou três espécies de apenas dois ou três dos seis gêneros mais antigos terão sido as progenitoras dos novos seis gêneros; e todas as outras espécies e todos os gêneros antigos teriam sido totalmente extintos. Em ordens malsucedidas, ou seja, cujos números de gêneros e espécies estão diminuindo, como aparentemente é o caso dos edentados da América do Sul, ainda menos gêneros e espécies terão deixado descendentes diretos modificados.

Resumo deste capítulo e do capítulo anterior

Tentei mostrar que o registro geológico é extremamente imperfeito; que apenas uma pequena porção do globo terrestre foi geologicamente explorada cuidadosamente; que apenas determinadas classes de seres orgânicos foram abundantemente preservadas em estado fóssil; que, em comparação ao número incalculável de gerações que devem ter desaparecido mesmo durante o período de uma única formação, o número de espécimes e de espécies preservados em nossos museus é absolutamente irrisório; que, devido ao fato de que o afundamento é necessário para a acumulação de depósitos fossilíferos suficientemente espessos para conseguirem resistir à degradação futura, é preciso que transcorram enormes intervalos de tempo entre uma formação e a seguinte; que devem ter havido mais extinções durante os períodos de afundamento e mais variações durante os períodos de elevação e que o registro estará conservado de forma mais imperfeita no período de elevação; que as formações não foram depositadas de maneira ininterrupta; que a duração de cada formação é talvez curta quando a comparamos com a duração média das formas específicas; que a migração desempenha um papel importante para o surgimento de novas formas em qualquer área e formação; que as espécies mais amplamente distribuídas são aquelas que mais variaram e as que mais deram origem a novas espécies; e que, com frequência, as variedades são inicialmente locais. Todas essas causas, tomadas em conjunto, devem ter levado o registro geológico a ser extremamente imperfeito e em grande parte explica por que não encontramos um número interminável de variedades que conectem em graduações sutis todas as formas extintas de vida com as formas existentes.

Rejeitar esses pontos de vista sobre a natureza do registro geológico é o mesmo que rejeitar toda a minha teoria. Pois é possível perguntar em vão onde estão os inúmeros elos de transição que poderiam ser encontrados em diversos estágios da mesma grande formação que devem ter conectado anteriormente as espécies aparentadas ou representativas. É possível não acreditar nos intervalos enormes de tempo decorridos entre as nossas formações consecutivas; é possível ignorar a importância da migração quando se considera as formações de somente uma grande região como, por exemplo, a da Europa; é possível usar o argumento do aparente surgimento súbito, mas muitas vezes falsamente aparente, de grupos inteiros de espécies. É possível perguntar onde estão os restos mortais daqueles organismos infinitamente numerosos que devem ter existido muito antes de a primeira camada do sistema Siluriano ter sido depositada. Posso responder a esta última questão apenas de maneira hipotética, dizendo que, tanto quanto sabemos, eles estiveram por um longo período onde agora estão nossos oceanos; e onde hoje estão nossos continentes oscilantes, lá eles estiveram desde a época do Siluriano; mas que muito antes desse período o mundo pode ter apresentado um aspecto totalmente diferente; e que os continentes mais antigos, constituídos por formações mais antigas do que as que hoje conhecemos, podem agora se encontrar em estado metamorfoseado ou enterrados no fundo do oceano.

Parece-me que, após passarmos por essas dificuldades, todos os outros grandes principais fatos paleontológicos simplesmente seguem a teoria da descendência com modificação através da seleção natural. Podemos, dessa forma, entender como as novas espécies surgem lenta e sucessivamente; como as espécies de diferentes classes não necessariamente modificam-se ao mesmo tempo, ou na mesma velocidade, ou na mesma medida; mas que, a longo prazo, todas elas sofrem mudanças até certo ponto. A extinção de formas antigas é a consequência quase inevitável da produção de novas formas. Podemos entender por que, depois de desaparecer, uma espécie nunca mais reaparece. Grupos de espécies aumentam lentamente o número de seus indivíduos e sobrevivem por períodos desiguais, pois o processo de modificação é necessariamente lento e depende de muitas contingências complexas. As espécies dominantes dos maiores grupos dominantes tendem a deixar muitos descendentes modificados, e formam-se, assim, novos grupos e subgrupos. Conforme estes são formados, as espécies dos grupos menos vigorosos, por terem herdado alguma inferioridade de um progenitor comum, tendem a se extinguir e não deixar descendentes modificados na face da Terra. Contudo a extinção total de todo um grupo de espécies pode, muitas vezes, ser um processo muito lento, pois alguns descendentes podem sobreviver e ser mantidos em condições isoladas e protegidas. Quando um grupo desaparece completamente, ele não reaparece, pois o elo entre as gerações foi quebrado.

Podemos entender como a propagação das formas dominantes de vida, que são aquelas que mais variam, tenderá no longo prazo a povoar o mundo com descendentes próximos, mas modificados; e estes provavelmente conseguirão tomar o nicho de grupos de espécies que são inferiores a eles na luta pela existência. Daí, depois de longos intervalos de tempo, as produções do mundo parecerão ter mudado simultaneamente.

Podemos entender como todas as formas de vida, antigas e recentes, compõem juntas um grande sistema; pois todos estão conectados por gerações consecutivas. Podemos entender, pela tendência contínua à divergência de características, por que, quanto mais antiga é uma forma, mais ela é em geral diferente dos seres atualmente vivos. As formas antigas e extintas muitas vezes tendem a preencher as lacunas entre as formas existentes, às vezes misturando dois grupos anteriormente classificados como distintos, mas, mais comumente, apenas aproximando-os um pouco mais. Quanto mais antiga é uma forma, mais frequentemente ela parece exibir características com certo grau intermediário entre os grupos agora distintos, pois, quanto mais antiga é uma forma, mais próximo é seu parentesco com o progenitor comum (e, consequentemente, mais se assemelha a ele) dos grupos que, a partir daquele momento, tornaram-se amplamente divergentes. Raramente as formas extintas são intermediárias diretas entre as formas existentes; na verdade, são intermediárias apenas por um caminho longo e tortuoso, passando por muitas formas extintas e muito diferentes. Podemos ver claramente por que os restos orgânicos das formações imediatamente consecutivas têm parentesco mais próximo uns dos outros do que os restos das formações remotas; pois as formas estão mais intimamente ligadas entre si por gerações consecutivas; podemos ver claramente por que os restos de uma formação intermediária são intermediários em suas características.[39]

Em cada período sucessivo da história do mundo, seus habitantes venceram os antecessores na corrida pela vida e são nesse ponto superiores na escala da natureza; e isso pode explicar aquele sentimento ainda vago e mal definido de muitos paleontólogos que acreditam que os organismos

39. Até este ponto, o raciocínio de Darwin surpreendentemente permanece válido. No parágrafo seguinte, ele faz afirmações que contradizem muitas de suas próprias afirmações em outros momentos. (N.R.T.)

progrediram como um todo. O fato se tornará inteligível se, a partir daqui, provarmos que os animais antigos se assemelham até certo ponto aos embriões de animais mais recentes da mesma classe. A sucessão dos mesmos tipos de estrutura dentro das mesmas áreas durante os períodos geológicos mais recentes deixa de ser misteriosa e passa a ser explicada de forma simples pela hereditariedade.

Se, então, o registro geológico é tão imperfeito, como eu acredito, e pode-se afirmar ao menos que o registro não se mostrará muito mais perfeito, então as principais objeções à teoria da seleção natural ficam muito diminuídas ou desaparecem. Por outro lado, todas as principais leis da paleontologia claramente proclamam, como me parece, que as espécies foram produzidas por geração ordinária: as formas antigas foram suplantadas por formas de vida novas e aprimoradas, estas foram produzidas pelas leis da variação contínua – a qual ainda age entre nós – e preservadas pela seleção natural.

CAPÍTULO 11
Distribuição geográfica

Não há como explicar a distribuição atual pelas diferenças nas condições físicas – Importância das barreiras – Afinidade das produções do mesmo continente – Centros de criação – Meios de dispersão pelas alterações climáticas, pelo nível do terreno e por modos acidentais – Dispersão durante o período glacial em todo o mundo

Ao considerar a distribuição dos seres orgânicos sobre a face do globo, o primeiro grande fato que nos aparece é que nem as semelhanças nem as dissemelhanças dos habitantes das diversas regiões podem ser explicadas pelo clima e por outras condições físicas. Atualmente, quase todos os autores que estudaram o assunto têm chegado a essa conclusão. O caso da América já seria quase suficiente para provar a verdade da afirmação; pois, se excluirmos a região setentrional, onde o território circumpolar é quase contínuo, todos os autores concordam que uma das divisões mais fundamentais da distribuição geográfica é aquela entre o Novo e o Velho Mundo; mas se viajarmos pelo vasto continente americano, desde a parte central dos Estados Unidos até seu ponto sul mais extremo, iremos nos deparar com condições bastante diversificadas; regiões extremamente úmidas, desertos áridos, montanhas elevadas, planícies, florestas, pântanos, lagos e grandes rios, em quase todos os graus de temperatura. Mal há um clima ou condição do Velho Mundo que não possa ser encontrado no Novo Mundo e que não seja muito próximo das condições normalmente exigidas pelas mesmas espécies; é muito raro encontrarmos um grupo de organismos que esteja confinado em uma pequena área com apenas um leve grau de condições peculiares; poderíamos, por exemplo, indicar pequenas áreas do Velho

Mundo que são mais quentes do que qualquer outra do Novo Mundo e que, mesmo assim, não são habitadas por uma fauna ou flora peculiar. Não obstante este paralelismo das condições do Velho e do Novo Mundo, suas produções vivas são extremamente diferentes![1]

No hemisfério Sul, se compararmos as grandes extensões de terra da Austrália, da África do Sul e do oeste da América do Sul, entre as latitudes 25° e 35°, encontraremos áreas extremamente semelhantes em todas as suas condições e, ainda assim, é impossível apontar três faunas e floras tão diferentes como essas. Ou então podemos comparar as produções da América do Sul ao sul do paralelo 35° com aquelas ao norte do paralelo 25°, que, em consequência, habitam climas consideravelmente diferentes, e veremos que elas estão mais intimamente relacionadas de modo incomparável umas às outras do que as produções da Austrália ou da África sob quase o mesmo clima. Fatos semelhantes poderiam ser constatados em relação aos habitantes do mar.

Um segundo grande fato que aparece em nossa revisão geral é que as barreiras de qualquer tipo, ou os obstáculos à livre migração, estão relacionadas de forma estreita e relevante para as diferenças com as produções das várias regiões. Vemos isso na grande diferença de quase todas as produções terrestres do Novo e do Velho Mundo, exceto na região setentrional, onde os territórios quase se unem e onde, sob um clima ligeiramente diferente, é possível que as formas das áreas temperadas do norte tenham usufruído de liberdade migratória, assim como ocorre atualmente com as produções estritamente árticas. Vemos o mesmo fato ocorrer na grande diferença observada entre os habitantes da Austrália, da África e da América do Sul na mesma latitude; pois estas regiões estão quase tão isoladas umas das outras quanto possível. Também vemos o mesmo fato em cada um dos continentes, pois encontramos diferentes produções nos lados opostos de cordilheiras elevadas e contínuas, de grandes desertos e, às vezes, até mesmo de grandes rios; ainda que cordilheiras, desertos etc. não sejam tão intransponíveis quanto os oceanos que separam os continentes e não tenham provavelmente

---

1. Darwin evidencia a fragilidade do argumento dos defensores de que as circunstâncias do meio moldavam as características dos seres vivos, ressaltando ambientes com características muito semelhantes e biotas diversas, oferecendo uma explicação alternativa, com base na hereditariedade. (N.R.T.)

durado tanto quanto estes, as diferenças são muito menores do que as que caracterizam os diferentes continentes.

Se nos voltarmos para o mar, encontraremos a mesma lei. Não há duas faunas marinhas mais distintas que aquelas das costas leste e oeste da América do Sul e da América Central, onde dificilmente encontramos um peixe, molusco ou caranguejo em comum; ainda assim, estas grandes faunas estão separadas somente pelo estreito, mas intransitável, istmo do Panamá.[2] A oeste da costa americana há uma grande extensão de mar aberto sem que haja sequer uma ilha que sirva como local de parada para os emigrantes; assim, temos aqui uma barreira de outro tipo e, após passarmos deste ponto, nos deparamos com as ilhas orientais do Pacífico, que têm outras faunas totalmente distintas. Dessa forma, em climas correspondentes, notamos a existência de três faunas marinhas que se distribuem desde o extremo norte até o sul em linhas paralelas não muito distantes umas das outras; mas, por estarem separadas umas das outras por barreiras intransponíveis, de terra ou de mar aberto, elas são totalmente diferentes. Por outro lado, se formos ainda mais para o oeste das ilhas orientais das regiões tropicais do Pacífico, não encontraremos barreiras intransponíveis, e, além disso, existem inúmeras ilhas que servem de local de parada; até que, após viajarmos por todo um hemisfério, chegaremos à costa da África; e nesta vasta extensão não encontramos nenhuma fauna marinha bem definida e distinta. Embora dificilmente um molusco, caranguejo ou peixe seja comum às três faunas aproximadas acima mencionadas do leste e do oeste americano e das ilhas orientais do Pacífico, ainda assim, muitos peixes estão distribuídos desde o Oceano Pacífico até o Índico e muitos moluscos, comuns às ilhas orientais do Pacífico e à costa oriental da África, estão em meridianos com longitudes quase exatamente opostas.

Um terceiro grande fato, parcialmente incluído nas demonstrações precedentes, é a afinidade das produções do mesmo continente ou do mesmo mar, embora as próprias espécies sejam distintas em diferentes pontos e estações. É uma lei de generalidade muito ampla, e cada continente oferece inúmeros

---

2. Darwin ficaria maravilhado em saber que o fechamento do istmo do Panamá ocorreu há menos de 3 milhões de anos, tempo suficiente para essa diferenciação notável da biota dos dois lados. (N.R.T.)

exemplos. No entanto, o naturalista que viaja, por exemplo, do norte para o sul, nunca deixa de se espantar com a forma com que os grupos sucessivos de seres – os quais são espécies diferentes, mas que ainda estão claramente relacionadas – substituem uns aos outros. Ele ouve o canto quase similar de aves aparentadas, mas distintas, ele observa seus ninhos construídos de maneira similar, mas não muito parecida, com ovos de cores quase iguais. As planícies perto do estreito de Magalhães são habitadas por uma espécie do gênero *Rhea*[3] (avestruz da América) e o norte das planícies da região de La Plata por outra espécie do mesmo gênero,[4] mas não por um avestruz verdadeiro ou por um emu,[5] como aqueles encontrados na mesma latitude da África e da Austrália.[6] Nas mesmas planícies da região de La Plata, vemos a cutia e a viscacha;[7] estes animais têm quase os mesmos hábitos das lebres e dos coelhos e pertencem à mesma ordem dos roedores, mas eles claramente exibem um tipo americano de estrutura. Ao subirmos os picos elevados da Cordilheira dos Andes, encontramos uma espécie alpina de viscacha;[8] olhamos para as águas e não encontramos o castor ou rato-almiscarado, mas o ratão-do-banhado e a capivara,[9] roedores do tipo americano. Eu poderia oferecer muitos outros exemplos. Se voltarmos nosso olhar para as ilhas da costa americana – ainda que elas possuam estruturas geológicas diferentes –,

---

3. Trata-se de uma ema de pequeno porte (*Pterocnemia pennata*), com três subespécies (não conhecidas à época de Darwin), que se distingue facilmente da ema (*Rhea americana*) pelo porte menor e pelas manchas brancas no dorso. (N.R.T.)
4. Quando Darwin escreveu este trecho, as duas espécies eram denominadas *Rhea pennata* e *Rhea americana*. (N.R.T.)
5. Trata-se da espécie *Dromaius novaehollandiae*, a maior ave da Austrália continental. Outras espécies muito aparentadas da mesma região foram extintas pela ação humana no século XIX. (N.R.T.)
6. Darwin desvia de um assunto espinhoso, pois está ciente de que a ema americana, o avestruz africano e o emu australiano vivem em ambientes muito distantes mas similares, o que depõe a favor da visão que pretende criticar. Faltava a Darwin o conhecimento da deriva continental, que poderia explicar esta e muitas outras similaridades entre biotas que hoje estão muito separadas mas que tiveram um ancestral comum no passado. (N.R.T.)
7. Mamíferos roedores (ordem Rodentia). A cutia pertence à família Dasyproctidae, e a viscacha, à família dos Chinchilidae. (N.T.)
8. A espécie andina (e não alpina) é a das chinchilas, roedores comuns nos Andes quando da chegada dos europeus, mas praticamente extintos em seu ambiente natural, em razão da intensa caça, em consequência do alto valor de sua pele, coberta por denso pelo. (N.R.T.)
9. Respectivamente, gênero *Castor* e espécies *Ondatra zibethicus*, *Myocastor coypus* e *Hydrochoerus hydrochaeris*. (N.T.)

veremos que seus habitantes são essencialmente americanos, embora possam ser espécies peculiares. Conforme vimos no capítulo anterior, podemos voltar nosso olhar para as eras passadas e encontrar os tipos americanos que prevaleciam no continente e nos mares americanos naqueles períodos. Vemos nesses fatos um vínculo orgânico profundo, predominante no espaço e no tempo e nas mesmas áreas de terra e de água, independentemente de suas condições físicas. O naturalista que não é levado a indagar a natureza deste vínculo deve ser alguém com pouquíssima curiosidade.

Em minha teoria, esse vínculo é a hereditariedade simples que, tanto quanto sabemos positivamente, produz sozinha organismos bastante semelhantes entre si, ou quase semelhantes, conforme podemos notar no caso das variedades. A diferença dos habitantes de variadas regiões pode ser atribuída à modificação através da seleção natural e, em uma medida bastante subordinada, à influência direta das diferentes condições físicas. O grau de dissimilaridade dependerá da migração das formas mais dominantes da vida de uma região para outra ter sido realizada com maior ou menor facilidade, em períodos mais ou menos remotos; dependerá da natureza e do número dos antigos imigrantes e de suas ações e reações em suas lutas mútuas pela sobrevivência; sendo que a relação entre cada um dos organismos, conforme eu já disse diversas vezes, é a mais importante de todas as relações. Assim, a grande importância das barreiras entra em jogo, pois estas servem como controle à migração; assim como o faz o tempo em relação ao lento processo de modificação através da seleção natural. As espécies que já estão bem distribuídas e englogam muitos indivíduos, que já venceram vários concorrentes em seus próprios territórios extremamente extensos, terão mais chances de tomar novos nichos quando se espalharem em novos territórios. Em seus novos lares, elas serão expostas às novas condições e, frequentemente, irão passar por outras modificações e aprimoramentos; e, assim, se tornarão ainda mais vitoriosas e produzirão grupos de descendentes modificados. Por meio desse princípio da hereditariedade com modificação podemos entender por que algumas seções dos gêneros, gêneros inteiros e até mesmo famílias ficam confinados nas mesmas áreas, como é tão comum e notoriamente o caso.

Conforme foi observado no último capítulo, eu não acredito em nenhuma lei de desenvolvimento necessário. Assim como a variabilidade de cada espécie é uma propriedade independente que será aproveitada pela seleção natural apenas na medida em que for vantajosa para o indivíduo em sua complexa luta pela sobrevivência, o mesmo vale para o grau de modificação de diferentes espécies, que não ocorrerá em níveis uniformes. Se, por exemplo, algumas espécies que estão em concorrência direta migrarem em conjunto para uma nova região – a qual, depois, se tornará isolada –, elas serão pouco suscetíveis a sofrer modificações; isso porque nem a migração nem o isolamento são capazes de produzir por si sós alguma coisa. Estes princípios atuam apenas para estabelecer novas relações entre os organismos e, em menor grau, entre os organismos e as condições físicas de seu entorno. Assim como vimos no último capítulo que algumas formas mantiveram quase as mesmas características por um gigantesco período geológico, então certas espécies também migraram por territórios bastante vastos e não sofreram muitas modificações.

Por estes pontos de vista, é óbvio que as várias espécies do mesmo gênero, mas que habitam as partes mais distantes do mundo, devem ter procedido originalmente da mesma fonte, pois descendem dos mesmos progenitores. No caso das espécies que, durante períodos geológicos inteiros, sofreram poucas modificações, não é muito difícil acreditar que elas possam ter migrado da mesma região; pois qualquer número de migrações é possível durante as grandes mudanças geográficas e climáticas que ocorreram desde os tempos mais remotos. No entanto, em muitos outros casos, nos quais temos razão para acreditar que as espécies de um gênero foram produzidas em tempos comparativamente recentes, esse tópico se torna bastante difícil. Também é óbvio que os indivíduos da mesma espécie, embora agora habitem regiões distantes e isoladas, devem ter procedido de um lugar onde seus pais foram produzidos pela primeira vez; pois, como explicado no último capítulo, não é possível que indivíduos idênticos sejam produzidos por pais de espécies diferentes através da seleção natural.

Desse modo, chegamos a uma questão amplamente discutida pelos naturalistas, ou seja, se as espécies foram criadas em um ou mais pontos da superfície da Terra. Sem dúvida, há muitos casos de extrema dificuldade para que possamos entender como a mesma espécie poderia ter migrado de algum local para vários pontos distantes e isolados onde agora são encontradas. No entanto, a mente é cativada pela simplicidade da hipótese de cada espécie ter sido a princípio produzida dentro de uma única região. Quem a rejeita, rejeita a *vera causa*[10] da geração ordinária com a subsequente migração e aceita um milagre como seu agente. É universalmente admitido que, na maioria dos casos, a área habitada por uma espécie é contínua; e que, quando uma planta ou um animal habita dois pontos muito distantes entre si, ou com um intervalo de tal natureza que a distância entre os dois não possa ser facilmente alcançada por meio da migração, então o fato é tido como algo extraordinário e excepcional. A migração marinha é mais distintamente limitada nos mamíferos terrestres do que, talvez, em qualquer outro ser orgânico; e, por conseguinte, não encontramos nenhum caso inexplicável de um mesmo mamífero que habite dois pontos distantes do mundo. Nenhum geólogo terá qualquer dificuldade em casos como o da Grã-Bretanha, que estava unida à Europa no passado e, por isso, engloba os mesmos quadrúpedes. Mas se é afirmado que a mesma espécie pode ser produzida em dois pontos separados, por que nunca foi encontrado um único mamífero comum à Europa e à Austrália ou à América do Sul?[11] As condições de vida são quase as mesmas, por isso uma infinidade de plantas e animais europeus se tornou natural na América e na Austrália; mas por que, nestes pontos distantes dos hemisférios Norte e Sul, algumas plantas nativas são absolutamente idênticas? Acredito que a resposta esteja no fato de os mamíferos não terem conseguido migrar, mas algumas plantas, por seus vários meios de dispersão, terem migrado para todos os lugares, mesmo que distantes e descontínuos. A grande e impressionante influência que as barreiras de todo tipo tiveram na distribuição torna-se inteligível apenas quando aceitamos a hipótese de que a grande maioria das espécies foi produzida somente de um lado da barreira e ainda não conseguiu migrar para o outro. Algumas poucas famílias, muitas subfamílias, muitíssimos gêneros e um número ainda maior de seções de gêneros estão confinados a uma única região; e vários naturalistas têm observado que os gêneros mais naturais, ou os gêneros pelos quais as espécies estão mais estreitamente

---

10. Expressão latina cunhada por Isaac Newton em 1687 para distinguir meras hipóteses e conjecturas de fatores causais demonstráveis. (N.R.T.)
11. Trata-se de um argumento que não podia ser rebatido por aqueles que defendiam a criação especial das espécies. (N.R.T.)

relacionadas entre si, são geralmente locais ou estão confinados em certa área. Seria uma grande anomalia aos indivíduos da mesma espécie se, após descermos apenas um degrau na série, prevalecesse uma regra diretamente oposta e se as espécies não fossem locais, mas tivessem sido produzidas em duas ou mais áreas distintas!

Portanto me parece, assim como a muitos outros naturalistas, que a hipótese mais provável é a seguinte: cada espécie foi produzida em uma única área e, posteriormente, migrou daquela área para locais tão distantes quanto o permitido por sua força de migração e de subsistência em condições passadas e presentes. Sem dúvida, ocorrem muitos casos em que não conseguimos explicar como a mesma espécie pode ter ido de um ponto a outro. No entanto as mudanças geográficas e climáticas que certamente ocorreram em eras geológicas recentes devem ter interrompido ou tornado descontínua a distribuição anteriormente contínua de muitas espécies. Então, só nos resta considerar se as exceções à distribuição geográfica contínua são tão numerosas e de natureza tão grave a ponto de precisarmos abandonar a crença – julgada possível por considerações de ordem geral – de que cada espécie foi produzida dentro de uma única área e migrou daí tanto quanto foi capaz. Seria irremediavelmente tedioso discutir todos os casos excepcionais de uma mesma espécie que hoje vive em pontos distantes e separados; e também não espero, nem por um instante, que qualquer explicação seja oferecida para muitos desses casos. Contudo, após algumas observações preliminares, discutirei alguns conjuntos mais marcantes de fatos, a saber, a existência das mesmas espécies nos cumes de cordilheiras distantes umas das outras e em pontos distantes das regiões do Círculo Polar Ártico e Antártico; em segundo lugar (no capítulo seguinte), a ampla distribuição das produções de água doce; e, em terceiro lugar, a ocorrência da mesma espécie terrestre nas ilhas e no continente, mesmo que estejam separadas por centenas de milhas de mar aberto. Se a ocorrência da mesma espécie em pontos distantes e isolados da superfície da Terra pode, em muitos casos, ser explicada pela hipótese de cada espécie ter migrado a partir de um único local de nascimento; então, considerando nossa ignorância em relação às alterações climáticas e geográficas antigas e aos vários meios acidentais de transporte, a crença de que esta hipótese seja uma lei universal parece-me incomparavelmente mais segura.

Ao discutirmos esse assunto, poderemos ao mesmo tempo considerar um ponto igualmente importante para nós, ou seja, se as várias espécies distintas de um gênero – que, por minha teoria, são todas descendentes de um progenitor comum – poderiam ter migrado (sofrendo modificações durante certa parte de sua migração) da área habitada por seu progenitor. Minha teoria ficará bastante fortalecida se pudermos demonstrar que, de forma quase invariável, quando a maioria dos habitantes de uma região é formada por parentes bastante próximos, ou pertencentes ao mesmo gênero das espécies de uma segunda região, isso provavelmente ocorre porque, durante algum período anterior, a primeira região deve ter recebido imigrantes da segunda; e podemos assim entender claramente, por meio do princípio da modificação, por que os habitantes de uma região estariam relacionados àqueles de outra região, a partir do que passou a ser habitada. Uma ilha vulcânica, por exemplo, elevada e formada a algumas centenas de milhas de um continente, provavelmente receberia alguns colonos no decorrer do tempo, e seus descendentes, embora modificados, ainda estariam claramente relacionados por hereditariedade aos habitantes do continente. Casos desta natureza são comuns e, como logo veremos, não podem ser explicados por meio da teoria da criação independente. Essa hipótese do parentesco das espécies de uma região com aquelas de outra não difere muito (substituindo a palavra "variedades" por "espécies") daquela proposta recentemente pelo brilhante estudo do senhor Wallace.[12] Segundo ele, "toda espécie passa a existir conjuntamente no espaço e no tempo com uma espécie preexistente e de parentesco muito próximo". Por nossas correspondências, eu agora sei que ele atribui essa incidência conjunta à descendência com modificação.

As observações anteriores sobre "centros de criação únicos e múltiplos" não se relacionam diretamente com outra questão muito próxima: a discussão que trata de descobrir se os indivíduos da mesma espécie descenderem de um único casal (ou um único hermafrodita) ou, conforme

12. Estudo publicado em setembro de 1855 por Alfred Russel Wallace sobre a lei que regula a introdução de novas espécies. Esta última ficou conhecida como Lei de Sarawak por ter sido escrita na região de mesmo nome, na Oceania. O texto pode ser encontrado em *Annals and Magazine of Natural History* (v. 16, 2ª série, p. 184-96) da Sociedade Lineana de Londres. (N.T.)

alguns autores supõem, de muitos indivíduos criados simultaneamente. Nos organismos que nunca cruzam (se é que existem), a espécie, de acordo com minha teoria, deve ser descendente de uma sucessão de variedades aprimoradas que nunca se misturaram com outros indivíduos ou variedades, mas que se suplantaram umas às outras; então, em cada fase sucessiva de modificação e aprimoramento, todos os indivíduos de cada variedade serão descendentes de um único indivíduo. Contudo, na maioria dos casos, ou seja, com todos os organismos que habitualmente se unem para poder procriar, ou que frequentemente se cruzam, acredito que, durante o lento processo de modificação, os indivíduos da espécie terão permanecido quase uniformes pelo cruzamento e, desse modo, muitos indivíduos terão sido simultaneamente modificados e o montante total das modificações não terá, em cada fase, ocorrido graças à descendência de um ascendente único. Para ilustrar o que quero dizer: os cavalos de corrida ingleses diferem ligeiramente dos cavalos de todas as outras raças; mas eles não devem sua diferença e superioridade à descendência de um único casal, e sim a uma cuidadosa seleção e ao treinamento de muitos indivíduos durante muitas gerações.

Devo dizer algumas palavras sobre os meios de dispersão antes de discutir as três classes de exemplo selecionadas por apresentarem mais dificuldade para a teoria dos "centros únicos de criação".

Meios de dispersão

Sir C. Lyell e outros autores têm tratado desse assunto de forma habilidosa. Aqui poderei oferecer apenas um breve resumo dos fatos mais importantes. A mudança climática deve ter exercido uma influência poderosa na migração: a modificação do clima de uma região pode ter favorecido uma grande rota migratória que se tornou atualmente intransponível; preciso, no entanto, discutir este aspecto do assunto com mais detalhes neste momento. As alterações dos níveis do solo também devem ter sido fatores altamente influentes: imagine um estreito istmo que hoje separa duas faunas marinhas; se o submergirmos, ou caso tenha sido anteriormente submerso, as duas faunas então irão se misturar, ou podem ter se misturado no passado. Onde hoje existe mar pode ter havido terra no passado, conectando ilhas ou possivelmente até mesmo continentes, e isso pode ter permitido que as produções terrestres fossem de um lado para o outro.[13] Nenhum geólogo contestará a ocorrência de grandes variações dos níveis do solo em períodos em que existiam organismos vivos. Edward Forbes afirma que todas as ilhas do Atlântico deviam estar conectadas até recentemente com a Europa ou a África e que a Europa estava conectada com a América. Assim, outros autores criaram pontes hipoteticamente sobre todos os oceanos e sobre quase todas as ilhas a algum continente. Se os argumentos de Forbes são de fato confiáveis, devemos admitir que quase não há uma única ilha existente que não tenha estado recentemente conectada a um continente. Essa hipótese desfaz o nó górdio da dispersão da mesma espécie para os locais mais distantes e remove muitas dificuldades: mas, mesmo pelo aprofundado conhecimento, não temos como aceitar que essas enormes mudanças geográficas tenham ocorrido dentro do período de vida de espécies existentes. Parece-me que temos provas abundantes das grandes oscilações de nível dos continentes, mas não de mudanças tão grandes de suas posições e extensões a ponto de podermos afirmar que estavam unidos recentemente entre si e com as várias ilhas oceânicas intermediárias. Admito a existência anterior de muitas ilhas, hoje enterradas debaixo do mar, que podem ter servido como lugares de parada para plantas e muitos animais durante sua migração. Nos oceanos que produzem corais, eu acredito que essas ilhas afundadas estão atualmente assinaladas por anéis de corais ou atóis que existem sobre elas. Quando for totalmente aceito, como acredito que algum dia será, que cada espécie se originou de um local único de nascimento, e quando, com o passar do tempo, soubermos algo definitivo sobre os meios de distribuição, poderemos especular com segurança sobre a extensão anterior dos territórios. Contudo, acredito que nunca poderemos provar que, dentro do período recente, os continentes que hoje estão completamente separados estiveram unidos de forma contínua, ou quase contínua, uns com os outros e com muitas ilhas oceânicas existentes. Diversos fatos sobre a distribuição – por exemplo, a grande diferença da

13. É interessante que, mesmo sem ter ideia da teoria da tectônica de placas e da profunda modificação da distribuição dos continentes nos últimos 500 milhões de anos, Darwin antevia possibilidades muito próximas das aceitas atualmente. (N.R.T.)

fauna marinha em lados opostos de quase todos os continentes, a íntima relação entre os habitantes do Terciário de vários territórios (e até mesmo entre os habitantes dos mares) e seus habitantes atuais, um certo grau de relação (como veremos adiante) entre a distribuição dos mamíferos e a profundidade do mar – parecem-me opor-se à admissão de tais revoluções geográficas prodigiosas dentro do período recente que são necessárias para a hipótese proposta por Forbes e aceitas por seus muitos seguidores. A Natureza e as proporções relativas dos habitantes das ilhas oceânicas também parecem opor-se à crença de sua antiga continuidade com os continentes. Nem mesmo a composição quase universalmente vulcânica dessas ilhas favorece a admissão de que elas sejam os destroços de continentes afundados; se elas tivessem existido originalmente na forma de cadeias de montanhas terrestres, algumas delas pelo menos seriam formadas, como outros cumes montanhosos, de granito, xisto metamórfico, antigas rochas fossilíferas ou outras pedras do mesmo tipo, em vez de serem constituídas por meras pilhas de matéria vulcânica.

Agora devo dizer algumas palavras sobre o que chamamos de meios acidentais, mas que, mais corretamente, podem ser chamados de meios ocasionais de distribuição. Falarei apenas sobre as plantas. Em obras de botânica, esta ou aquela planta é indicada como mal adaptada para difundir-se de forma ampla; mas, para o transporte marítimo, podemos dizer que as maiores ou menores facilidades são quase totalmente desconhecidas. Antes de meus experimentos com o auxílio do senhor Berkeley,[14] não sabíamos nem mesmo quantas sementes conseguiriam resistir à ação prejudicial da água do mar. Para minha surpresa, descobri que, de 87 tipos,[15] 64 deles germinaram após uma imersão de 28 dias, e alguns sobreviveram a uma

---

14. Miles Joseph Berkeley (1803-1889). Os resultados de seus experimentos foram publicados em 1855, na revista *Gardeners' Chronicles and Agricultural Gazette*, e passaram despercebidos por Darwin. Ele realizou experimentos semelhantes no ano seguinte, de maneira independente, em alguns casos inadvertidamente com as mesmas espécies. Os resultados foram apresentados, combinando seus dados com os de Berkeley, após obter sua permissão, em maio de 1856. Eles foram publicados no *Journal of the Proceedings of the Linnean Society*, em seu primeiro número de 1857. O presente trecho é um resumo dessa publicação, destacando os resultados positivos. (N.R.T.)

15. Este é o número total das espécies testadas, somando os resultados de Darwin e Berkeley. O fato de terem realizado experimentos com as mesmas espécies foi, segundo Darwin, uma boa coisa, pois checaram seus dados, que estavam em plena concordância. (N.R.T.)

imersão de 137 dias. Por conveniência, testei principalmente sementes pequenas, sem cápsula[16] ou fruto de outro tipo; e como todas estas afundaram em poucos dias, elas não seriam capazes de flutuar entre as enormes distâncias dos mares, sendo prejudicadas ou não pela água salgada. Depois, eu testei alguns frutos maiores, cápsulas etc., e alguns destes flutuaram por um longo tempo. É bem conhecida a diferença de flutuabilidade entre a madeira verde e a seca; e ocorreu-me que as enchentes podem carregar consigo plantas ou ramos, e que estes podem secar nas margens e, em seguida, ser levados para o mar por uma nova enchente. Portanto, resolvi secar caules e ramos de 94 plantas com frutos maduros e colocá-los na água do mar. A maioria deles afundou rapidamente, mas alguns que, enquanto verdes, flutuaram por um tempo muito curto, quando secos, flutuaram por muito mais tempo; por exemplo, as avelãs maduras afundaram imediatamente, mas, quando secas, elas aguentaram por noventa dias e depois, ao serem plantadas, germinaram; um aspargueiro com frutos maduros flutuou por 23 dias e, quando seco, flutuou por 85 dias; e, além disso, as sementes germinaram depois. As sementes maduras de *Helosciadium*[17] afundaram em dois dias, mas, quando secas, elas flutuaram por noventa dias e depois germinaram. Em resumo, das 94 plantas secas, dezoito flutuaram por mais de 28 dias, e algumas dessas dezoito flutuaram por um período muito mais longo. Então, já que 64 de 87 sementes germinaram após uma imersão de 28 dias; e como dezoito de 94 plantas com frutos maduros (mas nem todas da mesma espécie, conforme o experimento acima) flutuaram por mais de 28 dias após serem secas, podemos concluir, até o ponto em que é possível por estes poucos fatos, que as sementes de catorze entre cem plantas de qualquer região podem flutuar pelas correntes marítimas por 28 dias, mantendo sua capacidade para germinar. No *Johnston's Physical Atlas* (Atlas Físico de Johnston), vemos que a velocidade média das várias correntes do oceano Atlântico é de 33 milhas (aproximadamente 53 quilômetros) por dia, e algumas correntes chegam a sessenta milhas

---

16. Cápsulas são frutos secos que geralmente se abrem, liberando suas sementes. As sementes da castanha-do-pará se localizam dentro de um fruto (popularmente chamado "ouriço") do tipo cápsula. (N.R.T.)
17. Trata-se de um gênero de asteráceas, com cinco espécies, de porte herbáceo, com ocorrência na Europa e no norte da África. (N.R.T.)

(aproximadamente 96 quilômetros) por dia; com base nessa média, as sementes de catorze entre cem plantas pertencentes a um território podem flutuar por 924 milhas (aproximadamente 1.487 quilômetros) de mar até outro território; e quando chegam, se forem levadas pelo vento até um ponto favorável do interior, elas germinam.

Após os meus experimentos, senhor Martens[18] fez outros testes similares, mas de uma maneira muito melhor, pois ele colocou as sementes em uma caixa no próprio mar para que elas ficassem alternadamente molhadas e expostas ao ar como se fossem realmente plantas flutuantes. Ele testou 98 sementes; na maior parte, diferentes das minhas; mas escolheu muitos frutos grandes e sementes de plantas que vivem perto do mar; fato que pode ter favorecido a duração média de sua flutuação e resistência à ação prejudicial da água salgada. Por outro lado, ele não secou previamente as plantas ou os ramos com frutas; e isso, como já vimos, faria com que algumas delas flutuassem por muito mais tempo. Como resultado, dezoito de 98 de suas sementes flutuaram durante 42 dias e em seguida foram capazes de germinar. Mas não há dúvida de que as plantas expostas às ondas flutuariam por menos tempo do que aquelas protegidas contra quaisquer movimentos violentos, como em nossos experimentos. Pois talvez seria mais seguro presumir que as sementes de cerca de dez entre cada cem plantas de uma flora conseguiriam, após terem sido secas, flutuar pela distância de novecentas milhas (aproximadamente 1.448 quilômetros) de mar e, em seguida, germinar. O fato de os frutos maiores muitas vezes flutuarem mais do que os pequenos é interessante, já que as plantas com sementes ou frutos grandes dificilmente poderiam ser transportadas por qualquer outro meio; Alphonse de Candolle demonstrou que essas plantas geralmente abrangem uma distribuição restrita.

As sementes, no entanto, podem ocasionalmente ser transportadas de outra maneira. Pedaços de madeira flutuante são lançados ao mar em muitas ilhas, mesmo naquelas que estão no meio dos maiores oceanos; sabemos que os nativos das ilhas de coral do Oceano Pacífico obtêm pedras para suas ferramentas simplesmente a partir das raízes de árvores que flutuaram até

18. Os experimentos de Martin Charles Martens (1797-1863) haviam sido publicados em 1857, logo após a publicação de Darwin. (N.R.T.)

as ilhas – estas pedras são verdadeiras preciosidades.[19] Descobri pela observação que, quando pedras irregulares estão incorporadas nas raízes das árvores, elas frequentemente carregam pequenas porções de terra em seus interstícios e por trás deles; a terra fica tão perfeitamente incrustrada que, na mais longa viagem, nem mesmo uma partícula pode ser perdida: assim, de uma pequena porção de terra *completamente* coberta pela madeira em um carvalho de cerca de cinquenta anos de idade, notei que três plantas dicotiledôneas germinaram. Tenho a certeza da precisão desta observação. Além disso, eu posso mostrar que, quando as carcaças de aves flutuam sobre o mar, às vezes, não são imediatamente devoradas; e vários tipos de sementes que estão no papo dessas aves flutuantes mantêm sua vitalidade por bastante tempo: ervilhas e favas,[20] por exemplo, morrem após poucos dias de imersão em água salgada; mas, para minha surpresa, mantiveram-se vivas e germinaram quase todas as sementes que foram retiradas do papo de um pombo morto que havia flutuado em um tanque de água salgada durante trinta dias.

As aves vivas são agentes extremamente eficazes para o transporte de sementes. Há muitos exemplos que mostram vários tipos de aves sendo frequentemente levadas a grandes distâncias oceânicas por ventos fortes. Acredito ser possível assumir com segurança que em tais circunstâncias elas chegariam a voar com velocidade de 56 quilômetros por hora; alguns autores fizeram estimativas mais altas. Nunca vi um caso de sementes de alimentos que tenham passam intactas pelo intestino de um pássaro; mas sementes duras de frutas passam ilesas até pelos órgãos digestivos de um peru. Durante dois meses, em meu jardim, tirei doze tipos de sementes dos excrementos de aves, e estas pareciam perfeitas; algumas delas,

19. Essas ilhas são formadas pelo acúmulo de compostos de cálcio de recifes de coral, e não englobam rochas vulcânicas, razão pela qual esses fragmentos de rocha dura são tão valorizados por seus habitantes. (N.R.T.)

20. No original, *peas and vetches*, referindo-se a ervilhas cultivadas e sementes de plantas selvagens semelhantes, como as favas. Darwin realizou experimentos com *Vicia fava*, *Pisum sativum* e *Phaseolus vulgaris*, entre outras dicotiledôneas, com resultados negativos no teste de germinação após imersão em água salgada. Darwin teve a ideia (na verdade, seu filho, o botânico Francis) de testar a germinação de tais sementes presentes em papos de pombos mortos, comemorando os resultados positivos (ele usa o termo *tare* para descrever a semente que mais o surpreendeu) em carta remetida em 10 de dezembro de 1856 a seu amigo Joseph Hooker. (N.R.T.)

depois de plantadas, germinaram. Mas o fato a seguir é mais importante: descobri por experimentos que os papos das aves não secretam suco gástrico e não causam o mínimo dano à germinação das sementes; no entanto, se uma ave encontrou e devorou uma grande quantidade de alimentos, posso afirmar positivamente que os grãos não chegaram todos à moela antes de doze ou até mesmo dezoito horas. Neste intervalo, uma ave pode ser facilmente levada a uma distância de quinhentas milhas (aproximadamente 804 quilômetros); sabemos que os falcões procuram aves cansadas e que o conteúdo de seus papos, após rasgados, pode ser imediatamente espalhado. O senhor Brent informou-me que um amigo dele desistiu de fazer seus pombos-correio voarem da França para a Inglaterra pois os falcões da costa inglesa costumavam matar muitos deles assim que chegavam. Alguns falcões e corujas devoram a sua presa inteira e, depois de um intervalo de doze a vinte horas, regurgitam bolotas, que sei, por experimentos feitos nos jardins zoológicos, incluírem sementes que podem ser germinadas. Algumas sementes de aveia, trigo, painço, alpiste, cânhamo, trevo e beterraba germinaram após terem permanecido por doze a vinte horas nos estômagos de diferentes aves de rapina; e duas sementes de beterraba cresceram depois de terem sido assim mantidas lá durante dois dias e catorze horas. Descobri que os peixes de água doce comem sementes de muitas plantas terrestres e aquáticas: os peixes são frequentemente devorados por aves, e, portanto, as sementes podem ser transportadas de um lugar para outro. Eu forcei muitos tipos de sementes nos estômagos de peixes mortos e depois dei seus corpos para águias pesqueiras, cegonhas e pelicanos; estas aves, após um intervalo de várias horas, ou rejeitavam as sementes em pelotas ou excretavam-nas; várias dessas sementes mantiveram o seu poder de germinação. Certas sementes, no entanto, eram sempre destruídas por este processo.

Embora os bicos e os pés das aves sejam geralmente bastante limpos, eu posso mostrar que a terra às vezes adere a eles; em um exemplo, tirei 22 grãos de terra argilosa seca do pé de uma perdiz, e havia nesta terra uma pedra tão grande como a semente de uma fava. Dessa forma, as sementes podem ocasionalmente ser transportadas a grandes distâncias; muitos exemplos poderiam ser apresentados para mostrar que o solo quase em toda parte está carregado de sementes. Reflita por um momento sobre milhões de codornas que anualmente cruzam o Mediterrâneo;[21] será que poderíamos duvidar que a terra, aderindo aos seus pés, costuma incluir algumas pequenas sementes? Todavia, terei de voltar mais tarde a este assunto.

É sabido que os *icebergs* costumam conter terra e pedras e, às vezes, até mesmo mato, ossos e ninhos de uma ave terrestre; assim, é difícil duvidarmos de que eles devem ter ocasionalmente transportado sementes de uma região do Ártico e da Antártica para outras, conforme sugerido por Lyell; e, durante o período glacial, de uma parte das atuais regiões temperadas para outra. Nos Açores, o grande número de espécies de plantas comuns à Europa, em comparação com as plantas de outras ilhas oceânicas mais próximas ao continente e (como comentado pelo senhor H. C. Watson) pelas características um pouco setentrionais da flora em comparação à latitude, suspeitei que estas ilhas tinham sido parcialmente aprovisionadas por sementes transportadas pelo gelo durante a época glacial. A meu pedido, Sir C. Lyell escreveu ao senhor Hartung[22] e perguntou se ele havia observado rochedos instáveis nestas ilhas; ele respondeu que tinha encontrado grandes fragmentos de granito e outras rochas que não existem no arquipélago. Portanto, podemos inferir com segurança que, anteriormente, os *icebergs* desembarcaram suas cargas rochosas na costa destas ilhas no meio do oceano; e é no mínimo possível que os *icebergs* possam ter transportado até ali as sementes das plantas do norte.

Considerando os vários meios de transporte citados – e muitos outros que sem dúvida continuam a ser descobertos – que estiveram em ação, ano após ano, por séculos e dezenas de milhares de anos, seria algo estranho se muitas plantas não tivessem sido transportadas a todos os cantos dessa forma. Estes meios de transporte são chamados às vezes de acidentais, mas isso não está estritamente correto; as correntes do mar não são acidentais, nem a direção das correntes eólicas predominantes é. Devemos observar que quase nenhum meio de transporte consegue carregar as sementes a distâncias muito grandes; pois as sementes não mantêm sua vitalidade quando expostas durante um grande período de tempo à ação da

---

21. Há diferentes raças de codornas selvagens cujos hábitos migratórios são bem conhecidos há tempos, com referência inclusive no *Antigo Testamento* (*Êxodo* 16:1-13). (N.R.T.)
22. Georg Hartung (1821-1891), geólogo alemão que estudou os Açores, as ilhas Canárias e a ilha da Madeira. (N.R.T.)

água do mar; elas também não podem ser carregadas por muito tempo no papo ou no intestino das aves. Estes meios, no entanto, seriam suficientes para o transporte ocasional através de algumas centenas de milhas de mar ou de uma ilha para outra ou de um continente para uma ilha vizinha; mas não de um continente distante para outro. As floras de continentes distantes não poderiam se misturar por esses meios; mas continuariam a ser tão distintas como as vemos atualmente. As correntes, a partir de suas rotas, nunca levariam sementes da América do Norte para a Grã-Bretanha, embora possam levar sementes do Caribe à costa ocidental de nossas ilhas, onde poderiam suportar o clima se não fossem mortas por uma imersão tão longa. Quase todos os anos, uma ou duas aves terrestres são sopradas através do Oceano Atlântico inteiro, da América do Norte para a costa ocidental da Irlanda e da Inglaterra; mas as sementes poderiam ser transportadas por essas aves errantes somente por um único meio, a saber, na terra presa a seus pés, algo que, em si, é um raro acidente. Mesmo neste caso, quão pequena seria a chance de uma semente cair em solo favorável e chegar à maturidade! Mas seria um grande erro afirmar que – porque uma ilha tão bem povoada como a Grã-Bretanha não recebeu nos últimos séculos (pelo que sabemos, mas isso é algo que seria muito difícil provarmos), através de meios ocasionais de transporte, imigrantes da Europa ou de quaisquer outros continentes – uma ilha mal povoada, porém mais distante do continente, também não poderia receber colonos por meios semelhantes. Não há dúvida de que de vinte sementes ou animais transportados para uma ilha, mesmo que a ilha tenha menos diversidade vegetal do que a Grã-Bretanha, raramente mais do que um estaria bem adaptado para aclimatar-se em sua nova casa. Porém isso, como me parece, não é um argumento válido contra o que seria realizado por meios ocasionais de transporte durante o longo lapso de tempo geológico em que uma ilha é elevada e formada e antes de estar totalmente povoada. Em uma região quase nua, com poucos (ou nenhum) insetos destrutivos ou aves que vivam lá, quase todas as sementes que por acaso chegassem certamente germinariam e sobreviveriam.

Dispersão durante o período glacial

A identidade de muitas plantas e animais dos cumes de montanhas separadas umas das outras por centenas de milhas de planícies – locais em que as espécies alpinas não poderiam viver – é um dos casos conhecidos mais impressionantes de uma mesma espécie que vive em pontos distantes, sem a possibilidade aparente de ter migrado de um ponto para outro. É de fato algo notável ver tantas plantas iguais vivendo nas regiões nevadas dos Alpes ou dos Pirineus e no extremo norte da Europa; mas é muito mais notável que as plantas dos picos nevados dos Estados Unidos da América sejam as mesmas que existem em Labrador e, como ouvimos de Asa Gray, muito semelhantes àquelas das montanhas mais altas da Europa. Já em 1747, tais fatos levaram Gmelin[23] a concluir que a mesma espécie deve ter sido criada de forma independente em vários pontos distintos; e talvez ainda acreditaríamos nisso se Agassiz e outros não tivessem chamado nossa atenção para o período glacial[24] que, como veremos em seguida, oferece uma explicação simples para esses fatos. Temos provas de quase todos os tipos imagináveis, orgânicas e inorgânicas, informando-nos que, em um período geológico muito recente, a Europa central e a América do Norte foram atingidas por um clima ártico. As ruínas de uma casa queimada pelo fogo não conseguem contar sua história mais claramente que as montanhas da Escócia e do País de Gales falam – por meio de suas encostas marcadas, superfícies polidas e rochas empoleiradas – sobre os fluxos de gelo com os quais seus vales foram recentemente preenchidos. O clima da Europa mudou tanto que, no norte da Itália, gigantescas morenas deixadas por antigos glaciares[25] estão hoje cobertas por vinhas e milharais. Ao longo de uma grande parte dos Estados Unidos, rochedos instáveis e rochas entalhadas por *icebergs* errantes e gelo costeiro revelam claramente um período anterior de frio.

---

23. Johann Georg Gmelin (1709-1755), botânico e explorador alemão; publicou *Flora Sibirica* em 1747. (N.T.)

24. A ideia de que houve um período glacial recente (do ponto de vista geológico) de grande escala foi lançada por Louis Agassiz em Neuchâtel em 1837 e apresentada na Inglaterra em 1840, com grande receptividade inicial, inclusive por parte de Charles Lyell e William Buckland. No entanto, Lyell abandonou a ideia em poucos meses, junto à maioria dos geólogos britânicos, e manteve-se severo crítico dela por toda a vida. Darwin lida, portanto, com uma ideia pouco aceita em seu meio e defendida por opositores do evolucionismo como Agassiz e Buckland. (N.R.T.)

25. A movimentação de grandes blocos de gelo tritura rochas e forma grandes pilhas de detritos de forma muito típica, chamadas morenas. Darwin as conhecia bem a partir de seu contato com elas nos Andes. (N.R.T.)

Resumirei em seguida a antiga influência do clima glacial sobre a distribuição dos habitantes da Europa, conforme foi explicado com clareza notável por Edward Forbes. Mas será mais fácil entendermos as mudanças se supusermos que o novo período glacial tenha chegado lentamente e então, da mesma forma que já ocorreu anteriormente, tenha desaparecido. Conforme o frio chegasse e a região mais meridional se tornasse adequada para os seres árticos e inadequada para seus antigos habitantes mais temperados, estes últimos seriam suplantados e seus nichos seriam tomados pelos organismos do Ártico. Ao mesmo tempo, os habitantes das regiões mais temperadas viajariam para o sul, a menos que fossem detidos por barreiras, perecendo neste caso. As montanhas ficariam cobertas de neve e gelo, e seus antigos habitantes alpinos desceriam para as planícies. No momento em que o frio atingisse seu nível máximo, fauna e flora árticas se tornariam uniformes e cobririam as partes centrais da Europa, atingindo todo o sul, nos Alpes e nos Pirineus, chegando até mesmo à Espanha. As atuais regiões temperadas dos Estados Unidos também ficariam cobertas pelos animais e plantas do Ártico, e estes seriam quase iguais àqueles da Europa, pois os atuais habitantes circumpolares – que, em nossa hipótese, migrariam para o sul em todos os lugares – são notavelmente uniformes em todo o mundo. Poderíamos supor que o período glacial tenha ocorrido na América do Norte um pouco mais cedo ou mais tarde que na Europa e que então, da mesma forma, a migração também teria ocorrido um pouco mais cedo ou mais tarde; mas isso não faria diferença para o resultado final.

À medida que o calor retornasse, as formas árticas recuariam para o norte, fazendo aumentar ao mesmo tempo a produção dos organismos das regiões mais temperadas. E conforme a neve das bases das montanhas fosse derretendo, as formas árticas tomariam as clareiras descongeladas, subindo sempre em direção aos picos à medida que o calor aumentasse, enquanto suas formas irmãs seguiriam a jornada para o norte. Portanto, assim que o calor estivesse completamente restabelecido, as mesmas espécies árticas que haviam vivido juntas nas planícies do Velho e do Novo Mundo ficariam isoladas nos distantes picos das montanhas (tendo sido exterminadas em todas as altitudes mais baixas) e nas regiões árticas de ambos os hemisférios.

Assim, podemos entender a identidade existente entre muitas plantas que vivem em pontos tão remotos uns dos outros, como aquelas que vivem nas montanhas dos Estados Unidos e nas montanhas da Europa. Desse modo também poderíamos compreender por que as plantas alpinas de todas as cordilheiras são mais especificamente aparentadas às formas árticas que vivem no norte ou em regiões próximas ao norte, pois a migração causada pelo frio e a remigração causada pelo retorno do calor teriam em geral ocorrido no sentido norte-sul. Por exemplo, as plantas alpinas da Escócia, conforme notou o senhor H. C. Watson, e aquelas dos Pirineus, conforme notou Ramond,[26] são, em termos de espécies, parentes mais próximas às plantas do norte da Escandinávia; as plantas dos Estados Unidos, às de Labrador; as plantas das montanhas da Sibéria, às das regiões árticas da região. Estas hipóteses – baseadas na ocorrência perfeitamente bem determinada de um antigo período glacial – parecem-me explicar a atual distribuição dos organismos árticos e alpinos da Europa e da América de uma forma tão satisfatória que, quando encontramos a mesma espécie montanhesa nos picos montanhosos de outras regiões, podemos quase concluir sem outras provas que um clima mais frio permitiu a antiga migração desses organismos através das regiões intermediárias mais baixas que, desde então, tornaram-se demasiado quentes para que ali pudessem viver.

Caso o clima, desde o período glacial, já tenha sido mais quente do que na atualidade (conforme alguns geólogos dos Estados Unidos acreditam ser o caso, principalmente por causa da distribuição do fóssil do *Gnathodon*),[27] então as produções árticas e temperadas teriam avançado um pouco mais para o norte em um período muito tardio e posteriormente teriam recuado para seus nichos habituais; mas não me deparei com nenhuma

26. Louis François Élisabeth Ramond, barão de Carbonnières (1755-1827), geólogo, explorador e botânico francês; explorou os Pirineus. (N.T.)

27. Fóssil de molusco bivalve (atual gênero *Rangia*), com uma espécie próxima na fauna atual (*R. cuneata*), a qual vive em estuários e águas rasas no Golfo do México. Lyell tinha comentado o quão comum esse fóssil era nos Estados Unidos, em locais mais ao norte, de clima frio hoje. Agora se reconhece que se trata de espécie de grande valência ecológica, considerada invasora, colonizando a costa atlântica dos Estados Unidos, com registros recentes no litoral da Bélgica (2005), tida como uma peste, obstruindo tubulações industriais. (N.R.T.)

evidência satisfatória no que diz respeito a um período intercalar ligeiramente mais quente desde o início do período glacial.

Durante sua longa migração para o sul e remigração para o norte, as formas árticas teriam sido expostas a um clima bastante semelhante e, devemos notar, elas teriam se mantido em um único grupo; consequentemente, suas relações mútuas não teriam sido muito perturbadas e, em conformidade com os princípios relatados neste livro, elas não seriam suscetíveis a muitas modificações. Mas em relação aos organismos alpinos que ficaram isolados desde a volta do calor, primeiro nas bases e, finalmente, nos cumes das montanhas, o caso teria sido um pouco diferente; pois não é provável que as mesmas espécies do Ártico fossem deixadas em cordilheiras distantes umas das outras e lá sobrevivessem desde então; elas também teriam, muito provavelmente, se misturado às antigas espécies alpinas existentes nas montanhas antes do início do período glacial que, durante o período mais frio, tenham sido temporariamente deslocadas para as planícies; elas também teriam sido expostas a influências climáticas um pouco diferentes. Assim, suas relações mútuas teriam sido perturbadas em certa medida; consequentemente, elas se tornariam suscetíveis a sofrer modificações. Descobrimos que isso foi o que ocorreu, pois, se compararmos as atuais plantas alpinas e os animais das várias grandes cordilheiras europeias, embora muitas espécies sejam aparentemente indistinguíveis, algumas apresentam variedades, algumas são classificadas como formas duvidosas e outras poucas são espécies distintas, embora sejam espécies representativas ou bastante aparentadas.

Para ilustrar o que acredito ter realmente acontecido durante o período glacial, pressupus que as produções do Ártico estavam no início deste período distribuídas nas regiões polares de forma tão uniforme quanto hoje. Porém as observações anteriores sobre a distribuição aplicam-se não só às formas estritamente árticas mas também a muitas formas subárticas e a algumas poucas formas das regiões temperadas do norte, pois algumas destas são iguais nas montanhas mais baixas e nas planícies da América do Norte e da Europa; e pode-se perguntar com razão como explico o necessário grau de uniformidade entre as formas subárticas e as formas temperadas do norte do mundo inteiro no início do período glacial. Atualmente, os organismos das regiões setentrionais temperadas e as formas subárticas do Velho e do Novo Mundo estão separados uns dos outros pelo Oceano Atlântico e pelo extremo norte do Pacífico. Durante o período glacial, quando os habitantes do Velho e do Novo Mundo viviam mais para o sul do que no presente, eles deviam estar ainda mais separados por um oceano com extensões muito maiores. Acredito que esta dificuldade pode ser superada ao observarmos as mudanças climáticas mais antigas de natureza oposta. Temos boas razões para acreditar que durante o Plioceno mais recente, antes da época glacial, quando a maior parte dos habitantes do mundo já pertencia às mesmas espécies atuais, o clima era mais quente do que nos dias de hoje. Daí, podemos supor que os organismos que hoje vivem sob o clima da latitude 60° viviam ainda mais ao norte durante o período Plioceno, no Círculo Polar, nas latitudes 66° e 67°; e que os organismos do Ártico propriamente dito viviam nos territórios ainda fraturados mais próximos ao polo. Agora, se observarmos um globo terrestre, veremos que o território do Círculo Polar é quase contínuo desde a Europa ocidental, através da Sibéria até o leste da América. É a esta continuidade do território circumpolar e à consequente liberdade migratória sob um clima mais favorável que atribuo a necessária uniformidade das produções temperadas do norte e das regiões subárticas do Velho e do Novo Mundo em um período anterior à época glacial.[28]

Acreditando, pelas razões indicadas anteriormente, que nossos continentes permaneceram quase na mesma posição relativa por muito tempo, embora sujeitos a grandes oscilações parciais de seus níveis, estou fortemente inclinado a estender a hipótese acima e inferir que durante algum período anterior mais quente, como o Plioceno mais antigo, muitas das mesmas plantas e muitos dos animais habitavam o quase contínuo território circumpolar; e que essas plantas e esses animais, tanto no Velho quanto no Novo Mundo, começaram lentamente a migrar para o sul à medida que o clima se tornou menos quente, muito antes do início do período glacial. Acredito que hoje vemos seus descendentes, modificados em sua maioria, na parte central da Europa e dos Estados Unidos. Por

---

28. No último período glacial, que se estendeu de cerca de 80 mil a 11 mil anos, houve intensa migração e o nível do mar ficou muito mais baixo, cerca de cem metros, em consequência da grande massa de água retida em geleiras, principalmente no hemisfério Norte. (N.R.T.)

meio dessa hipótese é possível compreender a relação, com pouquíssimas semelhanças, entre as produções da América do Norte e da Europa, uma relação muito notável se considerarmos a distância entre as duas áreas e sua separação pelo Oceano Atlântico. Podemos, além disso, compreender um fato inusitado notado por vários observadores: o parentesco das produções da Europa e da América durante os estágios mais recentes do Terciário era mais próximo do que o existente atualmente; pois durante estes períodos mais quentes as partes setentrionais do Velho e do Novo Mundo estavam unidas de forma quase contínua por terra, servindo como uma ponte que se tornou desde então, por causa do frio, intransponível para a intermigração de seus habitantes.[29]

As espécies devem ter sido completamente separadas umas das outras durante o Plioceno à medida que o calor diminuía de forma gradual e as espécies em comum que habitavam o Novo e o Velho Mundo migravam para o sul do Círculo Polar. Esta separação, em relação às produções das regiões mais temperadas, ocorreu em eras anteriores. E conforme plantas e animais migravam para o sul, elas se misturaram em uma das vastas regiões com as produções nativas da América e precisaram competir com elas; e na outra vasta região, com as espécies do Velho Mundo. Como consequência, temos todas as condições favoráveis para a ocorrência de uma grande quantidade de modificações, para muito mais modificações que a das produções alpinas que permaneceram isoladas em um período muito mais recente nas várias montanhas e nos territórios árticos dos dois mundos. Daí, quando comparamos as produções atualmente vivas das regiões temperadas do Velho e do Novo Mundo, encontramos pouquíssimas espécies idênticas (embora Asa Gray tenha demonstrado recentemente que há mais plantas idênticas do que se supunha anteriormente), mas em cada grande classe é possível encontrar muitas formas que alguns naturalistas classificam como raças geográficas e outros como espécies distintas; e uma grande quantidade de espécies aparentadas ou formas representativas que são classificadas por todos os naturalistas como espécies diferentes.

---

29. Hoje essa reconhecida proximidade, que se estende às produções da América do Sul e África, é explicada pela movimentação das placas tectônicas. (N.R.T.)

Assim como na terra, também no mar, a lenta migração de uma fauna marinha para o sul – que, durante o Plioceno ou mesmo em um período um pouco anterior, era quase uniforme nas margens contínuas do Círculo Polar – é responsável, pela teoria da modificação, por muitas formas aparentadas que hoje vivem em áreas completamente separadas. Assim, penso eu, podemos compreender a presença de muitas formas representativas atuais e terciárias na costa oriental e ocidental da América do Norte temperada; e o caso ainda mais marcante de muitos crustáceos aparentados (conforme descrito no trabalho admirável de Dana), de alguns peixes e de outros animais marinhos do Mediterrâneo e do mar do Japão, áreas que estão atualmente separadas por um continente e por quase um hemisfério de oceano equatorial.

Esses casos de relação próxima, mas não idêntica, dos habitantes dos mares que hoje estão separados e, da mesma forma, dos habitantes presentes e passados dos territórios temperados da América do Norte e da Europa, não podem ser explicados pela teoria criacionista. Não podemos dizer que eles foram criados iguais, em correspondência com as condições físicas quase semelhantes das áreas; pois se compararmos, por exemplo, certas partes da América do Sul com os continentes meridionais do Velho Mundo, veremos países estritamente correspondentes em todas as suas condições físicas, mas com habitantes totalmente dissimilares.

Mas devemos voltar ao nosso assunto mais imediato, o período glacial. Estou convencido de que a hipótese de Forbes pode ser em grande parte expandida. A Europa possui as provas mais evidentes do período frio, desde a costa ocidental da Grã-Bretanha até os Montes Urais e para o sul, em direção aos Pirineus. É possível inferir, por intermédio dos mamíferos congelados e da natureza de sua vegetação de montanha, que a Sibéria foi afetada da mesma forma. No Himalaia, em pontos separados por novecentas milhas (aproximadamente 1.448 quilômetros), os glaciares deixaram as marcas de seu antigo rebaixamento; e em Siquim,[30] o doutor Hooker viu milharais crescendo sobre antigas e gigantescas morenas. Ao sul do Equador, na Nova Zelândia, temos algumas provas diretas da antiga ação glacial; nesta ilha, plantas idênticas encontradas em montanhas

30. Estado do nordeste da Índia. (N.T.)

muito distantes umas das outras contam a mesma história. Se pudermos confiar em um relato publicado, há evidência direta da ação glacial no canto sudeste da Austrália.[31]

Na metade setentrional da América, foram encontrados fragmentos de rocha transportados pelo gelo no leste, nas latitudes 36° e 37° sul e às margens do Pacífico, onde o clima é agora tão diferente, bem como na latitude 46° sul; rochedos instáveis também foram observados nas montanhas rochosas. Na cordilheira equatorial da América do Sul, os glaciares existiam em níveis muito inferiores aos atuais. No centro do Chile eu me surpreendi com a estrutura de um grande monte de detritos com cerca de oitocentos pés (aproximadamente 243 metros) de altura que atravessa um vale dos Andes; hoje, estou convencido de que a estrutura era uma morena gigante, deixada em um nível muito abaixo de qualquer glaciar atualmente existente. Mais ao sul, em ambos os lados do continente, desde a latitude 41° até a extremidade mais próxima ao sul, temos a mais clara evidência da antiga ação glacial nos enormes rochedos transportados para muito longe de sua origem.

Não sabemos se a época glacial foi estritamente simultânea nestes vários pontos distantes, em lados opostos do mundo. Mas temos boas evidências em quase todos os casos de que a época estava incluída no período geológico mais recente.[32] Temos também excelentes provas de que ela resistiu por um tempo enorme em cada local quando a medimos em anos. O frio pode ter chegado ou terminado antes em um ponto do globo e depois em outro, mas, ao notarmos que ele permaneceu por muito tempo em cada ponto e que foi contemporâneo no sentido geológico, parece-me provável na verdade que tenha sido simultâneo, pelo menos durante uma parte do período. Sem provas distintas ao contrário, podemos pelo menos admitir como provável que a ação glacial foi simultânea nos lados leste e oeste da América do Norte, na cordilheira abaixo da linha do Equador e nas zonas temperadas

31. Ao contrário do que pensava Darwin, a ocorrência de geleiras foi muito diferente nos dois hemisférios na última glaciação. No hemisfério Sul houve modificação mais amena do clima, com períodos mais secos, mas o grande acúmulo de gelo ocorreu no hemisfério Norte. (N.R.T.)

32. Em contraste, sabemos hoje que houve vários períodos glaciais, e não apenas o mais recente. No entanto, o argumento é válido, no sentido de que se admite mudanças globais, favorecendo migrações em latitudes próximas. (N.R.T.)

quentes e em ambos os lados do extremo sul do continente. Quando isso é aceito, fica difícil não acreditarmos que a temperatura de todo o mundo tenha sido simultaneamente mais fria neste período. Entretanto, para o meu propósito, é suficiente dizer que a temperatura estava mais baixa ao longo de determinados cinturões de longitude.

Por esta hipótese de que o mundo todo, ou pelo menos os amplos cinturões longitudinais, estava simultaneamente mais frio de polo a polo,[33] é possível compreendermos melhor a atual distribuição das espécies idênticas e aparentadas. O doutor Hooker mostrou que há na América, na Terra do Fogo, entre quarenta e cinquenta de suas plantas com flores[34] – uma parte não negligenciável de sua escassa flora – comuns à Europa, por mais extremamente remotos que sejam estes dois pontos; e há muitas espécies com parentesco muito próximo. Nas montanhas elevadas da América equatorial ocorre uma série de peculiares espécies pertencentes a gêneros europeus. Sobre as montanhas mais altas do Brasil foram encontrados por Gardner[35] alguns poucos gêneros europeus que não existem na amplitude quente dos outros países intermediários. Assim, o ilustre Humboldt encontrou há muito tempo, na *Silla* de Caracas,[36] espécies pertencentes a gêneros característicos da cordilheira. Nas montanhas da Abissínia, ocorrem várias formas europeias e alguns poucos representantes da flora peculiar do Cabo da Boa Esperança. No Cabo da Boa Esperança, podem-se encontrar algumas pouquíssimas espécies europeias que, acredita-se, não foram introduzidas pelo homem e, nas montanhas, algumas poucas formas europeias representativas que não foram descobertas nas partes intertropicais da África. No Himalaia e sobre as cordilheiras isoladas da Península da Índia, nas

---

33. Darwin surpreende ao criar a hipótese da existência de "cinturões longitudinais", que explicariam como espécies de plantas europeias poderiam ter sido transportadas até a Terra do Fogo. Posteriormente ficou demonstrado que Hooker estava equivocado ao afirmar que as monocotiledôneas dos pampas eram invasoras europeias. (N.R.T.)

34. A expressão "plantas com flores" define o grupo botânico das Angiospermas, que exclui os pinheiros, as samambaias e os musgos. (N.R.T.)

35. George Gardner (1812-1849), botânico escocês que realizou estudos no Brasil entre 1836 e 1841 procurando rotas alternativas às de Spix e Martius, indo do Rio de janeiro até o Ceará. Darwin refere-se a seu trabalho botânico na Serra dos Órgãos (RJ), no qual são descritas mais de cinquenta espécies novas. (N.R.T.)

36. Montanha venezuelana explorada por Alexander von Humboldt (1769-1859) e Aimé Jacques Alexandre Goujaud Bonpland (1773-1858). (N.T.)

montanhas do Ceilão e sobre os cones vulcânicos de Java existem muitas plantas que são ou idênticas ou representativas umas das outras mas que são ao mesmo tempo representantes de plantas da Europa e não são encontradas nas planícies quentes intermediárias. A lista dos gêneros coletados nos picos mais altos de Java nos dá a impressão de uma coleção existente em uma colina da Europa! Ainda mais impressionante é o fato de que formas existentes no sul da Austrália são claramente representadas por plantas que crescem sobre os cumes das montanhas de Bornéu. Algumas destas formas australianas, como me disse o doutor Hooker, estendem-se ao longo das montanhas da península de Malaca até finalmente se dispersarem, por um lado sobre a Índia e por outro até o Japão.

Nas montanhas do sul da Austrália, o doutor F. Müller[37] descobriu várias espécies europeias; outras espécies não introduzidas pelo homem ocorrem nas planícies; e uma longa lista pode ser dada, conforme fui informado pelo doutor Hooker, de gêneros europeus encontrados na Austrália, mas não nas regiões tórridas intermediárias. Em seu admirável livro *Introduction to the Flora of New Zealand* (Introdução à flora da Nova Zelândia), o doutor Hooker oferece fatos marcantes e análogos em relação às plantas daquela grande ilha. Daí, vemos que, em todo o mundo, as plantas que crescem sobre as montanhas mais elevadas e sobre as planícies temperadas dos hemisférios Norte e Sul são às vezes idênticas; mas, com frequência muito maior, elas são de espécies diferentes, embora estejam relacionadas entre si de forma mais notável.[38]

Este breve resumo aplica-se apenas às plantas; alguns fatos estritamente análogos poderiam ser dados sobre a distribuição dos animais terrestres. Nos seres marinhos também ocorrem casos semelhantes; como exemplo,

---

37. Ferdinand von Müller (1825-1896), também conhecido como Barão Muell, foi um botânico nascido no nordeste da Alemanha, radicado na Austrália, onde realizou extensos trabalhos de descrição da flora. (N.R.T.)

38. O argumento de Darwin até aqui, e nos parágrafos seguintes, é válido em linhas gerais, embora a descrição de espécies europeias na América, Austrália, Nova Zelândia e pelo Oriente deva ser entendida como parte das dificuldades da classificação de plantas e algas. Para o argumento, bastaria que fossem espécies de um mesmo gênero ou da mesma família, o que, realmente, não é raro. Alguns casos desconhecidos à época ajudariam no argumento, como o fato de os períodos glaciais terem sido mais numerosos do que se pensava, que houve migrações durante sua ocorrência e as movimentações das placas tectônicas modificaram a geografia das terras emersas. (N.R.T.)

podemos citar a observação feita pela mais alta autoridade no assunto, o professor Dana: "certamente é um fato extraordinário que a maior semelhança dos crustáceos da Nova Zelândia seja com aqueles da Grã-Bretanha, sua antípoda, do que com os crustáceos de qualquer outra parte do mundo". Sir J. Richardson também fala do reaparecimento na costa da Nova Zelândia, da Tasmânia etc. de formas setentrionais de peixes. O doutor Hooker informou-me que há 25 espécies de algas comuns na Nova Zelândia e na Europa, mas que estas não foram encontradas nos mares tropicais da região intermediária.

Deve ser observado que as espécies setentrionais e as formas encontradas nas regiões meridionais do hemisfério Sul e sobre as cordilheiras das regiões intertropicais não são árticas, mas pertencem às zonas temperadas do norte. Conforme foi recentemente comentado pelo senhor H. C. Watson, "ao nos distanciarmos da região polar em direção às latitudes equatoriais, as floras alpinas ou de montanha tornam-se realmente cada vez menos árticas". Muitas das formas que vivem nas montanhas das regiões mais quentes da Terra e do hemisfério Sul são de valor duvidoso, sendo classificadas por alguns naturalistas como espécies diferentes e por outros como variedades; mas algumas são certamente idênticas, e muitas outras, embora tenham parentesco próximo com as formas setentrionais, devem ser classificadas como espécies distintas.

Vejamos agora que luz pode ser lançada sobre os fatos acima, com base na hipótese apoiada por um grande número de evidências de que, durante o período glacial, o mundo inteiro, ou grande parte dele, era simultaneamente muito mais frio do que atualmente. O período glacial, quando medido em anos, deve ter sido muito longo; e quando nos lembramos de que algumas plantas e alguns animais aclimatados espalharam-se por vastos territórios em apenas poucos séculos, então o período glacial terá sido suficientemente grande para qualquer volume de migrações. Conforme o frio lentamente se instalava, todas as plantas tropicais e outras produções teriam recuado de ambos os lados em direção ao Equador, seguidas pelas produções temperadas, e estas, pelas do Ártico; mas não nos preocuparemos com estas últimas neste momento. É provável que isso tenha causado muita extinção de plantas tropicais, mas é impossível falarmos em números. Os trópicos talvez tenham mantido antigamente um número de espécies tão grande quanto o que atualmente vemos no Cabo da Boa Esperança e em partes da Austrália temperada. Como sabemos que muitas plantas e muitos animais tropicais podem suportar uma quantidade considerável de frio, muitos podem ter escapado da extinção durante uma queda moderada de temperatura, especialmente ao fugirem para os pontos mais quentes. Mas o grande fato que devemos ter em mente é que todas as produções tropicais terão sofrido até certo ponto. Por outro lado, as produções temperadas, embora tenham sido colocadas em condições um pouco novas, teriam sofrido menos após migrarem para mais perto do Equador. E é certo que muitas plantas de clima temperado, se protegidas contra as incursões dos competidores, podem suportar um clima muito mais quente do que o seu próprio. Assim, tendo em vista que as produções tropicais estavam em um estado de sofrimento e por não poderem ter apresentado uma resistência firme contra os intrusos, parece-me possível que certo número de formas temperadas mais vigorosas e dominantes pode ter penetrado as fileiras nativas e alcançado – ou mesmo cruzado – a linha do Equador. A invasão, é claro, teria sido muito favorecida pelos planaltos e, talvez, por um clima seco, pois o doutor Falconer me informou que a umidade e o calor dos trópicos são muito prejudiciais para as plantas perenes de um clima temperado. De outro modo, os territórios mais úmidos e mais quentes teriam oferecido um abrigo para os nativos tropicais. As cordilheiras do noroeste do Himalaia e a longa linha da cordilheira americana parecem ter permitido duas grandes linhas de invasão: e é um fato marcante, comunicado recentemente a mim pelo doutor Hooker, que todas as plantas com flores – cerca de 46 em número – comuns à Terra do Fogo e à Europa continuam a existir na América do Norte, pois devem ser remanescentes da marcha. Contudo, não há dúvida de que algumas produções temperadas entraram e atravessaram as mesmas *planícies* dos trópicos no período de frio mais intenso, quando as formas do ártico migraram para cerca de 25 graus de latitude de seu país nativo e cobriram a terra na base dos Pirineus. Neste período de frio extremo, acredito que o clima sob o Equador ao nível do mar era o mesmo que o frio sentido atualmente no mesmo local a uma altura de 6 mil ou 7 mil pés (aproximadamente 2 mil metros). Suponho que, durante este período mais frio, os grandes territórios das planícies tropicais estivessem cobertos por uma vegetação mista tropical e temperada, semelhante àquela que hoje cresce com uma estranha exuberância na base do Himalaia, descrita de forma tão ilustrativa por Hooker.

Desse modo, acredito que um número considerável de plantas, alguns animais terrestres e algumas produções marinhas migraram durante o período glacial, provenientes das zonas temperadas do norte e do sul para as regiões intertropicais, e outros ainda cruzaram a linha do Equador. Com a volta do calor, estas formas temperadas subiriam naturalmente às montanhas mais altas, sendo exterminadas nas planícies; aquelas que não tivessem chegado do Equador migrariam novamente para o norte ou para o sul em direção aos seus antigos hábitats; mas as formas que ultrapassaram a linha do Equador, principalmente as do norte, viajariam para ainda mais longe de seus hábitats originais, até as latitudes mais temperadas do hemisfério oposto. Embora tenhamos razão para acreditar pelas evidências geológicas que todos os moluscos do Ártico quase não passaram por alguma modificação durante sua migração para o sul e remigração para o norte, o caso pode ter sido totalmente diferente em relação às formas que se estabeleceram nas montanhas intertropicais e no hemisfério Sul. Por estarem cercadas por estranhos, elas precisaram competir com muitas novas formas de vida; e é provável que certas modificações selecionadas em suas estruturas, em seus hábitos e em suas constituições as teriam beneficiado. Assim, muitos desses caminhantes, apesar de ainda estarem claramente relacionados por herança a seus irmãos dos hemisférios Norte ou Sul, hoje vivem em seus novos hábitats como variedades bem marcadas ou espécies distintas.

É um fato notável, sobre o qual insistiram Hooker em relação à América e Alphonse de Candolle em relação à Austrália, que muitas plantas idênticas e aparentadas migraram, ao que parece, mais no sentido norte-sul do que no sentido inverso. Vemos, no entanto, algumas formas vegetais meridionais nas montanhas de Bornéu e da Abissínia. Eu suspeito que esta migração preponderante do norte para o sul tenha ocorrido devido à maior extensão de terras no norte e porque as formas setentrionais ocorreram em seus hábitats naturais em número cada vez maior e, consequentemente, por meio da seleção natural e da competição, desenvolveram-se a um grau de perfeição ou poder dominante maior do que as formas do sul. E assim, quando elas se misturaram durante o período glacial, as formas do norte puderam derrotar as formas mais fracas do sul.[39] Da mesma maneira, vemos atualmente que muitas produções europeias cobrem o solo na região do Prata – e em menor grau na Austrália – e têm até certo ponto derrotado as formas nativas; por outro lado, pouquíssimas formas meridionais conseguiram se aclimatar em qualquer parte da Europa, embora peles, lãs e outros objetos que podem transportar sementes tenham sido levados para a Europa durante os últimos dois ou três séculos da região da Prata e durante os últimos trinta ou quarenta anos da Austrália. Algo parecido deve ter ocorrido nas montanhas intertropicais que estavam, sem dúvida, repletas de formas alpinas antes do período glacial; mas, em quase todos os lugares, estas últimas cederam seus nichos às formas mais dominantes, geradas nas áreas maiores e de produção mais eficiente do norte. Em muitas ilhas as produções nativas existem em quantidade quase igual ou até mesmo menor que as aclimatadas; e como as formas nativas não foram exterminadas, sua ocorrência foi consideravelmente reduzida; este é o primeiro passo para a extinção. Uma montanha é uma ilha terrestre; e, antes do período glacial, as montanhas intertropicais deviam ser completamente isoladas; acredito que as produções dessas ilhas terrestres cederam seus nichos àquelas produzidas nas áreas maiores do norte da mesma maneira como as produções de ilhas verdadeiras têm cedido atualmente seus nichos às formas continentais, aclimatadas pela ação humana.

Estou longe de supor que foram resolvidas todas as dificuldades dessa hipótese em relação à distribuição e às afinidades das espécies aparentadas que vivem nas zonas temperadas do norte, do sul e nas montanhas das regiões intertropicais. Muitas dificuldades continuam sem solução. Não pretendo indicar as linhas e os meios exatos da migração nem a razão por que certas espécies e não outras migraram; nem por que certas espécies foram modificadas e deram origem a novos grupos de formas enquanto outras permaneceram inalteradas. Não há como explicar tais fatos antes de podermos dizer que uma espécie e não outra se tornou aclimatada pela ação humana em um território estrangeiro; ou por que uma espécie está distri-

39. Note-se a maneira como Darwin se refere à "supremacia" das "formas do norte", reflexo de uma visão ideológica bem marcada e comum em sua época. (N.R.T.)

buída em distâncias duas ou três vezes maiores e é duas ou três vezes mais comum que outra espécie que vive na mesma região.

Eu disse que muitas dificuldades ainda precisam ser resolvidas: algumas das mais notáveis são apresentadas com clareza admirável pelo doutor Hooker em seus trabalhos botânicos sobre as regiões antárticas. Não poderemos discuti-las aqui. Direi apenas que, em relação à ocorrência de espécies idênticas em pontos extremamente remotos como as ilhas de Kerguelen, a Nova Zelândia e a Terra do Fogo, acredito que, no fim do período glacial, os *icebergs*, conforme sugerido por Lyell, foram em grande parte os responsáveis por sua dispersão. Porém a existência de várias espécies bastante distintas, pertencentes a gêneros exclusivamente confinados ao sul, nestes e em outros pontos distantes do hemisfério Sul é, por minha teoria de descendência com modificação, um caso muito mais notável de dificuldade. Pois algumas destas espécies são tão distintas que nós não podemos supor que tenha passado tempo suficiente desde o início do período glacial para sua migração e posterior modificação até o grau necessário. Os fatos parecem indicar que espécies peculiares e muito distintas migraram a partir de um centro comum por linhas de irradiação; e estou inclinado a presumir a existência – nos hemisférios Sul e Norte – de um período antigo mais quente, ocorrido antes do início do período glacial, quando a Antártida, agora coberta por gelo, continha uma flora extremamente peculiar e isolada. Suspeito que antes de esta flora ser exterminada pela época glacial, algumas formas se dispersaram de maneira ampla para vários pontos do hemisfério Sul por meios de transporte ocasionais e pelo auxílio, como lugar de parada, de ilhas existentes à época e agora afundadas e, talvez, no início do período glacial, por *icebergs*. Acredito que, por estes meios, a costa sul da América, da Austrália e da Nova Zelândia ficou ligeiramente matizada pelas mesmas formas peculiares de vida vegetal.

Em uma passagem marcante, Sir C. Lyell especulou, em linguagem quase idêntica à minha, sobre os efeitos das grandes mudanças climáticas na distribuição geográfica. Creio que o mundo passou recentemente por um de seus grandes ciclos de mudança; e se somarmos essa hipótese à modificação pela seleção natural, poderemos explicar uma grande quantidade de fatos sobre a distribuição atual das formas de vida idênticas e aparentadas. Pode-se afirmar que as águas cheias de vida fluíram do sul e do norte durante um período curto e então se encontraram na linha do Equador; mas as águas advindas do norte vieram com maior força e inundaram o sul de forma livre. Assim como a maré deixa seus despojos em linhas horizontais, embora adentre mais nas margens em que a maré está mais alta, o mesmo ocorre com as águas cheias de vida que deixam seus despojos vivos nos cumes de nossas montanhas, numa linha que se eleva delicadamente desde as planícies árticas até uma grande altitude abaixo da linha do Equador. Os vários seres assim deixados podem ser comparados às raças de homens selvagens que, forçados a subir, sobrevivem nas fortalezas montanhosas de quase todos os lugares do mundo e servem como um registro extremamente interessante dos antigos habitantes das planícies circundantes.

CAPÍTULO 12

Distribuição geográfica (*continuação*)

Distribuição das produções de água doce – Os habitantes das ilhas oceânicas – Ausência de batráquios e mamíferos terrestres – As afinidades entre os habitantes das ilhas e do continente mais próximo – A colonização a partir da fonte mais próxima com subsequente modificação – Resumo do capítulo anterior e deste

Tendo em vista que os lagos e os sistemas fluviais estão separados uns dos outros por barreiras de terra, poderíamos imaginar que as produções de água doce não deveriam variar muito em um mesmo território e, tendo em vista que o mar é aparentemente uma barreira mais intransponível ainda, que elas nunca teriam se espalhado até territórios mais distantes. Mas o caso é exatamente o inverso. Além de muitas espécies de água doce – pertencentes a classes bastante diferentes – estarem bem distribuídas, as espécies aparentadas prevalecem de forma notável em todo o mundo. Eu bem me lembro de que, ao coletar insetos, moluscos etc. nas águas doces do Brasil, fiquei muito surpreso ao notar que, quando comparadas com os organismos da Grã-Bretanha, se por um lado as produções de água doce dessas duas regiões eram muito semelhantes, por outro lado, as produções terrestres circundantes eram bastante diferentes.[1]

No entanto eu acredito que essa capacidade de ampla distribuição dos seres de água doce, embora tão inesperada, pode, na maioria dos casos, ser

1. Trata-se de observação que não tem o significado que Darwin pretende lhe atribuir, ou seja, que animais aquáticos podem alcançar distribuição geográfica mais ampla. Isso pode ser discutido à luz das formas larvais e dos ciclos reprodutivos. (N.R.T.)

explicada pelo fato de eles terem se tornado aptos, de uma forma altamente útil para eles, a realizar migrações curtas e frequentes, de lagoa em lagoa, ou de rio em rio; a possibilidade da ampla dispersão seria uma consequência quase necessária desta capacidade. Falaremos aqui apenas de alguns casos. Em relação aos peixes, acredito que uma mesma espécie nunca ocorre em águas doces de continentes distantes. Porém, no mesmo continente, as espécies muitas vezes distribuem-se de forma ampla e quase caprichosa; pois dois sistemas fluviais terão alguns peixes em comum e outros diferentes. Alguns fatos parecem favorecer a possibilidade de seu transporte ocasional por meios acidentais; por exemplo, os peixes vivos que não raramente são transportados por turbilhões na Índia, bem como a vitalidade de seus ovos quando são retirados da água. Porém estou inclinado a atribuir a dispersão dos peixes de água doce principalmente a pequenas mudanças dos níveis do terreno ocorridas no período recente, causando a intercessão dos rios. Poderíamos também oferecer exemplos da ocorrência dessa interposição causada por inundações, sem qualquer alteração do nível do terreno. No *loesse*[2] do Reno, há evidência de alterações consideráveis do nível dos terrenos ocorridas em um período geológico muito recente, quando a superfície estava povoada por moluscos terrestres e de água doce. Outro fato que parece levar à mesma conclusão é a grande diferença entre os peixes existentes em lados opostos das cordilheiras contínuas, as quais, em um período inicial, devem ter dividido os sistemas fluviais, impedindo completamente a junção destes. Em relação aos peixes de água doce aparentados que ocorrem em pontos muito distantes do mundo, há sem dúvida muitos casos que, atualmente, não podemos explicar: mas alguns peixes de água doce pertencem a formas muito antigas e, nesses casos, teria havido tempo suficiente para a ocorrência de grandes mudanças geográficas e, consequentemente, tempo e meios para grandes migrações. Em segundo lugar, os peixes de água salgada podem acostumar-se lenta e meticulosamente a viver na água doce; e, de acordo com Valenciennes,[3] há pouquíssimos grupos de peixes confinados exclusivamente à água doce, e, assim, podemos imaginar que um membro

---

2. Sedimento de coloração amarelada. (N.T.)
3. Achile Valenciennes (1794-1865), zoólogo francês, criador da parasitologia. Também foi um conhecido ictiologista e escreveu, com Georges Cuvier, uma obra em 22 volumes chamada *Histoire Naturelle des Poissons* (A história natural dos peixes). (N.T.)

marinho de um grupo de água doce poderia nadar grandes distâncias ao longo de costas marinhas e, posteriormente, se modificar e se adaptar para sobreviver nas águas doces de um território distante.

Algumas espécies de moluscos de água doce têm uma distribuição bastante ampla, e, além disso, as espécies aparentadas – que, por minha teoria, são descendentes de um ascendente comum e devem originar-se de uma única fonte – prevalecem em todo o mundo. Em um primeiro momento, sua distribuição deixou-me bastante perplexo, pois seus ovos não podem ser transportados por aves e são, também, imediatamente destruídos pela água do mar, assim como ocorre com os adultos. Eu não era capaz sequer de entender como algumas espécies naturalizadas conseguiam se espalhar rapidamente por todo um mesmo território. Mas observei dois fatos que podem lançar alguma luz sobre este assunto – e existem sem dúvida muitos outros fatos que ainda precisam ser observados. Vi por duas vezes que, quando um pato emerge repentinamente de um lago coberto por plantinhas das subfamílias Lemnoideae,[4] esses vegetais aderem-se às suas costas; passei então uma pequena quantidade dessas plantas de um aquário para outro e, sem querer, acabei povoando este último com moluscos de água doce do primeiro. Entretanto há outro meio que talvez seja mais eficaz: em um aquário onde muitos ovos de moluscos de água doce estavam eclodindo, suspendi uns pés de pato, que podem representar aqueles de uma ave dormindo em uma lagoa natural, e notei que os numerosos moluscos extremamente pequenos que tinham acabado de nascer haviam se agarrado aos pés de pato de forma tão firme que, ao retirar os pés da água, eu os sacudi, mas não consegui fazer que os moluscos se desvencilhassem, embora caíssem voluntariamente em uma idade um pouco mais avançada. Esses moluscos recém-eclodidos, embora tivessem natureza aquática, sobreviveram nos pés de pato, em ar úmido, por algo entre doze e vinte horas; neste período de tempo, um pato ou uma garça pode voar pelo menos seiscentas ou setecentas milhas (aproximadamente 965 e 1.126 quilômetros) se levados através do mar pelo vento até uma ilha oceânica, ou para qualquer outro ponto distante; e a ave certamente pousaria em um lago ou riacho quando lá chegasse. Sir Charles Lyell também

4. Pequenas plantas flutuantes, conhecidas como lentilhas-d'água. (N.R.T.)

me informou que foi coletado um *Dyticus* (sic)[5] com um *Ancylus* (um molusco de água doce semelhante a uma craca) firmemente aderindo a ele; e um besouro aquático da mesma família, um *Colymbetes*,[6] uma vez pousou a bordo do Beagle, quando estávamos a 45 milhas (aproximadamente 72 quilômetros) da terra mais próxima: não podemos dizer quanto mais longe ele poderia ter voado com um vendaval favorável.[7]

No que diz respeito a plantas, há muito que se conhece a enorme distribuição de muitas espécies de água doce e até mesmo de pântanos, tanto nos continentes quanto nas mais remotas ilhas oceânicas. Isso é demonstrado de maneira contundente, conforme observado por Alphonse de Candolle, em grandes grupos de plantas terrestres que possuem apenas uns poucos membros aquáticos; pois estes últimos parecem adquirir imediatamente, como que por consequência, uma distribuição muito ampla. Eu acredito que os meios favoráveis à dispersão explicam este fato. Eu mencionei que, ocasionalmente, embora seja raro, uma certa quantidade de terra adere aos pés e bicos de aves. Se as aves limícolas que frequentam as bordas lamacentas de lagoas fossem repentinamente expulsas, elas ficariam provavelmente com os pés enlameados. Posso demonstrar que as aves desta ordem são as mais itinerantes e que são ocasionalmente encontradas nas ilhas mais remotas e estéreis do oceano; não é possível que elas pousem na superfície do mar e, dessa forma, limpem a terra de seus pés; e, ao chegar em terra firme, elas certamente voam até seus nichos naturais de água doce. Não acredito que os botânicos tenham consciência de quão carregado de sementes é o lodo das lagoas. Realizei várias experiências, mas descreverei aqui apenas o caso mais interessante: em fevereiro, em três pontos diferentes, eu recolhi três colheres de sopa da lama que estava sob a água à beira de uma pequena lagoa; esta lama, quando estava seca, pesava apenas 6 ¾ onças (aproximadamente 190 gramas); mantive essas amostras cobertas em meu escritório

---

5. O gênero *Dytiscus* é composto de besouros. (N.R.T.)

6. Gênero de besouro da família Dytiscidae. (N.T.)

7. Esta passagem rendeu uma enorme coleção de casos notáveis. Na última publicação em vida, em 6 de abril de 1882, na revista *Nature*, Darwin relatou o caso de um pequeno molusco aderido a um besouro, remetido a ele por um sapateiro, e relembrou o caso do besouro achado a bordo do Beagle. O sapateiro, Walter Drawbridge Crick, faleceu em 1903; cinquenta anos depois, seu neto, Francis Crick, descobriria a estrutura molecular do DNA, o que lhe renderia o prêmio Nobel. (N.R.T.)

durante seis meses, retirando-as e contando as plantas conforme iam nascendo; havia plantas de muitos tipos e, ao final, contei 537 delas; e, ainda assim, toda a lama úmida recolhida cabia em apenas uma xícara de chá! Considerando estes fatos, percebo que seria algo bastante inexplicável se aves aquáticas não transportassem as sementes das plantas de água doce para grandes distâncias e, consequentemente, a distribuição dessas plantas não fosse muito grande. Os ovos de alguns dos animais muito pequenos de água doce podem ter sido transportados por este mesmo meio.

Talvez existam também outros meios desconhecidos. Afirmei que os peixes de água doce comem alguns tipos de sementes e rejeitam muitos outros após os terem engolido; até mesmo os peixes pequenos engolem sementes de tamanho moderado, como as do lírio-d'água-amarelo[8] e das plantas do gênero *Potamogeton*. Século após século, as garças e outras aves têm devorado peixes diariamente; elas então levantam voo e vão para outras águas ou, levadas pelos ventos, atravessam o mar; e, conforme já vimos, as sementes mantêm sua capacidade de germinação por muitas horas após serem rejeitadas em pelotas regurgitadas ou no excremento. Quando me dei conta do grande tamanho das sementes de um belo lírio-d'água, o *Nelumbium*, e me lembrei das observações feitas por Alphonse de Candolle sobre esta planta, imaginei que sua distribuição deveria ser completamente inexplicável; mas Audubon afirma que encontrou as sementes do grande lírio-d'água-meridional (provavelmente, de acordo com o doutor Hooker, o *Nelumbium luteum*) no estômago de uma garça; embora eu não conheça o fato, a analogia faz-me acreditar que uma garça que voasse para outra lagoa e fizesse uma farta refeição de peixes provavelmente rejeitaria de seu estômago uma bolota com as sementes não digeridas do *Nelumbium*; ou as sementes poderiam ser entregues pela ave quando estivesse alimentando seus filhotes, da mesma forma que por vezes, conforme sabemos, entregam peixes.

Considerando esses diversos meios de distribuição, devemos lembrar que, quando uma lagoa ou um córrego é formado, como, por exemplo, durante a elevação de uma ilhota, eles estão inicialmente inabitados; assim, uma única semente ou um ovo terão uma boa chance de eclodir. Sempre haverá uma luta pela sobrevivência entre os indivíduos das espécies – mesmo que

8. *Nuphar lutea*. (N.T.)

sejam poucos – que já vivem em uma certa lagoa. Mas, já que o número de espécies é pequeno em comparação ao número de espécies terrestres, a competição entre as espécies aquáticas será provavelmente menos intensa que a luta entre as espécies terrestres; consequentemente, um intruso vindo de águas estrangeiras teria mais chances de obter um nicho para si do que no caso dos colonizadores terrestres. Devemos também recordar que alguns – talvez muitos – seres de água doce estão na parte inferior da escala da natureza e que temos razões para acreditar que esses seres da parte inferior são alterados ou tornam-se modificados menos rapidamente do que os seres da parte superior da escala; e isso oferece um tempo maior do que a média para a migração das mesmas espécies.[9] Não devemos nos esquecer da probabilidade de que, antes de terem sido extintas nas áreas intermediárias, muitas espécies estivessem distribuídas sobre áreas imensas e de forma tão contínua quanto é possível para as produções de água doce. Porém eu acredito que a ampla distribuição das plantas de água doce e dos animais que pertencem à parte mais baixa da escala da natureza – mantendo sua forma idêntica ou com algum grau de modificação – depende principalmente da grande dispersão de suas sementes e ovos por animais, especialmente pelas aves de água doce, que têm capacidade de voar grandes distâncias e, naturalmente, viajam de uma porção de água para outra e, muitas vezes, até pontos distantes. Dessa forma, a Natureza, assim como um jardineiro meticuloso, leva suas sementes de um leito com características específicas e as descarta em outro igualmente adequado para elas.[10]

Os habitantes das ilhas oceânicas

Chegamos agora à última das três classes de fatos selecionadas por mim como as que apresentam o maior número de dificuldades em relação à hipótese de que todos os indivíduos da mesma espécie e de espécies aparentadas descendem de um único ancestral; e, por conseguinte, de que todos

9. Observação baseada na crença equivocada de que os invertebrados variam menos do que vertebrados, provavelmente ligada ao fato de os invertebrados deixarem menos detalhes fósseis impressos nas rochas do que os vertebrados, com seus ossos. (N.R.T.)

10. Trata-se de uma descrição poética da relação de transporte de um animal por outro, descrita mais tarde como foresia, como no caso do molusco transportado pelo besouro aquático. (N.R.T.)

eles vieram de um mesmo local, ainda que, no decorrer do tempo, tenham passado a habitar pontos distantes do globo. Já afirmei que não posso aceitar honestamente a hipótese de Forbes sobre as extensões continentais, que, se seguida de forma legítima, levaria à crença de que, ainda em um período recente, todas as ilhas existentes estavam quase ou completamente unidas a um continente. Este ponto de vista removeria muitas dificuldades, mas acredito que não explica todos os fatos em relação às produções insulares. Nos comentários a seguir, não me limitarei à mera questão da dispersão; mas considerarei alguns outros fatos que se baseiam na verdade das duas teorias: a criação independente e a descendência com modificação.

As espécies de todos os tipos que habitam as ilhas oceânicas são poucas em número em comparação com as que vivem em áreas continentais de igual tamanho: Alphonse de Candolle aceita este fato em relação às plantas e Wollaston o faz em relação aos insetos. Se observarmos a grande extensão e as variadas estações da Nova Zelândia, estendendo-se mais de 780 milhas (aproximadamente 1.250 quilômetros) em latitude, e compararmos suas plantas com flores – apenas 750 delas – com aquelas de uma área equivalente – o Cabo da Boa Esperança, ou a Austrália –, precisaremos admitir que algo completamente independente de qualquer diferença nas condições físicas causou uma diferença numérica tão grande. Até mesmo o condado de Cambridge, mesmo sendo bastante uniforme, possui 847 plantas, e a pequena ilha de Anglesea, 764; mas algumas samambaias e algumas plantas introduzidas constam desses números e, em alguns outros aspectos, a comparação não é muito justa. Temos provas de que a estéril ilha de Ascensão continha originalmente menos de meia dúzia de plantas; mas, ainda assim, muitas se tornaram aclimatadas; o mesmo ocorreu na Nova Zelândia e em todas as outras ilhas oceânicas conhecidas. Há razões para acreditar que, em Santa Helena, as plantas e os animais introduzidos exterminaram muitas produções nativas de forma completa ou parcial. Quem aceita a doutrina da criação separada de cada espécie tem de admitir que variadas plantas e diversos animais mais bem-adaptados não foram criados em ilhas oceânicas, pois os seres humanos as têm preenchido com várias fontes de forma involuntária e de maneira muito mais plena e perfeita do que a Natureza.

Embora o número de tipos de habitantes das ilhas oceânicas seja escasso, a proporção de suas espécies endêmicas (ou seja, aquelas que não podem ser encontradas em outros lugares) é, muitas vezes, extremamente grande. Veremos que isso é verdade se compararmos, por exemplo, o número de moluscos terrestres endêmicos na Madeira ou de aves endêmicas no arquipélago de Galápagos com o número encontrado em qualquer continente e, em seguida, compararmos a área das ilhas com a dos continentes. Este fato pode ser previsto por minha teoria, pois, conforme já explicado, as espécies que chegam ocasionalmente a uma nova área isolada após longos intervalos têm de competir com os novos associados, são muito suscetíveis a sofrer modificações e, muitas vezes, produzem grupos modificados de descendentes. No entanto de forma alguma tem-se como consequência que, dado que em uma ilha quase todas as espécies de uma classe são peculiares, então aquelas de outra classe, ou de outra seção da mesma classe, também serão peculiares; e essa diferença parece depender do fato de espécies não modificadas terem imigrado com facilidade e em conjunto e, por isso, terem mantido suas relações mútuas sem muitas perturbações. Assim, nas ilhas Galápagos quase todas as aves terrestres, mas apenas duas das onze aves marinhas, são peculiares; e é óbvio que as aves marinhas podem chegar a estas ilhas mais facilmente do que as aves terrestres. As Bermudas, por outro lado, que estão à mesma distância da América do Norte que as ilhas Galápagos da América do Sul, e têm um solo muito particular, não possuem sequer uma ave terrestre endêmica; e sabemos pelo admirável relato do senhor J. M. Jones[11] sobre as Bermudas que muitas aves norte-americanas, durante as grandes migrações anuais, também visitam a ilha de forma periódica ou ocasional. A Madeira não possui aves peculiares e, conforme fui informado pelo senhor E. V. Harcourt,[12] quase todos os anos os ventos sopram as aves europeias e africanas até lá. Dessa forma, estas duas ilhas, as Bermudas e a ilha da Madeira, têm sido povoadas por aves que há muito tempo lutam entre si pela sobrevivência nessas ilhas, tornando-se mutuamente adaptadas umas às outras; e, assim que se estabeleceram em seus novos lares, cada tipo foi mantido pelas outras aves em seus devidos nichos e com seus hábitos e, consequentemente, se tornou pouco suscetível a sofrer modificações. Além

11. Em 1859, John Matthew Jones (1828-1888) publicou *The Naturalist in Bermuda* (O naturalista nas Bermudas). (N.T.)
12. Edward William Vernon Harcourt (1825-1891), político inglês e naturalista amador. (N.T.)

disso, enquanto a ilha da Madeira é habitada por um número admirável de moluscos terrestres específicos, nenhuma das espécies de moluscos marinhos limita-se à área costeira da ilha; embora não saibamos como funciona a dispersão dos moluscos marinhos, podemos ver que seus ovos ou larvas, talvez presos a algas ou pedaços de madeira flutuante, ou nos pés de aves limícolas, podem ser transportados com mais facilidade que os moluscos terrestres por trezentas ou quatrocentas milhas (aproximadamente 480 e 640 quilômetros) de mar aberto. As diferentes ordens de insetos da ilha da Madeira, aparentemente, apresentam fatos análogos.

As ilhas oceânicas carecem por vezes de certas classes, e seus nichos são aparentemente ocupados pelos outros habitantes; nas ilhas Galápagos, o nicho dos mamíferos é ocupado por répteis e, na Nova Zelândia, por gigantescas aves sem asas. O doutor Hooker demonstrou que os números relativos das diferentes ordens de plantas das ilhas Galápagos são muito diferentes dos valores encontrados em outros lugares. Esses casos costumam ser explicados pelas condições físicas das ilhas; mas essa explicação me parece um tanto duvidosa. Acredito que a facilidade da imigração é, no mínimo, tão importante quanto a natureza das condições.

É possível oferecer uma grande quantidade de pequenos fatos notáveis com relação aos habitantes das ilhas remotas. Por exemplo, em certas ilhas não habitadas por mamíferos, algumas plantas endêmicas possuem belas sementes com ganchos; ainda assim, poucas relações são tão impressionantes quanto a adaptação das sementes que têm ganchos para que sejam transportadas aderidas aos pelos da pele dos quadrúpedes. De acordo com a minha tese, este caso não apresenta qualquer dificuldade, pois uma semente com gancho poderia ser transportada para uma ilha por outros meios; e a planta, ali, após passar por poucas modificações, manteria suas sementes com ganchos e se tornaria uma espécie endêmica com um apêndice tão inútil como qualquer outro órgão rudimentar, por exemplo, as asas reduzidas sob os élitros fundidos de muitos besouros insulares.[13] Além disso, muitas

13. Os criacionistas repetiam a máxima de Aristóteles *Natura nihil frustra facit* (A Natureza nada faz em vão), e Darwin enumera casos impossíveis de ser explicados por eles, mas facilmente explicados por suas ideias sobre a distribuição geográfica e da descendência com modificação. Plantas com sementes que aderem ao pelo de mamíferos ocorrem em ilhas onde esses animais não habitam. No caso dos besouros que têm asas, os élitros fundidos impedem que elas se

vezes as ilhas possuem árvores ou arbustos pertencentes a ordens que, em outros lugares, incluem apenas espécies herbáceas; mas, conforme demonstrado por Alphonse de Candolle, as árvores, quaisquer que sejam as causas, costumam ter uma distribuição limitada. Seria, portanto, pouco provável que as árvores atingissem as distantes ilhas oceânicas; e, mesmo não tendo chance de competir com sucesso em relação à sua altura com uma árvore totalmente desenvolvida, quando uma planta herbácea se estabelece em uma ilha e precisa competir sozinha com outras plantas herbáceas, a capacidade de crescer mais que as outras plantas é facilmente uma boa vantagem. Desse modo, independentemente da ordem a que pertençam as plantas herbáceas das ilhas, a seleção natural tende muitas vezes a aumentar a estatura destes organismos, transformando-os inicialmente em arbustos e, por fim, em árvores.

No que diz respeito à ausência de ordens inteiras nas ilhas oceânicas, Bory St. Vincent[14] observou há muito tempo que nunca foram encontrados batráquios (rãs, sapos, salamandras) em qualquer uma das muitas ilhas que cravejam os grandes oceanos. Esforcei-me para verificar esta afirmação, a qual descobri ser estritamente verdadeira. Asseguraram-me, no entanto, a respeito da existência de um sapo nas montanhas da grande ilha da Nova Zelândia, mas eu suspeito que esta exceção (se a informação estiver correta) pode ser explicada pela intervenção glacial. Esta ausência geral de sapos, rãs e salamandras em muitas ilhas oceânicas não pode ser explicada pelas condições físicas destas; na verdade, parece que as ilhas estão especialmente bem-adaptadas para estes animais; pois, após serem introduzidos na ilha da Madeira, nos Açores e nas ilhas Maurício, os sapos se multiplicaram a ponto de se tornar um incômodo. Mas, tendo em vista sabermos que esses animais e suas crias são imediatamente mortos pela água do mar, podemos, em minha opinião, ver que haverá grandes dificuldades para que consigam atravessar o mar, e, então, esse seria o motivo pelo qual eles não ocorrem nas ilhas oceânicas. Porém seria muito difícil explicar pela teoria da criação por que eles não foram criados nas próprias ilhas.

---

abram; portanto, são insetos com asas, mas incapazes de voar. O assunto será retomado com mais ênfase no próximo capítulo. (N.R.T.)

14. Jean-Baptiste Bory de Saint-Vincent (1778-1846), naturalista e geógrafo francês. (N.T.)

Os mamíferos oferecem outro exemplo semelhante. Pesquisei minuciosamente as viagens mais antigas e, embora eu ainda não tenha terminado a pesquisa, não encontrei um único exemplo indubitável de algum mamífero terrestre (excluindo os animais domesticados pelos nativos) que habitasse uma ilha situada a mais de trezentas milhas (aproximadamente 480 quilômetros) de um continente ou de uma grande ilha continental; além disso, muitas ilhas localizadas a distâncias muito menores que esta são igualmente estéreis. As ilhas Malvinas, habitadas por uma raposa semelhante a um lobo, são o que temos de mais próximo de uma exceção; mas este grupo não pode ser considerado oceânico, pois encontra-se em um banco de terra ligado ao continente; além disso, os *icebergs* que trouxeram no passado rochedos para a costa ocidental da ilha podem também ter trazido raposas, de forma semelhante ao que ocorre com tanta frequência atualmente nas regiões árticas.[15] Ainda assim, não se pode dizer que as ilhas pequenas não comportam pequenos mamíferos, pois estes ocorrem em ilhas bastante pequenas de muitas partes do mundo, quando próximas do continente; dificilmente conseguiríamos indicar uma ilha onde nossos pequenos quadrúpedes não tenham conseguido aclimatar-se e multiplicar-se bastante. Não é possível dizer com base na hipótese comum da criação que não houve tempo para a criação de mamíferos;[16] muitas ilhas vulcânicas são suficientemente antigas, conforme prova a estupenda degradação que elas sofreram e por seus estratos terciários; além disso, também houve tempo para a produção de espécies endêmicas pertencentes a outras classes; e, nos continentes, acredita-se que os mamíferos surgem e desaparecem a um ritmo mais rápido do que os outros animais inferiores.[17] Embora os mamíferos terrestres não ocorram nas ilhas oceânicas, existem mamíferos aéreos em quase todas as ilhas. A Nova Zelândia tem

---

15. Estudos moleculares recentes comprovaram que a raposa das Malvinas (*Dusicyon australis*) é muito aparentada dos canídeos continentais sul-americanos selvagens, como o lobo-guará. Neste caso, a última glaciação e o consequente rebaixamento do nível do mar explicam o fato de ilhas próximas terem se unido ao continente, permitindo migrações que cessaram com a subida do nível do mar em cerca de cem metros, há pouco mais de 11 mil anos. O último exemplar da raposa das Malvinas foi morto em 1876, animal extinto desde então. (N.R.T.)

16. Esta era a explicação encontrada no livro *Vestiges of the Natural History of Creation*, publicado em 1844. (N.R.T.)

17. Como vimos, trata-se de crença equivocada. (N.R.T.)

dois tipos de morcego que não são encontrados em nenhum outro lugar do mundo. A ilha Norfolk, o arquipélago de Viti, as ilhas Bonin, as ilhas Carolinas, Marianas e as ilhas Maurício, todas elas têm morcegos peculiares. Em relação às ilhas distantes, alguém poderia perguntar: por que esta suposta força criativa produziu morcegos, mas não outros mamíferos? Esta questão pode ser facilmente respondida por minha teoria, pois não é possível transportar algum mamífero terrestre através de distâncias oceânicas muito extensas, mas os morcegos conseguem ultrapassar essas distâncias pelo voo. Tem-se avistado morcegos vagando sobre pontos distantes do Oceano Atlântico; e duas espécies norte-americanas fazem visitas regulares ou ocasionais às Bermudas, localizadas a seiscentas milhas (aproximadamente 965 quilômetros) do continente. O senhor Tomes,[18] que estudou esta família em particular, disse que muitos morcegos da mesma espécie abrangem distribuições gigantescas e são encontrados nos continentes e nas ilhas distantes. Portanto, para entendermos a presença de morcegos endêmicos nas ilhas e a ausência de todos os mamíferos terrestres, precisamos apenas supor que, em seus novos hábitats e em relação a suas novas posições, essas espécies errantes foram modificadas por meio da seleção natural.

Além da ausência de mamíferos terrestres por causa da distância entre as ilhas e os continentes, há também uma relação – que, em certa medida, não depende da distância – entre a profundidade do mar que separa uma certa ilha de seu continente vizinho e a presença em ambos os locais das mesmas espécies de mamíferos ou de espécies aparentadas em condições mais ou menos modificadas. O senhor Windsor Earl[19] fez algumas observações notáveis sobre este tópico referentes ao grande arquipélago malaio, o qual, próximo às ilhas Celebes, é atravessado por um espaço de oceano profundo; e este espaço separa duas faunas muito distintas de mamíferos. Ambos os lados das ilhas situam-se em margens submarinas moderadamente profundas, e eles são habitados por quadrúpedes aparentados ou

18. Robert Fischer Tomes (1823-1904), fazendeiro e zoólogo inglês especializado em morcegos. (N.T.)

19. George Windsor Earl (1813-1865), navegador e escritor inglês. Em 1845, publicou *On the Physical Geography of South-Eastern Asia and Australia* (Geografia física da Austrália e do sudeste da Ásia). (N.T.)

idênticos. Sem dúvida, ocorrem algumas poucas anomalias neste grande arquipélago e, em alguns casos, é muito difícil formar algum juízo devido à provável aclimatação de determinados mamíferos por intermédio da atuação do homem; mas, em breve, saberemos muito mais sobre a história natural deste arquipélago por meio do zelo e das pesquisas admiráveis do senhor Wallace. Ainda não tive tempo de acompanhar este assunto em todas as outras partes do mundo; mas, pelo que vi até agora, parece que a relação geralmente se sustenta. A Grã-Bretanha está separada da Europa por um canal raso, e os mamíferos de ambos os lados são os mesmos; vemos fatos análogos em muitas ilhas separadas da Austrália por canais semelhantes. As ilhas das Índias Ocidentais[20] estão situadas em um banco profundamente submerso a quase mil braças (aproximadamente 1,8 quilômetro) de profundidade; nelas encontramos formas americanas, mas suas espécies e até mesmo seus gêneros são distintos. Tendo em vista que, em todos os casos, a quantidade de modificações depende em certa medida do transcurso do tempo, e tendo em vista que durante as alterações de nível as ilhas separadas por canais rasos estavam obviamente mais suscetíveis a, em um período recente, se unir ao continente do que as ilhas separadas por canais mais profundos, então podemos entender a frequente relação entre a profundidade do mar e o grau de afinidade entre os mamíferos habitantes das ilhas e aqueles de um continente vizinho, uma relação inexplicável pela hipótese dos atos independentes de criação.[21]

Todas as observações anteriores sobre os habitantes das ilhas oceânicas, ou seja, a escassez dos tipos, a riqueza das formas endêmicas de classes específicas ou seções de classes, a ausência de grupos inteiros (por exemplo, batráquios e mamíferos terrestres, não obstante a presença de morcegos aéreos), as proporções singulares de certas ordens de plantas, formas herbáceas, tendo sido desenvolvidas em árvores etc., parecem concordar melhor com a ideia de meio ocasional de transporte, tendo sido amplamente eficiente no longo curso do tempo, do que com a ideia de que todas as nossas ilhas oceânicas teriam estado anteriormente ligadas por terra contínua com

---

20. Ilhas do Caribe. (N.T.)

21. Este fato hoje é ainda mais significativo em consequência do conhecido rebaixamento do nível do mar em cerca de cem metros na última glaciação. (N.R.T.)

o continente mais próximo; por sobre este último ponto de vista, a migração teria sido mais completa; e se a modificação for admitida, todas as formas de vida teriam sido mais igualmente modificadas, em conformidade com a enorme importância da relação de organismo com organismo.

Não nego a existência de muitas graves dificuldades para compreendermos como inúmeros habitantes das ilhas mais remotas podem ter chegado até seus hábitats atuais, mantendo a mesma forma específica ou modificados desde a sua chegada. Não devemos nos esquecer da possibilidade de muitas ilhas terem servido como pontos de paragem, mas atualmente não terem um só vestígio desses fatos. Darei aqui apenas um exemplo de um dos casos difíceis. Quase todas as ilhas oceânicas, mesmo as menores e mais isoladas, são habitadas por moluscos terrestres, geralmente por espécies endêmicas, mas às vezes por espécies encontradas em outros lugares. O doutor Aug. A. Gould[22] ofereceu vários exemplos interessantes de moluscos terrestres das ilhas do Pacífico. Agora, sabemos que o sal mata os moluscos terrestres com muita facilidade; seus ovos – pelo menos aqueles que testei – afundam na água do mar e são mortos por ela. Ainda assim, acredito que exista algum meio desconhecido mas altamente eficiente para o seu transporte. Será que os moluscos recém-eclodidos de seus ovos poderiam ocasionalmente aderir aos pés de aves pousadas no chão e, dessa forma, ser transportados? Ocorreu-me que, quando os moluscos terrestres hibernam, eles criam diafragmas membranosos sobre a entrada de suas conchas, podendo, dessa forma, flutuar sobre pedaços de madeira à deriva; isso os permitiria atravessar distâncias moderadamente grandes de mar. Além disso, descobri que várias espécies neste estado suportam ilesas sete dias de imersão em água salgada; um dos moluscos utilizados no experimento foi o *Helix pomatia*, e, após entrar novamente em estado de hibernação, eu o coloquei em água salgada durante vinte dias: o *H. pomatia* recuperou-se integralmente. Esta espécie possui um grosso opérculo calcário; eu o removi e aguardei a formação de uma nova membrana; em seguida, o imergi por catorze dias na água do mar. O molusco recuperou-se e foi embora rastejando; mas ainda precisamos realizar mais experiências sobre este tópico.

---

22. Augustus Addison Gould (1805-1866), conquiliologista norte-americano. (N.T.)

Para nós, o fato mais contundente e importante no que se refere aos habitantes das ilhas é a afinidade que possuem com os habitantes do continente mais próximo, sem que, na verdade, pertençam à mesma espécie. Há inúmeros exemplos desse fato. Darei apenas um exemplo encontrado no arquipélago de Galápagos, situado abaixo do Equador, entre quinhentas e seiscentas milhas (aproximadamente oitocentos quilômetros e mil quilômetros) da costa da América do Sul. Aqui quase todos os seres terrestres e aquáticos carregam a marca inconfundível do continente americano. Há 26 aves terrestres, sendo que 25 delas foram classificadas pelo senhor Gould como espécies distintas, supostamente criadas na própria ilha; ainda assim, a estreita afinidade das características, dos hábitos, gestos e tons de voz entre a maioria dessas aves e as espécies americanas estava muito clara. O mesmo vale para os outros animais e quase todas as plantas, conforme demonstrado pelo doutor Hooker em seu admirável livro sobre a flora deste arquipélago. Ao observar os habitantes destas ilhas vulcânicas do Oceano Pacífico, distantes várias centenas de milhas do continente, o naturalista ainda sente que está pisando em terras americanas. Qual o motivo disso? Por que as espécies que foram supostamente criadas no arquipélago de Galápagos e em nenhum outro lugar carregam uma marca tão clara de sua afinidade com as espécies criadas na América? Não há nada nas condições de vida, na natureza geológica das ilhas, em sua altitude, no clima ou nas proporções em que as várias classes estão associadas que se assemelhe às condições da costa da América do Sul; na verdade, todos esses aspectos abrangem diferenças consideráveis. Por outro lado, há um significativo grau de semelhança entre as ilhas Galápagos e os arquipélagos de Cabo Verde em relação à natureza vulcânica do solo, ao clima, à altitude e ao tamanho das ilhas. No entanto, a diferença entre seus habitantes é total e absoluta! Os habitantes de Cabo Verde estão relacionados aos habitantes da África; os de Galápagos, aos da América. Parece-me não haver modo algum de explicar este grande fato por meio da hipótese comum da criação independente; já a hipótese aqui defendida afirma a obviedade de que as ilhas Galápagos podem receber colonos, seja por meios ocasionais de transporte ou por algum antigo braço de terra contínuo entre a ilha e a América; e as ilhas de Cabo Verde receberam colonos vindos da África; além disso, mesmo que esses colonos tenham passado por modificações, o princípio da hereditariedade continuaria denunciando seu local de origem.[23]

Poderíamos apresentar muitos fatos semelhantes: na verdade é uma regra quase universal que os seres endêmicos das ilhas estão relacionados aos seres existentes no continente mais próximo ou àqueles de outras ilhas próximas. As exceções são poucas, e a maioria delas pode ser explicada. Assim, embora as ilhas Kerguelen estejam mais próximas da África do que da América, suas plantas estão relacionadas – e de forma muito estreita, conforme nos diz o doutor Hooker – àquelas da América, mas esta anomalia desaparece se for aceita a hipótese que afirma que essa ilha foi povoada principalmente por sementes carregadas na terra e nas pedras de *icebergs* à deriva, trazidos pelas correntes dominantes. As plantas endêmicas da Nova Zelândia estão muito mais relacionadas à Austrália – o continente mais próximo – do que a qualquer outra região, e isto é o que deveríamos esperar; mas também estão claramente relacionadas à América do Sul, que, embora seja o segundo continente mais próximo, está tão longe que o fato se torna algo anômalo. No entanto essa dificuldade quase desaparece por causa da hipótese de que tanto a Nova Zelândia quanto a América do Sul e outras terras do sul foram parcialmente povoadas há muito tempo a partir de um ponto quase intermédio, embora distante – a saber, as ilhas antárticas, quando ainda possuíam vegetação, antes do período glacial. A afinidade entre a flora do extremo sudoeste da Austrália e a flora do Cabo da Boa Esperança, que, embora pequena, foi assegurada a mim pelo doutor Hooker, é real, e trata-se de um caso muito mais notável, para o qual não há explicação neste momento; mas essa afinidade limita-se às plantas e sem dúvida será explicada algum dia.[24]

A lei que torna os habitantes de um arquipélago parentes próximos dos habitantes do continente mais próximo, mesmo que sejam de espécies diferentes, é, às vezes, exibida em pequena escala, ainda que de uma forma mais interessante, dentro dos limites de um mesmo arquipélago. Assim, como já mostrei em outro ponto, as várias ilhas do arquipélago de

---

23. No livro de Bory de St. Vincent, que estava na biblioteca do Beagle, Darwin tomou conhecimento de uma visão inversa: as ilhas seriam fábricas de espécies que povoariam os continentes próximos. A visão de Darwin foi amplamente comprovada. (N.R.T.)
24. A deriva continental pode explicar essas afinidades. (N.R.T.)

Galápagos são habitadas de forma bastante interessante por espécies com grau de parentesco muito próximo; portanto, os habitantes de cada ilha, embora distintos em sua maioria, têm um grau de parentesco incomparavelmente mais próximo uns com os outros do que com os habitantes de qualquer outra parte do mundo. E, por minha teoria, isso é o que deveríamos esperar, pois as ilhas estão tão próximas umas às outras a ponto de, quase certamente, receberem imigrantes da mesma fonte original ou umas das outras. Contudo as diferenças entre os habitantes endêmicos das ilhas podem ser usadas como um argumento contra as minhas hipóteses; pois é possível que alguém pergunte: sabendo que as ilhas estão situadas muito próximas umas às outras, têm a mesma natureza geológica, a mesma altitude, o mesmo clima etc., por que muitos dos imigrantes das diversas ilhas modificaram-se de forma diferente, embora apenas em um pequeno grau? Durante muito tempo, isso foi para mim uma grande dificuldade, mas, em grande parte, o erro estava em considerar as condições físicas de uma região como o fator mais importante para o sucesso de seus habitantes; no entanto, acredito ser indiscutível que a natureza dos outros habitantes, com a qual cada um deve competir, seja um fator pelo menos tão importante quanto as condições físicas – e que é geralmente um elemento muito mais importante. Agora, se observarmos aqueles habitantes do arquipélago de Galápagos que podem ser encontrados em outras partes do mundo (deixando de lado neste momento as espécies endêmicas; não há razão para incluí-las, pois estamos considerando como elas foram modificadas desde que lá chegaram), encontraremos muitas diferenças nas várias ilhas. De fato, a hipótese de as ilhas terem sido habitadas por meios ocasionais de transporte prevê esta diferença. Por exemplo, uma semente de certa planta seria levada para uma ilha e a semente de outra planta para outra ilha. Daí, quando em épocas anteriores um imigrante se estabelecesse em uma ou mais das ilhas, ou posteriormente fosse de uma ilha para outra, ele sem dúvida ficaria exposto a diferentes condições de vida nas diferentes ilhas, pois teria de competir com diferentes grupos de organismos. Por exemplo, uma planta poderia encontrar o melhor solo para ela já totalmente ocupado por plantas distintas em uma ilha e não em outra e estaria, além disso, exposta aos ataques de inimigos um pouco diferentes. Porém se essa planta passasse por variações, a seleção natural provavelmente favoreceria variedades diferentes em cada uma das diversas ilhas. Algumas espécies podem, no entanto, espalhar-se e ainda manter as mesmas características por todo o grupo, assim como vemos em algumas espécies que se espalham nos continentes e mantêm as mesmas características.

O fato realmente surpreendente neste caso do arquipélago de Galápagos e, em menor grau, em alguns casos semelhantes, é que as novas espécies formadas nas ilhas separadas não tenham se espalhado rapidamente para as outras ilhas. Entretanto as ilhas, embora muito próximas umas das outras, são separadas por braços profundos de mar, na maioria dos casos mais largos que o canal da Mancha, e não há razão alguma para supormos que eles tenham deixado de separar as ilhas em um período anterior qualquer. As correntes marinhas são rápidas e atravessam todo o arquipélago; além disso, as fortes rajadas de vento são extraordinariamente raras; assim, as ilhas estão efetivamente muito mais separadas umas das outras do que aparentam em um mapa. No entanto, diversas espécies, tanto as que são encontradas em outras partes do mundo como as confinadas ao arquipélago, são comuns às várias ilhas, e podemos deduzir a partir de certos fatos que essas espécies provavelmente se espalharam de uma ilha para as outras. Todavia, acredito que costumamos ter uma visão errônea sobre a probabilidade de espécies com parentesco próximo invadirem os respectivos territórios quando colocadas em livre intercomunicação. Não há dúvida alguma de que, tendo qualquer vantagem sobre outra, uma espécie irá substituir total ou parcialmente a outra espécie em muito pouco tempo. Porém, se ambas estão igualmente bem equipadas para seus próprios nichos naturais, ambas provavelmente manterão seus próprios nichos e ficarão separadas por períodos de tempo indeterminados. Por estarmos familiarizados com o fato de que muitas espécies aclimatadas por intermédio da atuação do homem espalharam-se com surpreendente rapidez sobre novos territórios, podemos inferir que a maioria das espécies iria se espalhar dessa forma; mas devemos nos lembrar de que as formas que se tornam aclimatadas em novos territórios geralmente não são parentes próximos dos habitantes aborígenes; são, na verdade, espécies muito distintas; pertencem em grande parte dos casos a gêneros distintos, como mostrado por Alphonse de Candolle. No arquipélago de Galápagos, até mesmo muitas das aves – embora estejam muito bem-adaptadas para voar de uma ilha para outra – são distintas em cada uma das ilhas; assim, existem três espécies muito próximas da família Turdidae,[25] cada uma delas confinada à sua própria ilha. Agora, vamos supor que o tordo da ilha Chatham[26] seja soprado para a ilha Charles,[27] que tem seu próprio tordo: por que o primeiro deveria conseguir se estabelecer na segunda? Podemos dizer com segurança que a ilha Charles está bem povoada com sua própria espécie, pois anualmente são postos mais ovos do que seria possível criar; e poderíamos dizer que o tordo específico da ilha Charles está, no mínimo, tão bem equipado para o seu hábitat como o está a espécie da ilha Chatham. Sir C. Lyell e o senhor Wollaston comunicaram a mim um fato notável sobre esse assunto; disseram-me que a Madeira e a ilhota adjacente de Porto Santo possuem muitos moluscos terrestres distintos, mas representativos; alguns deles vivem nas fendas das pedras; e apesar de a Madeira receber grandes quantidades de pedras vindas de Porto Santo, ela não foi colonizada pelas espécies da ilhota. No entanto, ambas as ilhas foram colonizadas por alguns moluscos terrestres da Europa que, sem dúvida, tinham algum tipo de vantagem sobre as espécies insulares. Tendo em vista estas considerações, creio que não precisamos ficar extremamente perplexos pelo fato de as espécies endêmicas e representativas que habitam as várias ilhas do arquipélago de Galápagos não terem se espalhado por todas as ilhas da região. Em muitos outros casos, como ocorre em várias partes de um mesmo continente, a ocupação prévia provavelmente desempenhou um papel importante no controle da mistura das espécies que viviam sob as mesmas condições de vida. Dessa forma, ainda que o sudeste e o sudoeste da Austrália tenham quase as mesmas condições físicas e estejam ligados por um território contínuo, eles são habitados por um grande número de diferentes mamíferos, aves e plantas.

---

25. Trata-se do conhecido exemplo dos *mocking thrushes* (hoje, *mocking birds*), localmente conhecidos como *cucuves*, atualmente na família Mimidae. No Brasil ocorre a espécie *Mimus saturninus*, conhecida como sabiá-do-campo, muito próxima e de ampla distribuição geográfica, com exceção da Amazônia. Em Galápagos, formam o grupo Nesomimus, com uma espécie (*Mimus parvulus*) ocorrendo em várias ilhas, mas outras três espécies ocorrem apenas em uma ilha particular: *Mimus melatonis* (endêmico de San Cristóbal), *Mimus trifasciatus* (endêmico de Floreana) e *Mimus macdonaldi* (endêmico de Española, e não coletado por Darwin). (N.R.T.)
26. Hoje San Cristóbal. (N.R.T.)
27. Hoje Floreana. (N.R.T.)

O princípio que determina as características gerais da fauna e da flora das ilhas oceânicas tem, em toda a Natureza, a mais ampla aplicação. Segundo este princípio, mesmo que os habitantes não sejam exatamente iguais, ainda assim eles estão claramente relacionados aos habitantes da possível região de origem dos colonos, os quais foram posteriormente modificados e mais bem-adaptados para seus novos hábitats. Isso pode ser observado em todas as montanhas, nos lagos e pântanos. As espécies alpinas estão relacionadas com as espécies das planícies circundantes, exceto aquelas formas iguais, principalmente de plantas, que se espalharam por todo o mundo durante a época glacial recente; assim, na América do Sul, temos beija-flores alpinos, roedores alpinos, plantas alpinas etc., todos pertencentes a formas estritamente americanas; e é óbvio que, ao elevar-se lentamente, uma montanha passa a ser naturalmente colonizada a partir das planícies circundantes. O mesmo vale para os habitantes de lagos e pântanos, exceto quando a grande facilidade de transporte permite que as mesmas formas gerais se espalhem por todo o mundo. Vemos este mesmo princípio nos animais cegos que habitam as cavernas da América e da Europa. Outros fatos semelhantes poderiam ser apresentados. Acredito que a seguinte proposição será provada como uma verdade universal: tomemos duas regiões onde existam muitas espécies com parentesco próximo ou representativas; por mais afastadas que as regiões sejam, haverá, da mesma forma, algumas espécies idênticas, demonstrando que, em conformidade com a hipótese anterior, houve intercomunicação ou migração entre as duas regiões em algum período anterior. E, sempre que houver muitas espécies com parentesco muito próximo, haverá muitas formas que serão classificadas por alguns naturalistas como espécies distintas e por outros como variedades; estas formas duvidosas nos mostram as etapas do processo de modificação.

Esta relação entre a força e a extensão da migração de uma espécie, seja no momento presente ou em algum período anterior sob diferentes condições físicas, bem como a existência de outras espécies aparentadas que habitam pontos remotos do mundo, são demonstradas por outra forma mais geral. Há muito tempo, o senhor Gould fez-me notar que dentre os gêneros de aves cuja distribuição é mundial, muitas de suas espécies também abrangem áreas de distribuição bastante amplas. Embora seja difícil de provar, eu não tenho como duvidar de que esta regra seja em geral verdadeira. Nos mamíferos, a regra pode ser observada em morcegos e, em menor grau, dentre [as famílias] Felidae e Canidae. Ao compararmos a distribuição de borboletas e besouros, vemos a regra em ação. O mesmo vale para a maior parte dos seres de água doce, os quais abrangem muitos gêneros com distribuição mundial; muitas espécies individuais também abrangem distribuições gigantescas. Não quero dizer que todas as espécies dos gêneros com distribuição mundial contem com uma ampla distribuição e nem mesmo que estas tenham uma distribuição média muito marcante; mas apenas que algumas das espécies efetuam uma distribuição mais ampla; pois a facilidade com que as espécies com grande distribuição variam e dão origem a novas formas irá, em grande parte, determinar a sua distribuição média. Por exemplo, se duas variedades da mesma espécie vivem uma na América e outra na Europa, a espécie tem, desse modo, uma distribuição enorme; mas, se a variação fosse um pouco maior, as duas variedades seriam classificadas como espécies distintas, e a distribuição comum ficaria extremamente reduzida. Ainda menos se quer dizer que as espécies aparentemente capazes de atravessar barreiras e de atingir uma grande distribuição – como é o caso de certas aves de asas potentes – tenham que necessariamente distribuir-se de forma ampla; pois não devemos nos esquecer de que a grande distribuição não implica apenas a capacidade de atravessar barreiras, mas também a capacidade mais importante de, na luta pela vida, vencer em terras distantes a batalha contra os habitantes de territórios estrangeiros. Entretanto, pela hipótese de que todas as espécies de um gênero são descendentes de um único ascendente, mesmo que estejam atualmente distribuídas pelos pontos mais remotos do mundo, deveríamos observar – e acredito que, como regra geral, é isso o que observamos – que pelo menos algumas espécies compreendem uma distribuição bastante ampla; pois é necessário que o ascendente não modificado tenha uma grande distribuição, sofra alteração durante a sua difusão e encontre nichos sob várias condições, e que estas sejam favoráveis para a conversão de sua prole, primeiro, em novas variedades e, por fim, em novas espécies.

Ao levarmos em consideração a ampla distribuição de determinados gêneros, devemos ter em mente que alguns deles são extremamente antigos e devem ter se ramificado de um ancestral comum em uma época remota; dessa forma, nesses casos terá transcorrido tempo suficiente para a ocorrência de grandes mudanças geográficas, climáticas e transportes acidentais; e, consequentemente, para a migração de algumas espécies a todas as partes do mundo, onde podem ter sido ligeiramente modificadas de acordo com suas novas condições. Há também razão para acreditarmos, com base em evidências geológicas, que, na escala da Natureza, os organismos inferiores de cada grande classe geralmente mudam num ritmo mais lento do que as formas superiores;[28] e, por conseguinte, as chances de as formas inferiores terem garantido maior distribuição e a manutenção das mesmas características específicas serão maiores. Tal fato, adicionado ao de serem as sementes e os ovos de muitas formas inferiores muito pequenos e melhores para o transporte a longas distâncias, é, provavelmente, responsável por uma lei que foi observada e recentemente discutida de forma admirável por Alphonse de Candolle em relação às plantas, a saber, que quanto mais baixo um grupo de organismos estiver na escala da natureza, mais ampla será sua distribuição.[29]

As relações que acabamos de discutir – a saber, que os organismos inferiores e de lenta mudança têm distribuição mais ampla que os organismos superiores; que algumas das espécies dos gêneros com distribuição ampla também efetuam uma distribuição ampla; o fato de os seres alpinos, lacustres e dos pântanos estarem relacionados (com as exceções anteriormente especificadas) aos seres das planícies e das terras secas circundantes, embora estes hábitats sejam tão diferentes; o parentesco próximo das diferentes espécies que habitam as ilhas do mesmo arquipélago e, especialmente, o incrível parentesco entre os habitantes de cada uma das ilhas ou de arquipélagos inteiros e os habitantes do continente mais próximo – não podem ser explicadas com base na hipótese da criação independente de cada uma das espécies, mas esses fatos podem ser explicados por meio da hipótese

---

28. Como já comentado, trata-se de uma crença sem fundamento, provavelmente ligada ao fato de os invertebrados deixarem menos marcas das rochas do que os vertebrados. (N.R.T.)

29. No caso das plantas, essa crença estava baseada em evidências fósseis, que não eram interpretadas levando em conta que os continentes estavam muito mais próximos, e mesmo unidos, no passado geológico. Assim, antes do aparecimento das plantas com flores, fósseis de plantas do grupo das samambaias e dos pinheiros encontrados em diferentes pontos do planeta pareciam indicar ampla distribuição geográfica. A deriva continental deu nova feição ao problema, pois o surgimento das plantas com flores ocorreu em época posterior, quando os continentes já estavam separados. (N.R.T.)

da colonização ocorrida a partir da fonte mais próxima e acessível, unida à subsequente modificação e adaptação dos colonos às suas novas casas.

Resumo do capítulo anterior e deste

Nestes capítulos, esforcei-me para demonstrar que as dificuldades para acreditar que todos os indivíduos da mesma espécie – independentemente da sua localização – descendem dos mesmos ancestrais deixam de ser insuperáveis quando admitimos, em primeiro lugar, nossa ignorância em relação a todos os efeitos das mudanças do clima e dos níveis dos territórios (que certamente ocorreram no período mais recente), bem como em relação a outras alterações semelhantes que podem ter ocorrido durante o mesmo período; quando nos lembramos, em segundo lugar, que somos profundamente ignorantes em relação aos muitos meios curiosos de transporte ocasional, um tema com pouquíssimos experimentos apropriados; e quando, por fim, nos lembramos que muito frequentemente uma espécie pode ter apresentado uma distribuição contínua sobre um vasto território e ter, então, desaparecido dos espaços intermediários. E, assim, somos levados à mesma conclusão de outros naturalistas, conhecida como "centros únicos de criação".[30] Chegou-se a essa conclusão a partir de algumas considerações gerais e, mais especialmente, a partir da importância das barreiras e da distribuição analógica de subgêneros, gêneros e famílias.

No que diz respeito às espécies distintas do mesmo gênero que, de acordo com minha teoria, originam-se de uma mesma fonte-mãe – se aceitarmos, conforme o fizemos anteriormente, fatos que ainda ignoramos e lembrarmo-nos que algumas formas de vida mudam de modo extremamente lento e que, por isso, a migração destas toma enormes períodos de tempo –, não creio que as dificuldades sejam insuperáveis, embora muitas vezes sejam extremamente difíceis de serem vencidas, como neste caso e no caso dos indivíduos da mesma espécie.

30. Trata-se de uma exposição estratégica, evitando o termo "origem única das espécies", usando em seu lugar a expressão "centros únicos de criação", utilizada pelos criacionistas. Não faria sentido que uma divindade criasse espécies diferentes, mas muito parecidas, para habitar ilhas de um mesmo arquipélago, como Galápagos. Cada ilha teria sido, então, um "centro único de criação" de cada uma de suas espécies peculiares de sabiás-do-campo. (N.R.T.)

Para exemplificar os efeitos causados à distribuição pelas mudanças climáticas, tentei mostrar que a influência do período glacial moderno foi muito importante e, segundo minha convicção plena, afetou o mundo inteiro de forma simultânea, ou pelo menos grandes cinturões meridionais.[31] Ao mostrar que os meios ocasionais de transporte são bastante diversificados, discuti um tanto longamente sobre os meios de dispersão dos seres de água doce.

Não havendo dificuldades insuperáveis em admitir que, no longo curso do tempo, os indivíduos da mesma espécie e também os indivíduos das mesmas espécies aparentadas procedem de uma mesma fonte, então, creio que todos os principais fatos sobre a distribuição geográfica passam a ser explicáveis pela teoria da migração (em geral, das formas de vida mais dominantes), juntamente com a posterior modificação e multiplicação de novas formas. Podemos, assim, entender a alta importância das barreiras, sejam elas de terra ou de água, que separam nossas várias províncias zoológicas e botânicas. Podemos assim compreender a localização dos subgêneros, gêneros e famílias, bem como entender como, sob diferentes latitudes, por exemplo, na América do Sul, os habitantes das planícies, montanhas, florestas, dos pântanos e desertos estão ligados, de forma tão misteriosa, entre si por afinidade e estão, da mesma forma, ligados aos seres já extintos que habitaram o mesmo continente no passado. Tendo em conta que as relações mútuas entre os organismos são extremamente importantes, é possível explicar por que duas áreas com quase as mesmas condições físicas são frequentemente habitadas por diferentes formas de vida; pois as diferentes regiões dos territórios, independentemente de suas condições físicas, produzem condições infinitamente diversificadas de vida de acordo com o tempo transcorrido desde o momento em que novos habitantes entraram em uma região, de acordo com a natureza da comunicação que permitiu a entrada de um número maior ou menor de certas

31. Darwin parece ter se equivocado neste trecho, pois desenvolveu a ideia de "cinturões longitudinais" (e não "meridionais"), justamente porque teriam criado corredores norte-sul no planeta. Talvez ele tenha inserido esse termo devido ao alerta de Lyell sobre a grande ocorrência do fóssil do molusco *Gnathodon*, que se acreditava ser de águas rasas e quentes, tendo sido encontrado em locais hoje muito frios dos Estados Unidos, bem ao norte do Golfo do México. Este trecho foi bastante modificado em edições subsequentes da obra. (N.R.T.)

formas e não de outras, de acordo, ainda, com o fato de os seres que chegaram à região terem ou não entrado em competição mais ou menos direta entre si ou com os habitantes aborígenes e, por fim, de acordo com a velocidade da capacidade de variação dos imigrantes. Dessa forma, haveria uma quantidade quase infinita de ações e reações orgânicas, e deveríamos então encontrar, como de fato encontramos, alguns grupos extremamente modificados e outros apenas ligeiramente modificados nas diferentes e grandes regiões geográficas do mundo; alguns que se desenvolveram muito em número e outros que produziram apenas poucos indivíduos.

De acordo com estes mesmos princípios, é possível compreender – como me esforcei para demonstrar – por que as ilhas oceânicas têm poucos habitantes, mas, dentre eles, um grande número é endêmico ou peculiar; e por que, em relação aos meios de migração, todas as espécies de um grupo de seres (mesmo dentro da mesma classe) são endêmicas, e por que todas as espécies de outro grupo são comuns a outros locais do mundo. Podemos entender por que grupos inteiros de organismos, como batráquios e mamíferos terrestres, estão ausentes das ilhas oceânicas enquanto as ilhas mais isoladas têm suas próprias espécies específicas de mamíferos aéreos ou morcegos. Podemos compreender a possível relação entre a presença de mamíferos mais ou menos modificados e a profundidade do mar entre uma ilha e o continente. Podemos ver claramente por que todos os habitantes de um arquipélago, embora de espécies distintas nas várias ilhotas, devem estar estreitamente relacionados entre si e, da mesma forma, relacionados (mas um pouco mais distantes) aos seres do continente mais próximo ou de outra fonte de onde os imigrantes tenham provavelmente se originado. Podemos ver por que em duas áreas, mesmo que muito distantes uma da outra, deve haver uma correlação entre a presença de espécies idênticas, de variedades, de espécies duvidosas e de espécies distintas, mas representativas.

Conforme afirmou várias vezes o falecido Edward Forbes, ao longo do tempo e do espaço, as leis da vida contêm um paralelismo surpreendente: as leis que regem a sucessão das formas de vida do passado são quase as mesmas que atualmente regem as diferenças das formas existentes em diferentes áreas. Vemos isso em muitos fatos. A resistência das espécies e dos grupos de espécies é contínua no tempo; as exceções à regra são tão poucas que podem ser razoavelmente atribuídas ao fato de ainda não termos descoberto em um depósito intermediário as formas que estão nele ausentes, mas que existem em estratos superiores e inferiores. O mesmo vale para o espaço: a regra geral certamente diz que a área habitada por uma única espécie, ou por um grupo de espécies, é contínua; e as exceções a esta regra, que não são raras, podem, como eu tentei demonstrar, ser atribuídas à migração ocorrida em algum período anterior em diferentes condições ou por meios ocasionais de transporte e à extinção de espécies dos intervalos intermediários. Tanto no tempo quanto no espaço, as espécies e os grupos de espécies atingem pontos de desenvolvimento máximo. Grupos de espécies, pertencentes a um determinado período de tempo, ou a uma determinada área, costumam ter algumas pequenas características em comum, como, por exemplo, a cor ou alguns relevos. Levando em conta a longa sucessão das eras, como se hoje observássemos as regiões mais distantes do planeta, vemos que alguns organismos apresentam poucas diferenças, enquanto outros, pertencentes a outra classe ou a uma ordem diferente, ou até mesmo a uma família diferente dentro da mesma ordem, são extremamente diferentes. Tanto no tempo como no espaço, os organismos inferiores de cada classe geralmente mudam menos do que os superiores; mas há em ambos os casos exceções notáveis à regra. De acordo com minha teoria, estas várias relações ao longo do tempo e do espaço são inteligíveis, pois, se observarmos as formas de vida que se modificaram ao longo das eras dentro da mesma região do mundo, ou se notarmos aquelas que se modificaram após terem migrado para territórios distantes, perceberemos que nos dois casos, dentro de cada classe, as formas estavam ligadas pelo mesmo vínculo da geração ordinária; e perceberemos ainda que quanto mais próximo for o grau de parentesco de duas formas, mais próximas entre si, em geral, elas estarão no tempo e no espaço; em ambos os casos, as leis da variação foram as mesmas e as modificações foram acumuladas por uma mesma força: a seleção natural.

CAPÍTULO 13

Afinidades mútuas dos seres orgânicos – Morfologia – Embriologia – Órgãos rudimentares

Classificação, grupos subordinados a outros grupos – Sistema natural – Regras e dificuldades da classificação, explicadas pela teoria da descendência com modificação – Classificação das variedades – A descendência é sempre utilizada na classificação – Características analógicas ou adaptativas – Afinidades gerais, complexas e irradiantes – A extinção separa e define os grupos – Morfologia, entre membros da mesma classe, entre as partes do mesmo indivíduo – Embriologia, suas leis, sua explicação por variações que não ocorrem em idade precoce, variações herdadas em uma certa idade – Órgãos rudimentares; explicação de sua origem – Resumo

Desde o início da vida, todos os seres orgânicos se assemelham uns aos outros em ordem decrescente e podem por isso ser classificados em grupos subordinados a outros grupos. Evidentemente, esta classificação não é arbitrária como o agrupamento de estrelas em constelações. A existência dos grupos teria um significado muito simples se, por exemplo, tivéssemos um grupo adaptado para habitar apenas a terra e outro apenas a água; um que só se alimentasse de carne e outro que apenas comesse matéria vegetal e assim por diante; mas a natureza é extremamente diversificada, pois, como sabemos, é bastante comum encontrarmos membros de um mesmo subgrupo com hábitos diferentes. Em nossos segundo e quarto capítulos, Variação e Seleção Natural, respectivamente, eu tentei mostrar que as espécies que mais variam são as que estão distribuídas de forma mais extensa, as mais difundidas e comuns, isto é, as espécies dominantes, pertencentes aos gêneros maiores. Acredito que as variedades ou espécies incipientes assim produzidas são, em última análise, convertidas em espécies novas e distintas; e estas, pelo princípio da hereditariedade, tendem a produzir outras espécies novas e dominantes. Consequentemente, os grupos que agora são grandes e que em geral incluem muitas espécies dominantes tendem a aumentar indefinidamente em tamanho. Ainda tentei mostrar que conforme buscam ocupar todos os nichos possíveis da natureza, as características dos descendentes em variação de cada espécie tendem a divergir de modo constante. Esta conclusão foi comprovada pela observação da grande diversidade das formas de vida que, em qualquer área pequena, passam a competir da forma mais severa, bem como pela observação de certos fatos sobre a aclimatação.

Também tentei mostrar que as formas cuja ocorrência está aumentando e cujas características estão divergindo tendem constantemente a substituir e exterminar as formas menos divergentes, as formas menos aperfeiçoadas e as formas anteriores. Peço ao leitor que volte ao diagrama[1] que ilustra, conforme anteriormente explicado, estes vários princípios e verifique que há apenas um resultado possível, a saber, que os descendentes modificados provenientes de um mesmo progenitor dividiram-se em grupos subordinados a outros grupos. No diagrama, cada letra da linha superior pode representar um gênero, incluindo suas várias espécies; e todos os gêneros desta linha formam juntos uma classe, pois todos descendem de um ancestral antigo, mas desconhecido, e consequentemente herdaram algo em comum. Mas os três gêneros da esquerda têm, por este mesmo princípio, muito mais em comum e formam uma subfamília distinta daquela que inclui os dois gêneros próximos que estão à direita, os quais divergiram do ancestral comum na quinta fase da descendência. Esses cinco gêneros também têm muito em comum, embora em menor proporção; e eles formam uma família distinta que inclui os três gêneros que se encontram mais para

1. O diagrama está no capítulo 4 (ver página 133); os "três gêneros da esquerda" descendem de um mesmo ancestral comum (A no diagrama) na 14ª geração anterior. Os "dois gêneros próximos" são descendentes de outro ancestral (I no diagrama), mas têm um ancestral comum na décima geração anterior (a "quinta fase da descendência"). Trata-se de uma analogia, pois cada "geração" do diagrama representa dezenas ou centenas de gerações hipotéticas. (N.R.T.)

a direita e que divergiam em um período ainda mais precoce. E todos esses gêneros descendentes de (A) formam uma ordem distinta dos gêneros descendentes de (I). Desse modo, temos aqui muitas espécies descendentes de um único progenitor e agrupadas em gêneros; os gêneros estão inseridos em (ou subordinados a) subfamílias, famílias e ordens; todos se unem em uma classe. Assim, acredito estar totalmente explicado o tópico da história natural sobre o grande caso da subordinação de certos grupos a outros grupos que, por sua familiaridade, nem sempre nos toca muito.

Os naturalistas tentam organizar espécies, gêneros e famílias em classes apropriadas dentro do que chamamos de sistema natural. Mas o que é este sistema? Alguns autores o veem apenas como um esquema de organização que agrega os objetos vivos mais parecidos e separa os dissemelhantes; ou o veem como um artifício para a formulação de proposições gerais bastante resumidas, ou seja, para que possam enunciar em apenas uma frase as características comuns a, por exemplo, todos os mamíferos, por outra frase dizer as características comuns a todos os carnívoros; e ainda por outra proposição, as características comuns ao gênero *Canis* e, assim, após adicionar uma única frase, é possível oferecer uma descrição completa para cada tipo de cão. A engenhosidade e a utilidade deste sistema são indiscutíveis. No entanto muitos naturalistas acreditam que o sistema natural significa mais que isso; eles acreditam que o sistema revela o plano do Criador; mas, a menos que seja especificado o que se entende por plano do Criador – seja a ordem no tempo e no espaço ou outro tema qualquer –, parece-me que isso nada acrescenta ao nosso conhecimento. Algumas proposições parecem implicar que algo além da mera semelhança está incluído em nossa classificação. Há, por exemplo, uma frase famosa de Lineu, muitas vezes encontrada de forma um tanto enigmática, a qual nos informa que as características não formam um gênero, mas o gênero gera características. Eu acredito que o sistema inclui algo a mais; e que a afinidade dos descendentes – a única causa conhecida para a semelhança entre os seres orgânicos – é um vínculo que está escondido por vários graus de modificação, mas que se torna parcialmente revelado a nós por meio das classificações.[2]

---

2. Para Lineu, as semelhanças não eram resultado de parentesco, o que Darwin ressalta aqui como a primeira hipótese para poder explicá-las. (N.R.T.)

Vamos agora rever as regras seguidas na classificação e as dificuldades que surgem quando esta é vista como um plano desconhecido da criação ou como um simples esquema para que possamos formular proposições gerais, bem como agregar em um mesmo local as formas mais semelhantes. Poder-se-ia imaginar (como realmente o foi no passado) que as partes da estrutura que determinam os hábitos de vida e o lugar geral de cada ser na economia da Natureza seriam extremamente importantes para a classificação. Nada é mais falso que isso. Ninguém considera importante a semelhança externa entre um rato e um musaranho, um peixe-boi e uma baleia, uma baleia e um peixe. Essas semelhanças, embora estejam intimamente ligadas à vida de um ser, são classificadas como meras "características adaptativas ou analógicas"; mas ainda precisaremos falar mais sobre essas semelhanças. Pode-se dizer como regra geral que quanto menos uma parte qualquer do organismo estiver ligada a certos hábitos especiais, mais ela será importante para a classificação. Por exemplo: Owen,[3] ao falar sobre o peixe-boi, diz: "os órgãos mais remotamente relacionados aos hábitos e à alimentação de um animal são os órgãos reprodutivos, e isso sempre me pareceu uma indicação muito clara de suas reais afinidades. Dentre as modificações desses órgãos, estamos menos propensos a confundir uma característica meramente adaptativa com uma essencial". O mesmo vale para as plantas. É notável saber que, enquanto os órgãos vegetativos, dos quais dependem toda a sua vida, têm pouca significação, exceto nas primeiras divisões principais, os órgãos reprodutivos e seu produto – as sementes – são, por sua vez, de suma importância!

Desse modo, ao fazermos classificações, não devemos confiar nas semelhanças de partes do organismo, independentemente de sua importância para o bem-estar do ser em relação ao mundo exterior. Talvez isto seja parte do motivo pelo qual quase todos os naturalistas dão

3. Richard Owen comparou os ossos do membro anterior de um mamífero que se desloca na água (peixe-boi), escavando o solo (toupeira) e no ar (morcego) para evidenciar a grande variação em torno de uma estrutura básica única, o arquétipo ideal, o padrão original da cosmogonia platônica, capaz de acomodar todas as modificações necessárias aos poderes e ações dos animais. (*On the Nature of Limbs*. Londres: J. V. Voorst & Paternoster Row, 1849. p. 2-8.) (N.R.T.)

mais valor às semelhanças existentes nos órgãos de grande importância vital ou fisiológica. Sem dúvida, esse ponto de vista sobre a relevância classificatória dos órgãos mais importantes é, em geral, verdadeiro, mas nem sempre. Porém eu acredito que a importância desses órgãos para a classificação depende de seu maior predomínio em grandes grupos de espécies; e estes órgãos são predominantes por terem, em geral, sido submetidos a um menor número de mudanças durante a adaptação da espécie às suas condições de vida. Está quase demonstrado que a importância fisiológica de um órgão não determina seu valor classificatório, pois em grupos aparentados em que o mesmo órgão – como temos razões para supor – tem quase o mesmo valor fisiológico, seu valor classificatório é extremamente diferente.

Não há um só naturalista que tenha trabalhado com um grupo sem ter se impressionado com este fato; algo bastante reconhecido nos textos de quase todos os autores. Basta citarmos a mais alta autoridade, Robert Brown,[4] que, ao falar sobre determinados órgãos das Proteaceae, diz que sua importância genérica, "assim como a de todas as suas partes, é muito desigual e em alguns casos parece estar inteiramente perdida não só nesta família, mas, conforme eu entendo, em todas as famílias naturais". Além disso, ele diz em outra obra que os gêneros de Connaraceae "diferem por terem um ou mais ovários, pela existência ou ausência de albúmen, na prefloração imbricada ou valvar. Isoladamente, qualquer uma dessas características costuma ter uma importância mais que genérica; ainda assim, em nosso caso, mesmo que as tomemos todas em conjunto, elas parecem insuficientes para separar os *Cnestis* dos *Connarus*". Vejamos um exemplo entre os insetos. Em uma grande divisão dos *Hymenoptera*, as antenas, como observou Westwood,[5] têm uma estrutura bastante regular,

---

4. Robert Brown (1773-1858), botânico e médico-cirurgião escocês. (N.T.)

5. Westwood (ver nota 26, páginas 76-77) descreve as antenas dos insetos em dezessete formas diversas. Nos himenópteros – sua especialidade –, apresenta dois grandes grupos: em um deles a estrutura das antenas é muito variável, especialmente nos machos (referindo-se a tentredéns e vespas parasitas que põem seus ovos em outros insetos ou plantas), e na "divisão" (significando "grande grupo") dos "himenópteros com ferrão típicos" (*typical aculeate division*, em que o ovopositor funciona como ferrão, como nas formigas, abelhas e vespas não parasitas), as antenas são "filiformes, com cerdas fortes e simples, quase uniformemente compostas de treze articulações nos machos e doze nas fêmeas" (v. II, p. 74). (N.R.T.)

enquanto em outra divisão elas são muito diferentes, e as diferenças têm valor classificatório secundário;[6] ainda assim, provavelmente ninguém dirá que as antenas destas duas divisões da mesma ordem têm uma importância fisiológica desigual. Poderíamos oferecer muitíssimos exemplos dos vários graus de importância classificatória de um mesmo órgão importante em um mesmo grupo de seres.

Além disso, ninguém dirá que os órgãos rudimentares ou atrofiados têm importância fisiológica ou vital; mas, ainda assim, esses órgãos contêm um indubitável alto valor classificatório. É indiscutível que os dentes rudimentares das mandíbulas superiores de ruminantes jovens e que certos ossos rudimentares da perna são muito úteis para demonstrar-se a estreita afinidade entre os ruminantes e os paquidermes. Robert Brown insistiu de maneira enfática no fato de que os floretes rudimentares têm uma grande importância classificatória para as ervas.

Poderíamos oferecer muitos exemplos de características derivadas de partes consideradas de importância fisiológica muito insignificante mas que são admitidas por todos como extremamente úteis para a classificação de todo um grupo. Por exemplo, a ocorrência ou não de uma passagem aberta desde as narinas até a boca – a única característica, de acordo com Owen, que distingue peixes e répteis de forma absoluta; a inflexão do ângulo dos maxilares dos marsupiais; a maneira como as asas dos insetos se dobram; a cor de certas algas; a pubescência em partes da flor das gramíneas; a natureza do revestimento cutâneo – pelos ou penas – dentre os vertebrados. Se o ornitorrinco fosse coberto por penas em vez de pelos, acredito que esta insignificante característica externa teria sido considerada pelos naturalistas como um apoio tão importante para a determinação do grau de parentesco desta estranha criatura com aves e répteis quanto uma abordagem estrutural de qualquer outro órgão interno importante.

---

6. A observação é precisa ainda hoje, pois os himenópteros com antenas muito variáveis pertencem ao grupo dos sínfitos (com larvas semelhantes às lagartas, adultos sem cintura definida, como os tentredéns), mas também aos apócritos (adultos com constrição entre abdome e tórax). Neste grupo há vespas parasitas (icneumonídeas, mencionadas por Darwin no capítulo 7), sem ferrão, com antenas muito variáveis, e vespas de vida livre (com ferrão), com antenas filiformes sem grande variação. Todas as famílias de abelhas reconhecidas hoje já estavam descritas em meados do século XIX. (N.R.T.)

A importância das características insignificantes para a classificação depende principalmente de elas estarem correlacionadas a várias outras características mais ou menos importantes. De fato, em história natural, o valor de um conjunto de características é algo bastante irrefutável. Daí, como muitas vezes tem sido notado, o fato de uma espécie estar distante de seus parentes em relação a várias características – tanto aquelas de alta importância fisiológica quanto as de prevalência quase universal – e ainda assim não existir dúvida sobre a forma de classificá-la. Daí também verificou-se a impraticabilidade de uma classificação fundamentada em alguma característica única independentemente de sua importância, pois nenhuma parte do organismo é universalmente invariável. A importância do agregado de características, mesmo quando nenhuma delas é importante, parece por si só explicar, penso eu, aquela frase de Lineu, a saber, que as características não formam o gênero, mas o gênero nos dá as características; pois esta frase parece ter como fundamento a apreciação de um grande número de pontos insignificantes de semelhança, demasiado pequenos para que os possamos definir. Certas plantas pertencentes à família Malpighiaceae possuem flores perfeitas e degradadas; dentre estas últimas, conforme observou A. de Jussieu,[7] "o maior número de características próprias à espécie, ao gênero, à família e à classe desaparece e, assim, zombam de nossa classificação". Mas quando, na França, uma *Aspicarpa*[8] produziu apenas flores degradadas durante vários anos, afastando-se de forma tão extraordinária dos vários pontos estruturais mais importantes do tipo apropriado daquela ordem, no entanto, M. Richard[9] e Jussieu perceberam de forma sagaz que, na família das Malpighiaceae, este gênero mantinha-se constante. Este caso parece ilustrar bem o espírito com o qual nossas classificações estão por vezes necessariamente fundamentadas.

De forma prática, quando estão trabalhando, os naturalistas não se importam com o valor fisiológico das características que utilizam para definir um grupo, ou para a alocação de qualquer espécie em particular.

---

7. Antoine-Laurent de Jussieu (1748-1836), médico e botânico francês de uma família de médicos de Lyon com várias gerações de especialistas em botânica, adotou o sistema de Lineu e o aperfeiçoou, valorizando a família, em lugar do gênero, como categoria taxonômica básica. (N.R.T.)
8. Gênero botânico pertencente à família Malpighiaceae. (N.T.)
9. Louis-Claude Marie Richard (1754-1821), botânico francês. (N.T.)

Quando encontram uma característica quase uniforme e comum a um grande número de formas e incomum para outras, estes profissionais dão um alto valor a essas características; quando são comuns a um número menor de formas, eles as usam como um valor secundário. Alguns naturalistas admitiram extensivamente este princípio como o único verdadeiro; ninguém reconheceu esse princípio de forma mais clara que o excelente botânico Augustin Saint-Hilaire.[10] Quando certas características estão sempre correlacionadas a outras – mesmo que não encontremos nenhum vínculo aparente que as unam –, então atribuímos a elas um valor especial. Tendo em vista que, na maioria dos grupos de animais, os órgãos importantes são quase uniformes – tais como os órgãos que servem para bombear ou aerar o sangue, ou ainda aqueles utilizados para a propagação da raça –, então eles são considerados como altamente úteis para a classificação; mas em alguns grupos de animais todos estes – os mais importantes órgãos vitais – oferecem características de valor um tanto quanto secundário.

É possível entender por que as características do embrião têm a mesma importância das características do adulto, pois nossas classificações, obviamente, incluem todas as idades de todas as espécies. Porém, segundo o ponto de vista comum, não está óbvio por que a estrutura do embrião deva, para essa finalidade, ser mais importante que a do adulto, a qual, por si só, desempenha plenamente o seu papel na economia natural. Ainda assim, os grandes naturalistas Milne Edwards e Agassiz têm afirmado vigorosamente que as características embrionárias são as mais importantes para a classificação dos animais; e esta doutrina foi de modo geral aceita como verdadeira. O mesmo fato é válido para as plantas de floração, dentre as quais as duas principais divisões foram criadas com fundamento nas características do embrião, no número e na posição das folhas embrionárias ou cotilédones[11] e pela forma de desenvolvimento da plúmula e da radícula. Em nossa

---

10. Augustin François César Prouvençal de Saint-Hilaire (1799-1853), naturalista francês, viajou pelo Brasil entre 1816 e 1822, escreveu diversos livros, e Darwin se refere provavelmente a *Leçons de botanique* (Paris, 1841). (N.R.T.)

11. O número de cotilédones é a base da divisão das plantas com fruto, característica valorizada por Antoine-Laurent de Jussieu, que cunhou os termos "monocotiledôneas" e "dicotiledôneas". (N.R.T.)

discussão sobre embriologia, veremos por que essas características são tão valiosas de acordo com a hipótese classificatória que, de forma tácita, inclui a ideia de descendência.

Claramente, as classificações são regularmente influenciadas por linhas de afinidade. Nada é mais fácil que definir um número de características comuns a todas as aves; mas, no caso dos crustáceos, estas definições se mostraram impossíveis até o momento. Nas extremidades opostas de uma série, há crustáceos com quase nenhuma característica comum; no entanto, em ambos os pontos, as espécies são claramente aparentadas a outras, estas por sua vez a outras e assim por diante; e, desse modo, podemos dizer inequivocamente que elas pertencem com exclusividade a uma classe de articulados, e não a outra.

A distribuição geográfica tem sido utilizada – embora talvez sem muita lógica – nas classificações, mais especialmente em grandes grupos de formas com parentesco muito próximo. Temminck[12] insiste na utilidade – ou até mesmo na necessidade – desta prática para certos grupos de aves; o método foi seguido por vários entomologistas e botânicos.

Finalmente, no que diz respeito ao valor comparativo dos vários grupos de espécies, tais como ordens, subordens, famílias, subfamílias e gêneros, eles parecem ser, pelo menos atualmente, quase arbitrários. Muitos dos melhores botânicos – o senhor Bentham, por exemplo, e outros – têm afirmado com ênfase esse valor arbitrário. Dentre plantas e insetos, poderíamos oferecer exemplos de grupos de formas que foram primeiro classificadas em certo gênero por naturalistas experientes e que foram em seguida elevadas ao posto de subfamília ou família; e isso ocorreu não pelo fato de outras pesquisas terem detectado importantes diferenças estruturais esquecidas no início, mas porque numerosas espécies aparentadas com pequenos graus de diferenças foram posteriormente descobertas.

Todas as regras, ajudas e dificuldades classificatórias citadas são explicadas – caso eu não esteja me enganando de forma vigorosa – com base na hipótese de que o sistema natural fundamenta-se na descendência com modificação; de que as características que, segundo os naturalistas, demonstram a verdadeira afinidade entre duas ou mais espécies quaisquer são aquelas

12. Coenraad Jacob Temminck (1778-1858), naturalista dos Países Baixos. (N.T.)

que foram herdadas por um ascendente comum e, até agora, toda classificação real é genealógica; de que o vínculo oculto que os naturalistas têm buscado de forma inconsciente é essa comunidade de ascendentes, e não um plano desconhecido da criação ou a enunciação de proposições gerais, e a mera união e separação de objetos mais ou menos parecidos.

Mas preciso explicar de forma mais completa o que quero dizer com isso. Para que seja natural, eu acredito que a *organização* dos grupos em classes – subordinados e relacionados de forma adequada a outros grupos – deve ser rigorosamente genealógica; mas, devido aos distintos graus de modificação a que os indivíduos tenham sido submetidos, a *quantidade* de diferenças pode ser extremamente desigual entre os vários ramos ou grupos, mesmo que sejam parentes consanguíneos de mesmo grau; tal fato é apresentado pela classificação das formas por meio de diferentes gêneros, famílias, seções ou ordens. Para melhor entender o que quero dizer, peço ao leitor a gentileza de referir-se ao diagrama do capítulo 4 (página 133). Suponhamos que as letras de (A) até (L) representem gêneros aparentados que viveram durante o Siluriano. Aceitemos, ainda, que estes gêneros sejam descendentes de uma espécie que tenha existido em um período anterior desconhecido. Destes gêneros, três espécies (A), (F) e (I) transmitiram descendentes modificados até os dias atuais, representados por quinze gêneros (de a^{14} até z^{14}) na linha horizontal superior. Todos estes descendentes modificados de uma única espécie são representados com o mesmo grau de consanguinidade ou descendência; eles podem ser metaforicamente chamados de primos de milionésimo grau; ainda assim, eles diferem uns dos outros amplamente e em diferentes graus. As formas descendentes de (A) foram divididas em duas ou três famílias, constituindo uma ordem distinta daquelas descendentes de (I), também divididas em duas famílias. As espécies vivas descendentes de (A) também não podem ser classificadas no mesmo gênero que o ascendente (A); nem aquelas de (I), com o ascendente (I). Mas podemos supor que o gênero vivo f^{14} talvez tenha sido modificado apenas de forma leve; e, desse modo, ele será classificado junto ao gênero-mãe (F), assim como alguns organismos vivos pertencem a gêneros do Siluriano. Dessa forma, a quantidade ou o valor das diferenças entre os organismos relacionados uns aos outros com o mesmo grau de consanguinidade passou a ser muito diferente. No entanto sua *organização* genealógica permanece rigorosamente verdadeira, não só no presente, mas em cada um dos períodos sucessivos da descendência. Todos os descendentes modificados de (A) terão herdado algo em comum de seu antepassado comum; o mesmo acontecerá com todos os descendentes de (I) e com cada um dos ramos subordinados de descendentes, em cada período sucessivo. Se, entretanto, mudarmos nossa suposição e resolvermos que os descendentes de (A) ou de (I) foram tão modificados a ponto de perderem os traços de sua filiação de forma mais ou menos completa, então, neste caso, suas classificações naturais terão sido perdidas de modo mais ou menos completo, algo que, por vezes, parece ter sido o caso de alguns organismos atualmente existentes. Todos os descendentes do gênero (F), ao longo de toda a sua linha de descendência, são supostamente pouco modificados e, mesmo assim, eles formam um único gênero. Contudo, embora este gênero esteja bastante isolado, ele ainda assim ocupará sua posição intermediária adequada; pois (F) tem em sua origem características intermediárias entre (A) e (I) e os vários gêneros descendentes desses dois gêneros terão, em certa medida, herdado suas características. Na medida do possível e de forma extremamente simplificada, esta organização pode ser vista em papel no diagrama. Se um diagrama com ramificações não fosse usado e apenas escrevêssemos os nomes dos grupos em uma série linear, seria ainda menos possível obtermos uma organização natural; e, conforme sabido, não é possível representar em uma série, em uma superfície plana, as afinidades que descobrimos na Natureza entre os seres do mesmo grupo. Assim, de acordo com minha teoria, o sistema natural abrange uma organização genealógica, como se fosse um *pedigree*; mas devemos expressar os graus de modificação dos diferentes grupos organizando-os sob as diferentes classes, subfamílias, famílias, seções, ordens e gêneros.

Talvez valha a pena ilustrar esta hipótese classificatória com o exemplo dos idiomas. Se tivéssemos um registro (*pedigree*) perfeito da linhagem dos seres humanos, essa organização genealógica das variedades humanas nos permitiria realizar uma melhor classificação dos vários idiomas atualmente falados em todo o mundo;[13] e se fosse necessário incluirmos

13. Note-se a criatividade da analogia, que ainda hoje inspira muitos estudos, alguns deles muito acessíveis ao grande público, popularizados por cientistas como Luigi Luca Cavalli-Sforza,

todos os idiomas extintos e todos os dialetos intermediários que estão em lenta mutação, então, acredito que essa forma de organização seria a única viável. Além disso, é também possível que algumas línguas muito antigas tenham sido pouco modificadas e dado origem a alguns novos idiomas, enquanto outras (graças à propagação, ao isolamento e ao estado civilizatório das diversas variedades descendentes de uma variedade comum) tenham sido bastante modificadas e dado origem a muitas novas línguas e dialetos. Os diversos graus de diferença das línguas de um mesmo grupo deveriam ser expressos por meio de grupos subordinados a outros grupos; assim, a organização adequada desses idiomas – ou talvez a única possível – ainda seria a genealógica; esse arranjo seria rigorosamente natural, pois ele uniria todas as línguas extintas e modernas por meio de suas afinidades mais próximas, oferecendo a filiação e a origem de todas as línguas.

Para confirmarmos este ponto de vista, veremos a classificação das variedades que sabemos ou acreditamos ser descendentes de uma espécie. As variedades são agrupadas dentro das espécies e as subvariedades, dentro das variedades; e, em relação aos seres domésticos, conforme vimos no exemplo dos pombos, são necessários vários outros graus de diferenças. A origem da classificação de grupos subordinados a outros grupos – ou seja, a proximidade da descendência com diversos graus de modificação – vale tanto para as variedades como para as espécies. Quase todas as mesmas regras são usadas tanto para a classificação das variedades quanto das espécies. Os autores afirmam a necessidade de classificar as variedades em um sistema natural e não em um sistema artificial; eles nos alertam, por exemplo, para não classificarmos duas variedades de abacaxi com a mesma rubrica simplesmente pelo fato de seus frutos serem quase idênticos, embora estes sejam a parte mais importante; ninguém classificaria o nabo sueco e o comum na mesma rubrica, embora seus caules grossos e comestíveis[14] sejam muito semelhantes. Para a classificação das variedades

---

por exemplo, no livro *Genes, povos e línguas*, publicado pela Companhia das Letras (São Paulo). (N.R.T.)

14. A parte comestível a que se refere Darwin é a raiz tuberosa do rabanete (*common turnip*), vermelha por fora e branca por dentro, e do nabo sueco (*rutabaga*), marrom por fora e amarela por dentro, algo adocicada, mais firme, e de crescimento bem mais lento. (N.R.T.)

utiliza-se qualquer parte que seja considerada mais invariável: assim, o grande agricultor Marshall[15] diz que, no que se refere ao gado, os chifres são muito úteis para esta finalidade, porque eles são menos variáveis do que a forma ou a cor do corpo etc.; já em relação às ovelhas, os chifres são muito menos úteis, pois são menos invariáveis. Ao classificar as variedades, entendi que, se tivéssemos uma verdadeira linhagem (*pedigree*), sempre daríamos preferência à classificação genealógica; algo que alguns autores têm tentado fazer. Pois podemos nos sentir seguros de que, caso houvesse mais ou menos modificações, o princípio da hereditariedade manteria juntas as formas com o maior número de pontos em comum. Embora algumas subvariedades de pombos *tumbler* sejam diferentes das outras por terem um bico longo (uma característica importante), ainda assim, todos os pombos são classificados sob a mesma rubrica por terem o hábito comum de darem cambalhotas; mas a linhagem de bico curto perdeu esse hábito completamente ou quase por completo; no entanto, sem qualquer raciocínio ou pensamento sobre o assunto, estes *tumblers* são mantidos no mesmo grupo por serem parentes consanguíneos e por serem similares em alguns outros aspectos. Se conseguíssemos provar que o hotentote é descendente do negro, acredito que ele seria classificado dentro do grupo dos negros, independentemente de suas diferenças de cor e outras características importantes.[16]

No que diz respeito à classificação das espécies em estado natural, todos os naturalistas, de fato, levaram em conta a ascendência, pois todos incluíram os dois sexos no nível mais baixo da classificação ou da espécie; mas todos os naturalistas sabem que as características mais importantes dos sexos costumam ser extremamente diferentes; é quase impossível prevermos algum fato em comum entre certos cirripédios machos e hermafroditas adultos, mas nem mesmo em sonho alguém pensaria em separá-los. Por

---

15. William Marshall (1745-1818), agricultor e escritor inglês, autor de diversas obras sobre economia rural. (N.R.T.)

16. Os colonizadores holandeses, ao chegarem à região do Cabo da Boa Esperança, no século XVI, chamaram de "hotentotes" os habitantes dessa região do sudoeste da África, da etnia *khoikhoi*. O termo tinha conotação negativa no dialeto do norte da Holanda da época (significava "gagos"). Trata-se de cultura nômade, de pastores que ocupam Botsuana e Namíbia. Esta passagem, se escrita hoje, seria vista como racista. Ela foi retirada na quinta e sexta (e última) edição. (N.R.T.)

mais que os diversos estágios larvais do mesmo indivíduo sejam muito diferentes uns dos outros e do indivíduo adulto, o naturalista os classifica como uma única espécie; ele faz o mesmo em relação à alternância de geração de Steenstrup[17] [metagênese], cujos indivíduos assim gerados podem ser considerados como o mesmo indivíduo somente em um sentido técnico. Ele inclui as monstruosidades; ele inclui as variedades, não apenas por serem semelhantes à forma-mãe, mas por serem descendentes dela. Quem crê que a *Primula veris* descende da *Primula vulgaris* ou vice-versa as classifica como uma única espécie e dá uma única definição a elas. Há três formas de orquidáceas (*Monochanthus*, *Myanthus* e *Catasetum*) que anteriormente eram classificadas em três gêneros distintos mas foram imediatamente classificadas como uma espécie única após descobrir-se que, às vezes, elas são produzidas sobre uma mesma espiga. No entanto, alguém poderia indagar: o que fazer se fosse provado que uma espécie de canguru, após um longo período de modificações, havia sido produzida a partir de um urso? Deveríamos classificá-la juntamente com os ursos? E o que faríamos com as outras espécies? A suposição é, naturalmente, absurda; e eu poderia responder com um *argumentum ad hominem* e perguntar o que deveríamos fazer se víssemos um canguru perfeito sair do útero de uma ursa. De acordo com a analogia, ele poderia ser classificado juntamente com os ursos; mas, então, certamente todas as outras espécies da família dos cangurus teriam de ser classificadas sob o gênero dos ursos. O caso todo é absurdo; pois, sempre que houver descendência comum e próxima, certamente haverá grande semelhança ou afinidade.[18]

Já que a descendência tem sido universalmente utilizada para classificar sob a mesma rubrica os indivíduos da mesma espécie, mesmo que machos, fêmeas e larvas sejam, por vezes, extremamente diferentes; e já

---

17. Johannes Japetus Smith Steenstrup (1813-1897), zoólogo dinamarquês com quem Darwin se correspondia e que publicou um trabalho clássico sobre parasitas platelmintos trematódeos em 1842 na Dinamarca (e em 1845 na Ray Society, em Londres), demonstrando o ciclo de vida de *Fasciola hepatica*, que incluía diversos estágios, alternando reprodução sexual e assexual (a chamada metagênese). O termo "alternância de gerações", no entanto, já era utilizado desde 1819 para descrever o ciclo de certos tunicados pelágicos. (N.R.T.)
18. A passagem, que Darwin reconhece como absurda, é algo infeliz, e foi retirada já na edição seguinte. A discussão de fundo se refere ao fato de a necessidade de relação genealógica nem sempre implicar semelhança morfofisiológica, com o que não concordava Thomas Huxley (o *argumentum ad hominem* é referência cifrada a Huxley). (N.R.T.)

que tem sido usada para classificar as variedades que sofreram modificações – pequenas ou consideráveis –, será que este mesmo elemento genealógico não poderia ter sido inconscientemente usado no agrupamento das espécies em gêneros e dos gêneros em grupos maiores, mesmo que nestes casos a modificação tenha sido maior e levado mais tempo para ter ocorrido? Acredito que ela tenha sido usada dessa forma inconsciente; somente assim consigo entender as várias regras e orientações utilizadas até hoje por nossos melhores sistematas. Não temos registros genealógicos (*pedigree*) escritos, então precisamos descobrir uma comunidade de ascendentes por meio de semelhanças de qualquer tipo. Nós, portanto, escolhemos as características que, tanto quanto podemos julgar, têm menos possibilidade de ser modificadas em relação às condições de vida a que cada espécie esteve recentemente exposta. Por tal hipótese, as estruturas rudimentares são tão boas quanto – ou, às vezes, até mesmo melhores – outras partes do organismo. Não nos importa quão insignificante seja uma característica – talvez uma mera inflexão do ângulo da mandíbula, a maneira como a asa de um inseto está dobrada, uma pele coberta por pelos ou penas. A característica assume um valor elevado quando está presente em muitas e diferentes espécies, principalmente nas espécies que têm hábitos de vida muito diferentes; pois só há como dar conta da presença de tal elemento em tantas formas com hábitos tão diferentes se supusermos a hereditariedade de um ancestral comum. Podemos errar em relação a pontos particulares da estrutura, mas quando várias características, mesmo que insignificantes, ocorrem em um grande grupo de seres com hábitos diferentes, podemos ter quase certeza, segundo a teoria da descendência, que essas características foram herdadas de um ancestral comum. E sabemos que essas características correlatas ou agregadas têm um valor especial para a classificação.

É possível entendermos por que uma espécie (ou um grupo de espécies), mesmo afastada das características mais importantes de seus parentes, pode mesmo assim ser seguramente classificada junto a eles. Isso pode ser realizado com segurança – e ocorre muitas vezes – sempre que um número suficiente de características (mesmo que sejam completamente sem importância) revele o vínculo oculto da comunidade de ascendentes. Tomemos duas formas sem uma única característica em comum; ainda assim, se estas formas extremas estiverem ligadas entre si por uma cadeia de grupos intermediários, poderemos imediatamente inferir a existência de sua comunidade de ascendentes e, dessa forma, as colocarmos todas em uma mesma classe. Haja vista o fato de os órgãos de alta importância fisiológica que servem para preservar a vida nas mais diversas condições de existência serem geralmente os mais invariáveis, aos quais atribuímos um valor especial; mas, se descobrirmos que esses mesmos órgãos são muito diferentes em outro grupo ou numa seção de um grupo, nós imediatamente os desvalorizaremos em nossa classificação. Acredito que, deste ponto em diante, veremos claramente por que as caraterísticas embriológicas têm uma importância classificatória tão grande. A distribuição geográfica pode às vezes ser usada para a classificação de grandes gêneros com ampla distribuição, pois todas as espécies de um mesmo gênero que habitam uma região distinta e isolada descendem muito provavelmente dos mesmos pais.

Podemos entender, por estes pontos de vista, a importante distinção entre afinidades reais (parentesco) e semelhanças analógicas ou adaptativas. Lamarck foi o primeiro a nos mostrar tal distinção. Ele foi seguido de modo competente por Macleay[19] e outros. As semelhanças da forma do corpo e dos membros anteriores em forma de barbatana do peixe-boi – que é um animal paquidérmico – e da baleia, bem como entre estes mamíferos e os peixes, são semelhanças analógicas. Há inúmeros exemplos semelhantes entre os insetos. Assim, Lineu, enganado pela aparência externa, acabou classificando um inseto homóptero como uma mariposa. Vemos algo do mesmo tipo mesmo em nossas variedades domésticas, como no caso dos grossos caules do nabo sueco e do nabo comum. A semelhança entre galgos e cavalos de corrida só não é mais fantasiosa que as analogias feitas por alguns autores entre animais muito distintos. Aceitando meu ponto de vista de que as características têm importância real para a classificação apenas na medida em que revelam a ascendência, então podemos entender de forma clara por que as características analógicas ou adaptáveis – embora de extrema importância para o bem-estar do ser – quase não tinham valor para o sistemata. Pois os animais que pertencem a duas linhas genealógicas bas-

19. William Sharp Macleay (também grafado McLeay) (1792-1865), entomologista britânico. (N.T.)

tante distintas podem facilmente adaptar-se a condições semelhantes e, assim, adquirir uma grande semelhança externa; mas essas semelhanças não revelam as linhas genealógicas consanguíneas apropriadas desses animais – tendem na verdade a escondê-las. Podemos também entender o aparente paradoxo, a saber, que exatamente as mesmas características são analógicas quando uma classe ou ordem é comparada a outra, mas que oferecem o verdadeiro parentesco quando os membros da mesma classe ou ordem são comparados uns com os outros: assim, a forma do corpo e os membros semelhantes a barbatanas são apenas analógicos quando comparamos baleias e peixes, sendo adaptações para o nado em ambas as classes; mas a forma do corpo e os membros semelhantes a barbatanas servem como características que apresentam a verdadeira afinidade entre os vários membros da família das baleias; pois estes cetáceos têm tantas características concordantes, grandes e pequenas, que não há como duvidar de que tenham herdado a forma geral de seus corpos e a estrutura de seus membros de um ancestral comum. O mesmo vale para os peixes.[20]

Já que os membros de classes distintas costumam receber pequenas adaptações sucessivas para conseguir viver em condições quase semelhantes – como, por exemplo, habitar os três elementos, terra, ar e água –, podemos talvez entender a eventual observação de um paralelismo numérico entre os subgrupos de classes distintas. Um naturalista, ao notar tal paralelismo em uma classe qualquer, poderá facilmente estendê-lo a uma distribuição mais ampla; pode fazer isso aumentando ou diminuindo arbitrariamente o valor dos grupos em outras classes (e toda a nossa experiência nos mostra que esta avaliação tem sido arbitrária até agora); e esta é a origem provável das classificações septenárias, quinárias, quaternárias e ternárias.[21]

---

20. Trata-se de observação muito importante, pois as barbatanas de peixes e de baleias são adaptações análogas, mas não são caracteres homólogos, pois não têm uma origem comum. Evolucionistas contemporâneos de Darwin insistiam em afirmar que a baleia seria um "aperfeiçoamento" de répteis aquáticos, enquanto Darwin insistiu, desde esta primeira edição, que ela deveria ser descendente de mamíferos terrestres, o que foi amplamente confirmado em época recente. (N.R.T.)

21. Macleay havia proposto um sistema de classificação no qual todos os grupos deveriam ser representados por múltiplos de cinco (sistema "quinário"); outros optaram por outros números, em bases que Darwin reconhecia como arbitrárias, ou seja, sem paralelo com a genealogia. (N.R.T.)

Considerando que os descendentes modificados das espécies dominantes e pertencentes a gêneros maiores tendem a herdar as vantagens que tornaram seus pais dominantes e os grupos a que pertencem grandes, eles se espalharão de forma ampla e ocuparão cada vez mais os nichos existentes na economia da Natureza. Quanto maiores e mais dominantes, os grupos tendem a continuar aumentando seu tamanho; e eles consequentemente suplantam muitos grupos menores e mais fracos. Assim, é possível explicar o fato de todos os organismos, atuais e extintos, fazerem parte de um pequeno número de grandes ordens e de um número menor ainda de classes, sendo que todos pertencem a um único grande sistema natural. Para ilustrar como é pequeno o número de grupos superiores e quão ampla é sua distribuição por todo o mundo, é notável o fato de que a descoberta da Austrália não tenha acrescentado um único inseto pertencente a uma nova ordem e, no reino vegetal, conforme fiquei sabendo por intermédio do doutor Hooker; tal descoberta adicionou apenas duas ou três ordens pequenas.

Tentei mostrar no capítulo sobre sucessão geológica – segundo o princípio de que em cada grupo ocorreu muita divergência de características durante o longo e contínuo processo de modificação – por que as formas mais antigas de vida muitas vezes apresentam características que, de alguma maneira, são intermediárias entre os grupos existentes. Algumas formas-mãe antigas e intermediárias ocasionalmente transmitidas para os descendentes dos dias atuais, mas pouco modificadas, nos darão os grupos que chamamos de anômalos ou aberrantes. Quanto mais aberrante uma forma, maior deverá ser o número de formas conectantes que, por minha teoria, foram exterminadas e totalmente perdidas. E temos algumas provas de que formas aberrantes sofreram severamente com a extinção, pois elas são geralmente representadas por pouquíssimas espécies; e essas espécies costumam ser muito diferentes umas das outras, algo que, mais uma vez, implica em extinção. Os gêneros *Ornithorhynchus* e *Lepidosiren*,[22] por exemplo, não teriam sido menos aberrantes se cada um fosse representado por uma dúzia de espécies em vez de uma; mas tal riqueza de espécies, conforme descobri após algumas investigações, não é comum em gêneros aberrantes. Parece-me que podemos explicar esse fato ao vermos as formas aberrantes como

22. Refere-se ao ornitorrinco e à piramboia. (N.R.T.)

grupos fracassados que foram conquistados por concorrentes mais bem--sucedidos, mas que, por alguma coincidência incomum de circunstâncias favoráveis, preservaram alguns membros.[23]

O senhor Waterhouse observou que quando um membro pertencente a um certo grupo de animais apresenta uma afinidade em relação a um grupo bastante distinto, essa afinidade na maioria dos casos é geral e não especial: assim, de acordo com o senhor Waterhouse, de todos os roedores, o viscacha é o que está mais próximo dos marsupiais;[24] mas, nos pontos em que se aproxima desta ordem, suas relações são gerais e não mais próximas a uma certa espécie de marsupial do que a outra. Acredita-se que os pontos de afinidade entre o viscacha e os marsupiais são reais, e não meramente adaptativos; então, de acordo com minha teoria, eles se devem à hereditariedade comum. Portanto, devemos supor ou que todos os roedores, incluindo o *vizcacha*, originam-se de um marsupial muito antigo, que terá tido uma característica até certo ponto intermediária no que diz respeito a todos os marsupiais existentes; ou que os roedores e os marsupiais originam-se de um progenitor comum, e que ambos os grupos já sofreram muitas modificações em sentidos divergentes.[25] Por qualquer ponto de vista podemos supor que o viscacha manteve, por hereditariedade, mais características de seu antigo progenitor que outros roedores; e, portanto, não estará especialmente relacionado a qualquer marsupial existente, mas indiretamente a todos, ou quase todos, os marsupiais, pelo fato de estes terem mantido parcialmente a característica de seu progenitor comum ou de um antigo membro do grupo. Por outro lado, o senhor Waterhouse notou que, dentre todos os marsupiais, o *phascolomys*

---

23. Darwin se equivoca aqui por estar preso a seu conceito de "fóssil vivo" como seres que teriam ficado "salvos da competição fatal" por supostamente ocuparem "regiões protegidas" nas quais não ocorreria seleção natural (ver capítulo 4). Na verdade, ambos são casos de espécies chamadas basais, pois são descendentes pouco modificados de ancestrais que estão na base de grandes grupos. A piramboia pertence ao grupo dos peixes de nadadeiras lobadas, que deu origem aos tetrápodes há cerca de 370 milhões de anos, e o ornitorrinco é um monotremo, um mamífero que divergiu de marsupiais (monotérios) e placentários (eutérios) há cerca de 160 milhões de anos. (N.R.T.)

24. Trata-se de mera aparência (ver adiante). (N.R.T.)

25. Aqui Darwin comete grande equívoco, provavelmente por tomar os marsupiais como placentários primitivos. O viscacha (*Lagostomus maximus*) é uma espécie de roedor placentário (da família Chinchillidae), portanto tão próximo dos marsupiais quanto qualquer outro mamífero placentário (eutério), como um cavalo ou uma baleia. (N.R.T.)

é o que mais se parece não com qualquer uma das espécies, mas com a ordem geral de roedores.[26] Neste caso, no entanto, há fortes suspeitas de que a semelhança seja apenas analógica, pois o *phascolomys* adaptou-se a hábitos similares aos dos roedores. Observações semelhantes sobre a natureza geral das afinidades entre diferentes ordens de plantas foram feitas por De Candolle Sênior.

Pelo princípio da multiplicação e da divergência gradual das características das espécies que descendem de um ascendente comum, aliado à retenção hereditária de algumas características comuns, podemos entender as afinidades excessivamente complexas e irradiantes pelas quais todos os membros da mesma família ou do mesmo grupo superior se conectam. Isso ocorre porque o pai comum de toda uma família de espécies, agora dividida pela extinção em diferentes grupos e subgrupos, terá transmitido para todos algumas de suas características, modificadas em várias formas e variados graus; consequentemente, as diversas espécies estarão relacionadas entre si por linhas de afinidade tortuosas e de diversos tamanhos (como pode ser visto no diagrama já tantas vezes referido), cada vez mais numerosas por causa de seus muitos antecessores. Da mesma forma que é difícil demonstrar a relação de consanguinidade entre os inúmeros parentes de qualquer família antiga e nobre, mesmo com a ajuda de uma árvore genealógica, sem a qual a demonstração se torna quase impossível de ser efetuada, podemos, então, entender a extraordinária dificuldade enfrentada pelos naturalistas para descrever, sem o auxílio de um diagrama, as várias afinidades que perceberam entre os muitos membros vivos e extintos da mesma grande classe natural.

A extinção, como vimos no capítulo 4, tem desempenhado um papel importante para a definição e a ampliação dos intervalos existentes entre os vários grupos de cada classe. Assim, é possível explicarmos até mesmo a distinção entre classes inteiras – por exemplo, a distinção entre aves e todos os outros animais vertebrados – por meio da crença de que muitas formas antigas de vida foram totalmente perdidas, através das quais os primeiros progenitores das aves estavam anteriormente conectados com os primeiros progenitores de outras classes de vertebrados. Houve um número me-

---

26. O gênero *Phascolomys* refere-se aos vombates (do inglês *wombat*); marsupiais da fauna atual da Austrália e da Tasmânia, com dentes incisivos e hábitos muito parecidos com os dos roedores placentários. Trata-se, no entanto, apenas de evolução convergente, como Darwin cogita em seguida. (N.R.T.)

nor de extinções entre as formas de vida que uma vez conectaram peixes e batráquios. Outras classes, como a dos crustáceos, tiveram ainda menos extinções, pois, nesta classe, as formas mais maravilhosamente diversas estão ainda unidas por uma longa e descontínua cadeia de afinidades. As extinções apenas separaram grupos, de maneira alguma os construíram; pois, se cada forma que já viveu sobre a Terra reaparecesse repentinamente, seria possível fazer uma classificação natural ou pelo menos uma organização natural, ainda que fosse impossível dar definições para que um grupo pudesse ser diferenciado dos outros, pois todos estariam separados por etapas tão próximas como as que ocorreram entre as melhores variedades vivas. Veremos isso por meio do diagrama: as letras de (A) a (L) podem representar onze gêneros silurianos, sendo que alguns deles produziram grandes grupos de descendentes modificados. Podemos supor que cada elo intermediário entre estes onze gêneros e seu antepassado primordial e cada elo intermediário de cada um dos ramos e sub-ramos de seus descendentes ainda estejam vivos; podemos ainda supor que os elos sejam tão bons como aqueles existentes entre as melhores variedades. Neste caso, seria completamente impossível dar definições que distinguissem os vários membros dos vários grupos de seus pais mais imediatos; ou estes pais de seu progenitor mais antigo e desconhecido. Ainda assim, a organização natural do diagrama continuaria correta; e, pelo princípio da hereditariedade, todas as formas descendentes de (A) ou de (I) teriam algo em comum. Em uma árvore podemos especificar este ou aquele ramo, mas, na bifurcação, dois ramos se unem e se misturam. Conforme dito, não poderíamos definir os vários grupos; mas poderíamos escolher os tipos ou as formas que representassem a maioria das características de cada grupo, grande ou pequeno, e, assim, oferecer uma ideia geral do valor das diferenças entre eles. Este é o destino final para onde deveremos ser conduzidos caso queiramos obter sucesso na coleta de todas as formas de qualquer classe que já viveu. Certamente nunca conseguiremos fazer uma coleção tão perfeita; caminhamos no entanto para isso em determinadas classes. Milne Edwards afirmou recentemente, em um ensaio hábil, a grande importância de observar os tipos, ainda que não seja possível separar e definir os grupos aos quais pertencem esses tipos.

Por fim, vimos que a seleção natural – que resulta da luta pela existência e que quase inevitavelmente induz à extinção e divergência de características em muitos descendentes de uma espécie-mãe dominante – explica o grande caráter universal das afinidades de todos os organismos, ou seja, a subordinação de certos grupos a outros grupos. Nós usamos o elemento da descendência para classificar sob uma mesma espécie os indivíduos de ambos os sexos e de todas as idades, mesmo que tenham poucas características em comum; usamos a descendência para classificar as variedades conhecidas, ainda que sejam muito diferentes de seus pais; e eu acredito que o elemento da descendência é o vínculo oculto da conexão que os naturalistas têm procurado sob o nome de sistema natural. É possível entender as regras de classificação que somos obrigados a seguir por meio da ideia de um sistema natural cuja organização é genealógica na medida em que tem sido aperfeiçoado e cujos graus entre os descendentes e um antecessor comum são expressados pelos termos gênero, família, ordem etc. É possível entender por que valorizamos muito mais certas semelhanças e não outras; por que estamos autorizados a usar órgãos rudimentares e inúteis, ou outros de importância fisiológica insignificante; por que, ao compararmos dois grupos distintos, rejeitamos sumariamente as características analógicas ou adaptativas e, mesmo assim, usamos essas mesmas características dentro dos limites do mesmo grupo. Podemos ver claramente como todas as formas vivas e extintas podem ser agrupadas em um grande sistema único; e como os vários membros de cada uma das classes estão conectados por linhas de afinidades divergentes e muito complexas. É provável que jamais sejamos capazes de desenredar a inextricável teia de afinidades existente entre os membros de uma classe; mas sempre que um objeto distinto estiver diante de nós, e procurarmos dar atenção a algum plano desconhecido da criação, poderemos esperar avanços lentos, mas seguros.

Morfologia

Vimos que os membros da mesma classe, independentemente de seus hábitos de vida, são semelhantes uns aos outros no plano geral de seu organismo. Esta semelhança é frequentemente indicada pelo termo "unidade de tipo"; ou então dizemos que as várias partes e os órgãos em diferentes espécies da classe são homólogos. Todo este tema recebe o nome geral de morfologia. Essa é a área mais interessante da história natural; pode-se dizer que é a sua própria alma. A mão de um ser humano que serve para agarrar, a de uma toupeira que serve para cavar, a perna do cavalo, a nadadeira do boto e a asa do morcego; o que pode ser mais curioso do que saber que todas essas partes têm o mesmo padrão de construção e que todas elas incluem os mesmos ossos nas mesmas posições relativas? Geoffroy Saint-Hilaire insistiu fortemente sobre a grande importância da conexão relativa dos órgãos homólogos: a forma e o tamanho das partes podem mudar bastante, mas elas se mantêm conectadas sempre na mesma ordem. Nunca veremos, por exemplo, uma transposição entre os ossos do braço e do antebraço, ou da coxa e da panturrilha. Portanto, os ossos homólogos de animais extremamente diferentes podem receber os mesmos nomes. Vemos a mesma grande lei na construção da boca dos insetos: o que pode ser mais diferente do que a probóscide imensamente longa e espiralada de uma mariposa da família Sphingidae, a curvada de uma abelha ou de um inseto da ordem Hemiptera e as grandes mandíbulas de um besouro? Ainda assim, todos esses órgãos, que servem para diferentes finalidades, são formados pelas infinitas modificações de um lábio superior, mandíbulas e dois pares de maxilares. Leis análogas regem a construção das bocas e dos membros dos crustáceos. O mesmo vale para as flores das plantas.

Nada é mais inútil que tentar explicar esses padrões semelhantes dos membros de uma mesma classe por meio da utilidade ou pela doutrina das causas finais. A inutilidade da tentativa foi expressamente admitida por Owen em seu mais interessante trabalho sobre a *Natureza dos membros* (*Nature of Limbs*).[27] Pela teoria ordinária da criação independente dos organismos, só é possível dizer que tudo é como é; pois decidiu o Criador assim moldar a todos os animais e plantas.

A explicação, no entanto, se torna óbvia pela teoria da seleção natural das pequenas modificações sucessivas; modificações que devem ser de algum modo vantajosas para a forma modificada, mesmo que, muitas vezes, afete outras partes do organismo pela correlação de crescimento. Nas modificações dessa natureza, haverá pouca ou nenhuma tendência para que o padrão original seja modificado ou para que ocorra transposição de partes.

---

27. Darwin se refere ao livro de Richard Owen publicado em 1849 no qual ele define operacionalmente homologia como sendo "o mesmo órgão em diferentes animais, sob qualquer variedade de forma e função". Nesse livro, ele compara o esqueleto humano ao de outros vertebrados e conclui (p. 87) que a "vestimenta dos peixes" acabou por se tornar o "glorioso vestuário da forma humana", sugerindo a ideia de evolução, o que lhe rendeu severas críticas. (N.R.T.)

Os ossos de um membro podem ser encurtados e aumentados para qualquer tamanho e podem ser gradualmente envelopados por uma membrana grossa a fim de servir como uma barbatana; ou todos os ossos (ou certos ossos) de um pé palmado podem ser alongados em qualquer medida juntamente com a membrana que os conecta para servir como uma asa; ainda assim, mesmo com tantas modificações, não haverá nenhuma tendência para alterar a estrutura básica dos ossos ou as ligações relativas das diversas partes. Se supusermos que os membros do antigo progenitor de todos os mamíferos, o qual poderia ser chamado arquétipo,[28] foram construídos de acordo com o padrão geral existente, independentemente de sua finalidade, poderemos perceber de imediato o significado pleno da construção homóloga dos membros em toda a classe. Então, em relação às bocas dos insetos, precisamos supor somente um progenitor comum que tivesse lábio superior, mandíbulas e dois pares de maxilares; e que estas partes talvez tivessem uma forma muito simples; e então a seleção natural dará conta da infinita diversidade estrutural e funcional das bocas dos insetos. Não obstante, é concebível que o padrão geral de um órgão se torne tão obsoleto a ponto de finalmente desaparecer pela atrofia e, por fim, pelo completo abandono de certas partes, seja por meio da junção de algumas partes, seja por meio da duplicação ou da multiplicação de outras ainda, variações que, conforme sabemos, estão dentro dos limites do possível. Nas nadadeiras dos gigantescos e extintos lagartos marinhos e nas bocas de alguns crustáceos sugadores,[29] o padrão geral parece ter sido de certa forma assim obscurecido.

Há outro ramo igualmente curioso do presente tema; a saber, a comparação não da mesma parte em diferentes membros de uma classe, mas das diferentes partes ou dos variados órgãos no mesmo indivíduo. A maioria dos fisiologistas acredita que os ossos do crânio sejam homólogos, isto é, correspondam em número e em conexões relativas às partes elementares de certo número de vértebras. Os membros anteriores e posteriores dos indivíduos das classes de vertebrados e artrópodes são claramente homólogos. A mesma lei pode ser notada ao compararmos as mandíbulas e pernas

---

28. Darwin de certa forma se apropria do conceito platônico de arquétipo ideal de Owen, tomando-o por forma ancestral, que deveria ter necessariamente existido concretamente no passado. Talvez isso explique a reação irada de Owen. (N.R.T.)
29. Referência a crustáceos parasitas. (N.R.T.)

maravilhosamente complexas dos crustáceos. Quase todo mundo sabe que, em uma flor, a posição relativa das sépalas, pétalas, dos estames e pistilos, bem como sua estrutura íntima, pode ser compreendida pela hipótese de que todos esses elementos consistem em folhas metamorfoseadas e dispostas em uma espiral. Nas plantas monstruosas,[30] muitas vezes, encontramos evidência direta da possibilidade de um órgão ser transformado em outro; e, na verdade, nos crustáceos embrionários e em muitos outros animais, bem como nas flores, podemos ver que certos órgãos extremamente diferentes quando maduros são, na fase inicial de crescimento, exatamente iguais.

Quão inexplicáveis são esses fatos pela hipótese comum da criação! Por que o cérebro deve ser posto em uma caixa composta de tantas peças ósseas moldadas de forma tão extraordinária? Conforme observou Owen, a vantagem do crânio com partes separadas para o parto de mamíferos não explica a mesma construção existente nos crânios das aves. Por que foram criados ossos semelhantes para a construção das asas e das pernas de um morcego, mas foram usados para fins totalmente diferentes? Por que um crustáceo, que tem uma boca extremamente complexa formada de muitas partes, sempre tem menos pernas como consequência? Ou, por outro lado, por que os espécimes com muitas pernas têm bocas mais simples? Por que as sépalas, pétalas, os estames e pistilos de todas as flores, embora adaptados para fins muito diferentes, têm o mesmo padrão de construção?

Estas questões podem ser respondidas de forma satisfatória por meio da teoria da seleção natural. Dentre os vertebrados, vemos uma série de vértebras internas que contêm certos apêndices e apófises; nos articulados, vemos o corpo dividido em uma série de segmentos com apêndices externos; e nas plantas com flores, vemos uma série sucessiva de verticilos (ou nós) espiralados de folhas. Uma repetição indefinida da mesma parte ou do mesmo órgão é a característica comum (como observado por Owen) de todas as formas da parte mais baixa da escala natural ou pouco modificadas; portanto, nós podemos acreditar prontamente que o progenitor desconhecido dos vertebrados tinha muitas vértebras; o progenitor desconhecido dos articulados, muitos segmentos; e o progenitor desconhecido das plantas de floração, muitos

30. Darwin adota o adjetivo utilizado por Lineu para designar as plantas com órgãos exuberantes, mas não funcionais, como a couve-flor, cuja flor não produz sementes nem frutos. (N.R.T.)

verticilos espiralados de folhas. Já vimos anteriormente que as partes com muitas repetições são altamente propensas a variar em número e estrutura; por conseguinte, é bastante provável que a seleção natural, durante um longo período contínuo de modificações, tenha tomado certo número de elementos originalmente semelhantes, muitas vezes repetidos, e os tenha adaptado para os mais diversos fins. E, já que o número total de modificações terá sido realizado por uma sucessão de pequenas etapas, não há por que ficarmos surpresos se nessas partes ou nesses órgãos descobrirmos certo grau de semelhança fundamental, retida pelo poderoso princípio da hereditariedade.

Na grande classe dos moluscos, embora possamos verificar as partes homólogas de uma espécie em comparação às de outras espécies distintas, podemos indicar apenas algumas poucas homologias; ou seja, raramente podemos dizer que, no mesmo indivíduo, uma parte ou um órgão é homólogo a outra parte ou outro órgão. E podemos entender este fato; nos moluscos, mesmo dentre os membros inferiores da classe, quase não encontramos tanta repetição indefinida de uma parte como encontramos em outras grandes classes dos reinos vegetal e animal.

Os naturalistas costumam dizer que o crânio é formado por vértebras metamorfoseadas; que os maxilares dos caranguejos são pernas metamorfoseadas; que os estames e pistilos das flores são folhas metamorfoseadas; mas nestes casos provavelmente seria mais correto, como observou o professor Huxley, dizer que o crânio e as vértebras, que os maxilares e as pernas etc. são metamorfoses não uns dos outros, mas de algum elemento comum. Os naturalistas, no entanto, usam estas expressões apenas em sentido metafórico: eles estão longe de querer dizer que, durante um longo período de descendências, os órgãos primordiais – vértebras em um caso e pernas no outro – foram realmente modificados para se tornarem crânios ou mandíbulas. Ainda assim, os sinais visíveis de uma modificação dessa natureza ter ocorrido são tão evidentes que os naturalistas mal conseguem evitar o uso de expressões que contenham esse significado simples. Em minha opinião, estes termos podem ser usados literalmente; e em parte fica explicado o fato maravilhoso de os maxilares do caranguejo, por exemplo, conservarem várias características que provavelmente teriam sido mantidas por meio da hereditariedade se durante um longo período de descendências tivessem realmente surgido pela metamorfose de pernas verdadeiras ou de um simples apêndice.

Embriologia

Há certos órgãos do indivíduo que, quando maduros, tornam-se muito diferentes e servem para variadas finalidades; já foi casualmente observado que esses órgãos são exatamente iguais no embrião. Além disso, os embriões de diversos animais da mesma classe são frequentemente bastante semelhantes; não há melhor prova disso que um episódio mencionado por Agassiz.[31] Ele diz que, após ter se esquecido de etiquetar o embrião de certo animal vertebrado, ele já não conseguia mais dizer se aquele embrião pertencia a um mamífero, uma ave ou um réptil. As larvas vermiformes das mariposas, das moscas, dos besouros etc. assemelham-se muito mais umas às outras que os insetos adultos; mas, no caso de larvas, os embriões são ativos e estão adaptados para linhas especiais de vida. Traços da lei da semelhança embrionária duram, por vezes, até uma idade bastante tardia; desse modo, os pássaros do mesmo gênero e de gêneros com parentesco próximo muitas vezes se assemelham uns aos outros em sua primeira e segunda plumagens, conforme podemos notar nas penas com pintas do grupo dos tordos. Na tribo do gato, a maioria das espécies é listrada ou possui pintas em linhas; podemos distinguir claramente as listras nos filhotes de leão. Ocasionalmente, embora seja raro, vemos algo deste tipo em plantas: assim, as folhas embrionárias do gênero *Ulex* ou tojo[32] e as primeiras folhas de certas acácias com filódios[33] são pinadas ou divididas como as folhas comuns das leguminosas.[34]

---

31. Na terceira edição, Darwin corrigiu a menção feita pelo embriologista alemão Von Baer, introduzindo extensa transcrição, na qual ele afirma ter dois embriões preservados em frascos com álcool, mas que a falta de etiquetas o impede de saber a qual "classe" (!) pertencem. Em outros termos, não consegue determinar se é um embrião de peixe ou de mamífero! (N.R.T.)

32. *Ulex europaeus*, conhecido como tojo (*furze*), presente no Brasil como invasora de pastagens do Rio Grande do Sul e Paraná. Tem flor típica de leguminosas (como feijão e ervilha), mas a planta adulta tem folhas muito modificadas, transformadas em espinhos, o que a torna indicada para cercas vivas. (N.R.T.)

33. Acácias adultas têm uma estrutura achatada, com aspecto de folha, formando um pecíolo dilatado, chamado filódio, responsável pela fotossíntese. Apenas durante curto período depois da germinação as acácias possuem folhas verdadeiras. (N.R.T.)

34. A analogia compara as primeiras folhas de algumas espécies que seriam semelhantes às folhas de plantas adultas de outro grupo. O tojo adulto é espinhoso, com folhas modificadas, mas as primeiras folhas e a flor são muito semelhantes às de leguminosas típicas. As primeiras folhas das acácias são muito semelhantes às das plantas adultas daquela família. Isso seria equivalente à semelhança entre embriões de diferentes classes de vertebrados. (N.R.T.)

Os pontos estruturais em que os embriões de animais extremamente diferentes da mesma classe se assemelham uns aos outros, muitas vezes, não têm nenhuma relação direta com as suas condições de existência. Não podemos, por exemplo, supor que o percurso peculiar em forma de laço das artérias próximas às fendas branquiais dos embriões dos vertebrados esteja relacionado às condições semelhantes no jovem mamífero que é nutrido no ventre de sua mãe ou no ovo de pássaro chocado em um ninho e na prole de um sapo debaixo da água. Não há razões para acreditar em tal relação, assim como não temos razão para acreditar que os mesmos ossos na mão de um homem, da asa de um morcego e da nadadeira de um golfinho estejam relacionados às condições similares de vida. Ninguém dirá que as listras dos filhotes de leão ou as pintas dos filhotes do melro têm alguma utilidade para esses animais ou que estejam relacionadas com as condições às quais eles estão expostos.[35]

O caso, no entanto, é diferente quando, durante qualquer parte do seu percurso embrionário, um animal é ativo e precisa alimentar-se. É possível que o período de atividade chegue mais cedo ou mais tarde na vida; mas, independentemente do momento de sua chegada, a adaptação da larva às suas condições de vida é tão perfeita e tão bonita quanto no animal adulto. Por causa dessas adaptações especiais, a semelhança entre larvas ou embriões ativos dos animais aparentados pode ficar muito obscurecida; e poderíamos oferecer exemplos de larvas de duas espécies ou de dois grupos de espécies tão diferentes umas das outras – ou ainda mais diferentes – quanto os pais adultos. Na maioria dos casos, no entanto, as larvas, apesar de ativas, ainda obedecem de forma mais ou menos rígida à lei da semelhança embrionária comum. Os cirripédios são um bom exemplo disso: nem mesmo o ilustre Cuvier percebeu que uma craca era certamente um crustáceo; mas uma rápida verificação da larva nos mostra isso de forma inconfundível.[36] Então, novamente as duas divisões

---

35. Trata-se de argumento muito sofisticado, que desmonta a base de dois sistemas de ideias: a presença de características inúteis contraria a lógica dos criacionistas aristotélicos, para quem a natureza nada faz em vão; a presença de características semelhantes em animais que enfrentam condições de existência muito diversas contraria a lógica dos seguidores de Cuvier, citado logo em seguida. (N.R.T.)

36. Darwin havia lido, ainda na viagem do Beagle, a descrição da metamorfose da larva de cracas, no trabalho de John V. Thompson, *Zoological Researches, and Illustrations, or, Natural*

principais dos cirripédios – os pedunculados e os sésseis, com aparência externa completamente diferente[37] – têm larvas quase indistinguíveis em todos os seus vários estágios. [38]

No decurso de seu desenvolvimento, o embrião geralmente ganha uma organização superior: mesmo utilizando essa expressão, estou ciente de que é quase impossível definir claramente o que se entende por uma organização superior ou inferior. Mas provavelmente ninguém discordará que a borboleta é superior à lagarta. Em alguns casos, no entanto, o animal maduro pode ser considerado inferior à larva, como acontece com certos crustáceos parasitas.[39] Voltando ao exemplo dos cirripédios, as larvas da primeira fase possuem três pares de pernas, um único olho simples e uma boca prosbosciforme, com a qual alimentam-se de forma farta, pois eles aumentam muito de tamanho.[40] Na segunda fase, semelhante à fase da crisálida nas borboletas, eles têm seis pares de pernas natatórias maravilhosamente bem construídas, um par de magníficos olhos compostos e antenas extremamente complexas; mas possuem uma boca fechada e imperfeita com a qual não podem alimentar-se; sua função, nesta fase, é procurar, por meio de seus bens desenvolvidos órgãos do sentido, e chegar – com sua capacidade ativa de nadar – a um lugar em que possam anexar-se para dar início à metamorfose final.[41] Finda esta última fase, eles se fixam para o resto da vida: as

History of nondescript or imperfectly Known Animals, in a Series of Memoirs: Illustrated by Numerous Figures, originalmente publicado em 1828. A memória IV tratava da metamorfose das cracas, inclusive com desenho detalhado de uma larva cipridiforme, com seis pares de "pernas natatórias" (pl.IX), com a conclusão do autor de que se tratava de crustáceos. (N.R.T.)

37. Darwin refere-se às ordens *Pedunculata* e *Sessilia*; apesar dos nomes (conferidos por Lamarck em 1818), membros dos dois grupos são sésseis, ou seja, vivem aderidos a um substrato. (N.R.T.)

38. A polêmica da taxonomia das cracas havia sido resolvida na década de 1830, com o estudo de seu ciclo reprodutivo, que se inicia com um estágio larval típico dos crustáceos, o náuplio. Ainda hoje se procuram formas de distinguir larvas de diferentes grupos, pois até mesmo o estágio final, que adere ao substrato típico das cracas (cipridiforme), é praticamente igual em todas as espécies de cracas. (N.R.T.)

39. Darwin está ciente de que essas comparações de "superioridade" eram alvo de grande questionamento já àquela época, mas se mantinha preso a certas hierarquias que não fazem sentido. (N.R.T.)

40. Descrição da larva náuplio, comum aos crustáceos, com desenvolvimento ao redor de seis meses. (N.R.T.)

41. Descrição da larva cipridiforme, típica dos cirripédios, com desenvolvimento breve, de dias a semanas. (N.R.T.)

pernas são transformadas em órgãos preênseis; eles voltam a ter uma boca bem construída, mas não têm antenas, e seus dois olhos então são novamente transformados em um olho pequeno, único e muito simples. Neste estágio final e completo, os cirripédios podem ser considerados como organismos inferiores à sua condição de larva.[42] Mas, em alguns gêneros, as larvas tornam-se hermafroditas com a estrutura ordinária, ou tornam-se aquilo que chamei de machos complementares: o desenvolvimento destes últimos é certamente retrógrado, pois o macho é apenas um saco simples que vive por um tempo curto e não possui boca, estômago ou outro órgão de importância, exceto os órgãos reprodutivos. Estamos tão acostumados a notar as diferenças estruturais entre o embrião e o adulto e, da mesma forma, uma forte semelhança entre os embriões de animais extremamente diferentes dentro da mesma classe, que podemos ser levados a ver esses fatos como se fossem necessariamente contingentes ao crescimento. No entanto não há razão óbvia para que, por exemplo, a asa de um morcego ou a nadadeira de um golfinho não pudesse ter sido modelada com todas as suas partes na proporção correta tão logo a estrutura se tornasse visível no embrião. E em alguns grupos inteiros de animais e em certos membros de outros grupos, o embrião nunca é completamente diferente do adulto. Owen observou o seguinte em relação à siba:[43] "Não há nenhuma metamorfose; a característica cefalópode manifesta-se bem antes de as partes do embrião estarem prontas"; já sobre as aranhas: "Não há nada que mereça o nome de metamorfose". Quase todas as larvas de insetos – sejam elas adaptadas aos hábitos mais diversificados e ativos, ou completamente inativas, sejam elas alimentadas por seus pais ou colocadas em um meio nutritivo adequado – passam por uma fase vermiforme semelhante de desenvolvimento; mas em alguns poucos casos, como no do gênero *Aphis*,[44] quando observamos os admiráveis desenhos feitos pelo professor Huxley sobre o desenvolvimento deste inseto, não vemos quaisquer vestígios da fase vermiforme.

---

42. Darwin evidencia a fragilidade do argumento que ele mesmo defende! Essas passagens confusas foram mantidas ao longo das diversas edições do *On The Origin of Species*. (N.R.T.)

43. Molusco cefalópode semelhante à lula. (N.R.T.)

44. Gênero dos pulgões, que podem ter reprodução vivípara em certas condições. (N.R.T.)

Como podemos então explicar esses vários fatos da embriologia, a saber, a diferença estrutural muito geral, mas não universal, entre o embrião e o adulto; as partes do mesmo embrião individual que, por fim, tornam-se muito diferentes e servem para diversos fins, sendo parecidos nesse período inicial de crescimento; os embriões de espécies diferentes da mesma classe que em geral mas não universalmente assemelham-se uns aos outros; a estrutura do embrião não estar intimamente relacionada às condições de sua existência, exceto quando o embrião, em qualquer período da vida, torna-se ativo e precisa buscar seu próprio alimento; o fato de o embrião às vezes ter uma organização superior à do animal maduro no qual se transformará. Acredito que todos esses fatores podem ser justificados pela teoria da descendência com modificação, como explicado adiante.

É comum a pressuposição de que as pequenas variações surgem necessariamente em um período inicial, talvez porque as monstruosidades que muitas vezes afetam o embrião também ocorram em um período muito precoce. Porém temos pouca evidência sobre este tópico, e as evidências indicam, na verdade, o contrário; pois é notório que os criadores de gado, cavalos e vários animais de estimação só conseguem dizer positivamente quais serão os méritos ou formas dos animais algum tempo depois do nascimento. Isso é algo que vemos claramente em nossos próprios filhos; nem sempre conseguimos dizer se a criança será alta ou baixa ou quais serão suas características exatas. A questão não é saber em que período da vida a variação é causada, mas em qual momento ela se torna completamente visível. A causa pode ter atuado – e acredito que, em geral, esse é o caso – mesmo antes de o embrião ter sido formado; e a variação pode ter ocorrido porque os elementos sexuais masculinos e femininos dos pais ou de seus antepassados foram afetados pelas condições a que estavam expostos. No entanto, o efeito causado em um período muito precoce, mesmo antes da formação do embrião, poderá surgir mais tarde na vida; como, por exemplo, quando uma doença hereditária que ocorre apenas na velhice é transmitida à prole pelo elemento reprodutivo de um dos pais. Ou então como quando os chifres de um gado de raça cruzada são afetados pela forma dos chifres de um dos pais. Para o bem-estar de um animal muito jovem, contanto que ele permaneça no ventre da sua mãe, ou no ovo, ou enquanto é alimentado e protegido por seus pais, não é de importância alguma se a maioria de suas características é totalmente adquirida um pouco mais cedo ou mais tarde na vida. Por exemplo, para uma ave cujo alimento é mais bem obtido por meio de seu bico longo, não ter um bico do comprimento específico não é importante enquanto o animal está sendo alimentado por seus pais. Portanto, concluo que é bem possível que cada uma das muitas modificações sucessivas, por meio das quais cada espécie adquiriu sua estrutura atual, pode ter surgido em um período não muito precoce da vida; e algumas evidências diretas de nossos animais domésticos justificam este ponto de vista. Porém em outros casos é bem possível que cada modificação sucessiva, ou a maioria delas, possa ter surgido em um período extremamente precoce.

No primeiro capítulo, afirmei a existência de evidências indicando ser provável que, independentemente da idade em que uma variação apareça pela primeira vez no progenitor, ela tende a reaparecer na prole em uma idade correspondente. Certas variações surgem apenas em certas idades; por exemplo, no bicho-da-seda há algumas peculiaridades que somente aparecem nas fases de lagarta, casulo ou crisálida; ou então certas particularidades dos chifres do gado quase adulto. Mas, além disso, as variações que, por tudo o que podemos ver, poderiam ter surgido mais cedo ou mais tarde na vida tendem a aparecer em uma idade correspondente tanto na prole quanto no progenitor. Estou longe de dizer que este é sempre o caso; pois eu poderia oferecer um bom número de exemplos de variações (tomando a palavra em seu sentido mais amplo) que ocorrem no filho em uma idade mais tenra do que no progenitor.

Estes dois princípios, se admitirmos serem verdadeiros, podem explicar todos os principais fatos embriológicos acima especificados. Mas vejamos primeiro alguns casos análogos nas variedades da Inglaterra. Ao escreverem sobre cães, alguns autores sustentam que o galgo e o buldogue, embora pareçam ser muito diferentes, são na verdade variedades com parentesco muito próximo e provavelmente descendentes do mesmo grupo selvagem; por isso, fiquei curioso para saber até que ponto seus filhotes seriam diferentes uns dos outros; foi-me dito por criadores que eles diferem tanto quanto seus pais, e isso, à primeira vista, quase parecia ser o caso; mas ao medir os cães mais velhos e seus filhotes de seis dias, notei que, proporcionalmente, os filhotes ainda não tinham quase nenhuma de todas as suas diferenças.

Além disso, foi-me dito que os potros dos cavalos que puxam carroças e dos cavalos de corrida diferiam tanto quanto os animais adultos; e isso me surpreendeu muito, pois me parece provável que a diferença entre essas duas linhagens tenha sido criada somente pela seleção em domesticação; mas após medir detalhadamente a mãe e um potro de três dias da linhagem de corrida e a mãe e um potro de carroças pesadas, percebi que as diferenças proporcionais ainda não faziam parte dos potros.

Por me parecerem conclusivas as evidências de que as várias linhagens domésticas de pombos descendem de uma só espécie selvagem, comparei os pombos jovens de várias linhagens durante doze horas após a eclosão; fiz mensurações meticulosas das proporções (mas aqui não darei os detalhes) do bico, da largura das bocas, do comprimento das narinas e das pálpebras, do tamanho dos pés e do comprimento das pernas de pombos selvagens, *pouters, fantails, runts, barbs, dragons, carriers* e *tumblers*. Quando adultas, algumas dessas aves têm bicos tão extraordinariamente diferentes em comprimento e forma que, caso fossem produzidas naturalmente, poderiam sem dúvida ser classificadas em gêneros distintos. Apesar de a maioria dessas várias linhagens ser distinta umas das outras, se pudéssemos alinhar seus filhotes, suas diferenças proporcionais nos vários pontos acima especificados seriam incomparavelmente menores do que nas aves adultas. Alguns pontos característicos das diferenças – a largura da boca, por exemplo – mal puderam ser notados nos pombos jovens. Entretanto houve uma notável exceção a essa regra, pois a ave jovem do *tumbler* de cara curta diferenciava-se da ave jovem do pombo-das-rochas[45] e de outras linhagens quase exatamente nas mesmas proporções verificadas nos pombos adultos.

Os dois princípios apresentados acima me parecem explicar estes fatos em relação aos estágios embrionários mais adiantados das variedades domésticas. Os criadores selecionam seus cavalos, cães e pombos quando estes são quase adultos para fins de reprodução, e, se o animal adulto tem as qualidades e estruturas desejadas, não importa se elas foram adquiridas no início da vida ou mais tarde. Assim, os exemplos dados, mais especificamente o dos pombos, parecem mostrar que as diferenças de característica que dão valor a cada linhagem e que têm sido acumuladas pela seleção

---

45. Trata-se da forma selvagem. (N.R.T.)

humana não costumam aparecer em um período precoce da vida e são herdadas pela prole em um período tardio correspondente. No entanto o exemplo do pombo *tumbler* de cara curta, que após doze horas de vida já adquiriu suas devidas proporções, prova que esta não é a regra universal, pois aqui as diferenças características podem ter ou aparecido mais cedo que o comum ou, se não for esse o caso, podem ter sido herdadas em uma idade mais tenra, e não na idade correspondente.

Apliquemos agora esses fatos e os dois princípios apresentados acima que, embora não provados como verdadeiros, tornam possível mostrar que são em certa medida prováveis para as espécies em estado natural. Tomemos um gênero de ave que, por minha teoria, descende de alguma espécie-mãe única e cujas várias novas espécies foram modificadas por meio da seleção natural em conformidade com seus diversos costumes. Em seguida, pelas muitas e pequenas variações sucessivas que ocorreram em uma idade um pouco tardia e por terem sido herdadas em uma idade correspondente, os filhotes das novas espécies de nosso suposto gênero tendem, de forma manifesta, a assemelhar-se uns aos outros muito mais intimamente do que os adultos, tal como vimos no exemplo dos pombos. Podemos estender essa hipótese para famílias ou até mesmo classes inteiras. Por exemplo, após um longo período de tempo, os membros anteriores que serviam como pernas para a espécie-mãe podem, em um dos descendentes, adaptar-se para servir como mãos, já em outro, para servir como nadadeiras e, em outro ainda, como asas; e segundo os dois princípios acima, ou seja, aquele que diz que toda modificação sucessiva ocorre em uma idade um pouco mais tardia e que é herdada em uma idade tardia correspondente, os membros anteriores dos embriões dos vários descendentes da espécie-mãe continuarão a ser muito semelhantes uns aos outros, pois não terão recebido modificações. Contudo, em cada nova espécie individual, os membros anteriores embrionários serão muito diferentes dos membros anteriores do animal maduro; os membros deste último terão sofrido muita modificação em um período um pouco mais tardio da vida e terão, portanto, sido convertidos em mãos, nadadeiras ou asas. Seja qual for a influência que, por um lado, o exercício ou uso prolongado e contínuo e, por outro, o desuso, tenham na modificação de um órgão, tal influência afetará principalmente o animal maduro, que já tem todas as suas capacidades, está em plena atividade e precisa buscar seu próprio alimento; os efeitos assim produzidos, portanto, serão herdados em uma idade madura correspondente. Já os filhotes permanecerão inalterados – ou serão modificados em menor grau – pelos efeitos do uso e desuso.[46]

Em certos casos, as sucessivas etapas da variação podem ocorrer a partir de causas completamente ignoradas por nós, em um período muito precoce da vida, ou cada etapa pode ser herdada em um período anterior ao seu primeiro surgimento. Em ambos os casos (como no *tumbler* de cara curta), a cria ou o embrião seriam muito semelhantes à forma parental madura. Vimos que esta é a regra de desenvolvimento de certos grupos inteiros de animais – chocos e aranhas, por exemplo – e de alguns membros da grande classe dos insetos, tal como acontece com o gênero *Aphis*. No que diz respeito à causa final para que os filhotes nestes casos não passem por nenhuma metamorfose ou se pareçam muito com seus pais desde sua idade mais jovem, podemos ver que tais fatos são o resultado das duas seguintes contingências: em primeiro lugar, quando, durante um período de modificação passado por muitas gerações, os jovens precisam prover suas próprias necessidades numa fase muito precoce do desenvolvimento e, em segundo lugar, quando eles têm exatamente os mesmos hábitos de vida de seus pais, pois neste caso seria indispensável para a existência da espécie que o filhote sofresse modificações já em uma idade bastante precoce da mesma maneira que seus pais e de acordo com os seus hábitos semelhantes. No entanto, talvez sejam necessárias algumas explicações adicionais que justifiquem por que o embrião não passa por metamorfoses. Se, por outro lado, fosse vantajoso que os filhotes seguissem os hábitos de vida de seus pais em diferentes graus e, consequentemente, fossem construídos de forma ligeiramente diferente, então, pelo princípio da hereditariedade na idade correspondente, a seleção natural poderia facilmente e em qualquer medida possível tornar as crias ativas ou as larvas diferentes de seus pais. Essas diferenças podem também correlacionar-se às sucessivas fases de desenvolvimento para que as larvas, na primeira fase, possam tornar-se

46. Embora Darwin não torne explícita sua teoria da herança ("pangênese", que seria publicada apenas em 1868), é evidente a importância que confere a ela nas explicações evolutivas causais. (N.R.T.)

extremamente diferentes das larvas na segunda fase, como já vimos ser o caso em relação aos cirripédios. O adulto poderia adaptar-se a hábitats ou hábitos em que certos órgãos de locomoção, dos sentidos etc. se tornassem inúteis e, neste caso, diríamos que a metamorfose final é retrógrada.

Já que todos os seres orgânicos – extintos e recentes – que já viveram sobre a Terra devem ser classificados em conjunto e como todos estão ligados por gradações muito sutis, a melhor organização – ou, de fato, se nossas coleções fossem quase perfeitas, a única organização possível – seria a genealógica. Segundo minha teoria, a descendência é o vínculo oculto que os naturalistas têm procurado sob o nome de sistema natural. Por este ponto de vista, podemos entender por qual motivo a estrutura do embrião é, aos olhos da maioria dos naturalistas, ainda mais importante para a classificação do que a do adulto. Pois o embrião é o animal em seu estado menos modificado; e, nesta medida, revela a estrutura de seu progenitor. Porém, quando dois grupos de animais – por mais que possam atualmente ser dissemelhantes em estrutura e hábitos – passam por estágios embrionários iguais ou similares, podemos ter certeza de que ambos descendem dos mesmos pais ou de pais quase semelhantes e possuem, portanto, o grau adequado de parentesco. Assim, a comunidade da estrutura embrionária revela a comunidade de ascendentes. Ela revelará essa comunidade de ascendentes por mais que a estrutura do adulto tenha sido modificada e obscurecida; vimos, por exemplo, que, por suas larvas, os cirripédios podem ser imediatamente reconhecidos como pertencentes à grande classe dos crustáceos. Como o estado embrionário de cada espécie e grupo de espécies nos mostra de forma parcial a estrutura de seus antigos progenitores menos modificados, podemos ver claramente por que as formas de vida antigas e extintas devem ser parecidas com os embriões de seus descendentes, isto é, nossas espécies atuais. Agassiz acredita que isso seja uma lei da Natureza;[47] mas sou obrigado a confessar que eu espero que a lei seja provada como

47. Louis Agassiz trabalhara com Cuvier e havia elucidado a identificação de numerosos peixes fósseis do Eoceno do norte da Itália, inicialmente identificados como sendo da fauna atual australiana. Para ele, tratava-se de espécies extintas, mas muito semelhantes às formas atuais, as quais seriam ligeiramente modificadas por consequência de mudanças no desenvolvimento embrionário, uma vez que ele combatia as ideias evolucionistas. Neste trecho, Darwin diz esperar que essa "lei da Natureza" cause mudanças muito mais profundas do que as admitidas por Agassiz. (N.R.T.)

verdadeira no futuro. A lei pode ser provada como verdadeira apenas naqueles casos isolados em que um antigo estado, hoje supostamente representado em muitos embriões, não tenha sido destruído, seja por um longo período de variações sucessivas que ocorram em uma idade muito precoce, ou pelas variações que foram herdadas em um período anterior ao seu primeiro aparecimento. Também devem ter em mente que a suposta lei da semelhança das antigas formas de vida com os estágios embrionários das formas recentes pode ser verdadeira, mas ainda assim, como nosso registro geológico não se estende até um passado muito remoto, ela poderá ser, por causa disso, por muito tempo, ou para sempre, de demonstração impossível.

Assim, me parece que, em embriologia, os principais fatos – cuja importância não é menor que quaisquer outros fatos da história natural – são explicados pelo princípio de que as pequenas modificações não aparecem nos muitos descendentes do mesmo progenitor antigo em um período muito precoce na vida de cada um deles, embora talvez, na melhor das hipóteses, tenha sido causada e herdada em um período correspondentemente tardio. O interesse em embriologia fica bastante aumentado quando olhamos para o embrião como uma imagem mais ou menos obscurecida da forma-mãe comum de cada uma das grandes classes de animais.

Órgãos rudimentares, atrofiados ou abortados

Órgãos ou partes em condições estranhas, com a marca da inutilidade, são extremamente comuns em toda a Natureza. Por exemplo, mamas rudimentares são elementos bastante comuns nos mamíferos machos: eu presumo que a "asa bastarda" das aves pode com segurança ser considerada como um dedo em estado rudimentar. Em muitas cobras, um lóbulo dos pulmões é rudimentar; em outras cobras existem rudimentos da pelve e membros posteriores. Alguns casos de órgãos rudimentares são extremamente curiosos; por exemplo, a ocorrência de dentes em fetos de baleias que, ao se tornarem adultas, não possuem um só dente; a ocorrência de dentes que permanecem escondidos na gengiva da mandíbula superior de bezerros que ainda estão por nascer e nunca atravessam a gengiva. Tenho de fonte segura a informação de que os rudimentos de dentes podem ser detectados nos bicos de certas aves embrionárias. As asas são feitas para o voo, não há nada mais simples que isso, mas nos deparamos com muitos insetos com asas tão extremamente reduzidas que se tornam totalmente inúteis para o voo e não raramente estão guardadas em compartimentos firmemente colados.[48]

Normalmente é bastante inequívoco o significado de órgãos rudimentares: existem, por exemplo, besouros do mesmo gênero (e até mesmo da mesma espécie) que são semelhantes em todos os aspectos, mas um deles tem asas de tamanho normal, e o outro, simples rudimentos da membrana. Neste caso é impossível duvidar que os rudimentos representem asas. Os órgãos rudimentares às vezes retêm sua potencialidade e simplesmente não estão desenvolvidos: este parece ser o caso com as mamas de mamíferos machos, pois há muitos casos registrados de machos adultos em que esses órgãos se tornaram bem desenvolvidos e secretaram leite. Então, mais uma vez, existem normalmente quatro tetas desenvolvidas e duas rudimentares no úbere do gênero *Bos*, mas nas vacas leiteiras domesticadas estas últimas duas tetas às vezes se desenvolvem e produzem leite. Em plantas individuais de uma mesma espécie, as pétalas às vezes ocorrem como meros rudimentos e às vezes em um estado bem desenvolvido. Nas plantas com os sexos separados, as flores masculinas costumam ter um pistilo rudimentar. Kölreuter descobriu que através do cruzamento dessas plantas macho com uma espécie hermafrodita, o pistilo rudimentar da prole híbrida fica bastante aumentado; e isso mostra que os pistilos rudimentares e perfeitos têm essencialmente a mesma natureza.

Um órgão que serve para duas finalidades pode tornar-se rudimentar ou ser completamente obliterado para uma delas, mesmo que seja a finalidade mais importante, bem como permanecer perfeitamente eficiente para a outra. Assim, nas plantas, a função do pistilo é permitir que os tubos polínicos alcancem os óvulos protegidos no ovário que está na base. O pistilo é composto de um estigma apoiado sobre o estilete; mas em algumas compostas[49] as pequenas flores masculinas, que naturalmente não podem ser fertilizadas, têm um pistilo em estado rudimentar para que não seja coroado com um estigma; mas o estilete permanece bem desenvolvido e

48. Darwin se refere aos élitros fundidos de certos besouros (como o conhecido *Tenebrio molitor*), que guardam asas que jamais serão estendidas, já discutidos no capítulo 5, mencionados logo a seguir. (N.R.T.)

49. Plantas atualmente classificadas na família Asteraceae, como a margarida e o girassol, com inflorescências compostas de muitos flósculos, pequenas flores. (N.R.T.)

está revestido por filamentos como em outras compostas, com a finalidade de retirar o pólen das anteras circundantes. Além disso, um órgão pode se tornar rudimentar em relação à sua função principal e ser usado para um objetivo distinto: em certos peixes, a bexiga natatória parece ser rudimentar em relação à sua função principal – que é oferecer flutuabilidade –, mas foi transformada em um órgão de respiração nascente ou um pulmão.[50] Poderíamos descrever outras ocorrências semelhantes.

Os órgãos rudimentares em indivíduos da mesma espécie são muito suscetíveis a variar em grau de desenvolvimento e em outros aspectos. Além disso, em espécies com parentesco próximo, o grau em que o mesmo órgão passou a ser ocasionalmente rudimentar difere muito. Este último fato está bem exemplificado pelo estado das asas das mariposas femininas de determinados grupos.[51] Os órgãos rudimentares podem estar totalmente atrofiados; e isso implica que, em um animal ou uma planta, é possível não encontrarmos nenhum vestígio de algum órgão que, por analogia, esperaríamos encontrar e que, ocasionalmente, é encontrado em indivíduos monstruosos da espécie. Assim, a boca-de-leão (*Antirrhinum*) não costuma ter os rudimentos de um quinto estame; mas existem indivíduos que o possuem. No sentido de rastrear as homologias da mesma parte em diferentes membros de uma classe, não há nada mais comum ou mais necessário que a descoberta e a utilização dos rudimentos. Isso está bem ilustrado nos desenhos dos ossos da perna do cavalo, do boi e do rinoceronte feitos por Owen.

É um fato importante que os órgãos rudimentares, tais como os dentes da mandíbula superior das baleias e dos ruminantes, sejam muitas vezes encontrados no embrião, mas depois desaparecem completamente. Acredito também ser uma regra universal que um órgão ou uma parte rudimentar é maior em comparação às suas partes adjacentes no embrião que no adulto; dessa forma, o órgão nesta idade precoce é menos rudimentar – ou podemos até mesmo dizer que o órgão não é nada rudimentar. É nesse sentido que, muitas vezes, dizemos que um órgão rudimentar do adulto manteve sua condição embrionária.

---

50. Este exemplo já foi abordado no capítulo 6, e a compreensão moderna difere daquela de Darwin. (N.R.T.)

51. Esse é o caso do bicho-da-seda. Neste exemplo, a espécie é domesticada e o macho também é incapaz de voar. (N.R.T.)

Apresentei os principais fatos em relação aos órgãos rudimentares. Todos nós, ao refletirmos sobre eles, deveríamos ficar espantados, pois o mesmo raciocínio que nos diz claramente que a maioria das partes e dos órgãos está primorosamente adaptada para determinados fins também nos diz com igual clareza que esses órgãos rudimentares ou atrofiados são imperfeitos e inúteis.[52] Em geral, as obras sobre história natural dizem que os órgãos rudimentares foram criados "por razões de simetria", ou "para completar o plano da Natureza"; mas nada disso parece ser uma explicação, apenas uma reafirmação do fato. Será que consideraríamos suficiente dizer que já que os planetas giram em cursos elípticos ao redor do sol, então os satélites seguem o mesmo curso em torno dos planetas por uma questão de simetria e para completar o plano da Natureza? Um eminente fisiólogo esclarece a ocorrência de órgãos rudimentares supondo que eles servem para excretar o excesso de matéria ou a matéria prejudicial ao sistema; mas será possível acreditar que também age assim a minúscula papila que muitas vezes representa o pistilo nas flores masculinas e que é formada apenas por um tecido celular? É possível supor que, por meio da excreção do precioso fosfato tricálcico, a formação dos dentes rudimentares, que posteriormente serão absorvidos, tem alguma utilidade para o embrião do bezerro que cresce rapidamente? Quando os dedos de um homem são amputados, às vezes aparecem unhas imperfeitas nos cotos; assim, eu poderia acreditar que estas unhas vestigiais não apareceram por causa de certas leis desconhecidas de crescimento, mas com o objetivo de excretar matéria córnea, como se as unhas rudimentares das nadadeiras do peixe-boi tivessem se desenvolvido com este mesmo propósito.

Segundo minha teoria da descendência com modificação, a origem dos órgãos rudimentares é simples. Temos muitos casos de órgãos rudimentares em nossas produções domesticadas: o toco de um rabo em raças sem rabo; o vestígio de uma orelha em raças sem orelhas; o reaparecimento de minúsculos chifres em raças de gado sem chifres, mais especialmente,

---

52. A inutilidade e a imperfeição são inconcebíveis para todos os que defendem a criação especial dos seres vivos, opondo-se a uma perspectiva evolucionista, desde Aristóteles, passando por Tomás de Aquino e os defensores do *intelligent design*, como o bispo anglicano Joseph Butler, que aparecerá em epígrafe logo na segunda edição (1860) deste *Origin*. Seu livro, de 1736, já utilizava essa expressão, que substituiu o termo criacionismo na década de 1980. (N.R.T.)

de acordo com Youatt, em animais jovens; e o estado completo da flor na couve-flor. Muitas vezes, vemos os rudimentos de várias partes em monstros. Mas duvido que qualquer um destes casos lance alguma luz sobre a origem dos órgãos rudimentares em estado de natureza, senão para mostrar que rudimentos podem ser produzidos, pois eu duvido que as espécies em estado natural passem por mudanças bruscas. Eu acredito que o principal agente que levou em sucessivas gerações à redução gradual de vários órgãos até que eles se tornassem rudimentares tem sido o desuso, como no caso dos olhos de animais que habitam cavernas escuras e das asas de aves que habitam ilhas oceânicas, que raramente são forçadas a voar e acabaram por isso perdendo a capacidade de voar. Além disso, um órgão que é útil em certas condições pode tornar-se prejudicial em outras, tal como acontece com as asas de besouros que vivem em pequenas ilhas expostas aos ventos; e neste caso a seleção natural continuaria a reduzir o órgão lentamente até ele se tornar ineficaz e rudimentar.[53]

A seleção natural é capaz de realizar qualquer alteração funcional que possa ser efetuada por pequenos passos imperceptíveis, de forma que, durante um período de mudança de hábitos de vida, um órgão considerado inútil ou prejudicial para certa finalidade poderá ser facilmente modificado e usado para outra finalidade. Ou um órgão poderá ser mantido para realizar apenas uma de suas antigas funções. Quando um órgão se torna inútil, ele pode muito bem ser variável, pois suas variações não podem ser restringidas pela seleção natural. Em qualquer período de vida que o desuso ou a seleção reduzam um órgão – e isso geralmente ocorre quando o ser chega à maturidade e tem plenos poderes de ação –, o princípio da hereditariedade em idades correspondentes irá reproduzir o órgão em seu estado reduzido na mesma idade e consequentemente o órgão raramente será afetado ou reduzido no embrião. Assim, podemos entender o tamanho relativamente maior de órgãos rudimentares no embrião e seu tamanho relativamente menor no adulto. Mas se cada etapa do processo de redução fosse herdada em um período extremamente precoce da vida (temos boas razões para acreditar que isso seja possível) e não em uma idade

53. Darwin retoma a discussão do capítulo 5, quando citou os dados entomológicos de *Insecta maderensia* (1854) de Thomas Vernon Wollaston. (N.R.T.)

correspondente, a parte rudimentar tenderia a ser totalmente perdida, e teríamos um caso de perda completa do órgão. Muitas vezes também entra em jogo o princípio da economia, já explicado em um capítulo anterior,[54] pelo qual, quando os materiais de qualquer parte ou estrutura se tornam inúteis para seu possuidor, eles são, na medida em que for possível, poupados; e isso tende a causar a obliteração total de um órgão rudimentar.

Como a presença de órgãos rudimentares se deve à tendência hereditária de todas as partes do organismo, tendência essa que já existe há muito tempo, podemos entender, por meio da hipótese genealógica de classificação, como as partes rudimentares passaram a ser consideradas tão úteis pelos sistematas, ou até mesmo mais úteis que as partes de alta importância fisiológica. Os órgãos rudimentares podem ser comparados às letras que ainda são mantidas na grafia de uma palavra mas que se tornaram inúteis para a pronúncia e servem como pistas de sua etimologia.[55] Pela teoria da descendência com modificação, podemos concluir que a ocorrência de órgãos em condição rudimentar, imperfeita e inútil, ou sua completa eliminação, longe de apresentar uma dificuldade surpreendente – pois assim se apresenta de acordo com a conhecida doutrina da criação –, poderia, na verdade, ter sido prevista e pode ser explicada pelas leis da hereditariedade.[56]

Resumo

Eu tentei demonstrar neste capítulo a subordinação de todos os organismos de um grupo aos de outro grupo em todos os tempos; a natureza da relação pela qual todos os seres vivos e extintos estão unidos em um grande sistema por linhas de afinidades complexas, divergentes e tortuosas; as regras seguidas e as dificuldades encontradas pelos naturalistas em suas classificações; o valor dado às características constantes e preponderantes, sendo elas de alta importância vital, de pouca importância ou ainda de importância nula, como nos órgãos rudimentares; que a extensa oposição valorativa entre as

---

54. Ver capítulo 5. (N.R.T.)
55. É uma analogia muito pertinente, embora mais evidente no inglês, em que certas palavras como "Leicester" são pronunciadas como "Léster". Em nosso idioma a explicação da grafia de "pêssego" (e não "pêcego") segue essa lógica de Darwin, pois tem origem na palavra latina *persico*. (N.R.T.)
56. Darwin apresenta, nesta última frase, o argumento mais contundente para os defensores da doutrina (*doctrine*) criacionista, até hoje uma dificuldade insuperável. (N.R.T.)

características analógicas ou adaptativas e as características de afinidade verdadeira e outras regras semelhantes decorrem todas naturalmente da hipótese da ascendência comum das formas que são consideradas pelos naturalistas como aparentadas, juntamente com a modificação destas por meio da seleção natural e de suas contingências, a saber, a extinção e a divergência de características. Ao considerarmos esta hipótese classificatória, devemos ter em mente que o elemento da descendência foi utilizado de forma ampla para a classificação conjunta dos sexos, idades e variedades conhecidos da mesma espécie, independentemente de suas diferenças estruturais. Se estendermos a utilização deste elemento de descendência – a única causa de semelhança entre os seres orgânicos que conhecemos com certeza –, poderemos então compreender o que se entende por sistema natural: sua tentativa de organização é genealógica; aos graus de diferenças adquiridas chamamos de variedades, espécies, gêneros, famílias, ordens e classes.

Por este mesmo ponto de vista da descendência com modificação, todos os grandes fatos da morfologia se tornam inteligíveis – tanto em relação ao mesmo padrão exibido pelos órgãos homólogos das diferentes espécies de uma classe, seja qual for o propósito que atendam, quanto em relação às partes homólogas construídas sobre o mesmo padrão de cada animal e vegetal individual.

Pelo princípio das pequenas variações sucessivas – que não ocorrem, necessária ou geralmente, em um período muito precoce da vida e que são herdadas em um período correspondente –, podemos entender os principais fatos da embriologia, ou seja, a semelhança das partes homólogas de um embrião individual que, quando maduras, possuem estruturas e funções extremamente diferentes umas das outras; e a semelhança de uma classe de elementos homólogos ou órgãos que são encontrados em espécies diferentes, mesmo que estas estejam adaptadas aos adultos atendendo a propósitos extremamente diversos. As larvas são embriões ativos que receberam modificações especiais em relação aos seus hábitos de vida, a partir do princípio das modificações herdadas em idades correspondentes. A ocorrência de órgãos rudimentares e sua eliminação não apresentam dificuldades inexplicáveis segundo este mesmo princípio, e quando levamos em consideração que o tamanho reduzido dos órgãos, seja pelo desuso ou pela seleção, ocorre em geral no período de vida em que o ser precisa atender a suas próprias necessidades e, também, quando levamos em conta o quão forte é o princípio da hereditariedade; pelo contrário, a presença desses órgãos se torna até mesmo previsível. A importância das características embriológicas e dos órgãos rudimentares para a classificação pode ser entendida por meio da hipótese de que uma certa organização somente será natural na medida em que se compreender sua genealogia.

Por fim, a diversidade dos fatos considerados neste capítulo parece-me proclamar tão claramente que as inúmeras espécies, os gêneros e as famílias de seres orgânicos que povoam este mundo são todos descendentes de genitores comuns – cada um dentro de sua própria classe ou grupo – e que todos foram modificados durante o processo de descendência, que eu adotaria esta hipótese sem hesitação mesmo que ela não encontrasse apoio em outros fatos ou argumentos.

CAPÍTULO 14
Recapitulação e conclusão

Recapitulação das dificuldades da teoria da seleção natural – Recapitulação das circunstâncias gerais e especiais a seu favor – Causas da crença geral na imutabilidade das espécies – Extensão da teoria da seleção natural – Consequências de sua adoção para os estudos de história natural – Observações finais

Já que o presente livro consiste em uma longa série de considerações, será conveniente que os principais fatos e inferências sejam rapidamente recapitulados para o leitor.

Não nego que muitas objeções sérias possam ser apresentadas contra a teoria da descendência com modificação através da seleção natural. Esforcei-me então para dar-lhes o devido peso. De plano, nada pode parecer mais difícil que acreditar que os órgãos e instintos mais complexos não tenham sido aperfeiçoados por meios superiores à razão humana mas análogos a esta, ou seja, pelo acúmulo de inúmeras pequenas variações, cada uma delas boas para o indivíduo que as detém. Entretanto, embora essa dificuldade possa parecer insuperavelmente grande para nossa imaginação, não há como considerá-la real se aceitarmos as seguintes proposições: existem hoje, ou poderiam ter existido, gradações de todos os órgãos ou instintos imagináveis, cada uma delas boa para o seu tipo; todos os órgãos e instintos são, ainda que de forma leve, variáveis; e, por último, há uma luta pela existência que leva à preservação de todos os desvios estruturais ou instintos vantajosos. Acredito ser incontestável a verdade dessas proposições.[1]

---

1. Essas proposições formam, de fato, a base do pensamento darwinista e foram questionadas desde a época do lançamento do livro até mais recentemente, com novos contextos

É sem dúvida extremamente difícil conseguirmos até mesmo imaginar por quais gradações as muitas estruturas foram aperfeiçoadas, especialmente em grupos fragmentados e em processo de desaparecimento dos seres orgânicos; mas encontramos na Natureza tantas gradações estranhas – lembremo-nos do mote *Natura non facit saltum*[2] – que devemos ser extremamente cautelosos quando afirmamos que um órgão ou instinto, ou que todo um ser não poderia ter chegado a seu estado atual por meio de muitos passos graduais. Devemos admitir que há na teoria da seleção natural casos de dificuldades especiais; dentre eles, um dos mais curiosos é a ocorrência de duas ou três castas definidas de trabalhadoras ou fêmeas estéreis na mesma comunidade de formigas, mas tentei mostrar como essa dificuldade poderia ser superada. No que diz respeito à esterilidade quase universal das espécies ao se cruzarem pela primeira vez – que contrasta de forma tão marcante com a fertilidade quase universal do cruzamento entre as variedades –, peço ao leitor que consulte a recapitulação dos fatos dada ao final do oitavo capítulo, a qual me parece demonstrar de forma conclusiva que essa esterilidade não é um dom mais especial que a incapacidade de duas árvores serem enxertadas, mas que depende de diferenças constitutivas do sistema reprodutivo das espécies cruzadas. Nota-se a verdade da conclusão pela gigantesca diferença de resultados que ocorrem quando as mesmas duas espécies são cruzadas de forma recíproca; ou seja, quando uma espécie é primeiro utilizada como o pai e depois como a mãe.

Não é possível considerar como universal a fertilidade das variedades quando cruzadas, nem de sua prole mestiça; essa fertilidade bastante geral também não é algo surpreendente quando nos lembramos da improbabilidade de que suas constituições ou seus sistemas reprodutivos tenham sido

---

moleculares. No entanto, embora não sejam "incontestáveis", como todo saber científico, essas proposições têm recebido confirmações por meio de diferentes tecnologias, inclusive a biologia molecular. (N.R.T.)

2. Esse aforismo, que aparece na obra do mestre (fixista) Lineu (no plural, *Natura non facit saltum*, ou "a Natureza não dá saltos"), é repetido ao longo do livro e novamente neste capítulo. É interessante que Darwin tenha modificado profundamente sua visão desde sua primeira conjectura sobre a origem das espécies. Por volta de março de 1837, Darwin deixou registrado que a mudança nas espécies não poderia ser gradual, e deveria obrigatoriamente (ele usou o verbo *must*) ser "por salto" (*per saltum*), usando a expressão latina inversa à famosa frase de Lineu. [v. Herbert, S. (Ed.) *The Red Notebook of Charles Darwin*. Ithaca/Londres: British Museum (Natural History)/Cornell University Press, 1980. p. 66]. (N.R.T.)

profundamente modificados. Além disso, a maioria das variedades que fizeram parte de experimentos foi produzida sob domesticação; e, tendo em vista que a domesticação aparentemente tende a eliminar a esterilidade, então não há como esperar que ela também produza esterilidade.

A esterilidade dos híbridos é um caso muito diferente daquele da esterilidade dos primeiros cruzamentos, pois seus órgãos reprodutivos são funcionalmente mais ou menos impotentes; considerando que nos primeiros cruzamentos os órgãos de ambos os lados estão em perfeito estado. Frequentemente notamos que os organismos de todos os tipos se tornam em certa medida estéreis quando suas constituições são perturbadas por novas condições ligeiramente diferentes de vida; por isso, não devemos nos surpreender ao tomarmos conhecimento de que os híbridos compreendem certo grau de esterilidade, pois seria difícil que suas constituições, as quais são compostas de dois organismos distintos, não sofressem perturbações. Esse paralelismo é confirmado por outro fato paralelo, mas em sentido diretamente oposto: que o vigor e a fertilidade de todos os seres orgânicos são aumentados por pequenas mudanças em suas condições de vida e que a prole de formas ligeiramente modificadas ou as variedades adquirem fertilidade e aumento de vigor por meio do cruzamento. Assim, por um lado, as modificações das condições de vida e os cruzamentos entre formas muito modificadas diminuem a fertilidade; por outro lado, as pequenas mudanças nas condições de vida e os cruzamentos entre formas menos modificadas aumentam a fertilidade.

Em relação à distribuição geográfica, as dificuldades encontradas na teoria da descendência com modificação são efetivamente sérias. Todos os indivíduos da mesma espécie e todas as espécies do mesmo gênero, ou mesmo de grupos superiores, devem provir de antecedentes comuns; e, portanto, mesmo que atualmente as encontremos nas partes mais distantes e isoladas do mundo, elas precisaram, no decorrer de sucessivas gerações, ter-se transferido de uma parte do mundo para as outras. Com frequência, somos totalmente incapazes de imaginar como isso pode ter ocorrido. Ainda assim, por termos razões para acreditar que algumas espécies têm mantido a mesma forma específica por um período muito longo, extremamente longo se o medirmos em anos, não devemos dar muita importância a uma grande difusão ocasional da mesma espécie; pois, durante períodos muito longos de tempo, sempre haverá uma boa chance de ocorrer grandes migrações realizadas por muitos meios. Muitas vezes, a distribuição fragmentária ou interrompida pode ser explicada pela extinção das espécies das regiões intermediárias. Não se pode negar que ainda somos muito ignorantes em relação às várias mudanças geográficas e climáticas que atingiram a Terra durante os períodos recentes; e essas alterações terão certamente facilitado as migrações. Como exemplo, tentei demonstrar quão grande foi a influência do período glacial para a distribuição tanto de uma mesma espécie quanto das espécies representativas em todo o mundo. No entanto ainda somos profundamente ignorantes em relação aos muitos meios ocasionais de transporte. No que diz respeito às diferentes espécies do mesmo gênero que habitam regiões muito distantes e isoladas, tendo em vista que o processo de modificação deve ter sido necessariamente lento, então, durante um período muito longo, todos os meios de migração terão sido possíveis; e, consequentemente, a dificuldade da grande difusão das espécies do mesmo gênero ficará em certo grau diminuída.

Já que, pela teoria da seleção natural, deve ter existido um número incontável de formas intermediárias vinculando todas as espécies de um grupo por gradações tão sutis quanto as nossas atuais variedades, então poder-se-ia questionar por que não vemos todas estas formas intermediárias ao nosso redor. Por que todos os seres orgânicos não estão misturados em um caos inextricável? No que diz respeito às formas existentes, devemos lembrar que, exceto em alguns casos raros, não há como esperarmos descobrir elos *diretos* de ligações entre as formas, mas só entre cada uma delas e alguma forma extinta e substituída. Mesmo em uma área vasta que tenha se mantido contínua por um longo período, onde o clima e as outras condições de vida mudam de forma imperceptível entre uma área ocupada por uma espécie e outra área ocupada por uma espécie aparentada, não há como esperarmos encontrar muitas variedades intermediárias na zona de transição entre uma região e outra. Isso porque temos razões para acreditar que a qualquer tempo apenas algumas espécies passem por mudanças; e todas as modificações ocorrem lentamente. Também demonstrei que as variedades intermediárias, as quais provavelmente existirão primeiro nas zonas de transição entre uma região e outra, correm o risco de ser suplantadas pelas formas aparentadas ou muito parecidas em ambos os lados; e as últimas, por existirem em maior número, irão, em geral, ser modificadas e aprimoradas em um ritmo mais rápido do que as variedades intermediárias, que ocorrem em número menor; dessa forma, as variedades intermediárias serão, a longo prazo, suplantadas e exterminadas.[3]

Tendo em vista o princípio do extermínio de uma infinidade de elos entre os habitantes vivos e extintos do mundo e em cada período sucessivo entre as espécies extintas e aquelas ainda mais antigas, por que as formações geológicas não estão impregnadas por esses elos? Por que a coleção de restos fósseis não nos oferece provas simples da gradação e da mutação das formas de vida? Não nos deparamos com essas evidências, e, dentre as muitas objeções que podem ser lançadas contra minha teoria, essa é a mais óbvia e poderosa. Por que, novamente, grupos inteiros de espécies aparentadas parecem – embora essa aparência seja normalmente falsa – ter surgido repentinamente nas várias camadas geológicas? Por que não encontramos uma grande quantidade de estratos sob o sistema Siluriano carregados com os restos mortais dos progenitores dos grupos de fósseis do Siluriano? Pois é óbvio que, de acordo com minha teoria, esses estratos devem ter sido depositados em algum local naquelas épocas antigas e totalmente desconhecidas da história do mundo.

Somente posso responder a essas questões e objeções graves ao supor que o registro geológico é muito mais imperfeito do que a maioria dos geólogos acredita. Não é possível dizer que não houve tempo suficiente para a ocorrência de qualquer quantidade de mudança orgânica, pois o lapso de tempo foi tão grande a ponto de ser completamente inimaginável ao intelecto humano.[4] O número de exemplares encontrados em todos os nossos museus é insignificante quando os comparamos com as incontáveis gerações das muitas espécies que certamente já existiram. Por mais que analisássemos de forma rigorosamente detalhada, não conseguiríamos reconhecer uma espécie como a progenitora de uma ou mais espécies quaisquer a menos que tivéssemos muitas formas intermediárias ligando o seu

---

3. Trata-se da aplicação do "princípio da divergência", a pedra angular (*cornerstone*) do livro, nas palavras de Darwin (ver adiante). (N.R.T.)

4. É importante perceber como Darwin, corretamente, insiste na extensão "inimaginável" do tempo geológico. Isso apesar das críticas que seus cálculos receberam, em especial sobre a estimativa da idade de 306.662.400 anos para a formação do Vale de Weald (ver notas 11, 13 e 15, páginas 291-292), uma formação relativamente "jovem" do ponto de vista geológico. (N.R.T.)

estado passado ou ascendente ao estado presente; mas, por causa da imperfeição do registro geológico, dificilmente conseguiremos encontrar esses elos. Poderíamos citar muitas formas duvidosas atuais que provavelmente são variedades, mas quem poderá afirmar que no futuro não serão descobertos muitos fósseis de ligação para que os naturalistas possam, por meio de uma opinião comum, decidir se estas formas são realmente duvidosas ou não? Enquanto a maior parte dos elos entre duas espécies quaisquer for desconhecida, sempre que elos ou variedades forem encontrados eles serão simplesmente classificados como espécies distintas. Apenas uma pequena porção do mundo foi geologicamente explorada. Somente os seres orgânicos de determinadas classes podem ser preservados em estado fóssil, pelo menos em grande número. As espécies mais amplamente distribuídas são as que mais variam e, normalmente, as variedades são inicialmente locais – ambos os casos diminuem a probabilidade da descoberta de novos elos intermediários. As variedades locais não se espalharão para outras regiões distantes até estarem consideravelmente modificadas e aprimoradas; e, ao se espalharem, se forem descobertas em uma formação geológica, elas nos darão a impressão de ter sido repentinamente criadas ali e serão simplesmente classificadas como novas espécies. Muitas formações foram acumuladas de maneira intermitente; e estou inclinado a acreditar que sua duração foi mais curta que a duração média das formas específicas. As formações sucessivas estão separadas umas das outras por enormes lacunas de tempo; pois as formações fossilíferas, suficientemente espessas para resistir à sua futura degradação, somente podem ser acumuladas no leito do mar em afundamento onde muito sedimento é depositado. Durante os períodos alternados de elevação e de nível estacionário, o registro conterá uma lacuna. Durante os períodos de elevação, haverá provavelmente mais variabilidade das formas de vida; durante os períodos de afundamento, mais extinções.[5]

No que diz respeito à ausência de formações fossilíferas abaixo dos estratos inferiores do Siluriano, posso apenas recorrer à hipótese apre-

---

5. O raciocínio dependia de uma correta noção da extensão do tempo geológico. Darwin tinha recolhido provas da ocorrência da alternância de afundamentos e soerguimentos nos Andes, em especial na floresta petrificada de Villavicencio, próxima a Mendoza, em abril de 1835. (N.R.T.)

sentada no nono capítulo. Todos admitem que o registro geológico é imperfeito, mas poucos estarão inclinados a admitir que ele é imperfeito na medida definida por mim. A geologia reconhece claramente que, sempre que esperamos por um tempo suficientemente longo, todas as espécies são modificadas; e elas são modificadas da maneira descrita por minha teoria, pois são modificadas de forma lenta e gradual. Isso pode ser claramente notado nos restos fósseis de formações consecutivas que estão invariavelmente muito mais intimamente relacionados uns aos outros que os fósseis de formações temporalmente distantes entre si.

Tal é a soma das muitas objeções e dificuldades principais que podem ser justificadamente feitas contra minha teoria; em seguida, apresento de forma breve as respostas e explicações a essas objeções e dificuldades, que me tocaram fortemente durante muitos anos. Assim, não tenho como duvidar do peso que carregam. Porém é preciso dizer que as objeções mais graves dizem respeito a assuntos sobre os quais somos confessadamente ignorantes e que, além disso, não sabemos quão ignorantes somos sobre eles. Não conhecemos todas as possíveis gradações de transição entre os órgãos mais simples e os mais perfeitos; não há como dizer que conhecemos todos os meios de distribuição utilizados durante o longo lapso de tempo, ou que sabemos quão imperfeito é o registro geológico. Por mais grave que essas diversas dificuldades sejam, acredito que elas não derrubam a teoria da descendência com modificação.

Agora, passemos para o outro lado da questão. Em domesticação, vemos muita variabilidade. Isso parece ocorrer principalmente por causa da grande suscetibilidade do sistema reprodutivo às alterações das condições de vida; de modo que, quando este sistema não se torna impotente, ele não consegue reproduzir uma prole exatamente igual à forma parental. A variabilidade é governada por muitas leis complexas – pela correlação de crescimento, pelo uso e desuso e pela ação direta das condições físicas de vida.[6]

6. Essas ideias foram questionadas por evolucionistas logo após a publicação do livro de Darwin. Um dos mais destacados evolucionistas, crítico de influência do meio, foi August Weismann (1834-1914). Recentemente, a importância do meio tem sido admitida, em função da descoberta de mecanismos que podem ativar ou desativar porções do material hereditário, uma área chamada "epigenética", ou um mesmo trecho ter a capacidade de produzir diferentes fenótipos, como resposta ao ambiente, a chamada "plasticidade fenotípica" (ver Jablonka e Lamb, *Evolução em quatro dimensões*. São Paulo: Companhia das Letras, 2010). (N.R.T.)

Há muita dificuldade para conseguirmos quantificar as modificações pelas quais passaram nossas produções domésticas, mas podemos seguramente inferir que houve um grande número de modificações, e que estas podem ser herdadas por longos períodos. Temos razões para acreditar que, enquanto as condições de vida permanecerem as mesmas, uma modificação já herdada há muitas gerações poderá continuar a ser herdada por um número quase infinito de gerações. Por outro lado, temos provas de que, assim que passa a atuar, a variabilidade nunca mais cessa completamente, pois novas variedades ainda são ocasionalmente produzidas por nossas produções domésticas mais antigas.

O ser humano, na verdade, não produz a variabilidade; ele apenas, de forma não intencional, expõe os seres orgânicos a novas condições de vida e, então, a Natureza age sobre os organismos e causa a variabilidade.[7] Mas as pessoas podem selecionar, e de fato selecionam, as variações dadas a elas pela Natureza, acumulando-as da forma que mais lhes agrada. Dessa maneira, o ser humano adapta animais e plantas para seu próprio benefício ou prazer. Realiza isso de forma metódica; ou, ainda, de forma inconsciente sempre que, sem qualquer desejo de alterar a linhagem, preserva os indivíduos mais úteis para ele em um dado momento. É certo que o ser humano pode influenciar bastante as características de uma linhagem, selecionando em cada geração sucessiva diferenças individuais tão sutis a ponto de serem quase imperceptíveis ao observador destreinado. Esse processo de seleção tem sido o grande agente para a produção das linhagens domésticas mais distintas e úteis. Muitas linhagens produzidas pela ação humana têm características de espécies naturais; e isso é demonstrado pela inevitável dúvida em classificá-las como variedades ou espécies nativas.

Não há nenhuma razão óbvia para que os princípios que funcionam de forma eficiente sob domesticação não funcionem também no ambiente natural. Para preservar os indivíduos e variedades favorecidos durante

---

7. No original, a expressão é *(nature) causes variability*, e esse trecho permaneceu inalterado até a última edição, como se a "Natureza" fosse um agente com intenções, o que contraria muito do que foi dito anteriormente. É provável que essa relação de causa-efeito seja apenas uma estratégia retórica, a enfatizar o fato de que não são os criadores que provocam a variabilidade, mas agentes totalmente fora de seu alcance, "a Natureza", definida de maneira vaga. Essa é a ênfase do trecho imediatamente seguinte. (N.R.T.)

a recorrente luta pela existência, vemos os meios mais enérgicos e sempre atuantes de seleção. A luta pela existência decorre inevitavelmente da alta taxa de crescimento geométrico de todos os seres orgânicos. Essa alta taxa de crescimento é comprovada tanto por meio de fórmula matemática quanto por intermédio dos efeitos da sucessão de estações peculiares e pelos resultados da aclimatação, conforme explicado no terceiro capítulo. Nascem muito mais indivíduos do que os que conseguem sobreviver. Um pequeno desvio na balança irá determinar qual indivíduo viverá e qual deverá morrer – qual variedade ou espécie terá um crescimento numérico, qual terá uma diminuição, e qual finalmente se tornará extinta. Já que os indivíduos da mesma espécie entram em todos os aspectos na mais severa competição, a luta será geralmente mais grave entre eles; a luta será quase igualmente grave entre as variedades da mesma espécie e um pouco menos grave entre as espécies do mesmo gênero. No entanto a luta será frequentemente muito severa entre os seres mais remotos na escala da Natureza. A menor vantagem de um ser – em qualquer idade ou durante qualquer estação do ano – sobre aqueles com os quais entra em competição, ou a melhor adaptação dele a qualquer modificação minúscula das condições físicas, já será o bastante para mudar o sentido do equilíbrio a seu favor.

Dentre os animais que possuem sexos separados, haverá na maioria dos casos uma luta entre os machos pela posse das fêmeas. Os indivíduos mais vigorosos – ou aqueles cuja luta com as condições de vida tenha sido mais bem-sucedida – serão os que geralmente deixarão o maior número de descendentes. Contudo o sucesso dependerá, muitas vezes, de armas especiais ou meios de defesa dos indivíduos, ou dos encantos dos machos; uma vantagem mínima qualquer os levará à vitória.

Assim como a geologia afirma claramente que todos os territórios sofreram grandes mudanças físicas, seria de esperar que os seres orgânicos em estado natural também tenham sofrido variações, da mesma forma como eles geralmente variaram sob as condições modificadas da domesticação. Seria algo inexplicável se, considerando a variabilidade da Natureza, a seleção natural não tivesse entrado em jogo. Tem-se declarado com frequência, mas a declaração é completamente incapaz de ser provada, que a quantidade de variação em estado natural é estritamente limitada. Embora as pessoas atuem somente sobre as características externas – e muitas vezes de forma caprichosa –, elas podem obter um grande resultado a curto prazo, acrescentando meras diferenças individuais em suas produções domésticas; e todos admitem que há diferenças individuais, pelo menos nas espécies em estado natural. Entretanto além dessas diferenças, todos os naturalistas admitem a ocorrência de variedades que julgam suficientemente distintas para serem dignas de registro em obras de classificação sistemática. Ninguém é capaz de estabelecer uma linha clara entre as diferenças individuais e as sutis variações nem entre variedades mais bem marcadas, subespécies e espécies. Observe como os naturalistas diferem na forma de classificar as muitas formas representativas da Europa e da América do Norte.

Se existe então variabilidade em estado natural, bem como um poderoso agente sempre pronto para agir e selecionar, por que deveríamos duvidar que as variações úteis de alguma forma aos seres em suas relações excessivamente complexas de vida seriam preservadas, acumuladas e herdadas? Se, com paciência, os seres humanos podem selecionar as variações mais úteis a si mesmos, por que a natureza não conseguiria selecionar as variações úteis, em condições de vida em mudança, às suas produções vivas? Qual o limite desse poder que há eras age e escrutina rigidamente o todo da constituição, da estrutura e dos hábitos de cada criatura – favorecendo as boas e rejeitando as ruins? Eu não consigo ver limites para esse poder que lenta e belamente adapta cada forma para as mais complexas relações da vida. A teoria da seleção natural, mesmo se parássemos as observações aqui, parece-me plausível por si mesma. Já revi de forma bastante razoável as dificuldades e objeções contrárias à teoria; vejamos agora os fatos e argumentos especiais a favor dela.

Pela hipótese de que as espécies sejam apenas variedades permanentes e fortemente marcadas, e que cada uma das espécies existiu inicialmente como uma variedade, podemos ver por que não é possível estabelecer uma linha de demarcação entre as espécies – as quais costuma-se acreditar que foram criadas por atos especiais de criação – e as variedades, que se reconhece terem sido criadas por leis secundárias. Por meio dessa mesma hipótese, podemos entender como as muitas espécies – produzidas a partir de um único gênero em cada uma das regiões onde hoje florescem – podem apresentar muitas variedades; pois onde a produção de espécies já esteve muito ativa, podemos, como regra geral, esperar encontrá-la ainda em ação; e este é o caso quando as variedades são espécies incipientes. Além disso, as espécies de gêneros grandes, os quais incluem um maior número de variedades ou espécies incipientes, retêm de certa forma a característica das variedades, pois elas diferem entre si por um número de diferenças mais baixo que as espécies dos gêneros menores. As espécies com parentesco mais próximo dos gêneros maiores aparentemente compreendem distribuição mais restrita e, além disso, são classificadas em pequenos grupos em torno de outras espécies – e nesses aspectos assemelham-se às variedades. Estas são relações estranhas quando observadas com base na hipótese de as espécies terem sido criadas de forma independente, mas são inteligíveis se aceitarmos que todas as espécies existiram inicialmente como variedades.

Por causa da razão geométrica de sua reprodução, todas as espécies tendem a aumentar sua população de forma excessiva; e já que os descendentes modificados de cada espécie estarão capacitados a aumentar na mesma medida em que seus hábitos e sua estrutura se tornarem mais diversificados, de modo a ocupar os vários hábitats existentes na economia da Natureza, haverá uma tendência constante da seleção natural à preservação da prole mais divergente de uma espécie qualquer.[8] Portanto, durante um longo período contínuo de modificações, as pequenas diferenças, que são características das variedades da mesma espécie, tendem a se tornar grandes diferenças, características das espécies do mesmo gênero. As variedades novas e aprimoradas irão inevitavelmente suplantar e exterminar as variedades mais antigas, menos aprimoradas e intermediárias; e, assim, as espécies passam a ser em ampla medida objetos definidos e distintos. Espécies dominantes pertencentes a grupos maiores tendem a dar à luz formas novas e dominantes; desse modo, os grupos grandes tendem a se tornar ainda maiores e, ao mesmo tempo, ter mais características divergentes. Mas, como não é possível que todos os grupos tenham o mesmo sucesso em aumentar seu tamanho, pois não caberiam todos no mundo, os grupos mais dominantes vencem os menos dominantes. Essa tendência de os grupos grandes continuarem aumentando de tamanho e divergindo em suas características, juntamente com a contingência quase inevitável de uma grande extinção,

---

8. Embora não chame a atenção para o fato, esta é a definição do "princípio da divergência dos caracteres", que Darwin afirmou que seria (junto com a seleção natural) "a pedra angular de meu livro" (Carta a Joseph Hooker, 8 de Junho de 1858). Ele o menciona mais adiante. (N.R.T.)

explica a organização de todas as formas de vida em grupos subordinados a outros grupos, todos pertencentes a algumas poucas grandes classes que atualmente existem em todos os lugares ao nosso redor e que prevaleceram no decorrer do tempo. Esse grande agrupamento de todos os seres orgânicos parece-me absolutamente inexplicável por meio da teoria da criação.[9]

Já que a seleção natural atua unicamente pela acumulação de pequenas variações sucessivas e favoráveis, ela não é capaz de produzir quaisquer modificações grandes ou súbitas; consegue agir somente por etapas muito curtas e lentas. Daí, por essa teoria, fica fácil compreender o mote *Natura non facit saltum* – o qual se torna cada vez mais correto a cada nova adição feita aos nossos conhecimentos. Podemos ver claramente que a Natureza esbanja variedades ao mesmo tempo em que economiza inovações. Porém ninguém sabe explicar como isso poderia ser uma lei da Natureza se cada espécie tivesse sido criada independentemente.

Muitos outros fatos são, como me parece, explicáveis pela teoria. Quão estranho é o fato de uma ave, na forma de um pica-pau, ter sido criada para buscar insetos no chão; ou o ganso-de-magalhães, que nunca ou raramente nada, ter sido criado com os pés palmados; ou ainda um tordo criado para mergulhar e se alimentar de insetos subaquáticos; um petrel ter sido criado com hábitos e estrutura adaptados à vida de uma torda-anã ou um mergulhão! E assim por diante, em infinitos outros casos. Contudo, pela hipótese de que cada espécie está constantemente tentando aumentar sua população – com a seleção natural sempre pronta para adaptar os descendentes em lenta variação de cada espécie a qualquer hábitat desocupado ou mal ocupado da Natureza –, estes fatos deixam de ser estranhos, podendo até mesmo ser previsíveis.

Como a seleção natural atua por meio da competição, ela adapta os habitantes de cada região apenas em relação ao grau de perfeição daqueles a quem estão associados; assim, não há por que nos surpreendermos com o fato de que os habitantes de uma região qualquer – embora tenham sido, pela hipótese comum, especialmente criados e adaptados para aquela

---

9. Darwin utilizou tanto a expressão "doutrina da criação", que seria a forma própria, mas também essa outra expressão (*theory of creation*), que aparece aqui e adiante, que não designa uma teoria, mas uma crença, um ato de fé religiosa. (N.R.T.)

região – sejam destruídos e suplantados pelas produções aclimatadas de outras regiões. Também não devemos nos espantar caso todos os artifícios da Natureza não forem, pelo que podemos julgar, absolutamente perfeitos; nem mesmo se alguns deles forem considerados abomináveis a nossas ideias de adaptação. Não precisamos nos espantar quando o ferrão da abelha causa a sua própria morte; ou quando é produzido um grande número de zangões para um único ato, sendo todos, logo a seguir, massacrados por suas irmãs estéreis; nem com o desperdício surpreendente de pólen de nossos pinheiros silvestres; ou com o ódio instintivo que a abelha rainha sente por suas próprias filhas férteis; com os icnêumones[10] alimentando-se dentro dos corpos vivos das lagartas; e com muitos outros casos semelhantes. O espanto está, na verdade, segundo a teoria da seleção natural, em não ter-se observado mais casos de ausência de perfeição absoluta.

As complexas e pouco conhecidas leis que regem a variação são as mesmas, tanto quanto podemos ver, que regeram a produção das formas conhecidas como específicas. Em ambos os casos, as condições físicas parecem ter produzido poucas consequências diretas; ainda assim, quando as variedades entram em uma área qualquer, elas ocasionalmente assumem algumas características das espécies adequadas àquela área. Tanto para as variedades quanto para as espécies, o uso e o desuso parecem ter produzido alguma consequência; pois é difícil resistir a esta conclusão quando observamos, por exemplo, o pato das Malvinas (*Micropterus* de Eyton) – que tem asas, mas é incapaz de levantar voo – quase na mesma condição do pato doméstico; ou quando vemos o tuco-tuco, que vive em tocas e pode ocasionalmente ser cego e, em seguida, observamos certas toupeiras que são habitualmente cegas e têm os olhos cobertos por pele; ou quando observamos os animais cegos que habitam as cavernas escuras da Europa e da América. Tanto para as variedades quanto para as espécies, a correlação de crescimento parece ter desempenhado um papel muito importante; assim, quando uma parte é modificada, outras partes são necessariamente modificadas. Tanto nas variedades quanto nas espécies ocorrem reversões a características perdidas há muito tempo. Quão inexplicável é, pela teoria da criação, o aparecimento ocasional de listras no ombro e nas pernas de

---

10. Trata-se de pequenas vespas que depositam seus ovos em larvas de insetos. (N.R.T.)

várias espécies de cavalos e em seus híbridos! Quão simples é a explicação desse fato se acreditamos que essas espécies são descendentes de um progenitor listrado, da mesma maneira como as várias linhagens domésticas de pombo descendem do pombo-das-rochas azul e listrado![11]

Do ponto de vista comum de que cada espécie foi criada de forma independente, por que as características específicas – aquelas pelas quais as espécies do mesmo gênero diferem umas das outras – são mais variáveis que as características genéricas – as características concordantes? Por que, por exemplo, a cor de uma flor tem maior probabilidade de variar em qualquer espécie de um gênero quando as outras espécies – que foram supostamente criadas de forma independente – possuem flores com cores diferentes do que quando todas as espécies do gênero possuem flores com as mesmas cores? Podemos entender este fato se as espécies são apenas variedades bem marcadas cujas características se tornaram altamente permanentes; pois elas já haviam variado em certas características quando se ramificaram de um progenitor comum e se tornaram espécies distintas umas das outras; e, por conseguinte, haveria uma probabilidade ainda maior de que essas mesmas características fossem mais variáveis que as características genéricas herdadas sem alteração por um longo período. Não é possível explicar pela teoria da criação por que uma parte que se desenvolveu de uma forma muito incomum em uma espécie qualquer de um gênero, que podemos portanto naturalmente inferir, seja de grande importância para a espécie, deva ser altamente suscetível a sofrer variações; mas, em minha opinião, desde que as várias espécies ramificaram-se de um progenitor comum, a parte em questão foi submetida a uma quantidade invulgar de variações e modificações e, portanto, podemos esperar que essa parte continue sendo, em geral, variável. No entanto uma parte pode desenvolver-se da forma mais incomum – como as asas de um morcego – e ainda assim não ser mais variável do que qualquer outra estrutura se a parte for comum a muitas formas secundárias, isto é, se ela tiver sido herdada por um período muito longo; pois neste caso ela terá se tornado permanente em consequência da longa e contínua seleção natural.

---

11. Para os criacionistas, a ausência de perfeição dos seres vivos permanece até hoje como algo misterioso. (N.R.T.)

Ao observarmos os instintos, mesmo que alguns sejam maravilhosos, veremos que eles não oferecem dificuldades maiores que aquelas apresentadas pela estrutura corpórea, a qual pode ser explicada pela seleção natural de modificações sucessivas e pequenas, mas vantajosas. Assim, entendemos por que a natureza age por etapas graduais ao dotar os diferentes animais da mesma classe com seus vários instintos. Tentei mostrar quanta luz o princípio da gradação lança sobre a admirável capacidade arquitetônica das abelhas comuns. Sem dúvida, os costumes atuam às vezes na modificação dos instintos; mas certamente não são indispensáveis, conforme vemos no caso dos insetos estéreis que não deixam descendentes para herdar os efeitos de antigos hábitos. Pela teoria de que todas as espécies de um mesmo gênero descendem de um ancestral comum e herdaram muito em comum, podemos entender como as espécies aparentadas, quando colocadas em condições consideravelmente diferentes de vida, mantêm ainda assim os mesmos instintos; por que o sabiá da América do Sul, por exemplo, utiliza lama para unir fibras e gravetos[12] exatamente como o tordo britânico. Se os instintos são adquiridos lentamente através da seleção natural, não devemos nos espantar quando nos deparamos com alguns instintos que não são aparentemente perfeitos, sendo passíveis de erros, ou quando notamos muitos instintos que causam sofrimento a outros animais.

Se as espécies são somente variedades bem marcadas e permanentes, podemos ver imediatamente por que sua prole cruzada deve seguir as mesmas leis complexas em seus graus e tipos de semelhanças a seus pais – sendo absorvidos uns aos outros por meio dos cruzamentos sucessivos e em outros pontos semelhantes – como a prole cruzada das variedades reconhecidas. Por outro lado, seria muito estranho se as espécies fossem criadas independentemente e as variedades precisassem de leis secundárias para ser produzidas.

Se admitirmos que o registro geológico é extremamente imperfeito, então veremos que os fatos oferecidos por ele oferecem apoio à teoria da descendência com modificação. Novas espécies surgiram lentamente e em intervalos sucessivos; além disso, a quantidade de mudanças, após intervalos

12. O sabiá-laranjeira, por exemplo, faz um ninho em formato de tigela, com lama para ligar materiais fibrosos mais rígidos, com revestimento interno de materiais mais macios, como hastes de flores e capim. (N.R.T.)

iguais de tempo, é bastante diferente nos variados grupos. A extinção de espécies e de grupos inteiros de espécies, a qual desempenhou um papel bastante evidente na história do mundo orgânico, segue quase inevitavelmente o princípio da seleção natural, pois as antigas formas serão suplantadas por formas novas e aprimoradas. Uma vez quebrada a corrente da geração ordinária, nem uma espécie única nem grupos de espécies reaparecem. A difusão gradual das formas dominantes, com a lenta modificação de seus descendentes, faz com que as formas de vida, depois de longos intervalos de tempo, pareçam ter sido modificadas simultaneamente em todo o mundo. O fato de os restos fósseis de cada formação possuírem características intermediárias entre os fósseis das formações acima e abaixo dela é explicado simplesmente por sua posição intermediária no encadeamento entre ascendentes e descendentes. O fato extraordinário de que todos os seres orgânicos extintos pertencem ao mesmo sistema dos seres recentes, participando tanto do mesmo grupo quanto de grupos intermediários, ocorre porque os seres vivos e extintos são filhos de pais comuns. Da mesma forma que os grupos descendentes de um antigo progenitor geralmente possuem características divergentes, o progenitor e seus primeiros descendentes frequentemente terão características intermediárias em comparação a seus descendentes; e assim podemos entender por que, quanto mais antigo for um fóssil, com mais frequência ele será intermediário – em maior ou menor grau – entre os grupos existentes e aparentados. As formas recentes geralmente são vistas como se fossem, em algum sentido vago, superiores às formas antigas e extintas; e estariam em um patamar mais elevado, na mesma medida que as formas mais recentes e aprimoradas tenham conseguido conquistar os seres orgânicos mais antigos e menos aprimorados na luta pela vida. Por fim, a lei da longa resistência das formas aparentadas que vivem em um mesmo continente – os marsupiais da Austrália, os Edentata da América e outros casos semelhantes – é inteligível, pois dentro de uma região confinada as formas recentes e as extintas estarão naturalmente ligadas pela origem comum.

Ao observarmos a distribuição geográfica, se admitirmos que durante o longo transcurso das eras ocorreram muitas migrações de uma parte do mundo para outra por causa das antigas alterações climáticas e geográficas e pelos muitos meios ocasionais e desconhecidos de dispersão, então poderemos entender a maioria dos principais grandes fatos sobre a distribuição de acordo com a teoria da descendência com modificação. Poderemos entender a ocorrência de um paralelismo tão marcante entre a distribuição dos seres orgânicos por todo o espaço e em sua sucessão geológica ao longo do tempo; pois em ambos os casos os seres estão ligados pelo vínculo da origem comum e, além disso, os meios de modificação são os mesmos. Vemos o significado pleno de um fato maravilhoso que deve ter causado espanto em todos os viajantes, a saber, que no mesmo continente, nas mais diversas condições, faça calor ou frio, na montanha e na planície, nos desertos e nos pântanos, a maioria dos habitantes de uma grande classe é claramente aparentada; pois geralmente estes são descendentes dos mesmos progenitores e colonizadores. Por esse mesmo princípio da migração anterior, combinado na maioria dos casos com as modificações, é possível entender, com o auxílio do período glacial, a identidade de algumas poucas plantas e a estreita proximidade entre muitas outras, seja nas montanhas mais distantes, ou nos mais diferentes climas, bem como a estreita semelhança entre alguns habitantes marinhos das zonas temperadas do norte e do sul, mesmo estando separados por todo um oceano tropical. Embora duas áreas possam apresentar as mesmas condições físicas de vida, não devemos nos surpreender ao notarmos que seus habitantes são extremamente diferentes quando tiverem sido completamente separados uns dos outros por um longo período; pois, já que a relação de organismo para organismo é a mais importante de todas as relações e já que as duas áreas terão recebido os colonos de alguma outra fonte ou uma da outra, em vários períodos e em diferentes porcentagens, o curso das modificações em cada uma das áreas será inevitavelmente diferente.

Pela hipótese da migração com posterior modificação, é possível entender por que as ilhas oceânicas são habitadas por poucas espécies e por que, dentre elas, muitas são peculiares.[13] É possível entender claramente por que os animais que não conseguem atravessar os oceanos, como as rãs e os mamíferos terrestres, não são encontrados em ilhas oceânicas; e por que, por outro lado, novas e estranhas espécies de morcegos, que conseguem atravessar o oceano, podem ser tantas vezes encontradas nas ilhas que estão longe dos continentes. Esses fatos – a presença, por exemplo, de

13. Foi mantida a expressão da época (*peculiar species*), em vez de atualizá-la para "espécie endêmica". Ela aparece ao longo do capítulo. (N.R.T.)

espécies peculiares de morcegos e a ausência de todos os outros mamíferos em ilhas oceânicas – são absolutamente impossíveis de ser explicados pela teoria dos atos independentes de criação.

Pela teoria da descendência com modificação, a ocorrência de espécies estreitamente semelhantes (com parentesco muito próximo) ou representantes em duas áreas diferentes implica que os mesmos pais habitavam ambas as áreas anteriormente; e, de forma quase invariável, quando muitas espécies estreitamente aparentadas habitam duas áreas, algumas espécies idênticas comuns ainda ocorrem em ambas as regiões. Sempre que houver muitas espécies estreitamente ligadas, também ocorrerão ali muitas formas duvidosas e variedades da mesma espécie. Como uma regra extremamente geral, os habitantes de cada área estão relacionados aos habitantes da possível fonte mais próxima de origem de seus imigrantes. Vemos esta regra em ação em quase todas as plantas e nos animais do arquipélago de Galápagos, de Juan Fernandez e das outras ilhas americanas, que estão relacionados de forma muito impressionante às plantas e aos animais do vizinho continente americano; e nas plantas e nos animais do arquipélago de Cabo Verde e de outras ilhas africanas, ao continente africano. Deve-se admitir que estes fatos não podem ser explicados por meio da teoria da criação.

Como já vimos, o fato de todos os seres orgânicos do passado e do presente formarem um grande sistema natural, com grupos que se subordinam a outros grupos, sendo que os seres extintos se situam frequentemente entre os grupos recentes, é explicado pela teoria da seleção natural e suas contingências, a saber, a extinção e a divergência de caracteres. Por esses mesmos princípios, notamos como as afinidades mútuas das espécies e dos gêneros de cada classe são tão complexas e tortuosas. Vemos por que certas características são muito mais úteis do que outras para a classificação; por que as características adaptativas, apesar de sua suma importância para o ser, quase não têm importância para a classificação; por que as características derivadas das partes rudimentares, apesar de não servirem muito para o organismo, costumam ter um grande valor classificatório; e por que as características embriológicas são as mais valiosas de todas. As afinidades reais de todos os seres orgânicos são causadas pela hereditariedade ou pela comunidade de ascendentes. O sistema natural é uma organização genealógica em que devemos descobrir as linhas de descendência por meio das características mais permanentes, por menor que seja sua importância para o ser que a carrega.

Inúmeros fatores se tornam imediatamente explanáveis pela teoria da descendência com lentas e pequenas modificações sucessivas, como, por exemplo, o fato de a estrutura dos ossos da mão de um homem, da asa de um morcego, da barbatana de um boto e da perna do cavalo serem iguais; o número de vértebras do pescoço da girafa e do elefante também são iguais.[14] A similaridade do padrão encontrado nas asas e nas pernas de um morcego, embora estes membros sejam usados para finalidades diferentes; entre as mandíbulas e as pernas de um caranguejo; as pétalas, os estames e pistilos de uma flor são, da mesma forma, inteligíveis pela hipótese da modificação gradual das partes ou dos órgãos que eram similares no progenitor inicial de cada classe. Pelo princípio das sucessivas variações que nem sempre surgem em idade precoce e que são herdadas em um período correspondente e não precoce da vida, podemos ver claramente por que os embriões de mamíferos, répteis, aves e peixes são tão intimamente parecidos uns com os outros, embora sejam tão diferentes de suas formas adultas. Não é de espantar que os embriões de mamíferos ou aves, que respiram ar, tenham fendas branquiais e artérias formando alças, como as de um peixe que as têm para respirar o ar dissolvido na água com a ajuda de brânquias bem desenvolvidas.

O desuso, às vezes auxiliado pela seleção natural, tenderá com frequência a reduzir um órgão que se tornou inútil por causa da mudança dos hábitos ou das condições de vida; e é possível entendermos claramente por meio dessa hipótese[15] o significado de órgãos rudimentares. No entanto o desuso e a seleção geralmente atuarão sobre as criaturas individuais apenas quando chegarem à maturidade, período em que precisam desempenhar plenamente o seu papel na luta pela existência, e, assim, essas forças terão pouco vigor para atuar sobre algum órgão durante os primeiros anos de vida; então, o órgão não sofrerá muita redução nem se tornará rudimentar nesta idade precoce. O bezerro, por exemplo, possui dentes que permanecerão sempre escondidos na gengiva da mandíbula superior, herdados de um progenitor

---

14. Trata-se de exemplos que se tornaram clássicos no ensino de evolução em todo o mundo, perfeitamente válidos até hoje. (N.R.T.)

15. Durante muitos anos essas ideias foram consideradas totalmente equivocadas, mas hoje já são reconsideradas. (N.R.T.)

muito antigo que tinha dentes bem desenvolvidos; e podemos acreditar que os dentes do animal maduro foram reduzindo-se durante gerações sucessivas pelo desuso ou porque a língua e o palato foram adaptados para agir pela seleção natural sem a ajuda dos dentes; no bezerro, os dentes foram deixados intocados pela seleção ou pelo desuso e, pelo princípio da hereditariedade, os dentes foram herdados em idade correspondente desde um período remoto até os dias atuais. Pela teoria de que cada ser orgânico e cada órgão separado foram especialmente criados, é absolutamente inexplicável que certas partes – como os dentes do bezerro embrionário ou as asas reduzidas sob os élitros fundidos de alguns besouros – devam carregar o selo da inutilidade com tanta frequência![16] Poderíamos dizer que a Natureza faz um grande esforço para revelar seu esquema de modificações, seja por meio de órgãos rudimentares, seja por meio de estruturas homólogas, o qual parece termos resolvido não entender de forma deliberada.

Recapitulei os principais fatos e considerações que me convenceram completamente que as espécies sofreram modificações e ainda estão se modificando lentamente por meio da preservação e do acúmulo de pequenas e sucessivas variações favoráveis. Então, alguém poderia perguntar: por que os melhores naturalistas e geólogos rejeitam a hipótese da mutabilidade das espécies? Não é possível afirmar que os organismos em estado natural não sofrem variações; não é possível provar que a quantidade de variações que ocorrem ao longo de períodos enormes de tempo seja de alguma forma limitada; não há – e não é possível divisar – uma distinção clara entre espécies e variedades bem marcadas. Não há como declarar que as espécies sejam invariavelmente estéreis quando cruzadas entre si e as variedades, invariavelmente férteis; ou que a esterilidade seja um dom especial, uma marca da criação. Acreditar que as espécies são produções imutáveis é algo quase inevitável quando imaginamos uma história curta do mundo; mas, agora que já temos alguma ideia sobre o lapso de tempo decorrido, ficamos excessivamente tentados a supor, sem provas, que o registro geológico seja

---

16. Darwin reitera aqui a crítica ao aforismo preferido dos criacionistas: *Natura nihil frustra facit, non deficit in necessariis, nec abundant in superfluis* (Aristóteles, *De anima*, 3, 45), ou seja, "A natureza nada faz em vão, nada de necessário falta, nem é abundante de modo supérfluo". (N.R.T.)

tão perfeito a ponto de nos oferecer evidências claras das modificações das espécies caso elas tivessem sofrido tais modificações.

Contudo o principal motivo de nossa relutância natural em admitir que uma espécie deu origem a outras espécies distintas é sermos sempre lentos para admitir qualquer grande mudança quando não podemos ver as etapas intermediárias. A dificuldade é a mesma que enfrentaram alguns geólogos quando Lyell afirmou pela primeira vez que os longos penhascos no interior dos continentes foram formados, e os grandes vales escavados, pela ação lenta de ondas costeiras. A mente não consegue compreender o significado pleno da frase 100 milhões de anos; ela não consegue somar e perceber os efeitos das muitas pequenas variações, acumuladas durante um número quase infinito de gerações.[17]

Embora eu esteja plenamente convencido da verdade das hipóteses resumidas oferecidas neste livro, de forma alguma espero convencer os naturalistas experientes cujas mentes estão cheias de fatos vistos ao longo dos anos a partir de uma perspectiva oposta à minha. É tão fácil esconder nossa ignorância por trás de frases como "plano da criação", "unidade de *design*" etc. e, assim, imaginar que demos uma explicação, quando estamos apenas reafirmando um fato. Minha teoria será certamente rejeitada por qualquer um cuja disposição o leve a dar mais peso a dificuldades inexplicáveis do que à explicação de certo número de fatos. Uns poucos naturalistas de mente mais flexível e que já começaram a duvidar da imutabilidade das espécies talvez possam ser influenciados por este livro; mas eu olho para o futuro com confiança, para os jovens naturalistas em ascensão que serão capazes de ver os dois lados da questão com imparcialidade. Quem for levado a acreditar que as espécies são mutáveis prestará um bom serviço ao expressar sua convicção de forma séria, pois só assim será possível remover a carga de intolerância que sobrecarrega o tema.[18]

Vários naturalistas importantes publicaram recentemente sua crença de que uma infinidade de espécies bem conhecidas de cada um dos gêneros não são espécies reais, mas que outras espécies são reais, ou seja, foram

---

17. De fato, essa dificuldade permanece até nossos dias na base da dificuldade de compreensão da teoria evolutiva. (N.R.T.)
18. Darwin antevia claramente os problemas que suas ideias enfrentam até nossos dias. (N.R.T.)

criadas de forma independente. Isso me parece uma estranha conclusão. Eles admitem que uma infinidade de formas, que até ultimamente eles próprios acreditavam ser criações especiais e que dessa mesma forma ainda são vistas pela maioria dos naturalistas, e que consequentemente têm todas as características externas de uma espécie verdadeira – eles admitem que estas tenham sido produzidas pela variação, mas eles se recusam a estender a mesma hipótese para outras formas com diferenças mais leves. No entanto, não dizem que são capazes de definir, ou mesmo de conjecturar, quais formas de vida foram criadas e quais foram produzidas pelas leis secundárias. Em um caso, eles admitem as variações como uma *vera causa* e arbitrariamente as rejeitam em outro, sem definir quaisquer distinções entre os dois casos. Chegará um dia em que tal caso será dado como um exemplo curioso da cegueira das opiniões preconcebidas. Esses autores parecem não ficar mais espantados com um ato milagroso da criação do que com um nascimento comum. Mas será que eles realmente acreditam que em inúmeros períodos da história da Terra certos átomos elementares foram repentinamente ordenados a surgir em tecidos vivos? Será que eles acreditam que em cada suposto ato de criação foram produzidos vários indivíduos ou um? Será que todos os tipos infinitamente numerosos de animais e plantas foram criados a partir de ovos, sementes ou como seres já adultos e completos? E, no caso dos mamíferos, eles foram criados com uma falsa marca de sua alimentação intrauterina? Embora os naturalistas muito apropriadamente exijam daqueles que acreditam na mutabilidade das espécies uma explicação completa sobre todas as dificuldades, eles ignoram, em seu próprio lado, todas as questões sobre a primeira aparição da espécie por meio de algo que consideram um silêncio reverente.

Pode-se perguntar qual a extensão da doutrina da modificação das espécies.[19] Esta é uma pergunta difícil de responder, pois, quanto mais distintas são as formas que podemos considerar, mais os argumentos perdem seu vigor. Porém alguns argumentos de mais peso abrangem uma grande extensão. Todos os membros de classes inteiras podem ser ligados por cadeias de afinidades e, pelo mesmo princípio, todos podem ser classificados

---

19. Em algumas passagens, como esta, curiosamente, Darwin se refere a suas ideias como "doutrina da modificação das espécies", em vez de utilizar o termo apropriado, "teoria". (N.R.T.)

em grupos subordinados a outros grupos. Os restos fósseis às vezes tendem a preencher grandes intervalos entre ordens existentes. Os órgãos em estado rudimentar mostram claramente que um antigo progenitor possuía o órgão em estado plenamente desenvolvido; e isso, em alguns casos, implica necessariamente uma quantidade enorme de modificações nos descendentes. Ao longo de classes inteiras, várias estruturas são formadas a partir do mesmo padrão, e durante o período embrionário as espécies assemelham-se umas às outras. Portanto, não tenho como duvidar de que a teoria da descendência com modificação abarca todos os membros de uma mesma classe. Acredito que os animais descendem de, no máximo, apenas quatro ou cinco progenitores e as plantas de um número igual ou menor.

A analogia me leva um passo adiante, a saber, à crença de que todos os animais e plantas são descendentes de um protótipo. Entretanto a analogia também pode nos enganar. Não obstante, todos os seres vivos têm muito em comum em sua composição química, em suas vesículas germinais, em sua estrutura celular e em suas leis de crescimento e reprodução. Podemos ver isso até mesmo em circunstâncias bastante insignificantes, como, por exemplo, quando o mesmo veneno afeta plantas e animais da mesma forma; ou quando o veneno secretado pela vesícula dos insetos que formam galhas nos vegetais produzem tumores monstruosos na rosa selvagem ou no carvalho. Assim, por analogia, eu deveria deduzir que provavelmente todos os seres orgânicos que já viveram nesta Terra descendem de alguma forma primordial, na qual a vida foi pela primeira vez soprada.[20]

Quando as hipóteses vistas neste livro sobre a origem das espécies ou suas hipóteses análogas forem aceitas pela maioria, poderemos, de forma inexpressiva, prever a ocorrência de uma revolução considerável na história natural. Os sistematas continuarão realizando seus trabalhos como o fazem atualmente, mas eles deixarão de ser incessantemente perseguidos pela dúvida sombria de saber se esta ou aquela forma é uma espécie em essência. Tenho certeza – e falo por experiência própria – que isso não será

---

20. Enquanto Darwin confronta o fundamentalismo religioso com vigor, aqui ele faz uma concessão, que seria ampliada na segunda edição do livro (1860), quando esta frase ganhou um sujeito: "foi pela primeira vez soprada *pelo Criador*". Na edição seguinte (1861), o termo foi retirado, com mudança substancial neste parágrafo. A mesma mudança foi feita no último parágrafo e resistiu até a última edição. (N.R.T.)

apenas um pequeno alívio. Acabarão as intermináveis disputas a respeito de se as cerca de cinquenta espécies de amoras silvestres britânicas são espécies puras ou não. Os sistematas precisarão apenas decidir (não que isso seja fácil) se as formas são suficientemente invariáveis e diferentes de outras formas para que possam ser definidas; e quando forem definíveis, decidir se as diferenças são suficientemente importantes para merecer um nome específico. Este último ponto se tornará uma consideração muito mais importante do que é atualmente; dado que as diferenças entre duas formas quaisquer, mesmo que pequenas – sempre que não tenham sido misturadas por gradações intermediárias –, são vistas pela maioria dos naturalistas como suficientes para elevar as duas formas à categoria de espécie. Daqui por diante estaremos obrigados a reconhecer que a única distinção entre espécies e variedades bem marcadas é sabermos, ou pensarmos, que estas últimas estão atualmente unidas por gradações intermediárias, enquanto as espécies estiveram assim ligadas num passado remoto. Daí, sem rejeitar completamente a consideração da existência de gradações intermediárias entre quaisquer duas formas da atualidade, nós seremos levados a pesar mais cuidadosamente e a valorar mais a quantidade real de diferença entre elas. É bastante possível que as formas reconhecidas atualmente por muitos como meras variedades sejam doravante vistas como dignas de nomes específicos, conforme acontece com a prímula (*P. vulgaris*) e a *Primula veris* (*cowslip*); e nesse caso a linguagem científica e comum entrará em acordo. Em suma, temos de tratar as espécies da mesma maneira como os naturalistas tratam os gêneros; eles admitem que os gêneros são combinações meramente artificiais e feitas por conveniência. Essa perspectiva talvez não seja a mais feliz, mas nós pelo menos estaremos livres da busca vã pela essência do termo espécie, que nunca foi nem nunca será descoberta.[21]

Os outros departamentos da história natural terão seu interesse bastante aumentado. Os termos utilizados pelos naturalistas, isto é, afinidade, relação, comunidade de tipo, paternidade, morfologia, características adaptativas, órgãos rudimentares e atrofiados (abortados) etc. deixarão de ser metafóricos e terão um significado mais claro. Quando já não olharmos para um

---

21. Trata-se de um parágrafo profético, em que Darwin compreende a profundidade da revolução do pensamento biológico que sua teoria será capaz de provocar. (N.R.T.)

ser orgânico da mesma forma que um selvagem olha para um navio, como se fosse algo que está muito além da sua compreensão; quando considerarmos toda produção da Natureza como uma forma que teve uma história; quando contemplarmos cada estrutura complexa e cada instinto como a soma de muitos artifícios, cada um útil para o seu hospedeiro, quase da mesma forma que olhamos uma grande invenção mecânica qualquer como o resumo da obra, da experiência, da razão e até mesmo dos erros de inúmeros trabalhadores; quando, portanto, chegarmos a esse tipo de olhar a todos os seres orgânicos, quão muito mais interessante, e falo por experiência própria, se tornará o estudo da história natural![22]

Será aberto um grande e quase inexplorado campo de investigações sobre as causas e as leis da variação, sobre a correlação de crescimento, sobre os efeitos do uso e desuso, sobre a ação direta das condições externas e assim por diante. O valor dos estudos sobre as produções domésticas terá um imenso crescimento. Uma nova variedade criada pelo ser humano será um tema de estudos muito mais importante e interessante do que o simples acréscimo de mais uma espécie à infinidade de espécies já registradas. Nossas classificações se tornarão, na medida em que possam ser assim construídas, genealogias; e então elas nos oferecerão verdadeiramente o que pode ser chamado de plano da criação. As regras de classificação se tornarão sem dúvida mais simples sempre que tivermos um objeto definido em vista. Não temos nem *pedigrees* nem brasões; e precisamos descobrir e traçar as muitas linhas divergentes da descendência de nossas genealogias naturais, por quaisquer tipos de características que vêm sendo herdadas há muito tempo. Os órgãos rudimentares discursarão de forma infalível sobre a natureza de estruturas perdidas já há muito tempo. Espécies e grupos de espécies chamados aberrantes e que podem ser chamados metaforicamente de fósseis vivos nos ajudarão a construir uma imagem das antigas formas de vida. A embriologia irá nos revelar a estrutura – em certo grau obscurecida – do protótipo de cada grande classe.[23]

---

22. Novamente, Darwin mostra seu deslumbramento com a transformação do trabalho do biólogo que sua visão evolutiva proporciona, passando de um trabalho descritivo, de nomear e classificar, para o de compreender a história dinâmica das formas orgânicas ao longo do tempo geológico. (N.R.T.)
23. Aqui Darwin volta a confrontar as ideias de Cuvier e Owen, ao falar de protótipos em vez de arquétipos. (N.R.T.)

Quando tivermos certeza de que todos os indivíduos da mesma espécie e todas as espécies estreitamente aparentadas da maioria dos gêneros descendem, em um período não muito remoto, de um único ascendente e que, além disso, migraram de algum lugar único de nascimento; e mais, quando entendermos melhor os muitos meios de migração, então, pela luz lançada hoje pela geologia (luz que continuará sendo lançada) sobre as antigas mudanças climáticas e do nível do mar, certamente poderemos rastrear de forma admirável as antigas migrações dos habitantes de todo o mundo. Mesmo no presente, ao compararmos as diferenças entre os habitantes marinhos que vivem em lados opostos de um continente e a natureza dos vários habitantes deste mesmo continente em relação a seus meios aparentes de imigração, podemos, assim, compreender um pouco a antiga geografia do local.

A nobre ciência da geologia perde sua glória por causa da extrema imperfeição de seu registro. A crosta terrestre e seus fósseis não devem ser vistos como um museu bem aprovisionado, mas como uma coleção construída ao acaso em raros intervalos. O acúmulo de cada grande formação fossilífera será reconhecido como a concorrência incomum de certas circunstâncias, e as lacunas entre as sucessivas fases, como de grande duração. Porém seremos capazes de medir com alguma segurança a duração desses intervalos por meio da comparação entre as formas orgânicas anteriores e posteriores. Devemos ser bastante cautelosos quando, pela sucessão geral das formas de vida de duas formações que contenham algumas espécies idênticas, tentamos correlacioná-las como estritamente contemporâneas. Tendo em vista que as espécies são produzidas e exterminadas por causas ainda existentes que agem de forma lenta e não por atos milagrosos de criação nem por catástrofes;[24] tendo em vista que a mais importante de todas as causas da mudança orgânica, a saber, a relação mútua entre um organismo e outro – o aperfeiçoamento de um que implica no aperfeiçoamento ou extermínio de outros –, é quase independente das condições físicas alteradas e

---

24. Trata-se de um conjunto de referências cifradas, tanto a Cuvier, que falava em catástrofes para explicar as descontinuidades do registro fóssil, como a seu discípulo Agassiz. Ele havia esclarecido que as formas fósseis de peixes dos Alpes não eram da fauna atual dos mares do sul, como se afirmava, contribuindo involuntariamente para a teoria evolucionista, junto a sua teoria da glaciação, também aqui referida. (N.R.T.)

talvez daquelas repentinamente alteradas; então, segue-se que a quantidade de mudança orgânica encontrada nos fósseis das formações consecutivas serve provavelmente como uma medida justa do lapso real de tempo. No entanto, quando várias espécies se mantêm agrupadas, elas podem permanecer inalteradas por um longo período; todavia, quando várias espécies migram durante esse mesmo período para novas regiões e entram em competição com habitantes estrangeiros, elas podem ser modificadas; assim, não devemos superestimar a precisão da mudança orgânica como uma medida do tempo transcorrido. Durante os primeiros períodos da história da Terra, quando as formas de vida eram provavelmente mais simples e em menor número, a velocidade da variação devia ser provavelmente mais lenta; já no primeiro alvorecer da vida, quando existiam apenas poucas formas de estruturas mais simples, a velocidade das mudanças deve ter sido lenta em seu grau mais extremo. Toda a história do mundo como é no presente conhecida, embora seja incompreensivelmente longa para nós, será daqui para frente vista como um mero fragmento de tempo em comparação com o tempo transcorrido desde que a primeira criatura, a progenitora de inumeráveis descendentes vivos e extintos, foi criada.[25]

Vejo, no futuro distante, a abertura de campos de pesquisa muito mais importantes. A psicologia terá uma nova fundação, a saber, a necessária aquisição gradual de cada poder e capacidade mental. Luz será lançada sobre a origem do homem e sua história.[26]

Autores da mais alta eminência parecem estar totalmente satisfeitos com a hipótese de as espécies terem sido criadas de forma independente. Para mim, as leis impressas na matéria pelo Criador são mais consistentes caso

---

25. Novamente, Darwin faz previsões que encontraram respaldo em achados recentes. A menção à "criação" da "primeira criatura" provavelmente procura aplacar as críticas de "ateísmo". Em edição posterior (1861), Darwin introduziu, pouco antes deste trecho, um curto parágrafo: "Não vejo nenhuma boa razão para que a visão deste livro devesse chocar os sentimentos religiosos de alguém". Esse parágrafo provavelmente derivou do contato com religiosos anglicanos liberais, como o reverendo Baden Powell (o pai do fundador do escotismo), que não viam conflito entre evolução e religião. Logo adiante, há menção expressa ao "Criador" e suas "leis". (N.R.T.)

26. Darwin aponta claramente para o fato de que a origem da espécie humana segue tudo o que se aplica a qualquer outra. A resenha anônima que anunciou o lançamento desta primeira edição dizia: "Se um macaco originou o homem, que tipo de criatura poderá ser originada a partir da nossa espécie?". Essa é a tônica do próximo parágrafo. (N.R.T.)

a produção e a extinção dos habitantes do mundo – atuais e do passado – ocorram devido a causas secundárias, como as que determinam o nascimento e a morte de um indivíduo. Quando eu considero todos os seres não como criações especiais, mas como descendentes de alguns poucos seres que viveram muito antes de a primeira camada do sistema Siluriano ter sido depositada, eles se tornam enobrecidos aos meus olhos. A julgar pelo passado, podemos inferir com segurança que nenhuma espécie viva transmitirá suas características de forma inalterada para um futuro distante. E, dentre as espécies que hoje estão vivas, poucas produzirão qualquer tipo de descendência a um futuro muito distante, pois a maneira como todos os seres orgânicos estão agrupados mostra que a grande maioria das espécies de cada gênero e todas as espécies de muitos gêneros não deixaram nenhum descendente, tornando-se completamente extintas. Neste ponto, podemos lançar um olhar profético ao futuro e predizer que as espécies que irão prevalecer e criar novas espécies dominantes serão as espécies comuns e muito bem distribuídas, pertencentes aos grupos maiores e dominantes. Como todas as formas vivas de vida são descendentes daqueles que viveram muito antes do Siluriano, podemos ter certeza de que a sucessão comum por geração nunca foi interrompida e que nenhum cataclismo desolou o mundo todo. Daí, podemos olhar com confiança para um futuro seguro de extensão igualmente imprevisível. E como a seleção natural funciona unicamente pelo e para o bem de cada uma delas, todos os dotes corporais e mentais tendem a progredir em direção à perfeição.[27]

É interessante contemplar a margem de um rio coberta com todo tipo de vegetação, pássaros cantando nos arbustos, vários tipos de insetos ali voando e vermes rastejando pela terra úmida e, então, refletir sobre o fato de que estas formas construídas de maneira tão elaborada – muito diferentes e dependentes umas das outras e de maneira tão complexa – foram todas produzidas por leis que agem em nosso entorno. Em seu sentido amplo, essas leis são a do crescimento com reprodução; a da hereditariedade, que quase pode ser inferida pela reprodução; a da variabilidade causada pela ação indireta e direta das condições externas de vida e pelo uso e desuso;

---

27. Trata-se de uma visão questionável, pois desconsidera as mudanças futuras do ambiente, mesmo as de causas naturais. (N.R.T.)

uma razão de crescimento tão elevado a ponto de levar à luta pela sobrevivência e, como consequência, à seleção natural, que implica na divergência de caracteres e na extinção das formas menos aprimoradas. Assim, resulta da guerra da Natureza, da fome e da morte, o objeto mais elevado que somos capazes de conceber, qual seja, a aparição dos animais superiores.[28] Há grandiosidade nessa forma de conceber a vida, com seus diversos atributos, como algo originalmente soprado[29] em poucas formas ou em apenas uma; e é igualmente grandioso saber que, enquanto este planeta gira de acordo com a lei fixa da gravidade, infinitas formas, as mais belas e maravilhosas, tenham iniciado a partir de uma origem muito simples, e mantenham sempre em marcha sua evolução.[30]

---

28. É questionável a classificação de animais "superiores", como, aliás, o próprio Darwin admitiu anteriormente neste livro. Bactérias fotossintetizantes, por exemplo, nada têm de "inferiores". A frase tem, obviamente, valor retórico. (N.R.T.)
29. Na segunda edição Darwin introduziu um sujeito na frase – "soprada *pelo Criador*" – como em trecho anterior (ver nota 20, página 473). Esta inserção, ao contrário daquela, permaneceu inalterada nas edições seguintes. (N.R.T.)
30. A última palavra do livro (*evolved*, no original) sintetiza o processo pelo qual ele seria lembrado posteriormente. No entanto é sua única aparição em todo o volume de 1859, uma vez que ela não tinha o sentido literal que veio a adquirir. À época, seu significado denotava desenvolvimento embrionário, e foi usado como metáfora. De certa forma, o significado da palavra evoluiu com o tempo, confirmando, aliás, a observação de Darwin de que a evolução da linguagem é análoga à dos seres vivos. Ele introduziu o termo já no sentido atual na 6ª edição (1872), o que não deixa de ser, de certa forma, um "salto evolutivo" lexical. (N.R.T.)

Este livro foi impresso pela Gráfica PifferPrint
em fonte Minion Pro sobre papel Pólen Bold 70 g/m²
para a Edipro na primavera de 2024.